Lámh Láidir

Joe Steve Ó Neachtain

Cló Iar-Chonnachta
Indreabhán
Conamara

An chéad chló 2005
An dara cló 2005

ISBN 1 902420 79 9

WESTERN EDUCATION AND LIBRARY BOARD	
3696459	
RONDO	21/02/2007
891.623	£ 10.14
OMAOMA	

Dearadh clúdaigh: Creative Laundry
Dearadh: Foireann CIC

Bord na
Leabhar
Gaeilge

Tugann Bord na Leabhar Gaeilge tacaíocht
airgid do Chló Iar-Chonnachta

the arts
council
schomhairle
ealaíon

Faigheann Cló Iar-Chonnachta cabhair
airgid ón gComhairle Ealaíon

Clóchur: Cló Iar-Chonnachta, Indreabhán, Conamara
091-593307 **Facs:** 091-593362 **r-phost:** cic@iol.ie
··´ ᴵ ᴴʳᵍan, Indreabhán, Conamara

do Bhróna is d'Éamonn
i dtús a saoil
is d'Éadaoin bheag
i Ros an Mhíl

Bhí a fhios agam ón soicind ar shiúil Éamonn a' tSeoige isteach doras an *Lodge* nach síocháin a bheadh ina chuideachta. Fios ag madraí an bhaile go raibh an ghráin shaolta ag an Seoigeach agus ag Bairéadaigh an *Lodge* ar a chéile. Iad nimheanta in árach a chéile nó gur theith Éamonn tar éis bhás tragóideach a athar scór blianta roimhe sin. Ón dlí a rith sé, smidiríní díoltais déanta d'fhuinneoga an *Lodge* le cith cloch aige sul má scuab sé leis faoi dheifir. Lig imeacht aimsire an t-aighneas i ndearmad, gan a fhios agam an beo nó marbh é nó gur shiúil sé isteach an doras chomh teanntásach le reifíneach a mbeadh an braon éirithe sa gcírín aige.

Ní athrú mór a bhí curtha ag imeacht na mblianta air. Tarraingt súl fós fhéin sa muince rua gruaige nach raibh ribe liath ná tanaíochan plaite ag gabháil léi. Spreacadh le sonrú sa gcolainn chumhachtach a bhí gaibhte go mór chun téagair ón am a mbíodh aithne agamsa air.

Ní bheadh doicheall ar bith agam roimhe murach an áit a raibh muid. Ramhraigh an t-aer le teannas ar an bpointe boise. Éamonn ag siúl i dtreo an chuntair chomh dúshlánach is dá mba leis an áit. Chonaic mé an colg ag géarú i súile na mBairéadach, chomh follasach leis an bhfionnadh ag seasamh ar mhada oilbhéasach, gan ag teastáil ach aithne na díchéille lena gcur ag pléatáil a chéile. Mhothaigh mé drioganna míshuaimhnis do mo bheophianadh. Fáilte an deamhain is an deabhail romhat, ar fhaitíos nach raibh ár ndóthain mí-aighnis againn de d'fhuireasa, a smaoinigh mé go bréan dom féin. Cén bhrí ach gur dhóbair dom féin agus do mo bhean chéile a bheith bailithe linn abhaile leathuair roimhe sin.

Thob ann agus thob as againn ár ndeoch a thaoscadh agus éalú linn ach gan é de mhuineál againn cuid suntais a dhéanamh dínn féin ó b'annamh linn corraí amach. Dá mbeadh breith ar m'aiféala agam ba cois na tine sa mbaile a bheadh muid ag fliuchadh ár mbéil mar nach cúpla cois cuntair muid mura gcuirfeadh ócáid éicint de dhualgas orainn é.

Orm féin a bhí milleán agam nár fhág ar a sáimhín só í. Gan mac an éin bheo ag cur isteach ar cheachtar againn ach ag goradh ár gcuid bonnacha os comhair gríosach bhreá chlochmhóna agus chaon duine againn bíogaithe ag an gclár teilifíse a bhí ag ceiliúradh oíche chinn bhliana na mílaoise ar fud an domhain. Ní dea-phaidir a chuir mé i ndiaidh an ghutháin nuair a thosaigh sé ag glaoch go mífhoighdeach. Ise a d'fhreagraíodh go hiondúil ach ba mise a rug an geábh seo air ó tharla go raibh sé ar dheis mo láimhe.

"*Hello*, a Dheaide." Bhí a glór chomh caithréimeach is gur chuir sí seabhrán i bpoll mo chluaise.

"*Hello*, a Pheigín. Shílfeá go bhfuil gleo agus clampar aisteach i do thimpeall."

"Tá na mílte amuigh ag ceiliúradh anseo ar shráideanna Bhaile Átha Cliath."

"Chonaic muid é ar an teilifís. An bhfuil Saileog in éineacht leat?"

"Tá sí anseo le mo thaobh. Á, ba cheart daoibh a bheith amuigh ag ceiliúradh, a Dheaide."

Bhí Sue tar éis breith ar an nguthán as mo láimh agus bís uirthi mar ab iondúil ag déanamh dreas cainte lenár gclann iníon. A bheith ciallmhar agus cúramach curtha trí bhabhta de pharúl aici orthu.

"Amach ag ceiliúradh atá siad sin ag iarraidh muid a shaighdeadh," a dúirt sí go sásta, ag síneadh an ghutháin ar ais chugam.

"Deabhal a fhios agam nach acu atá an ceart," a deirimse. "Téanam ort is ólfaidh muid deoch sa *Lodge* ós í oíche chinn bhliana í."

Choinnigh an chompóirt sa gcruth ina raibh sí í, a cuid súl ag tuineadh le cinneadh ciallmhar.

"Gabh i leith uait," a deirimse ag éirí i mo sheasamh. "Tá an domhan is a mháthair ag ceiliúradh na mílaoise is muide inár suí ar ár dtóin. Éirigh, ó d'fhág Dia an tsláinte againn."

Drogallach go maith a chuir sí fúithi na cosa.

"Déanfaidh tú píosa comhrá le Helen. Is mór an t-ardú croí é éirí amach corruair."

"Caithfidh mé éadach a athrú . . ."

"Tá tú sách feistithe ar scáth a dhul soir chomh fada leis an *Lodge*. Cuir ort do chóta os cionn a bhfuil ort."

Ach bhí fiche nóiméad caite ag tornáil an urláir agam sul má shiúil sí amach as an seomra chomh pioctha le cat siopa.

"Beidh muid sa mbaile aríst roimh mheán oíche. Ba mhaith liom glaoch ar Mham."

9

"Mar a thograíos tú fhéin anois," a deirimse. "Deabhal fonn amach ormsa ach oiread leatsa murach an oíche atá ann."

Bhí muid ag dréim le fáilte lúcháireach Helen nuair a d'oscail mé isteach doras an *Lodge*. Amach aríst a chúlódh an bheirt againn murach na trí phéire súl a d'aimsigh ar an toirt muid. An mharbhlann féin, ní bheadh chomh ciúin. Barrett atá básaithe, an chéad smaoineamh a thiocfadh trí m'intinn murach gurbh é ab fheiceálaí den triúr, ina shuí ag bord i gcoirnéal. Scéin ina dhá shúil a bhí ag cur chuma an deabhail air. Ba dheacair liom amharc mo dhá shúil a chreidiúint mar go raibh sé socraithe i m'intinn agam nach bhfeicfí sa *Lodge* aríst go brách é ó d'éirigh le Helen is lena mhac Dónall é a ruaigeadh isteach sa teach banaltrais. Ba é béal Helen féin a chuala mé á rá istigh ar an teallach againn. Na deora léi le teann ríméid go mbeadh saoirse aici ón réimeas brúidiúil is ón teanga gháirsiúil a bhí mar spré aici ón lá ar phós sí. Anoir chugainne a thagadh Helen ar thóir sóláis. Bhí chuile scéal roinnte aici féin is ag Sue lena chéile. Iad ag mothú beagán strainséartha lena rún a ligean le muintir na háite. Bhí rudaí cloiste agamsa ar an teallach nach sceithfinn le Dia ná le duine. B'in é an fáth gur chuir sé oiread déistine orm nuair a chonaic mé romham ina áibhirseoir é mar a bheadh sé tagtha as ifreann chun ceiliúradh na mílaoise a chur ó rath. Brúisc de bhean mheánaosta lena thaobh nár aithin mé ar an gcéad amharc, í ramhar otraithe ag breathnú.

Thóg sí a cuid súl díom ar an toirt. Oilbhéas ag bruith ina leicne dearga mar a bheadh sí tar éis a bheith ag ropaireacht . . . Ó, a mhic an domhain . . . Connie. Iníon Bharrett. Ba í a phictiúr í. Peata raithní, nach raibh de shliocht air i ngan fhios do lucht an bhiadáin, cé nár leag mise súil ariamh uirthi go dtí an nóiméad sin. Lámh a chroitheadh leis an mbeirt acu agus fáilte nach dtiocfadh ó mo chroí a chur abhaile rompu an chéad mhaith a dhéanfainn, ach ghoin m'aire mé, bhí Sue tar éis breith ar uillinn orm do mo stiúradh go discréideach i dtreo na cúlráide. Níor bhain sí cóta ar bith di agus d'aithin mé gur chuairt ghearr ghairid a thuar an bealach ar leag sí a cairín ar an gcathaoir.

"Céard a ólfas tú?" a deirimse, agus fios maith agam gur fíon dearg a thaithneodh léi.

Tá boladh achrainn san áit seo a sméid sí ar ais orm le caochadh dá súil. Ní raibh dé ná deatach ar Helen. Dónall ina mhúta ar chúl an chuntair, áit nach bhfaca mé ariamh cheana é.

"Pionta agus gloine fíon dearg, a Dhónaill, más é do thoil é."

Chas sé mar a dhéanfadh fear a mbeadh néal air gan sea ná ní hea a rá, gan breathnú díreach orm. Líon sé an pionta gan gleo gan torann ach rinne sé cartadh ar thóir an fhíona, gan a fhios aige beirthe ná beo cá n-aimseodh sé é agus leisce orm a bheith rótheanntásach, nó go mb'éigean dom faoi dheireadh é.

"An buidéilín beag ar an tseilf láir, a Dhónaill." Mar a bheinn ag caint le balbhán. Páipéar deich bpunt a bhí i mo láimh agam.

"Cé méid é sin?"

A bhois a chrochadh os mo chomhair agus casadh uaim a rinne sé mar chomhartha nach nglacfadh sé tada. Theastaigh uaim 'Go raibh míle maith agat agus bliain nua mhaith dhaoibh agus go mba fearr a bheas sibh i gcinn bhliana,' agus go leor eile a rá, ach mhothaigh mé nach mba tráth cainte é.

11

Bhí tubaist de chineál éicint ag cothú teannais sa gciúnas. B'in é an uair ar smaoinigh mé nár sheas Helen istigh ar an urlár againn i gcaitheamh na Nollag, ná i bhfad roimhe sin dá mbeinn in ann mo chuimhne a thabhairt chun cruinnis.

Ar bharr mo chos a shiúil mé ar ais chuig Sue. Focal níor tháinig as a béal siúd ach oiread, ná cor níor bhain sí as a leiceann, ach a súile ag tabhairt sciuirde thimpeall ó dhuine go duine nó gur chaith sí fuíll a súl i dtreo na bhflaitheas nuair a d'aimsigh muid amharc a chéile. Ceathrú uaire, cheapfainn, nó b'fhéidir níos faide, a mhair an ciúnas, muid ag seachaint na slogarnaí a dhéanann deoch i bpíobán chomh maith is a d'fhéad muid.

Thug Sue comhartha coise faoin mbord dom, ag cur in iúl go n-imeodh muid chomh luath is bheadh an deoch ólta, ach thug mise comhartha súl ar ais di ag rá nach ligfeadh náire dom siúl amach ó tharla go dtug sé an deoch in aisce dúinn.

Thuig muid féin a chéile, chaon duine againn ag déanamh ár marana ar an mí-ádh a chorraigh amach as ár nead te teolaí féin muid. Bhí sé chomh soiléir le solas an lae anois nach raibh aon charr eile sa gcarrchlós pé ar bith cén fáth nár bhain mé meabhair as sul má shiúil mé isteach i ndiaidh mo mhullaigh. Imithe isteach go dtí baile mór na Gaillimhe san áit a raibh soilse ceiliúrtha na mílaoise ag pléascadh go caithréimeach in ard na spéire a bhí cuid de na daoine. Bheadh a fhios ag chuile dhuine sa gceantar gur ciúin onórach a bheadh an ceiliúradh sa *Lodge* ach ó tharla nach raibh aon teach ósta eile i bhfoisceacht ocht míle dínn, shíl mé go mbeadh cúpla seanriadaire eile cosúil linn féin ag triall air.

Racht casachta a bhuail Barrett a thug as beophian muid.

Faoiseamh as torann de chineál éicint a chloisteáil, faoiseamh nár mhair i bhfad. Bhí dearmad déanta aige go raibh muid i láthair, de réir cosúlachta. Cársán na haoise ag cur stad ina chuid cainte, é ag grúscán leis féin go friochanta nó gur chroith sé a dhorn go bagrach i dtreo Dhónaill ag maíomh go borb gurb é féin an t-úinéir agus go gcaoinfidís an lá ar ruaig siad as seilbh é.

"Sssssh!" a deir Connie ag iarraidh a bheith ag ceilt an easaontais orainn ach bhí sé chomh maith di a bheith ag iarraidh suaimhneas a chur sa ngaoth.

Scanraigh mé gur amach thar cuntar le criogaide a thabhairt dó a bhí Dónall ag teacht. An teilifís a chasadh air a rinne sé agus é a chasadh suas chomh hard is gur phlúch sé caint an athar. Le sonc de m'uillinn a chuir mé in iúl do Sue go n-ólfadh muid deoch amháin eile go sciobtha.

"Pionta eile agus gloine fíona, a Dhónaill, agus bíodh deoch agat fhéin an babhta seo." Bhrúigh mé an páipéar deich bpunt ina threo, ach bhrúigh sé ar ais chugam in éineacht leis an dá dheoch é.

"*Ah, Jays, no*, tóg an t-airgead, a Dhónaill."

Amach thar mo ghualainn a bhí sé ag breathnú. An fhuil a bhí ag coipeadh ina ghrua ag tabhairt dath geal air, fuath agus fearg ag géarú a dhá shúil mar a bheadh dhá mheana ag tolladh duine éicint ar mo chúla. Bhí torann an dorais cloiste agam agus chas mé timpeall de gheit ar fhaitíos gurbh é an taibhse a bhí luaite sa seanchas leis an *Lodge* a bhí feicthe aige.

"Ó, a Íosa Críost!" a sciorr ina geoin fhaiteach faoi m'anáil agus meall doichill ag at i mo chliabhrach. Thug mé súil chráite i dtreo Sue ar thóir fóirithinte ach ba léir go raibh stuaic agus stodam tar éis ceann faoi a chur uirthi nuair a shiúil Éamonn a' tSeoige isteach an doras chomh dána le buachaill bó nó buachaill báire.

Má bhí an deabhal ag spochadh le haon duine ariamh bhí sé go síoraí ag cur dinglise in Éamonn a' tSeoige. Agamsa atá a fhios mar go raibh muid mar chomharsana is mar chairde ag a chéile ón am ar thosaigh muid araon ag lámhacán. Bhí printíseacht bhliana déanta sa scoil náisiúnta aige sul má cuireadh mise ag an scoil in aois mo shé bliana. Ba é a thug soir i ngreim láimhe an chéad mhaidin mé. Scéin ionamsa le teann faitís ach Éamonn chomh luaineach le glasóigín sráide agus chomh misniúil le bromach capaill. Folt rua gruaige a bhí tiubh agus catach á dhéanamh feiceálach thar ghasúir eile. Ní raibh bróg ná stoca ar cheachtar againn ná ar mhórán dár gcomhaoisigh ag an am. Tús na gcaogaidí, gan an cogadh i bhfad thart agus ganntan ní ba ghoilliúnaí ná ganntan bróg ar an teallach againn. Níor mhothaigh muid gur theastaigh aon bhróg uainn. Bhí muid ní ba luathchosaí dá bhfuireasa murach go raibh fir oibre na comhairle contae ag cur brat tearra agus clocha briste mar dhromchlár ar bhóthar an rí. Clocha beaga eibhir a bhí chomh géar is gur ar éigean a bhí boinn ár gcos in ann iad a fhulaingt, ó choiscéim go coiscéim go héadrom mar a bheadh muid ag siúl ar ghloine bhriste. Shíl muid gur ó neamh a thit na scraitheacha chugainn, iad sínte ina líne dhíreach ar fhad an bhóthair mar cholbha don mhóinín bán.

"Siúlfaidh muid isteach ar an scraith," a deir Éamonn.

"B'fhéidir nach bhfuil cead againn," a deirimse.

"Ach sin é an fáth a bhfuil siad á gcur ann, le haghaidh daoine nach bhfuil aon bhróga acu."

A leithéid d'fhaoiseamh. Éamonn chun tosaigh agus mise lena shála mar gheall nach raibh socraithe le dorú ach an chéad líne scraitheacha. An scraith chomh bog le droim an phortaigh sa samhradh, ag tabhairt faoisimh do bhonn buailte na gcos.

"Fan in éineacht liomsa in am lóin is gheobhaidh mé an cócó dhuit."

"Fanfaidh, a Éamoinn. Dúirt Mama go n-inseoidh tú dhom le dhul ag an teachín."

"Tá sé an-éasca, tá slabhra ann, níl ort ach é a tharraingt nuair a bheas tú réidh. Cloisfidh tú glog glog ag an uisce ag dul anuas thrí phíopa mór."

Ba bheag nár thit an t-anam asam nuair a chuala mé an bhéiceach inár ndiaidh. Léim an bheirt againn amach den scraith agus scéin ionainn ag breathnú thar ár n-gualainn sa treo as a raibh stropaí eascainí á dteilgean.

"Get off the line of scraws, you little bastards! Walk on the fuckin' road!"

"*Oh, Jays*! Barrett! Sin é an geangar. Rith! D'osclódh sé sin le cloch thú!"

Bhí Barrett ag teacht inár ndiaidh ina chuaifeach agus é ag uallfairt in ard a chinn.

"Rith, rith, rith go beo!"

Ach ní raibh muid ábalta rith de bharr go raibh na clocha briste ag dul sa mbeo. Léim Éamonn isteach ar an scraith arís agus rith sé sna cosa in airde. Níor lig an faitíos dhom an bóthar a fhágáil nó gur bhain an chéad chloch a chaith Barrett aithinneacha amach le mo thaobh. Thug mé an scraith ansin orm féin de thruslóg agus d'éalaigh muid uaidh sna feiriglinnte chomh scafánta le dhá ghiorria cíbe. Bhí bualadh croí fós orm nuair a tháinig muid chomh fada le garraí theach na scoile, Éamonn do mo tharraingt leis i ngreim láimhe mar a bheadh asal ar adhastar aige. Cailíní i chuile áit, cailíní beaga agus cailíní móra, iad ag rith is ag rásáil is ag screadach ar a chéile. Gannchuid buachaillí. Rang na naíonán is rang a haon a théadh go dtí na mná rialta sul má théidís go dtí scoil na mbuachaillí.

"An tSiúr Eithne agus an Príomhoide," a deir Éamonn os íseal nuair a rinne mé staic.

Feisteas dubh ó mhullach a gcinn go dtí bonn a gcos, cés moite dá mbrollach agus timpeall a n-éadain. Duine acu beag seargtha ach an duine eile chomh hotraithe is go raibh sí as a cuma. Ní raibh mé in ann mo shúile a thógáil di. B'ionann fad agus leithead di. A héadan óigeanta agus tapa maith inti ach go raibh a coiscéim chomh giortach le coiscéim lachan.

"Tá mé ag iarraidh a dhul chuig an teachín," a deir mé le hÉamonn, agus mo lámh in airde agam.

"Ná cuir suas do lámh amuigh anseo."

"Ach dúirt Mama go gcaithfidh mé mo lámh a chur suas má tá mé ag iarraidh a dhul chuig an teachín."

"Istigh sa scoil é sin, gabh i leith uait."

Ní raibh sé baileach déanta agam nuair a buaileadh an clog. Rith chuile dhuine agus rith mise freisin. Le taobh Éamoinn sa suíochán a shuigh mé.

"Ní féidir leat suí anseo. Caithfidh tú a dhul anonn in éineacht leis na naíonáin."

Ní raibh an focal as a bhéal nuair a tháinig gasúr eile a raibh a dhá shúil mhóra mhillteacha ina bpucháin i mbarr a chraicinn.

"Ní féidir leat suí ansin," ar seisean. "Sin é m'áitse."

"Cad é atá ag tarlú anseo?"

D'imigh an mothú asam nuair a sheas an tSiúr Eithne le mo thaobh.

"Ní féidir liom suí síos mar tá an buachaill nua ina shuí i m'áit, a Shiúr."

"*Come over here to the naíonáins.* Téigh anonn," ar sí go mífhoighdeach.

Níor thuig mé ar chor ar bith í ach ghéill mé go sciobtha nuair a rug sí ar chába mo sheaicéid is threoraigh sí roimpi mé.

"*Sit there.* Paidreacha anois, seas suas gach duine, lámha le chéile, beannaigh tú féin ar dtús."

Chroch chuile dhuine leathlámh, agus choisric siad iad féin.

"In ainm an Athar is an Mhic is an Spioraid Naoimh. Anois '*Ios-spioraí–eos*' deich n-uaire."

Bhí sé de ghlanmheabhair acu. "*Ios-spioraí–eos, Ios-spioraí–eos, Ios-spioraí–eos.*"

B'fhada gur thuig mé gur 'a Íosa, a Mhuire is a Sheosaimh' a bhí muid a rá, ach gur *Ios-spioraí-eos* a rinne canúint an tSiúr Eithne de.

"*Ios-spioraí-eos, Ios-spioraí-eos.*"

Chúig cinn a bhí comhartha ar ár gcuid méaracha againn nuair a osclaíodh isteach an doras de sciotán. Bhí leithead an dorais sa bPríomhoide ag teacht tríd agus a cuid leicne chomh dearg le círín circe. Shíl mé gur ag caint léi féin a bhí sí nó gur shiúil Barrett isteach ina diaidh. Bhí a chaipín dúbailte idir a dhá láimh aige agus an fiach ag lasadh dé an oilc ina dhá shúil. Shín sé a mhéir chomh díreach le bairille gunna i dtreo Éamoinn chomh luath is a d'aimsigh sé an folt rua.

Thriomaigh taom ciúnais an phaidir inár mbéal mar a bheadh plump thoirní tar éis pléascadh i ndoras an tseomra. Theastaigh uaim a dhul ag an teachín go géar sul má d'fhliuchfainn mo bhríste nua ceanneasna.

"Éamonn Seoige, aníos anseo."

Ar éigean a bhí an craiceann ag coisceadh na fola ó phléascadh amach trí gheolbhach an Phríomhoide. Scríob sí a dhá cois go friochanta in aghaidh an urláir mar a bheadh sí á daingniú féin i gcomhair comhraic.

"Cuir amach do lámh."

Bhí sé follasach go raibh cleachtadh maith ag Éamonn ar an díbliú a bhí i ndán dó. Ní raibh aithne meatachais de chineál ar bith air nuair a shín sé amach a lámh go fearúil.

D'ardaigh sí an bheilt mhór leathair a bhí crochta síos léi agus bhain sí pléasc as bois a láimhe leis an gcéad bhuille. Bhí rinse cúir i gcorr a béil le teann feirge agus í á sciolladh de réir mar a bhí sí ag ardú na beilte in athuair.

"Mura bhfuil smacht á chur sa mbaile ort cuirfidh mise smacht ort!"

Phléasc an bheilt leathair ar a bhois aríst agus shloig an rang ar fad puth dá n-anáil amhail is dá mba orthu féin a cuireadh pian. Phléasc an tríú buille ar bhois Éamoinn ach deoir níor chaoin sé.

"Cuirfidh mise faoi ndeara dhuit go n-iompróidh tú thú féin ag teacht go dtí an scoil seo!"

Ní ba nimheanta a bhí na buillí ag fáil, ach ní ba cheanndána a bhí dreach Éamoinn ag éirí.

"Abair leis an Uasal Barrett go bhfuil brón ort." Bhí cársán curtha ag an saothar inti.

Ní raibh aon deoir sa tsúil a thug Éamonn ar Bharrett, fuath ag daingniú a chuid liopaí le chéile go dúshlánach.

"Abair 'tá brón orm'."

Le hiomlán a nirt a tharraing sí an cúigiú buille, aniar ón tsáil agus séideán inti.

"Abair é!"

Níorbh é Éamonn a scread ach mise, mo chroí i mo bhéal le teann faitís. Bhí mórchuid súl tar éis casadh i mo threo. Chuir mé mo lámh in airde ag iarraidh cead a dhul chuig an teachín ach bhí Barrett tar éis mé a chiontú le síneadh díreach dá mhéir.

Bhí lasair ina gealacán nuair a chas sí súil chorrach i mo threo.

"Tar aníos anseo!"

Thosaigh deora móra goirte ag rith anuas ar fhad mo leicne agus na glúine ag lúbadh fúm ag siúl ina treo. B'in é an soicind ar thapaigh Éamonn a dheis. Réabadh amach tharstu a rinne sé agus bheadh na haobha tugtha leis aige murach gur chuir Barrett a chos in aghaidh an dorais is gur rug sé i ngreim droma air lena chrúb mhór gharbh. Réab sé ag iarraidh é féin a bhaint as greim ach bhí sé fánach aige. Trasna na gcolpaí a bhuail sí é nuair a dhiúltaigh sé a lámh a chur amach in athuair, an bríste glúnach róghearr le cosaint ar bith a thabhairt dá chuid ioscaidí. Barrett á choinneáil nó gur bhuail sí chúig lasc air chomh tréan is a bhí sí in ann tarraingt.

"Cráin mhuice!" a scread sé uirthi chuile bhabhta dár aimsigh an bheilt leathair boige na n-ioscaidí.

Síos le balla a d'ordaigh sí é, gan puth dá hanáil fanta aici.

"Collach!" a bhéic sé i dtreo Bharrett agus é ag cuimilt a bhoise de na léasracha dearga a bhí an bheilt tar éis a ardú. Dá bhféadfadh súile duine a tholladh bheadh Barrett criathraithe aige.

19

"Fan go mbeidh mise mór," a bhagair sé trína chuid fiacla sul má thug sé a aghaidh ar an mballa fada.

"Cuir amach do lámh," a deir sí liom agus m'anam i mo bhéal le sceoin.

"*It's his first day at school*," a deir an tSiúr Eithne.

"*It's time to teach him his first lesson then*," a deir an Príomhoide go feargach.

Tuilleadh faitís a tháinig orm ag a trí nuair a scaoileadh abhaile muid. Bheadh an tslat le fáil aríst agam dá mbeadh a fhios ag Mama go raibh mé dána. Gheall Éamonn nach n-inseodh sé é ach bhí a fhios agam nach ar mo chomhrá a bhí aird aige.

"Rith," a dúirt sé, "beidh muid imithe siar roimh na gasúir eile."

An madra rua féin ní bheadh chomh luath ná chomh hairdeallach leis nó go dtáinig muid chomh fada leis an tóchar mór. Ní raibh a fhios agam céard a bhí beartaithe aige nuair a d'fhógair sé orm a bheith chomh ciúin le luch agus an bheirt againn ar ár gcromada istigh faoi shúil an tóchair. Chonaic mé a chuid alt ag gealadh le teann díocais de réir mar a bhí glórtha na ndaltaí eile ag teannadh linn. Scaoil sé siar thairis iad sul má scuab sé an claí de léim agus thosaigh sé ag gabháil de dhornaí ar Dhónall, mac Bharrett. Baineadh an oiread de gheit as Dónall is nach raibh fáil aige é féin a chosaint nó go raibh a dhá shúil dubhaithe agus sruthán fola as a shrón.

Bhí Éamonn chomh bródúil le rí go raibh díoltas bainte amach aige agus muid ag rith abhaile trasna na ngarrantaí mar go raibh a fhios againn céard a bhí i ndán dúinn dá siúlfadh muid isteach i gcrúcaí Bharrett.

Ní mba dhuine de chosmhuintir an cheantair é Barrett. Fear mór téagartha as Achréidh na Gaillimhe nach raibh i bhfad ag tiomáint leoraí don chomhairle contae nó gur tugadh stádas maoir dó nuair a thoiligh sé a dhul dhá scór míle siar ar an iargúltacht go dtí ceartlár shléibhte Chonamara. Fear a raibh iompar a chuid éadaigh go slachtmhar ann agus a raibh culaith ghnaíúil éadaigh le n-iompar aige nuair a tháinig sé don cheantar ar dtús i ndeireadh gann gortach na gceathrachaidí. É ina bharr nuachta i ngach béal go raibh na harda le baint as bóithre crotacha an cheantair. Seandaoine á gcoisreacan féin nuair a chonaic siad leoraí na comhairle contae á sníomh féin go glórach trí mhacalla na gcnoc. Is ar éigean má bhí an seanbhóithrín sách leathan in áiteacha, caoirigh agus uain bheaga chrosacha ag fágáil an bhealaigh go scafánta agus ag tabhairt sleasa an tsléibhe orthu féin go fiáin. An leoraí ag fágáil lorg a cuid rothaí sa móinín bán ar chaon cholbha an bhóthair nuair a bhíodh coirnéal géar ina bealach, púir dheataigh siar aisti nuair a d'aimsigh sí na harda. Ní raibh súil ar an mbaile nach raibh ag faire go dóchasach fad is bhí an leoraí ag giorrú a bealaigh go righin réidh go dtí barr an mháma. Isteach ar na leacracha a thiomáin Barrett chomh luath is a nocht na tithe a bhí scaipthe anonn is anall in ascaill an tsléibhe. Limistéar cothrom leice a raibh a droim chomh mín le hurlár coincréite. An t-inneall ag teacht chun suaimhnis mar a bheadh sé i dtuilleamaí ionú. Bhí scuaine fear thart timpeall an leoraí taobh istigh de chúpla nóiméad mar a bheidís ag éirí amach as taobh an tsléibhe. Fir a bhí chomh crua tanaí le sliseanna giúsaí. Claimhreach seachtaine ag cur dreach deilgneach ar a n-éadan. Fuinneamh agus spreacadh iontu de bharr shíorshiúl na gcnoc ag buachailleacht beithíoch agus caorach. Iad ar fad a

21

bheag nó a mhór ar aon fheisteas: treabhsair cheanneasna a raibh áit na tóna agus áit na glúnach paisteáilte nó athphaisteáilte; geansaithe olna agus báiníní bána á gcosaint ó ghaoth is ó ghrian; caipíní speiceacha ar chuile mhac máthar acu agus bróga tairní a bhí smutaithe go maith de bharr a bheith ag tiaráil i measc na gcloch. Maide láimhe ag a bhformhór, fás caol fuinseoige nach mbeadh aon leisce orthu a shíneadh ar dhroim ainmhí a bheadh ag tabhairt a ndúshláin, nó a thabhairt ar an mullach dá chéile corruair nuair a d'imíodh bruíon ó cheannas ceann. Mada caorach nó dhó leis na sála ag chuile dhuine acu. Madraí a bhí chomh ciúin airdeallach lena máistir. Iad á gcaitheamh féin ar a mbolg chuile ré solais ag fanacht le treoir. Bíogtha le dhul de sciotán go barr an tsléibhe chun an tréad a threorú sa treo a n-ordódh a máistir iad le fead ghlaice. Ina nduine is ina nduine a shiúil siad amach as na tomacha fraoigh a bhí ar bhruach na leacracha, as an gclochar moghlaeirí a d'fhág an leac oighre le huacht in ascaill an chnoic agus as binsí portaigh a bhí cruthaithe ag lámha an tsleáin. Dé ná deatach ní fhaca Barrett orthu nó gur shiúil siad chuige amach as an tírdhreach, cuid acu chomh héadrom ar a gcois is nár mhothaigh sé a gcoiscéim ag teacht ón taobh a raibh a dhroim leis. Ó dhuine go duine nó go raibh scór acu ina thimpeall.

A bhformhór ar chomhairde leis ach go raibh seisean chomh leathan le beirt acu.

"*How are ye, lads?*" ar seisean chomh réchúiseach is dá mbeadh aithne i gcaitheamh a shaoil aige orthu. Ní raibh doicheall ar bith acu roimhe ach a mhalairt. Iad ar fad ag tuineadh le cúpla mí oibre ar an mbóthar. Chuile dhuine acu ag tnúthán le trí stampa dhéag. Trí seachtainí déag oibre ionas go mbeidís i dteideal liúntas na stampaí a tharraingt ar feadh sé mhí ina dhiaidh. Ní raibh fostaíocht de chineál ar bith a chuirfeadh stampa suas do dhuine le fáil sa gceantar. Bhí a fhios acu go maith nach dtosódh an obair go ceann lae nó dhó ach níor stop sin iad gan lámh chúnta a thabhairt dó nuair a thosaigh sé ag folmhú amach bhosca na hoirnéise. Santach ag cara sa gcúirt agus fíbín orthu ag iarraidh a chruthú nach loicfidís ó obair chrua. Bheadh an bonn sa sparán sách luath. Bhí bosca an oirnéis cheithre chéad meáchain agus é folamh. Sé troithe ar fad, dhá throigh ar leithead agus cheithre troigh ar airde. Fad is bheifeá ag rá 'in Ainm an Athar' níor thóg sé orthu á fholmhú amach, scór piocóidí, chúig cinn de ghróite, deich gcinn de *jumpers*, deich gcinn d'oird mhóra, mórchuid geanntracha is de chosa piocóidí. Ba é Réamonn Seoige a rug den talamh ar chloigeann an bhosca. A chuid méaracha chomh crua le drad broic i ngreim sa dá sheafta adhmaid a bhí mar dheis láimhe air.

"*That's very heavy. The whole weight of the box will come down on top of ya.*"

"Brúigh amach é, a leaids, tá mé ceart."

Feanc níor bhain sé as. Triúr a chuaigh faoin taobh eile ina aghaidh nó gur leag siad in áit oiriúnach é. Bhí spéis Bharrett sa Seoigeach múscailte ar an bpointe. Fir láidre ag dul idir é féin agus codladh na hoíche. É bródúil go raibh a cháil féin imithe ó bhéal go béal i measc fhir oibre na comhairle. An t-aon fhear acu a bhí ábalta breith ar rotha an leoraí agus é a chaitheamh isteach thar an mbosca.

"*What's your name?*"

"Réamonn Seoige."

"What age are you?"

"Twenty."

"You're a hardy buck, Réamonn."

Aoibh bheag chúthalach gháire a chuir Réamonn air féin agus é ag dúnadh bhosca an leoraí a chúnamh dó. Na fir eile ina mbuilcíní ag sioscadh os íseal.

"Where would I get digs around here?"

"I'll show you. Walsh's, the fishermen stay there." Bhí a chuid Béarla briste ach thuig siad féin a chéile.

Bhí dhá shúil Réamoinn lasta le ríméad ag dul isteach sa leoraí, neamhchleachtadh ar an gcumhacht a bhí sé a mharcaíocht ag cur sceitimíní air. Dhá mhada caorach ag rith siar le bruach á fhaire chomh hairdeallach is dá mba fuadaithe a bheadh sé.

"Stop here. No place to turn at the house."

Na gadhair ag guairdeall go himníoch timpeall an leoraí nó gur mhúch an t-inneall. Gan aithne orthu nach ar ais ón Mol Thuaidh a bhí Réamonn tar éis filleadh leis an lúcháir a bhí orthu. Shlíoc sé go cineálta chun suaimhnis iad sul má shiúil sé i bhfochair Bharrett i dtreo an tí a bhí anois i raon a súl. Teach stór go leith a raibh ceann slinne air. An t-aon teach sa gceantar a raibh ceann slinne air cés moite den *Lodge* a bhí le feiceáil go maorga thíos fúthu sna crainnte ar bhruach na locha. Ceann tuí nó cíbe a bhí mar dhíon deoire ar na tithe eile. Bhí Barrett faoi gheasa ag an radharc, iad chomh crochta sna cnoic is go raibh fad a amhairc de thamhnach sléibhe san oll-logán a bhí idir dhá chnoc. Locha beaga agus locha móra ag spréacharnaíl mar a bheadh péarlaí báite i ndroim an chriathraigh. Chuile cheann amháin acu ainmnithe de bharr a ghoib ag Réamonn.

"*That's Loch Fada, and that's Loch na mBreac Geal and the one over there is Loch Bhéal na hAbhann.*"

"*Any salmon?*"

"*Oh Jays, yes, that's Loch na mBradán up there and Abhainn an Ghainimh. A great place for* bradáin."

Bhí béal Bharrett ar leathadh le hiontas. Bánta míne an Achréidh imithe in ainseal ar a shúile nó gur bhain an radharc seo as a chleachtadh é.

"*Jaysus Christ Almighty, it's beautiful.*"

D'imigh an chaint uaidh nuair a d'oscail sí an doras. Í gar do na sé troithe ar airde, chomh rua leis an sionnach. Chomh caol tanaí le fás fuinseoige, dhá shúil ghorma a bhí lán le diabhlaíocht ag damhsa ina ceann. Péire *slacks* a bhí craptha suas go dtí na glúine ag aithris ar fheisteas Mheiriceá. Blús éadrom crochta dá brollach ag cúpla biorach cíoch. Mhothaigh Barrett beochan ina chuid mianta gnéis ar an toirt. A bhall seirce ina bhall séire nuair a chonaic sé an luisne a las ina leiceann.

"Ó, a Réamoinn . . . cé as ar éirigh tú?"

"An fear seo atá ag cuartú lóistín, tá sé ag obair ag an gcomhairle contae. *This is Eileen Walsh.*"

"*Pleased to meet you, Eileen. We're starting work on the road tomorrow. I'm looking for digs for a few months. Willie Barrett.*"

Bhí an lámh a chroith sí leis chomh mín le síoda.

"*Of course, Mr Barrett, no problem. Come in.*"

Bhí Réamonn beagán ródhíocasach ag tapú a dheise go deifreach nuair a thug Barrett a aghaidh isteach.

"*Hey! I'd like a job on the road if there is any chance.*"

"Call over in the morning around half seven and we'll see."
"Thanks, Willie."

"An bhfuil tú ag teacht isteach, a Réamoinn?"

"Ní thiocfaidh anois. Caithfidh mé a dhul barr an chnoic."

"Feicfidh mé anocht thú."

D'aithin Barrett ar a n-iompar nárbh é an chéad uair i ngreim láimhe ina chéile acu é. Réamonn róchúthalach lena phógadh cé go raibh a cuid liopaí maoldearg ag tuineadh leis. Bhain Réamonn a chuid méaracha as a bhfastó go cúthalach nuair a chonaic sé Barrett á ndearcadh.

"I'll see you tomorrow, Willie."
"Right, Réamonn."

Ach ní ar Réamonn a bhí sé ag smaoineamh ach a chuid samhlaíochta á smíochadh agus é ag lomadh cholainn phéacach na spéirmhná go craiceann le hamharc a shúl.

Leathscór fear a fostaíodh an mhaidin dár gcionn. Bhí Réamonn Seoige ar dhuine acu, os cionn deich bhfear fhichead ag fanacht ar na leacracha sul má gheal an lá. Monabhar íseal cainte ag dul chun ciúnais nuair a chonaic siad conablach téagarthach Bharrett ag déanamh orthu go friochanta, é stuacach drochmhúinte ag breathnú. An beannú féin ní raibh de shuáilceas ann. Lán a bhéil de smugairle a bhualadh faoin leic agus gnúsacht a chur as.

"Throw out the spare wheel, Réamonn."

D'éirigh Réamonn de chothrom talún nó gur aimsigh sé an rotha mór a bhí níos troime ná formhór na bhfear. Os cionn dhá chloch déag meáchain a mheas sé agus é á bhrú roimhe nó gur chaith sé amach chun deiridh é. Phreab an rotha de dhroim na leice mar a bheadh sé ag tabhairt a ndúshláin.

"*Line up. Get into fuckin' line! Lift that wheel back on to the truck.*"

Bhí an chéad fhear amach sna blianta, é chomh crua le hadharc pocaide, ach a chuid spreactha ídithe ag tuairteáil an tsaoil. D'ardaigh sé an rotha go dtí a ghlúine, gach a raibh d'fhiacla fanta ina charbad nochtaithe agus fáiscthe go daingean le teann díocais.

"*Lift it, you bollocks!*"

Bhain an náire cnead as. Chroch sé an rotha sé horlaí eile as taghd, é i bhfoisceacht orlaigh d'urlár an leoraí. Chuile unsa nirt dá raibh ag gabháil leis ag brú as cosa i dtaca.

"*Lift the fuckin' thing!*"

Ní raibh aon mhaith ina iarracht, an meáchan mór tar éis an neart a ídiú. Thosaigh meáchan an rotha á bhrú ar ais chomh luath is a bhris a spiorad. Anuas ar a dhá ghlúin agus siar ar a thóin a thit sé chomh luath is a theagmhaigh an rotha leis an gcarraig.

"*Get up, you bollocks. What the fuck do you want work for when you're not able for it? Go home. Next!*"

Chaith Réamonn an rotha isteach ar urlár an leoraí gan mórán anró. Níor bhain sé mórán tuairte as Colm Tom Mhóir a bhí ina dhiaidh ná as an scramánach a bhí ina dhiaidh sin aríst. An óige acu agus iad luath láidir. Rinneadh bothae den chúigiú fear, beagán blonaige á fhágáil bogchraicneach. A theanga amuigh agus osnaíl aisteach aige nuair a tháinig an strus air. Ba leor sin lena chuileáil. Meangadh gáire ag leathnú go ríméadach ar a éadan nuair a d'éirigh leis an rotha a chur ar bord, meangadh nach raibh i bhfad ag athrú nuair a labhair Barrett.

"*Go home, you fat bollocks! Next!*"

Chomh luath is a chroch an deichiú fear an rotha ar bord, chroch Barrett a dhá láimh. "*That's it, the rest of ye can go home.*"

D'fhan siad ina líne ar feadh cúpla meandar ag cur in iúl nach raibh deis faighte acu iad féin a chruthú.

Scaip sé le hagall iad. "*Fuck off home! I have all the men I need now.*"

D'imigh siad gan focal argóna a dhéanamh, easpa muiníne ag cur fainice orthu gan tosaí ag sáraíocht ar fhear an Bhéarla.

Trí lá a sheas an chéad chnocán dóibe. Cúigear ag baint aithinneacha as an dóib le gob a bpiocóide nó go raibh sé ag carnú faoina gcosa, cúigear eile á shluaisteáil isteach sa leoraí. Uaill curtha ina ndiaidh dá ndíreoidís a ndroim. An bóthar abhaile faighte ag fear amháin a thriáil gail a bhaint as a phíopa, ach fear eile faoi réir lena áit a ghlacadh. Ba é an dá mhar a chéile fliuch agus tirim, Barrett ar foscadh i gcábán an leoraí agus na fir oibre báite go craiceann. Greim, deoch ná blogam ní théadh thar a mbéal ón hocht ar maidin go dtí an haon a chlog sa lá. Ba ghearr orthu cúpla canda cáca ansin. Iad ar a gcromada ar foscadh i scailp nó faoi bhinse portaigh. An t-ocras ag slogadh siar an aráin thuir go hamplach. An tart ag cur blas meala ar an mbuidéal mór tae a raibh beagán den teas cuibhrithe go fóill ann ag stoca olna. Gail tobac ansin agus cúpla scairt gháire á gcur i ngiúmar don chéad tréimhse eile.

Bhíodh Eileen chomh luaineach le mionnán míosa i dtaca mheán an lae. An beagán nuaíochta ag cur giodair inti ag feistiú éadach boird agus gréithe sul má thagadh Barrett ar ais chuig a lón. Oiread córa á chur air is dá mba é an sagart a bheadh faoi chaolach an tí. Ba thréith í sin a bhain leis na Breathnaigh. Ligidís beagán gaoise agus gustail orthu féin. Ba dhual dóibh a bheith leitheadach, onórach agus an-teacht i láthair a bheith iontu. Ba Bhreathnach ó thaobh athar agus máthar í Eileen. Col seisearacha a phós a chéile d'fhonn an mianach a threisiú ach gan de mhuirín ar mhianta fadbhreathnaitheacha ach ise.

Ní raibh sa teach ach an bheirt, Eileen agus a máthair, agus ní bheadh Eileen ann ná baol uirthi murach gur chuir bás tobann a hathar faoi ndeara di filleadh. Bhí an ghráin shaolach aici ar uaigneas agus ar iargúltacht na gcnoc agus bhí a shliocht uirthi. Ghlan sí léi go Meiriceá in aois a sé bliana déag. Thaithnigh soilse geala na cathrach léi ón gcéad nóiméad ar leag sí a cos ar shráideanna Bhoston. Cead a cinn aici i bhfad ó shúile fiosracha agus ó bhiadán cúngaigeanta na gcomharsan. Chomh luath is a fuair sí blas na saoirse scaoil sí léi féin go fonnmhar. Fios aici lena colainn phéacach a ghléasadh go tarraingteach. Pearsantacht aerach aici a dhúisigh mianta na bhfear is a chuir ag seasamh ar chosa a chéile iad ag fiach uirthi. Níor roghnaigh sí ach na fir a bhí in acmhainn caitheamh go maith léi agus chinntigh an luach saothair a roinn sí go flaithiúil leo go raibh sí ag eitilt ar aer an tsaoil ag mórócáidí sóisialta na cathrach. Fuair a saol na bhfuíoll bás tobann nuair a sciob an gadaí a hathair chun na síoraíochta ar an lá a raibh sí ag ceiliúradh a breithlae bliana is fiche. B'ionann filleadh ar chultúr ciúin rúnda na gcnoc agus téarma príosúin d'Eileen, í ag achainí ar a máthair cúl a thabhairt le cine agus a dhul go Meiriceá ina teannta ach é fánach aici rútaí na seanmhná a tharraingt as seilbh na muintire. Ní raibh de réidhe an achair aici ó ghéibheann an uaignis ach oíche Dé Domhnaigh nuair a thugadh Réamonn Seoige ar chrosbharra a rothair chomh fada leis an gCaiseal í. Bhí cion aici ar Réamonn agus údar aici. Ba é an fear ba shlachtmhaire sa taobh tíre é.

Ní taobh le babhta amháin a bhaineadar fáisceadh as a chéile sul má d'imigh sí go Meiriceá ach ba é a thóg ó bhás go beatha í tar éis bhás a hathar. Gan smid as ach broid ann ag freastal ar bheithígh is ar chaoirigh. Bradáin úra agus ceathrúna caoireola leagtha le cúl a chéile sa gcúlchisteanach aige nuair a thosaigh sí féin is a máthair ag cur lóistín ar fáil do na hiascairí. Pingin ná leathphingin ní ghlacfadh sé. Bhíodh Eileen ag tuineadh leis a theacht ar cuairt acu chun oícheanta fada geimhridh a ghiorrú, ach deabhal fad a choise a chuireadh sé taobh istigh den doras de bharr go raibh sé de ghnás ag lucht an tsléibhe cúrsaí cúirtéireachta a choinneáil faoi cheilt. Ina thost a d'fhanadh sé nuair a bhaineadh sí ailp as go mífhoighdeach. A cuid cáinte ag goilliúint air nuair a deireadh sí leis go raibh a chuid aistíola á fhágáil ag cnádadh tríd an saol mar a bheadh seilmide ag cúlú isteach ina shliogán. Bhí a fhios aici gur chráigh sí go beo é nuair a dúirt sí leis iompar Bharrett a bheith ina oscailt súl aige. Fear a mbíodh léine ghlan agus carabhat air ag dul i mbun oibre agus a d'athraíodh bróga sul má thagadh sé isteach in am lóin. A máthair i gcúl a ghlaice aige le teann mórtais nuair a thosaíodh sé ag moladh na cócaireachta a d'fhoghlaim sí mar chailín aimsire sa *Lodge*.

Bhí a fhios ag Barrett le scian is le forc a láimhseáil agus ardú meanmnan a fhágáil ina dhiaidh nuair a d'fhilleadh sé ar a chuid oibre.

"Is furasta aithne go bhfuil mianach na n-uasal sa bhfear sin," a deireadh máthair Eileen. "Ní hé fearacht dhúramáin na háite seo é a bhfuil caochphoill an tsléibhe á sucadh i ndiaidh a gcúil."

Ní raibh aon bheann ag Réamonn ar an sclábhaíocht. Gan aithne ar a raibh sé ach de réir a láimhe nuair a bhíodh sruthán allais le daoine eile, é luathlámhach pointeáilte agus chomh glan néata le haturnae. Titim dhá stór go talamh ón áit ar ordaigh an sean-Choirnéal Bromley dó a dhul ag glanadh fuinneog maidin sheaca a d'fhág gan athair é in aois a dhá bhliain. Níorbh fhiú leis mo bhris a chásamh liom gan trácht ar chúiteamh a íoc, a deireadh a mháthair agus í ag guí díoltais ifrinn ar an gCoirnéal nó gur tholg sí galar a báis as an mbriseadh croí is gan d'aois aige ach chúig bhliana déag. Níor chloígh sin fíriúlacht na maitheasa. Rothar nua glan Hercules, a raibh lampa *dynamo* air, curtha de mhaith aige air féin le luach na gcaorach. Scoth na beatha ar an mbord i gcónaí aige, cúpla molt a mharú agus a fheannadh amuigh sa scioból. Gan oiread is lán béil blonaige orthu ach iad chomh blasta is go mbíodh sé ag líochán a mhéaracha á n-ithe. Bradán nó liathán geafáilte san abhainn aige chomh ciúin ábalta le madra uisce. Gan é ag cur a shúile thar a chuid. A dhíol féin agus díol theach an lóistín.

Barrett ag brúchtaíl go gaisciúil chuile lá, ag cur síos ar na gríscíní caoireola nó ar na geampaí de bhradán úr a bhí sé a alpadh go hamplach, gan tuairim ar bith aige gurbh é Réamonn a chuir méir i ngeolbhach an bhradáin an oíche roimh ré.

An easóg féin ní bheadh chomh hairdeallach le Réamonn san oíche, amharc aige a bhí chomh grinn le súile cait sa dorchadas. Fanacht chomh ciúin le carcair ghiúsaí sna tomacha cois na habhann. Fios aige go dtí an t-orlach cén chloch san abhainn a mbeadh an bradán á thochas féin ina haghaidh. Slat mhaide i láimh amháin ag spochadh go healaíonta faoi uisce nó go mothaíodh sé boige an bhradáin thar na clocha. Taobh an bhradáin a scríobadh ansin chomh mín réidh is dá mba liopaí linbh a bheadh á dhiúl, an bradán ag teannadh leis an scríobadh, ag iarraidh fuarú ó thochas na míol farraige. Bhíodh sé á mhealladh leis go réidh nó go n-éiríodh leis an geaf a chur ag scríobadh fad a dhroma. Strachailt amháin ansin siar thar a mhullach nó go raibh an bradán ag léimneach lena thaobh ar thalamh tirim.

Trí fhead a lig sé ar chúl tí Eileen. Ní trí fhead ghlaice ná trí fhead ghártha a tharraingeodh aird, ach trí fhead neamhurchóideacha nach raibh le n-aithneachtáil thar fhead éin sléibhe. Miontafann féin ní dhearna an mada air. Cleachtadh maith aige ar Réamonn a fheiceáil ag guairdeall thart ar chúl an tí de shiúl oíche. Lig sé na trí fhead in athuair ar fhaitíos nár éirigh leis cluais Eileen a aimsiú an chéad gheábh. An solas a lasadh sa gcúlchisteanach an chéad chomhartha a thug sí dó.

Fan go fóill a bhí sa gcomhartha sin, í féin chomh meabhrach le sionnach ar eagla go mbraithfeadh a máthair an comhartha a bhí á tabhairt chun sráide. Fanacht chúig nóiméad ar a laghad nó go mbeadh sé ligthe i ndearmad nó fanacht leathuair dá bhfaigheadh an mháthair aon chaidéis de ghlór na n-éan ag an tráth aduain sin. An bradán a leagan ar leic na fuinneoige agus a lámha a níochán i mbairille a bhí ag corr na binne a rinne sé, é ag braiteoireacht i dtaobh imeacht nó fanacht nuair ba seo amach chuige í chomh sciamhar spéiriúil is gur bhain sí an anáil de lena póg, gan é d'ionú aige an bradán a mheabhrú di nó go mbainfidís araon a ndiúl as liopaí a chéile. Í á chur in aghaidh a chúil go deifreach i dtreo sheid an fhéir.

"Céard faoi do mháthair?"

"Tá sí ag comhrá le Barrett, thug mé tae don bheirt acu."

Dhoirt an mada i leataobh go hómósach nuair a chuadar de sciotán thairis isteach i leaba féir thirim. Bhí an bheilt a bhí timpeall a bhásta scaoilte aici sul má tháinig an chéad fhocal eile as a bhéal. Fiántas inti á tharraingt ina mullach. Gan de réamhfheistiú le déanamh aicise ach a gúna a chrapadh suas. An méid sin cinntithe aici sul má d'fhág sí an teach. Chaon duine acu ag osnaíl go téisiúil nuair a theagmhaigh a gcraiceann te bruite le chéile.

"Ní mór dhúinn a bheith cúramach, a Eileen."

"Déan deifir nó beidh sí amach sa mullach orainn."

Bhí an chaint imithe uaidh, í á fháisceadh féin isteach ina aghaidh go fíochmhar. Iad ag rómhar níos doimhne sa bhféar le chuile ruathar. Iad araon ag coipeadh le fiántas gnéis. Barróg cos agus lámh aici air, cnead ina hanáil ag meabhrú dó go mba leis-sean staonadh sul má bheadh rath a gceirde orthu.

33

Ba le móriarracht a d'éirigh leis é féin a bhaint as an bhfastó ag an soicind deireanach. Saothar air ag spré fuíoll a shaothair amach sa bhféar tirim. Ba ag an soicind céanna a d'oscail an mháthair doras chúl an tí. Tharraing Réamonn bréidín féir ina mhullach go deifreach sul má spréigh sleá bhog sholais trasna na sráide.

"A Eileen? Cá bhfuil tú, a Eileen?"

"Anseo, a Mhama. Tá mé ag ceangal an mhada, bhí sé scaoilte."

"An Caiseal Dé Domhnaigh," ar sise i gcogar sul má rith sí ar ais go dtí Mama chomh neamhurchóideach le gearrchaile a bheadh faoi chlóca na Maighdine.

Ardtráthnóna Dé Domhnaigh a thugaidís aghaidh ar shráidbhaile an Chaisil. Ocht míle de chaitheamh le fána á mbrostú ina threo; na hocht míle céanna mar strapa ina gcoinne ag filleadh dóibh. Gan na rothair thar mholadh beirte, an bhróg fáiscthe mar choscán in aghaidh an rotha cúil ag corrdhuine ó d'fhágaidís an baile. Duine nó dhó breise ag fanacht leo ag chuile bhéal bóithrín, nó go raibh scuaine acu ag rothaíocht go sona i dtreo halla an damhsa. Na leaids ag briseadh na gaoithe chun tosaigh agus na cailíní i mbuil a chéile ina ndiaidh, ach iad ag dealú ó chéile agus ag cúpláil ar an turas abhaile. Corrchailín a raibh roghain a saoil déanta acu, ar chrosbharra an rothair ag a bpáirtnéir. B'in é an modh taistil a bhí ag Eileen. Í ag princeam le teann aoibhnis ar an mbarra idir dhá láimh Réamoinn. Gan mórán fear eile sa gcomhluadar nach gcaithfeadh siúl in aghaidh na n-ard ar an mbealach abhaile. Thabharfadh Réamonn a dhá shúil ar mhodh taistil ní ba chompóirtí. Guairdeall déanta timpeall ar charr an innealtóra aige nuair a thagadh sé ag scrúdú an bhóthair uair sa tseachtain. É á shamhlú féin go ríméadach taobh thiar den rotha. A chuid brionglóidí ag santú na compóirte a bheadh ag Eileen agus aige féin ó tharla lámh agus focal a bheith tugtha dá chéile acu. Ba air a bhí sé ag smaoineamh agus é ag cur an rothair ar chóir shábháilte sul má d'ól siad cúpla deoch san óstán roimh an damhsa. *Gin* a bhíodh Eileen a ól. Deoch nár chuala cailíní an cheantair mórán trácht air nó gur chuir Eileen ar an eolas iad tar éis teacht abhaile as Meiriceá. Deoch a bhí neamhurchóideach ag breathnú, cé nach mbíodh sé i bhfad ag éirí sa gceann aici. Éirí de chothrom talún a rinne sí agus léimneach isteach ina bhaclainn chomh luath is a thosaigh an ceol sa halla, gan beann gan cúthalacht á staonadh óna phógadh os comhair a raibh i láthair. Gan aon mhórshuim ag a bhformhór ina gcuid geáitsíochta. Fios acu go raibh meanmna phósta ag tabhairt na beirte ní ba ghaire de chuingir. Gan mórán iontais le déanamh den tsian a ligeadh Eileen aisti mar go raibh sí chomh haerach is go dtéadh sí i bhfiántas nuair a thosaíodh an ceol. Í ina suí de léim agus Réamonn tarraingthe amach i lár an urláir aici, cúthalacht ag leathnú ina luisne dhearg ar ghrua Réamoinn ach é ábalta agus éadrom ar a chois le rithim an cheoil. Is minic gur fágadh an t-urlár faoin mbeirt acu. Iad araon chomh haclaí agus chomh maith ag damhsa is go dtugadh na damhsóirí eile bualadh bos dóibh sul má théidís amach ina dteannta.

Shílfeá gur as an aer a thit Barrett nuair a shiúil sé isteach sa halla. Lán an dorais ann agus aoibh ghealgháireach ar a éadan bog slachtmhar. É téagartha, cnámhach, agus ní ba shine ná an dá bhliain is fiche ag breathnú. Culaith éadaigh den scoth air agus carabhat ag eitilt anonn is anall ar a chliabhrach. Chuile shúil sa halla dírithe ar an gconablach breá fir seo. B'fhurasta a aithneachtáil nár de mhianach na gcnoc é. Réamonn agus Eileen ba thúisce a chuir caidéis air, á chur in aithne dá gcuid cairde. Múnóga boga allais ag cruinneáil ar a bhaithis nuair a tugadh amach ar ionsaí na hinse é. Chuile chailín ar bís nó go mbaineadh sé *swing* astu. É chomh mór láidir is go mbídís ag sianaíl nuair a chrochadh sé den talamh iad, gan aon deoch ní ba láidre ná buidéal uisce mianraí le fáil sa halla ach iad á shlogadh siar go fonnmhar nuair a bhíodh ionú acu idir dhá dhamhsa. Damhsaí Gaelacha ar fad. Cúplaí ag rásáil amach ar an urlár d'fhonn spás rince a thapú chomh luath is a d'fhógraítí cor seisear déag nó baint an fhéir nó an staicín eorna. Bhíodh a gcluasa bioraithe ag sméar mhullaigh na ndamhsóirí nó go bhfógrófaí caidhp an chúil aird, iad ag sméideadh ar a chéile ar fhaitíos go mbeadh aon neamheolach ina measc a chuirfeadh an damhsa in airc a chochaill orthu. B'in é buaicphointe na hoíche, an ceol agus comhoibriú foirne ag cur mearbhall rince orthu nó go gcríochnaíodh an damhsa le gáir mholta. Ba é an gnás gurbh iad na fir a d'fhiafraíodh na cailíní amach ag damhsa nó go bhfógrófaí rogha na mban leis an dara damhsa deiridh. B'iondúil gurbh in í uair na cinniúna do na cailíní, éirí de sciotán agus a ngrá geal a threorú amach go dtí lár an urláir. Cuid eile ag fulaingt na páise ag siúl trasna an urláir i dtreo duine éicint a raibh súil leagtha acu air. Duine a thabharfadh tionlacan abhaile dóibh tar éis an damhsa is a dhéanfadh geábh cúirtéireachta ar an bhfoscadh. Thagadh athrú ar an atmaisféar i dtráth an ama sin. Iad ag tabhairt uillinne dá chéile go scáfar nuair a shiúileadh sagart an pharóiste isteach an doras, an Canónach Ó Ceallaigh, blocán mór oilbhéasach nach mbreathnódh díreach ar cheachtar acu. Fás de mhaide draighin fáiscthe go crua ina láimh aige chun obair Dé a chur i gcrích. B'in í a cheird chuile oíche Dhomhnaigh, gan aon leisce air an maide draighin a úsáid ar aon chúpla a bhíodh ag cúinneáil. Bhíodh gach a raibh sa halla ag screadach ar an mbanna ceoil leanacht ar aghaidh nuair a d'fhógraídís go raibh sé in am scoir ag a haon a chlog. Chuile dhuine ar an urlár do phort an dorais, ag preabadh is ag princeam amhail is dá mba é an port deiridh a chloisfidís go brách é. Léasáin mhóra allais ag leathnú ar léinteacha agus naipcíní póca bog báite de bharr síorthriomú a ngrua.

Theastaigh rud ní ba théagartha ná naipcíní póca lena dtriomú an oíche sin nuair a chuireadar a mullach amach ar an tsráid. Cuid acu ag cúlú isteach aríst go héagaoineach.

"Tá sé ag dórtadh báistí."

"I dtigh deabhail é. Beidh muid inár líbíní."

Leaids ag casadh suas chába a gcóta agus ag tarraingt caipín anuas sna súile chun aghaidh a thabhairt ar an doineann. Ba é Réamonn a mheabhraigh do na cailíní a dhul abhaile i gcábán an leoraí in éineacht le Barrett. Súile borba an Chanónaigh ag faire. An bata draighin faoi réir aige chun an chúpláil a stopadh nó go bhfaca sé cúigear acu ag suí isteach sa leoraí. Eileen sáinnithe in aghaidh an dorais agus an duine ab fhaide isteach beagnach ag suí ar ghlúine Bharrett.

Mura raibh údar sianaíola ag an gcuid ba ghaire dó, níorbh é Barrett a bhí failíoch nuair a bhain siad amach. Scréach agus scairt gháire ag duine acu nuair a rug sé ar chíoch uirthi sa dorchadas. An-spraoi ag an gcuid eile acu uirthi nó gur éalaigh a chrúb suas faoi ghúna dhuine éicint is léim sí den suíochán ag sianaíl. Iad féin ag baint sianaíl as a chéile go hábhailleach nó gur éalaigh siad leo ó dhuine go duine de réir mar a shroich an leoraí béal an bhóithrín.

"Come over near me till I give you a cuddle," arsa Barrett go mealltach agus é ag síneadh fad a chrúibe idir shúgradh agus dáiríre trasna i dtreo Eileen. Gan cuimhne ar bith aige go ngéillfeadh sí dó is gan sa gcábán ach an bheirt ag teacht go dtí deireadh an aistir. Gan diúltadh ar bith aici dá chuid crúbála nuair a tharraing sé an leoraí isteach ar na leacracha. Leáigh sí ina ghabháil chomh luath is a thosaigh sé á pógadh. Í ar a chomhairle féin aige, sínte ar fhad an tsuíocháin agus é chomh spadhartha le stail chapaill ag dul ina mullach.

"Gently, gently, a Réamoinn. Let out the clutch gently."
"Right."
"Sin é, Sin é. Aah, you nearly had it. Pity you didn't tell me you were interested in driving months ago. I'd have given you a few lessons."
"I kinda didn't like to ask."
"Maith an fear. That's it, gentle revs. Now, take your foot off the accelerator, that's it. Press the clutch in fully. First gear, gently now, a Réamoinn. Barely touch the accelerator. That's it."
"Jaysus, tá sé seo thar cionn."
"Slowly, slowly, gently everything until you get used to it."
"Ah shite!"

"*It's OK. You have to expect the odd stall. Try again.*"

"*Right.*"

"Maith an fear, go maith, go maith. *You're getting the hang of it.*"

"*Jaysus, it's not too hard.*"

"*You keep practising now but don't leave the* leacracha. *I'll have to go to my digs to collect my things and say bye bye to the Walshes.*"

"*Jaysus, fair play to you, Willie. Thanks for everything.*"

"*'Tis I that should be sayin' thanks. The best three months I ever spent.*"

"*Good digs, Walshes.*"

"*Mighty. Well looked after I was, very well looked after. Be careful now, Réamonn, until I come back. That oul truck is awkward to handle.*" Thug sé cúpla súil amhrasach ina dhiaidh, ach ba léir ó na sceitimíní a bhí ag lasadh aghaidh Réamoinn go raibh bunriail na tiomána faoi smacht aige. Ní móide go mbeadh oiread aoibhnis ag spréacharnaíl ina aghaidh, agus é ag crochadh a ordóige go buíoch buacach, dá mbeadh a fhios aige go raibh Eileen buailte faoi ag Barrett, chuile sheans dá bhfuair sé. I gcábán an leoraí go minic, nó cois na tine agus srannadh na máthar ag coinneáil ceoil leo. Í smíochta ag craiceann uair ar bith a sméideadh sé uirthi. Ba é dícheall an deabhail a bheith ag imeacht. B'fhéidir gurbh fhada aríst go bhfaigheadh sé deis a shúil a chur thar a chuid. Bheadh sé deacair slán a fhágáil ag Eileen. Dá dtugadh Dia don mháthair a bheith imithe amach as an mbealach. B'fhurasta dóibh gach a raibh le rá acu a rá go grámhar. B'fhéidir í a shíneadh faoi sa leaba babhta amháin eile. Marcaíocht an bhóthair a bhaint di. Chuir an smaoineamh macnas air, ag oscailt isteach an dorais go dúilmhear. Ba í an mháthair a bhí roimhe.

"*Oh, Mrs Walsh . . . Well, I better get my things and say goodbye.*"

"*Alright, Willie. Faith, we'll miss ya.*"

"*I was well looked after.*"

"*I don't know where Eileen went to. I'll call her, she's probably outside somewhere.*

"*OK, I'll get my bag.*"

"Eileen, Eileen? Cá bhfuil tú, a Eileen? Tá Willie ag imeacht. An bhfuil tú amuigh ansin? Eileen?"

Ghoin a aire de bheagán é. Teannas éicint á bhrostú chun bóthair.

"*Faith, I don't know where she is, Willie, unless she's in her room. An bhfuil tú ansin, a Eileen? Oh, the door is locked, that's unusual.*"

"*It's alright, I'll call around again sometime. I better get goin'. I have to call to the council yard with the tools and things.*"

"*You're welcome in this house anytime.*" Chuir sí a seacht míle beannacht ina dhiaidh ar leic an dorais.

Mhothaigh sé go raibh súile á fhaire. Chinn air é féin a chosc gan sracfhéachaint a thabhairt i dtreo sheomra Eileen. Bhí na dallóga dúnta ach go mionnódh sé gur plúchadh an siúnta a bhí idir an dallóg agus corr na fuinneoige go deifreach nuair a chaith sé an tsúil. Scéal bhean Lot a rith trína intinn, ag deifriú leis go scafánta. Port feadaíola a chroch sé suas agus é ag tabhairt an amhairc dheiridh ar uisce gléigeal na locha.

D'ardaigh a chroí in ómós na síochána agus tháinig brí ina choiscéim amhail is dá mba 'tóg do chuid agus imigh' a bhí bainte mar bhrí as briathar an Tiarna aige.

Ní raibh aithne ar Réamonn nárbh é neamh a bhí aimsithe aige i gcábán an leoraí. Smacht faighte aige ar na bundindiúirí agus é ag dul ar aghaidh agus ar gcúl de réir a thola. Oiread fairsinge ar na leacracha is go raibh aghaidh an leoraí casta amach aige nuair a tháinig Barrett ar ais.

"Fair feckin' play to you, Réamonn. By Jays, you don't take a lot of telling."

"Thanks, Willie."

"Go on. Turn her around one more time before I go. You need to practise."

Chroith Barrett a cheann go measúil nuair a bhain Réamonn an leoraí amach, chomh paiteanta le seanlámh, a aird iomlán ar a ghnó fad is bhí sé á casadh agus á hathchasadh nó go raibh a haghaidh chun bóthair. Smaoinigh Barrett gurbh é an cás céanna é le chuile rud dá gcuirfeadh sé lámh ann. Ba é a bhíodh i gceannas an ábhair phléasctha nuair a d'éiríodh carraig rompu sa mbóthar. É stóráilte sa seomra ar chúl na tine sa mbaile aige ar fhaitíos go bhfaigheadh sé tais. An-scil aige sa mbealach ab fhearr le cloch a tholladh agus sa meáchan ceart geiligníte chun gaineamh a dhéanamh di. Lán an bhosca mhóir den ábhar a bhí fanta d'fhuílleach tugtha ar ais go coinsiasach an mhaidin sin aige, ach gur chuir Barrett abhaile aríst leis é mar bhronntanas ar fhaitíos go mbeadh aon chlocha móra le cur as a bhealach aige. É chomh buíoch is dá mba mhíle punt a bhronnfaí air. An buíochas céanna a bhí ag spréacharnaíl ina dhá shúil anois ag teacht amach as an leoraí.

41

"Are you going to Galway, Willie?"

"I am, by Jaysus, right now."

"Will you give me a lift?"

"No bother."

"Oh Jays, wait two minutes for me. I have to go up to the house to get money."

"But how will you come home again, Réamonn? There will be no bus until Friday."

"I'm going to buy a car."

"You're what?"

Bhí sé ag cinneadh ar an dá ghadhar coinneáil leis ag rith trasna leiceann an tsléibhe i dtreo an tí. Siliúir curtha aige iontu a ghreamaigh den talamh iad nuair a thug sé a aghaidh ar ais. Iad ag giúnaíl go brónach nuair a rith sé leis sna feiriglinnte, ag dul d'abhóga thar thuláin agus é ag tarraingt air chasóg an Domhnaigh faoi dheifir.

"Well, fair fuckin' play to ya. Where did you get the money?"

"I sold over a hundred sheep."

"Really? How many sheep do you have?"

"Over a thousand, I suppose, up the mountain."

"Jaysus, you're a wealthy man if you can afford to buy a new car."

"Ah, you would need a car around here."

"You'll be slaughtering the women in the back seat now."

D'aithin Barrett ar an luisne bheag náireach a dhearg a chuid leicne gur ábhar é a mbeadh Réamonn míchompóirteach á phlé.

"Only one woman for me," a deir sé go mín mánla.

Morris Minor a cheannaigh Réamonn. Carr nach mbeadh
aon bhreith ag gaoth uirthi, a mheas sé. Í leathan agus íseal le
talamh nuair a d'aimseodh na siotaí móra ag dul thar mhullach
an mháma í. Nua glan as an bpíosa agus í líonta go claibín le
peitreal ar dhá chéad agus fiche punt. Líon sé canna chúig
ghalún dó chomh maith, a thabharfadh as gábh é ó tharla
stáisiúin na hola a bheith chomh fada sin ó chéile ar an
iargúltacht.

"*Can you drive?*" a d'fhiafraigh fear an gharáiste go
himníoch nuair a shuigh Réamonn taobh thiar den stiúir.

"*Ah, no bother, I was driving a lorry this morning.*"

Ach ba é an difríocht idir múille agus capall rása é. Gan a
leathdhóthain fairsinge ag a chuid spreangaidí chun na
ceapanna a oibriú. Trí bhabhta a léim sí faoina thóin sul má
d'éirigh leis baint amach go deas réidh, greim chomh crua ar an
rotha aige is dá mba i bpolláirí bulláin a bheadh a chuid crúcaí
báite. Í a choinneáil i lár an bhóthair, cead ag an gcorrcharr
eile coinneáil as a bhealach. Má bhí sé ag tarraingt a anála ba
i ngan fhios dó féin é. Bruth allais ag briseadh amach trína
bhaithis agus é ag snámh go mall anoir Bóthar na Trá. Búir an
innill ag mearbhú dó gur theastaigh giar a athrú, ach graithe dá
dhícheall aige mar a bhí sé. Sé mhíle a bhí déanta aige sul má
bhí sé de mhisneach aige a leathlámh a thógáil den rotha. Ar
phíosa díreach bóthair a bhí taobh thiar de shráidbhaile
Bhearna a thóg sé a lámh chlé go sciobtha nó gur athraigh sé
isteach sa dara giar í. Í ag sianaíl go meargánta nó go
mb'éigean dó breathnú síos chun an giar ceart a aimsiú,
breathnú a dhóbair é a chur sa gclaí. Leathrotha thuas ar an
móinín bán sul má d'éirigh leis casadh a bhaint as an rotha.

Iomarca de chasadh, mar go raibh sé ag tabhairt chaon taobh an bhóthair leis ar feadh cúpla céad slat nó gur éirigh leis í a thabhairt chun cineáltais in athuair. Fear is píce ní bhainfeadh a dhá láimh as greim ó thug Dia slán as an ngábh sin é. Greim an fhir bháite, ag casadh an rotha go muirneach de réir na gcoranna a bhí amach roimhe. An ghrian ag imirt folach bíog leis nuair a tháinig sé chomh fada le bun na gcnoc. A chroí ag bualadh ní ba thréine de réir mar a thosaigh an carr ag strapadóireacht in aghaidh an aird. Bród agus misneach ag díbirt an fhaitís de réir mar a bhí sé ag teannadh le ceann cúrsa. É sásta gur éirigh leis a bheith sa mbaile ó ló mar nárbh eol dó cén chaoi leis na soilse a chasadh air. Ach bhí a fhios aige leis an mbonnán a shéideadh, rud a rinne sé trí bhabhta amach ar aghaidh an dorais tigh Eileen. Chroith sé a lámh go bródúil ina treo nuair a d'ardaigh Eileen an cuirtín, radharc a dhá súil ag baint preibe aisti mar gur scaoil sí an cuirtín as a láimh ar an toirt. Bhí sé á bheophianadh ar feadh cúpla nóiméad ach bhain sé croitheadh as a ghuaillí go ríméadach nuair a chonaic sé doras an tí á oscailt, an t-inneall fágtha ag rith aige ar fhaitíos nach gcreidfeadh sí gur carr ceart a bhí aige, é ag fanacht le scread aoibhnis nuair a d'oscail sí doras an chairr, ach mhothaigh sé tocht a rinne meall ina ucht nuair a thosaigh sí ag screadach caoineadh lena thaobh ar an suíochán. B'fhada gur éirigh leis a dóthain foighde a chur inti chun ábhar a héagmais a inseacht dó.

"Tá mé ag iompar páiste," ar sise go holagónta, ag cur pian chráite trína chroí.

Faoi dhó sa mbliain a bhíodh na stáisiúin ar an mbaile: san earrach agus i ndeireadh an fhómhair. Teach an stáisiúin ní b'fheiceálaí ná teach ar bith eile de bharr go mbíodh cúpla cóta aoil curtha istigh agus amuigh air le coicís roimh ré. Chuile theaghlach ag uainíocht ar a chéile agus ag fáil an tí faoi réir go fáilteach ar a seal. Dhá chathaoir ag crochadh an bhoird mar altóir sa gcisteanach agus cathaoir eile feistithe sa seomra codlata, san áit a n-éisteadh an sagart faoistin. An seomra chomh pioctha le nead dreoilín. Gan i bhformhór na dtithe ach seomra agus cisteanach. Duine curtha go Gaillimh de mhaol a mhainge ag iarraidh punt siúcra chnapaigh le haghaidh bhricfeasta an tsagairt. Uisce ag teacht ó fhiacla na ngasúr le teann dúile i gceann acu ach leicneach curtha orthu le buille dá mblaisfidís díobh nó go mbeadh an sagart imithe. Fear an tí ag déanamh turas achrannach trasna an tsléibhe chun bosca an tsagairt a iompar ón teach a raibh an stáisiún ann an mhaidin roimh ré. Bosca mór adhmaid a raibh rópa mar eiris ann crochta aniar ar a dhroim. Ciúnas neirbhíseach ag leathadh ar fud an tí chomh luath is a thagadh bosca an tsagairt. Gasúir ag cúlú isteach i gcoirnéil go faiteach amhail is dá mba é an sagart a bhí faoi réir le réabadh aníos as an mbosca. Daoine ag creathadh roimh an sagart agus údar acu. Athrú iomlán ar a meon ó thagadh an tráthnóna roimh ré. Iad ag cogarnaíl le chéile ar fhaitíos go mbeadh faillí ar bith déanta ina ngraithe acu, ar fhaitíos go dtarraingeoidís orthu teanga an tsagairt os comhair chuile dhuine. Soitheach uisce glan leagtha ar chathaoir le taobh bhord na haltóra. Mám salainn faoi réir i sáiltéar ar an mbord nuair a bhíodh sé ag beannú an uisce. Scuaibín déanta go pointeáilte as tuí agus curtha ar dheis a láimhe chun an t-uisce

45

coisreacain a chroitheadh. Smál na neide glanta go cúramach den dá ubh a d'itheadh sé lena bhricfeasta, an spúnóg a bhíodh aige á n-ithe sciúrtha le gaineamh. Ba dheacair aon néal a chodladh ag imní. Bhí a shliocht orthu, bhíodh gríosach mhór de thine fadaithe ó dheireadh oíche. Spruáin déanta de chiaróga a mbíodh sé de mhí-ádh orthu tosaí ag spaisteoireacht ar fud an urláir. Cearca sáinnithe sa gcró le dhá lá roimhe ar fhaitíos go gcacfaidís i mbéal an dorais, an mada ceangailte píosa ón teach ar fhaitíos go mbeadh sé ag grúsacht ar an sagart, fear an tí siúlta síos go dtí béal an bhóithrín le moch maidne chun an sagart a thionlacan go dtí an teach ceart. Réidhe an achair faoi dheireadh thiar thall nuair a thosaíodh seanmhná an bhaile ag cruinneáil isteach roimh a hocht a chlog.

Iad chomh hómósach do bhord na haltóra is dá mbeadh an taibearnacal lena thaobh. Iad glan gléasta faoi chótaí dearga a raibh cúpla fáithim de veilbhit dhubh mar mhaisiúchán orthu. Seál bán cróiseáilte ar bhráid cuid acu, iad fillte go pointeáilte trasna a mbrollaigh agus ceangailte timpeall a mbásta. Seál donn a raibh scothóga go hornáideach lena imeall crochta ar ghuaillí na mban ab acmhainní agus ag titim go maisiúil síos thar a nglúine. Na créatúir ba bhoichte i bhfolach faoina seál dubh, boladh *moth balls* ar chuid acu. Taobh amuigh a chruinnigh na fir. Báiníní bána agus veist dhubh os cionn léine nach raibh cába ar bith uirthi, treabhsar bréidín os cionn péire lag bróg a bhíodh coinnithe i dtaisce i gcomhair an Aifrinn. Chuile dhuine ar céalacan ón tráthnóna roimh ré chun go mbeadh a ngoile ina theampall glan faoi chomhair shacraimint Chorp Chríost. Píopaí agus píosaí tobac i bpócaí a veisteanna ach é toirmiscthe orthu an blas a bhaint dá mbéal nó go mbeadh an tAifreann thart agus an Chomaoineach Bheannaithe nite síos le muigín uisce. An aimsir mar bhun is mar bharr ar an gcomhrá. Meabhair á baint acu as scáile dhubh na scamall a raibh seoide feannta á séideadh trasna na locha. Dubh na gcnoc de bháisteach, a mheas duine acu, ag cur séala na fírinne ar a chuid cainte le smugairle. Fear eile ag maíomh go bhfaca sé géabha fiáine amach ar na fiodáin.

"Cruatan a gheobhas tú an geimhreadh seo, cruatan seaca mar a fuair muid bliain an tsneachta mhóir."

"Deirimse leatsa nach ea ach clagarnach bháistí as seo go Nollaig."

Chuaigh siad chun ciúnais ó dhuine go duine nuair a chonaic siad Eileen agus a máthair ag déanamh orthu go mallchosach, a n-aghaidh le talamh mar a bheidís ag tóraíocht poill a shloigfeadh iad. Eileen chomh torrach ag breathnú is go raibh sí scartha faoina hualach. Fogha ná easpa níor bhain duine ar bith astu ach iad á ndearcadh amach faoina malaí agus ag caitheamh corrshúil fhiosrach i dtreo an choirnéil ina raibh Réamonn ina sheasamh as féin.

Ba dheacair anam a chur ar ais sa gcomhrá ina dhiaidh sin. Fear a mbíodh tús agus deireadh gach scéil aige, má b'fhíor dó féin, ag fógairt go glórach go raibh mórchuid airgid le caitheamh ar na bóithre in athuair. Daoine á ligean isteach i gcluais is amach sa gceann eile.

"Dhá bhliain oibre, a deir siad. Tá na bóithre le leathnú agus le díriú an babhta seo."

É ag breathnú orthu ó dhuine go duine, ag súil leis an gceistiú is dual do mhórscéal, chuile dhuine ag fágáil tús cainte ag an duine eile.

"Dea-scéal ó Dhia againn," an t-aon chúiteamh a fuair sé.

Monabhar leamh ag meilt ama nó gur facthas carr an tsagairt ag teacht in aghaidh na n-ard. Gíog ná míog níor fhan istigh ná amuigh ó scaip an focal nó gur sheas an carr amach os comhair an tí. Iad ag tógáil hataí agus caipíní dá gceann agus ag umhlú go hómósach nuair a tháinig an canónach amach as an gcarr. Díreach ná cam níor bhreathnaigh sé orthu ach cuma an áibhirseora air ag dul isteach tharstu. Gach a raibh istigh ag seasamh ina ómós agus á gcoisreacan féin nuair a líon a chabhail fráma an dorais. Creathadh i lámha bhean an tí nuair a shín sé chuici a chóta. Imní uirthi nach raibh an phéint dhearg triomaithe ar an doras dúnta nuair a chroch sí an cóta ar an tairne. Chruinnigh na fir isteach den tsráid ó dhuine go duine, iad á gcoisreacan féin go hómósach ag dul thar bhord na haltóra. Leath teannas mínádúrtha ar fud an tí, chuile shúil dírithe i dtreo an tsagairt. Ba léir go raibh racht feirge á choipeadh agus é ag oscailt an bhosca. Dorna a chuir an bord ag creathadh ar na cathaoireacha a tharraing sé go tobann nuair a spréach sé.

"Diamhasla!" a scread sé chomh fíochmhar is gur éalaigh geoin faitís ina osna scáfar ón seandream. "Diamhasla! Ab in é an sórt fáilte atá á cur roimh theachtaire Dé ar an mbaile seo?" Bhí cúr leis agus é á dtolladh as éadan le géire a dhá shúil. "Baile gan náire, baile brocach atá truaillithe ag peaca na drúise. Tá bean mhínáireach in bhur láthair a dhiúltaigh do chomhairle an tsagairt, a dhiúltaigh do chomhairle theachtaire Dé ar an talamh."

Uch ná éagaoin ní dhearna máthair Eileen ach titim i mbun a cos le lagar. Scéin sna daoine ag breathnú ar an sagart amhail is dá mba urchar as a bhéal a bhí tar éis í a aimsiú. Go doicheallach a d'iompair beirt fhear chun na sráide í. Na deora ag caochadh Eileen agus í ag déanamh a bealaigh amach ina diaidh chomh támáilte is a cheadaigh a toirt di. Daoine ag fágáil a bealaigh mar a bheadh consaeit acu lena comhluadar. Bhí luaidreáin ag dul ó bhéal go béal le cúpla mí. Fios ag na daoine go raibh an sagart ag an teach acu faoi dhó, súile ag leanacht Eileen le hiontas is le halltacht amach an doras nuair a bhain dorna eile torann as clár an bhoird.

"Scannal! Scannal atá an baile seo a thabhairt do mo pharóiste! Scannal do Dhia Mór na Glóire, ag teacht trom torrach as comhair na haltóra! Ach ní taobh le duine atá ciontach sa bpeaca náireach seo. An bhfuil sibh ag súil go bhfuil mise ag dul ag maslú Shacraimint Chorp Chríost sa teach céanna a bhfuil an ciúin ciontach a rinne an bhean sin torrach?"

Ar a chromada a bhí Réamonn. Leathghlúin curtha ar an urlár aige chomh luath is a chuir an sagart an chéad bhéic as. Idir a bheo is a mharbh a d'éirigh sé ina sheasamh. Seachmall na náire ag déanamh cíor thuathail dá intinn. Solas an lae mar néal sa doras, néal a raibh sé ag iarraidh a dhul chomh fada leis. Éalú . . . éalú ó na súile a bhí á ghortú agus ón nglór a bhí á dhamnú.

Seachtain a chaith Réamonn gan codladh ná dúiseacht cés moite den tsíornéal a chuir meirfean poitín air. Féasóg seachtaine ag déanamh chnámh a ghéill chomh coilgneach le droim gráinneoige nuair a chuimil sé bos di. An teanga ataithe ina bhéal de bharr tart póite. Ba é a chloch nirt na súile a choinneáil ar leathoscailt. An snáth a cheanglaíodh a chuid smaointe imithe in aimhréidh, é ag feiceáil caorach i bhfad uaidh ach iad imithe as amharc a intinne aríst nuair a shíleadh sé an dá mhada a threorú ina ndiaidh. Eileen ag pocléimneach amach ar a aghaidh i halla an damhsa, ag athrú go dtí bean throm thorrach. Béic sagairt ag cur faoi ndeara dó súile a intinne a chaochadh ar feadh ala, ach b'fhacthas dó nach raibh an ala sin féin de chompóirt aige ó shúile na ndaoine a bhí á shíordhearcadh go ciontach. Mheabhraigh an phian a bhí ina cheann dó gur theastaigh leigheas ar phóit uaidh, agus ba é leigheas na póite é a ól aríst.

Chroch sé an buidéal os cionn a chloiginn, ní raibh sniog ann. Rinne sé an cleas céanna leis na sé bhuidéal eile, gob na scloige a chur ina bhéal agus croitheadh a bhaint astu ag súil le deoir amháin féin. Chomh tirim le buidéal dubh. Ar a bholg a chaith sé é féin trasna na leapan, osna ag dúnadh a dhá shúil agus doilíos croí á bhogadh i míshuaimhneas codlata.

Caoineadh a dhúisigh é, mada ag caoineachán taobh amuigh den doras agus an mada eile á fhreagairt ag coirnéal na binne. Caoineadh géar cráite mar a bheadh caoineadh linbh i ngéibheann. Aríst is aríst eile, geoin ghoilliúnach ag baint macalla uaignis as sleasa na gcnoc. Mhothaigh sé creathadh faitís ag ríochan an chraicinn ar fhad a dhroma.

Níor bheag a raibh dá rún i mbéal an phobail gan péire gadhar a bheith á gcur ar an airdeall. Corrach go maith a bhí na cosa faoi ag oscailt an dorais. Chuir lonradh gréine i ndiaidh a chúil é. D'imigh an dá mhada as a gciall le ríméad nuair a chuala siad bolta an dorais á bhaint. É faoi réir le bagairt drochmhúinte a chur ina ndiaidh nó go bhfaca sé an t-aoibhneas a bhí ina súile.

Iad ag labhairt leis go muirneach ina dteanga thuisceanach féin. Níor ghoill sé orthu go raibh claimhreach seachtaine ina deilgne ar a chuid leicne. Go raibh boladh an bhréantais uaidh tar éis an ragairne. Go raibh a pheaca ag cur claonfhéachaint i súile a chuid comharsan. Ghlac siad leis mar a bhí sé, ríméadach go raibh an doras oscailte ag a máistir aríst, ba chuma cén staid ina raibh sé. Phrioc aithne na héagóra a choinsias nuair a chonaic sé an bhail a bhí orthu. Na heasnacha amach trína gcraiceann leis an ocras. Gan greim, deoch ná blogam tugtha aige dóibh i gcaitheamh na seachtaine. An peaca is mó in aitheanta fear sléibhe, éagóir a dhéanamh ar a mhada. Fiú amháin nuair nach mbíodh an dara greim le cur ina mbéal ag an seandream, d'fhaigheadh an mada a chion. Chas sé isteach ar an toirt ar thóir greim beatha a thabharfadh sé dóibh mar aithrí ar a bhreithiúnas. Ní raibh i bhfad le dhul aige. I lár an bhoird ar phláta, geampa mór caoireola a mbíodh faisean aige í a bhruith agus a liobairt le lann scine as sin go ceann cúpla lá. Mura dtabharfadh sé amach í ba ghearr go siúlfadh sí féin amach. Aisteach nach bhfuair sé an boladh? É a cheapadh gur air féin a bhí chuile bholadh nó gur leag sé an pláta amuigh i lár na sráide. Ní raibh aithne orthu nach blas meala a bhí air. Iad ag croitheadh a ndrioball go buíoch á alpadh. B'fhurasta aithneachtáil ar a dhá ghiall sa scáthán go raibh sé tar éis siléig a ligean ann féin. Na pluca chomh sucaithe isteach is go mb'éigean dó a theanga a chur mar phrapa leo chun an fhéasóg a chur ar dheis an rásúir. Na súile slogtha siar ina ghrua mar a bheidís ag iarraidh a dhul i bhfolach ón tsíorfhulaingt. Súile móra lonracha a bhíodh meidhreach go dtí lá an mhí-áidh mhóir.

Chuir an smaoineamh déistean air.

D'éirigh sé as spadhar, é ag caint leis féin go coilgneach fad is bhí sé á nochtadh féin isteach go craiceann.

"Tá sé in am an scéal seo a chur de thaobh éicint."

Síos i mbuicéad uisce a sháigh sé an tuáille nó go dtug sé glanadh craicinn dó féin ó mhullach a chinn go dtí bonn a choise. Fuar nimhe san uisce ag cur tuilleadh díocais air. Máthair ann nó máthair as ní raibh sé ag dul ag fágáil bharr na háite nó go bhfaigheadh sé freagra.

Thug sé strachailt faoi bheilt a threabhsair, á fháisceadh go dlúth isteach lena bhásta, trí pholl le cois ab éigean dó an bheilt a chúngú de bharr chéileacan na seachtaine.

An doras a tharraingt ina dhiaidh a rinne sé, an dá mhada chomh bíogtha chun siúil is go raibh siad ag baint gainimh de dhroim an bhóthair le spoir a gcos. Bhreathnaigh sé go brónach ar an gcarr a bhí curtha chomh fada isteach i seanteach an chairr capaill aige is go raibh sí ag pógadh an bhalla cúil. Seanbhrat caite ina mullach aige ag iarraidh í a cheilt. Gan oiread is an eochair casta inti ón oíche fadó ar thug sé ar an tsráid í.

"Caithfear é seo a shocrú inniu agus sin a bhfuil faoi." Leis féin a bhí sé ag caint go meargánta agus é ag siúl go deifreach, dearmad déanta aige ar chluasa na gcomharsan nó gur bhioraigh an dá mhada a gcluasa féin mar a bheadh sé tar éis treoir nár thuig siad a thabhairt. Thug sé súil ina thimpeall go faiteach. Gan a fhios aige an leis nó ina aghaidh a bhí muintir an bhaile tar éis ionsaí an tsagairt. Níor mhaith leo an sagart a tharraingt orthu, ná leis-sean dá mbeadh neart air. Thairg sé í a phósadh ar an toirt chomh luath is a d'inis sí dó go raibh sí torrach. A hiompar ag dul ó mheabhair air nuair a d'imigh sí

52

amach as an gcarr uaidh gan sea ná ní hea a rá. An doras oscailte aige lena leanacht nó gur chuir a mháthair i ndiaidh a chúil le sruth maslaí é. Bhí fonn air í a chur ina tost le toirneach feirge ach d'fhág sé ag caint léi féin í. Níorbh é lá na gaoithe lá na scolb. É ag ceapadh nár theastaigh ó Eileen ach beagán ionú chun bealach a leasa a fheiceáil. Ba í an chluas bhodhar a fuair a chuid achainí. Oícheanta fada caite aige ag feadaíl uirthi ag cúl an tí ó thús oíche nó go múchtaí soilse. Chomh ciúin foighdeach le liagán cloiche nó go gcuireadh briseadh croí abhaile faoi dheireadh é. Ghéaraigh sé ar a choiscéim ag teannadh leis an teach, ionsaí an tsagairt á choipeadh le náire. Bhí tráth na foighde thart anois agus teannas na hócáide á chur ag bualadh an dorais ní ba ropánta ná mar ba mhian leis. Ba í an mháthair a d'oscail an doras, a héadan ag at le fearg nuair a dhearc sí air. Rabharta maslaí ag cruinneáil ina béal agus í ag iarraidh an doras a dhúnadh amach ina aghaidh. Alltacht ina súile nuair a d'oscail sé isteach dá buíochas é.

"Ní leat atá mé ag iarraidh labhairt ach le hEileen."

"Tá deireadh do chuid cainte déanta sa teach seo."

Chuala sé torann a cos ag máirseáil sa seomra, é ag súil go siúlfadh sí amach chuige chuile phointe nó gur chuala sé an eochair á casadh i nglas an dorais. D'imeodh sé de ghrá an réitigh murach nár mheas sé go raibh aon réiteach i ndán dó ach fanacht.

"As an spota seo ní chorróidh mise nó go labhróidh sí liom."

"Beidh déidín tite go maith agat sul má labhrós aon duine againne aríst leat."

"Níl mé a iarraidh ach réiteach an scéil a phlé. Déanfaidh mé rud ar bith atá sí a iarraidh orm."

"Tá sé déanta cheana agat, a bhrogúis shalaigh, muid náirithe go brách de do bharr!"

Ina grúsacht a bhí sí ag rá na cainte, í ag siobáil ar fud an tí ar thóir rud le déanamh. Cois na tine a shuigh sí faoi dheireadh. Lasair ina súil chuile uair dár bhreathnaigh sí air. Fonn cocaireachta ag tabhairt sruth maslaí chomh fada le barr a goib ach í á staonadh féin ó chaint mar a gheall sí. D'imigh uair an chloig gan focal ar bith, an teach chomh ciúin le séipéal. Glogar ina bholg ag meabhrú ocrais dó ach é ag diúltú don smaoineamh ar an bpointe. A dhá uillinn ligthe anuas ar an mbord aige, ag déanamh frapaí dá cheann. As spadhar a d'éirigh sí den teallach, í faoi réir lena speireadh.

"Gabh amach as an teach seo nó scoiltfidh mé leis an tlú thú! Gabh amach!"

Í chomh fíochmhar ag breathnú is gur mheas sé go mba ghearr uirthi é a chriogadh le buille. "Buail leat má thograíonn tú. Is cuma liom anois, ach beo nó marbh níl mé ag fágáil an tí seo gan freagra." Cor ná cosaint níor thug sé air féin ná oiread is breathnú díreach uirthi ní dhearna sé.

Mhaolaigh a cuid feirge chomh sciobtha céanna is a neartaigh sé. Gan de thorann sa teach ach an méid a rinne an tlú nuair a leag sí ar ais ar leic an teallaigh é. D'imigh leathuair eile nó uair, iad chomh ciúin leis na mairbh. Thosaigh an dá mhada ag geonaíl taobh amuigh den doras. É idir dhá chomhairle éirí agus fógairt orthu nuair a thosaigh siad ag grúsacht mar a bheadh siad ag brath ionsaí a dhéanamh ar mhada éicint eile. Phreab chaon duine acu nuair a buaileadh an doras.

Níor éirigh máthair Eileen nó gur buaileadh an dara babhta

é. Dhírigh Réamonn suas é féin amhail is dá mba ar chuairt neamhurchóideach a bheadh sé. Phointeáil sí a cuid gruaige le bois a láimhe sul má bhain sí an laiste.

"*Ah, Mrs Walsh, how are you?*"

"*Oh, Mr Barrett, what brings you here?*"

"*Big job starting, sure, two years' work, they say. Ara Jaysus, is that you, Réamonn? The very man. Will you drive the truck for us? I've been promoted to supervisor now. The council sent me out here again because I know the ropes.*"

Níor chuala siad glas an dorais á bhaint ná a coiscéim ag teacht tríd nó gur imigh an anáil ó Bharrett nuair a sheas Eileen amach ar a aghaidh. Dath ag athrú ar a éadan nuair a chonaic sé an chruth a bhí uirthi. A chlab ag dúnadh agus ag oscailt go mall aríst. Tar éis súil neirbhíseach a chaitheamh ó dhuine go duine, labhair sé go híseal.

"*How are you, Eileen?*"

"*Pregnant, Willie. You're the father.*"

Strachail Réamonn an seanbhrat den charr agus chaith sé i leataobh go liopastach é. An dá mhada ina suí ar a ngogaide, á fhaire go fiosrach nó gur thosaigh torann an innill. Iad ag tafann agus ag damhsa ina thimpeall nó gur bhain sé amach. Lean an dá mhada dó sna cosa in airde chomh fada leis na leacracha. Ceann chaon taobh den charr ag uallfairt mar a bheidís ag fiafraí de 'Cá bhfuil do thriall?' Níorbh fhaisean leo é a leanacht thar na leacracha nuair a d'imíodh sé ar an rothar. B'in é an spota a bhfógraíodh sé orthu suí, rud a dhéanaidís go humhal, uaireanta agus uaireanta an chloig go minic. Fliuch agus tirim, ina luí ar thulán agus a súile ag síorfhaire an bhóthair nó go bhfeicidís a mhullach ag filleadh ar ais aníos trí bhéal an mháma. Síos go caithréimeach faoina dhéin ansin ag tafann go fáilteach nuair a labhraíodh sé leo. Ach níor labhair sé ar chor ar bith an tráthnóna seo. Bailiú leis le fána agus iad a fhágáil ag geonaíl ina dhiaidh nó gur imigh sé as amharc.

Le piontaí a thosaigh sé, sáinn aimsithe sa mbeár aige agus a cheann cromtha mar chomhartha diúltach do chomhluadar. Dhá phionta pórtair scaoilte le fána go scafánta, ach gan aon bhrí sa mblas a d'fhág siad ar a ghoile. D'ordaigh sé gloine fuisce leis an gcéad phionta eile agus leis an bpionta ina dhiaidh sin. An ghloine fuisce a chaitheamh siar in aon bhlogam amháin, strainc a chur air féin ansin agus a anáil a choinneáil istigh nó gur mhothaigh sé an fuisce ag téamh líonán a phutóige. Imní an tsaoil imithe as a intinn tar éis an tríú gloine ach é fós ag diúltú aitheantas a thabhairt d'aon duine a bhuail bleid air. Corrach go maith a shiúil sé i dtreo an leithris.

"Cén chaoi a bhfuil Réamonn?" ag leaids a d'aithin é ach a dhá liopa chomh fáiscthe le bairneach ar leic. Corrdhuine ag cur láimhe go réidh mar phrapa leis nuair a baineadh truisle as. Fuisce eile a d'ordaigh sé tar éis filleadh dó.

Meaigí idir dhá chomhairle taobh thiar den chuntar. "Tá do dhóthain agat, a Réamoinn."

Páipéar deich bpunt a leagan ar an gcuntar a rinne sé agus a leathlámh ag tuineadh léi go meisciúil.

"Seo í an deoch dheiridh, an gcloiseann tú mé? An deoch dheiridh, a dúirt mé." Bhí a glór beagán róshéimh le dhul i bhfeidhm ar fhear óltach. "Tóg do chuid sóinseála, a Réamoinn, seo do chuid sóinseála."

Níor mheas sí go raibh sé á cloisteáil ar chor ar bith, a dea-chroí á tabhairt timpeall an chuntair ina dhiaidh nó gur chuir sí an t-airgead síos go sábháilte ina phóca.

"Suigh síos ansin anois is tóg d'am le do dheoch. An bhfuil tú ag iarraidh uisce thríd?"

Dhiúltaigh sé an t-uisce le croitheadh dá cheann ach ghéill sé do chineáltas a láimhe nuair a chuir sí ina shuí go slán sábháilte é. Bhí súilaithne acu ar a chéile, de bharr Meaigí a bheith fostaithe ag cailleach an *Lodge* a bhí ar aon bhaile leis, ach go n-oibríodh sí taobh thiar den chuntar san óstán cúpla oíche sa tseachtain. Í paiteanta i nGaeilge agus i mBéarla, rud a d'fheil dá slí bheatha, go háirithe nuair a thugadh an chuileog Bhealtaine scata iascairí go dtí an ceantar. Choinnigh sí súil air ar feadh scaithimh, drogall uirthi a bheith á dhiúltú dá dtiocfadh sé go dtí an cuntar aríst, ach fios aici go raibh a dhá dhícheall ólta aige. D'imigh an t-ualach dá cliabhrach nuair a shín sé ar a leath trasna is thit sé ina chodladh ar an mbinse, gan a fhios aige ó Dhia thuas na Glóire cá raibh sé nó cé a bhí ag iarraidh mothú a chur ann nuair a thosaigh sí á chroitheadh ag am dúnta. D'fhág sí ar a chompóirt é chomh fada is a d'fhéad sí. Ní raibh cor as fad is bhí sí ag bailiú suas gloineacha is á níochán. Fiú nuair a chruinnigh sí na stólta is nigh sí an t-urlár ina thimpeall, ní raibh de dhifríocht idir é féin agus marbhán ach an srannadh. Bhí a fhios aici nach raibh aon dul as aici ach é a dhúiseacht faoi dheireadh. É thar am codlata ó tharla go mbeadh uirthi aghaidh a thabhairt ar an *Lodge* ag a sé a chlog an mhaidin dár gcionn.

"Dúisigh, a Réamoinn! A Réamoinn, dúisigh!"

"Hea?"

"Tá sé in am a dhul abhaile."

Go mall spadánta a dhírigh sé aniar. Troscadh na seachtaine á fhágáil lagbhríoch. "Cá bhfuil mé?"

"San Óstán ar an gCaiseal, a Réamoinn. Tá sé in am a dhul abhaile."

Chruinnigh craiceann a éadain ina roic dhólásacha mar a bheadh dealg ghoilliúnach éicint tar éis a dhul i bhfostú ina intinn. Ghéill sé don láimh a chuir sí faoina ascaill.

"Ná gabh ar an rothar anois, a Réamoinn. Siúil ar feadh píosa nó go bhfuaróidh an t-ól ort."

B'in é an uair a thosaigh sé ag cartadh ina phóca nó gur tharraing sé aníos eochair a chairr.

"Ó, ní raibh a fhios agam go raibh carr agat. Cén uair a fuair tú í?"

Ba léir go raibh a cuid cainte ag dul thar a chluasa. Gan glas ar bith curtha ar an gcarr aige. Cuma air nach raibh a fhios aige cé ab fhearr dó imeacht nó fanacht, a mhéaracha ag lámhacán go mall ó chnaipe go cnaipe nó gur aimsigh sé an ceann a las na soilse.

"Scaoil néal tharat sa gcarr, a Réamoinn."

Comhairle in aisce. Bhain sé creathadh beag mórálach as a chuid guaillí agus d'fhág sé lasta iad. Thóg sé scaitheamh air poll na heochrach a aimsiú. Thosaigh an carr leis an gcéad chasadh ach rinne sí stad aríst trí bhabhta sul má bhain sí amach go glórach agus a thosaigh sí ag pocléimneach i dtreo an dorchadais.

Bhí fionnuartas na hoíche tar éis beagán den mhothú a chur ann. Mothú a bhí a intinn ag iarraidh a dhiúltú. Eachtraí an lae ag teacht chun cruinnis go goilliúnach. Dá mbeadh deoch le fáil in aon áit a phlúchfadh aríst iad ach ní raibh ag an tráth seo d'oíche. É ag triall abhaile agus gan é ag iarraidh a dhul abhaile, ag iarraidh a dhul chomh fada ó bhaile agus ab fhéidir leis dá mbeadh leigheas aige air. Seans go raibh Eileen agus Barrett ag srannadh go te teolaí in ascaill a chéile ag an nóiméad seo.

Chuaigh roiseadh fola go mullach a chinn. Gearradh fiacla air le teann oilc. Chaon taobh an bhóthair ag an gcarr mar a bheadh sí ag iarraidh na claíocha a ionsaí dá bhuíochas. Fonn air an bhróg a chur go clár agus ruathar a thabhairt faoi theach na mBreathnach. An doras a chur isteach de agus a bheith ag greadadh Bharrett nó go mbeadh chuile chnámh ina cholainn briste. Thabharfadh sin Eileen ar ais dó, ach an raibh sé á hiarraidh ar ais? Ceap magaidh déanta aici de. Seans go raibh a fhios ag chuile dhuine sa bpobal go raibh Barrett ag caitheamh na coise trasna uirthi ach aige féin. Oiread grá aige di is nach ligfeadh sé do mhíoltóg luí uirthi. Ceapadh gur le cion airsean a bhíodh sí chomh bíogtha le dhul i seid an fhéir. B'fhearr leis-sean fanacht go dtabharfaidís grá dá chéile ar leaba an phósta ach dúirt sise leis gan a bheith seanaimseartha, sásamh a bhaint as chuile lá. Ach bhí sásamh a shaoil caite anois, caite go tútach agus go náireach. Ní raibh sé á hiarraidh níos mó, b'olc an ailím í, bean nach raibh le trust. Ní raibh sé ag iarraidh déileáil ar bith a bheith aige léi go deo aríst. Lag sé sa siúl, ar thóir áit chasta le dhul i dtreo éicint eile. Ach cén áit? Chuile áit dúnta ag an tráth seo. É chomh lag le héan gé de bharr ragairne, é sách deacair na súile a choinneáil oscailte agus an carr a choinneáil as bradaíl. A dhul abhaile agus néal a chodladh ar dtús. Greim a ithe, dhá ubh a bhruith, nó trí cinn, a chuirfeadh brí ar ais ina chnámha. Bhog a aghaidh chun cineáltais nuair a smaoinigh sé ar an dá mhada, bheidís ag fanacht leis. Ghéaraigh sé ar an luas ag deifriú ina dtreo. Soilse an chairr ag aimsiú móta ceo nuair a chuaigh sí trí bhéal an mháma. Bheadh sé tugtha faoi deara ag na madraí anois, iad ag éirí in airde thuas ar na leacracha. Chaithfeadh sé béilí a thabhairt do na madraí agus iad a thabhairt leis sa gcarr nuair a d'imeodh sé i bhfad ó Bharrett, i bhfad ó Eileen. Bothán a thógáil dó féin is don dá mhada in iargúltacht agus in áilleacht an tsléibhe. Áit a bhféadfadh sé labhairt leis na caoirigh agus leis an dá mhada. Bhí an ceo ag baint an tsolais as a shúile, néal ag teacht air dá mhíle buíochas. Dhúisigh sé de phreab nuair a d'iontaigh an carr ar a taobh go tobann isteach thar bhruach an bhóthair. Greim an fhir bháite ar an rotha aige de réir mar a bhí sé á thuairteáil le fána. Níor thúisce na soilse ag scairteadh suas san aer ná síos sa talamh. Pian ina chosa, ina lámha, ina bhaithis de réir mar a bhí sé á thuairteáil in aghaidh thaobhanna an chairr. É fós ag iarraidh rotha a bhí chomh cam le corrán a chasadh i dtreo a shábhála nuair a phléasc na fuinneoga isteach ina mhullach.

Chuir máthair Eileen an glas go daingean ar dhoirse na sráide nuair a d'imigh Réamonn. D'ordaigh sí d'Eileen greadadh léi a chodladh sul má d'oscail sí tine ar Bharrett. Lán an phota de tae a réitigh sí agus cúpla stiallóg aráin. Oiread de sciolladh déanta aici air is nár chuimhneach leis an raibh im ar bith ar an arán. Ghéill sé go maolchluasach nuair a d'ordaigh sí a chodladh as féin é. Luigh sé ar an leaba go mí-shuaimhneach

ach oiread is néal níor chodail sé go maidin. Bhí a fhios aige ón mionchasacht a bhí máthair Eileen a dhéanamh sa seomra ba ghaire dó nach gcorródh an chiaróg ar fud an tí i ngan fhios di. Tar éis a raibh de sceitimíní air le coicís roimhe, ag tnúth le halpóga de bhradán úr agus le gríscíní blasta den uile chineál, ag tnúth lena chomhairle féin ar feadh cúpla bliain agus, ar ndóigh, ag tnúth go mór le bheith ag déanamh poillín in airde in éineacht le hEileen. Bhí a intinn ag síor-ríomh modhanna éalaithe agus a shúile ag tolladh an dorchadais a bhí dá chuibhriú. Imeacht leis ar maidin, mar ó Dhia gur ag obair a bhí sé ag dul, aghaidh an leoraí a thabhairt soir agus gan breathnú ina dhiaidh nó go mbeadh réigiún na gcaorach crosach fágtha ina dhiaidh aige. Níor ghéill sé don deifir a bhí a chuid uisce a chur leis nó gur bhuail an clog an seachtú buille is gur chuala sé trupáil ag déanamh ar an gcisteanach. Tharraing sé air a threabhsar gan mórán furú ar bith. Éadach oibre nach gcothódh aon amhras, leag sé uaidh an mála aríst go drogallach. Culaith éadaigh agus cúpla léine ghlan thíos ann. Ba é dícheall an deabhail imeacht dá bhfuireasa, ach ní mba luach mór le n-íoc ar shaoirse é. Bhrúigh sé an cuirtín i leataobh ag santú beagán solais le breathnú sa scáthán. Chuir sé cúpla strainc gháire air féin sul má roghnaigh sé ceann feiliúnach le tabhairt chun na cisteanaí. Ní duine a bhí roimhe ach an bheirt acu, duine ag chaon cheann an bhoird agus a bhricfeasta leagtha sa spás a bhí istigh eatarthu. Rinne Eileen meangadh cineálta gáire leis. Ba léir go raibh an taghd caite ag a máthair chomh maith. Síocháin le mothú san aer mar a bheadh calm tar éis feothain.

"*Let me pour your tea now, Willie.*"

61

"Thanks, Mrs Walsh."

"It's a lovely morning, thank God, biteen cold."

"Yes, Mrs Walsh."

"It'll be a nice day when the sun burns off that fog."

Níor ith sé aon bhricfeasta ariamh chomh sciobtha leis. É ag slogadh geampaí cáca le teann deifre.

"Take your time with your breakfast."

"Well, I'm in a hurry this morning. I have to try and recruit workers."

"First things first now. You won't be going anywhere until we talk to the priest."

"Excuse me?"

"There'll be no excuse now, Willie. You got poor Eileen into this condition and you know yourself that marriage is the decent way to end the scandal."

"Well, we'll talk about it tonight so."

"We will talk about it right now! Come on, Eileen, put on your coat."

Bhí scéin i mBarrett ag breathnú ar chaon duine acu ag cur orthu a gcótaí. *"What's happening?"*

"We're all going down to Cashel to see the priest."

"To the priest?"

"He might be able to marry ye this morning, we'll settle a date anyway. Come on."

"But sure we cannot be getting married like that."

"Well, you should have thought of that before you took advantage of her. Will you give her a hand, will you and she barely able to walk with the weight of your child."

Amach roimpi a sheol sí iad mar a bheadh sí ag seoladh dhá

bhó, ó chois go cois nó go dtáinig siad chomh fada leis an leoraí ar na leacracha. Súile Bharrett ag scinneadh ó thaobh go taobh go himníoch, gan a fhios aige cén soicind a n-éireodh an dream a bheadh ar thóir oibre amach as na tomacha chuige. É chomh dearg le splanc ag iarraidh Eileen a bhrú ar bord. Fios maith aige go raibh súile á fhaire as an bhfraoch agus as scailpeanna. Bhí sé ina thiaráil ag máthair Eileen ag iarraidh dreapadóireacht in airde go dtí an suíochán, gan baileach a dóthain tapa inti agus faitíos ar Bharrett a dhul ag sá léi. Ní raibh puth dá hanáil fanta aici nuair a dhún sé an doras isteach ina diaidh. Thosaigh mada ag tafann sa bhfraoch mar a bheadh sé ag deifriú Bharrett i dtreo chábán an leoraí.

Cheapfadh aon duine beo a d'fheicfeadh Meaigí ag teacht in aghaidh na n-ard gur píosa dá colainn a bhí sa rothar. Í chomh stuama, chomh rialta ag oibriú na dtroitheán, is nach raibh anonn ná anall aici ach í ag brú go gasta chun cinn. Bhíodh lán an phaidrín ráite aici ó d'fhágadh sí a baile ar an gCaiseal nó go sroicheadh sí a cuid oibre sa *Lodge*. B'in é a faisean chuile mhaidin ó cailleadh a tuismitheoirí. Í in am ag a cuid oibre i gcónaí. Leathuair roimh an am nó chinn uirthi. Bhí meas ag Lady Bromley uirthi dá réir. Oiread ceana aici ar Mheaigí is dá mba í a hiníon féin í. D'fhéad sí brath uirthi, í a thrust go huile is go hiomlán. Ba chuma ina stoirm shíonta nó ag caitheamh sceana gréasaí é, thiocfadh Meaigí aníos in aghaidh na n-ard chuile mhaidin, gan cantal gan clamhsán aici nuair a bhíodh Lady Bromley ag déanamh trua di.

"*It's a bad morning, Margaret, are you perished?*"

63

"I'm fine, Lady Bromley."

Bhíodh athrú éadaigh fágtha sa *Lodge* aici agus fad is bheadh duine á choisreacan féin ní thógfadh sé uirthi nó go mbíodh sí chomh tirim sácráilte is dá mba amach as nead dreoilín a bheadh sí tar éis a theacht.

Ar an gcúigiú rúndiamhair dhólásach a bhí sí nuair a chuala sí na madraí ag tafann. Tafann aduain a ghoin a haire agus a mheall a súil ina dtreo. Mhothaigh sí a colainn fré chéile ag creathadh ar an bpointe boise is a bhfaca sí an carr. É caite bunoscionn i gclochar i bhfad síos le fána. Gaetha gréine tús maidne ag spréacharnaíl air corruair de réir mar a bhí an ceo ag ardú. Ní bróga feiliúnach i gcomhair an chriathraigh a bhí uirthi ach níor choisc sin í a bealach a dhéanamh síos tríd an easca go deifreach. Locháin sna logáin a d'fhág an carr i dtaobh an chriathraigh i chuile áit dá ndearna sé mullach cinn le fána.

"A Réamoinn . . . a Réamoinn, an gcloiseann tú mé? A Réamoinn?"

Ní raibh gíog ná míog as ach é casta cuibhrithe i gconablach brúite an chairr. Thriáil sí an doras a oscailt ach chinn uirthi. É daingean in aghaidh an fhráma de bharr an tonáiste.

"A Réamoinn, a Réamoinn . . . an gcloiseann tú mé?"

Ní raibh a chloigeann le feiceáil ar chor ar bith, é clúdaithe ag suíochán an phaisinéara a bhí ina lúb amach os cionn a ghuaillí. Chuir sí scread bheag aisti nuair a chonaic sí an fhuil smeartha ar an rotha a raibh a leathlámh fós i bhfastó ann.

"A Réamoinn . . . a Réamoinn?"

Bhí sí ag caoineadh anois, an tuar ba mheasa á shamhlú di, an dá mhada ag fáinneáil ina timpeall ag geonaíl mar a bheidís ag fiafraí di . . . 'Céard a dhéanfas muid?' Ach ní raibh a fhios aici céard ab fhearr di a dhéanamh. Thug sí iarracht eile faoin doras ach b'fhánach é a cion ar an bhfáisceadh a bhí faighte aige. In airde ar Dhia a scread sí.

"Cúnamh, a Dhia, cúnamh! Ó, a Dhia, tar i gcabhair orm!" Phreab a croí nuair a fuair sí toradh a guibhe chomh sciobtha. Ag an ala sin go díreach a tháinig torann don leoraí thuas ar na leacracha agus thosaigh sí ag sníomh a bealaigh le fána. Rinne an dá mhada cúpla miontafann goilliúnach nuair a chonaic siad ag rith í, gan í ag fanacht le torann a cos ag rásáil in aghaidh an tsléibhe. An leoraí ag déanamh uirthi anuas le luas lasrach a mheas sí. Chaithfeadh sí a bheith ar an mbóthar roimhe. Leag sí uirthi chomh tréan is a d'fhéad sí, séideán inti ag iarraidh a bheith ag tarraingt a cos trí scraith ghlugair.

"A Dhia, a Dhia, cúnamh, a Dhia!" a scread sí, fios aici anois nach mbeadh sí i lár an bhóthair lena stopadh.

"Cúnamh, a Dhia."

Chuir sí a brollach aníos thar bhruach an bhóthair ag an nóiméad deireanach. Í ag croitheadh a dhá lámh go fíochmhar. Chuaigh an leoraí cúpla slat thairsti sul má stop sí. Gan puth dá hanáil aici ag rith i dtreo dhoras an tiománaí.

"Bad accident, there's a car upside down, see it down below."

Ní raibh an bheirt bhan a bhí ina chuideachta tugtha faoi deara go dtí sin aici.

"Réamonn," a deir sí leo go lagbhríoch. "Tá sé gortaithe go dona, níl a fhios agam nach bhfuil sé marbh. *Réamonn, I think he's dead."* Bhí na deora ag rith anuas léi ag aistriú an scéala do Bharrett. Ciúnas iomlán fad is bhí an triúr ag dearcadh ar a chéile. Dath ag athrú ar Bharrett nó gur labhair máthair Eileen.

"*Drive on. Drive on, I say. We have more important things to attend to.*"

Ghluais an leoraí ar an bpointe, Meaigí fágtha chomh stromptha le dealbh ag breathnú ina ndiaidh. Na briathra dochreidte ag cur déistine ina cluasa. Scread sí chomh hard is bhí ina ceann, scread ghártha a bhí chomh céasta le scread na maidne, scread ghéibhinn, aríst is aríst eile. Screadach a rinne macalla ar fud an ghleanna. Scread a bhí olagónta agus uaigneach sa ngleann agus binbeach nuair a bhuail sí taobh na sléibhte. Ach níor mhoillligh a scread an leoraí, í ag déanamh folach bíog ag dul timpeall coirnéil. Scread sí aríst ar Dhia ó mheas sí nach raibh aon duine ag éisteacht. Chas sí timpeall chun a scread a chur amach thar mhullach an tsléibhe. Ba ansin a chonaic sí go follasach iad i bhfad suas ar na leacracha ag teacht go dtí bruach na haille ó dhuine go duine. Scread sí aríst is aríst eile orthu go fíochmhar agus ag rith aríst i dtreo láthair na timpiste le súil is go leanfadh a n-amharc í. Tháinig siad ina treo tríd an mbograch chomh tréan is dá mba ag doirteadh anuas le fána a bheidís. Scór fear má bhí duine ann. Grinneas ar leiceann cnoic tugtha leo ó dhúchas acu. Fios a ngraithe go nádúrtha acu chomh luath is a dhírigh sí a n-aird ar an gcarr. Piocóid as bosca an oirnéis ina leathláimh ag duine acu, ord ag duine eile, gan lámh duine ar bith folamh. Iad ciúin tuisceanach, an doras oscailte ar an bpointe boise le priocadh de ghob na piocóide.

"Fág ag Tomás é. Fan siar uaidh."

Tomás ag cur isteach a láimhe go cúramach nó gur rug sé i ngreim rosta ar Réamonn, tost ansin ar feadh cúpla soicind fad is bhíodar ag fanacht le breithiúnas.

"Tá sé an-fhuar, ach tá cuisle aige. Tá sé beo."

Bheoigh chuile dhuine chun misnigh ar an bpointe. Duine acu ag síneadh a chóta chuig Tomás nó gur chuir mar phluid os cionn Réamoinn é.

"Coinnigh do mhisneach, a Réamoinn, tá tú sábháilte anois. Ní féidir é a chorraí, a leaids, ar fhaitíos go bhfuil aon chnámh briste."

A dhá lámh go stuama ag scrúdú na coise clé ó rúitín go corróg, á casadh is á lúbadh beagán.

"Níl aon chnámh briste ansin."

Níorbh amhlaidh don chois dheas, chuir Réamonn osna éagaoineach as. Osna a raibh fáilte roimpi mar gurbh é an chéad mhothúchán é a chruthódh go raibh sé fós i saol na mbeo.

"Díreach os cionn an rúitín, a leaids, tá an chnámh ina dhá leath."

Mhothaigh Meaigí ualach ag plúchadh a croí. Má bhí a chnámha briste ar an aistreán seo bhí siad in umar na haimléise. Ach feanc níor bhain an t-eolas as na fir. Géarú chun oibre ar an bpointe, scian phóca a ghearr cos a threabhsair.

"Gortóidh mé anois thú, a Réamoinn, fad is bheas mé ag cur na cnáimhe ina chéile."

Chuir an scread a lig sé pian i gcroí Mheaigí ach bhí oiread díocais i mbun graithe ar an gcuid eile is gur scaoil siad thar a gcluasa é. Fear amháin ag baint de a léine agus á stialladh ina bandaí. Beirt eile ag gearradh eangaí ina gcuid maidí láimhe nó go ndearna siad dhá leath díobh. Duine eile ag socrú na maidí ar fhad a lorga san áit a raibh Tomás ag coinneáil na cnáimhe ina chéile. Banda á chasadh go crua ina dtimpeall nó go raibh siad fáiscthe ag na cleithíní. Bhí croí Mheaigí ag at le bród ag breathnú orthu. Fios a ngraithe acu chomh maith is dhá mbeidís á chleachtadh le hachar aimsire. Ar ndóigh, bhí seanchleachtadh acu a bheith ag tabhairt beithíoch as scailpeanna nuair a théidís ag strapadóireacht ar thóir eibhinn i ndúluachair na bliana. Chuile dhuine acu ábalta cleithíní a chur le cois caorach a leonfaí tar éis titim le haill. Corrdhuine acu chomh meabhrach le tréidlia in ann déileáil le chuile anó. Bhí an phiocóid in úsáid aríst ag cur an dara doras as a lúdracha agus aríst eile ag ardú an tsuíocháin a bhí casta i mullach Réamoinn. Gan aithne shúl ná bhéil air lena raibh d'fhuil cácáilte timpeall a éadain. Fad méire de ghearradh domhain ina bhaithis agus suas faoi bhun a chuid gruaige.

"Tá drochbhuille faighte aige, cheapfainn go gcaithfear é a chur in ospidéal."

"Caithfear, mar gheall é a bheith buailte sa gcloigeann. Is furasta cnámha a leigheas ach rud eile é an cloigeann."

"Téigh ag iarraidh dorais, iompróidh muid suas ar dhoras é ar fhaitíos go mbeadh cnámh a dhroma leonta." Ní raibh aon chall é a rá an dara babhta, bhí beirt imithe ar an toirt.

"Caithfidh duine éicint glaoch a chur ar an ospidéal."

"Déanfaidh mise é," ráite ag Meaigí agus í casta in aghaidh an strapa go deifreach. Bhí fón sa *Lodge*. Thuigfeadh Lady Bromley an cás.

Bhí Lady Bromley ag teannadh amach sna blianta, claochlú ar a mianta agus pianta á déanamh drogallach. Duine de shliocht uasalaicme na Breataine Móire ar bronnadh seilbh in Éirinn orthu de bharr a ndílseachta don Choróin. Ba dheacair seasamh ar thalamh Bhromley ná drannadh lena cearta iascaireachta nuair a bhí siad ina rith seoil ach bhí an saol á n-ídiú de réir a chéile nó go raibh Lady Bromley fágtha ina cadhan aonraic sa *Lodge*. Teach mór áirgiúil tógtha ar bhruach na locha agus coill chrainnte ag tabhairt foscaidh dó. Míle acra talún isteach leis agus abhainn ag rith trína lár. Bhí sé ráite sa seanchas gur mhinic a chaith tiarnaí agus teachtaí parlaiminte na Banríona seal ag iascaireacht agus ag foghlaeireacht ann. Ach ní raibh le cloisteáil ina thimpeall ag an tráth seo ach grágaíl dhúshlánach na bpréachán a bhí ag glacadh seilbhe ar na simléir. D'fhan muintir na háite glan ar an *Lodge*. Ní le heagla roimh Lady Bromley é, mar gurbh í ba shibhialta is ba lú gangaid dá shliocht, ach de bharr go raibh sé ráite go láidir go mbíodh taibhse shean-Choirnéal Bromley le feiceáil ina thimpeall. Ní bhíodh Lady Bromley ar a compóirt sa *Lodge* ach oiread, cé gur chuir onóir a muintire faoi ndeara di a héagmais a cheilt. D'fhanadh sí i gciumhais na bpluideanna nó go dtagadh Meaigí. Í ag tabhairt néil léi ó bhreacadh an lá is ó thosaíodh an líonrith croí ag bogadh a ghreama. Ní thagadh misneach ceart di nó go gcasadh Meaigí an eochair sa doras chuile mhaidin.

"*Good morning, Lady Bromley,*" mar cheol ina cluasa nuair a labhraíodh sí aníos an staighre léi.

"*Good morning, Margaret.*"

"*Coffee and toast?*"

"*Thank you, Margaret.*"

Í ag dul ina bealach á fháil faoi réir sul má bhíodh an focal deiridh ráite.

Thabharfadh sí a dhá shúil ar lán a béil de chaife, pé ar bith cén mhoill a bhí ar Mheaigí an mhaidin seo. Dá mbeadh aon mhoill le bheith uirthi bheadh sé ráite roimh ré aici, ach níor dhúirt. *"Good night, Lady Bromley, I'll see you in the morning,"* a dúirt sí sul má chuir sí glas ar an doras.

Bhuail arraing den anbhá Lady Bromley, ag samhlú na hanachaine, ag samhlú nach dtiocfadh Meaigí ar chor ar bith. Go mbeadh sí fágtha ar thaobh tí léi féin. Dhíbir sí an smaoineamh as a hintinn go deifreach, í ag feiceáil Mheaigí trí shúile a hintinne ag siúl aníos in aghaidh na n-ard, rotha deiridh an rothair tollta. B'in é a bhí ag cur moille uirthi, nó an ghaoth a bheith ina haghaidh.

Phreab sí nuair a chuala sí Meaigí ag oscailt an dorais. *"Is that you, Margaret?"*

"There has been a terrible accident, Lady Bromley. Will you help me, please?"

Bhí sí amuigh as a leaba chomh tréan is a cheadaigh a cuid cnámh di. An drochscéal ina dhea-scéal á deifriú ó éagmais a cuid smaointe.

"What's wrong, Margaret?"

"Réamonn Seoige from the top village. Drove off the road some time last night."

"Oh dear."

"Call the hospital, please."

"Certainly, dear." Ach bhí sé chomh maith di seasamh taobh amuigh den doras ag ligean fead ghlaice ar an ospidéal le bheith ag brath ar chóras gutháin na huaire. Teach an Phosta ar an gCaiseal tar éis a chur in iúl di go dtógfadh sé leathuair ar a laghad sul má d'fhéadfaidís í a chur tríd go Gaillimh. An guthán a bhualadh go friochanta anuas ar a cheap a rinne sí nuair a thosaigh Meaigí ag caoineadh.

"Come on, Margaret. Let's use my car."

"*Ah, no, it's too much trouble.*"

"*No, no, come on, let's help the man.*" Tharraing sí uirthi cóta mór os cionn a feistis leapan.

"*But you haven't eaten, Lady Bromley.*"

"*Never mind. This is an emergency. Come, come.*"

Bhí brí agus fuinneamh ina coiscéim ag baint an ghlais de dhoras theach an chairr agus ag cúlú amach Bentley mór galánta. Na fir ag fágáil an bhealaigh go hómósach nuair a chonaic siad an loinnir a bhí sa gcarr ag déanamh orthu, alltacht ar chuid acu nuair a thosaigh Lady Bromley ag tabhairt cúnaimh dóibh.

"*Careful now, we need two strong men inside the car to lift him in gently.*"

Bróga á nglanadh sa móinín bán go deifreach.

"*Push the door right in as far as possible.*"

"Fainic an carr."

"*Never mind the car, in a little more.*"

"Sin é anois é, a leaids, cuirfidh muid uilig lámh faoina dhroim anois agus ardóidh muid le chéile é."

"*That's it. Gently, gently, men.*"

"Isteach in aghaidh an choirnéil, fág a chosa ar fhad an tsuíocháin."

"*We should have covered the seat, Lady Bromley.*"

"*Never mind the seat, you go on your knees beside him, Margaret, try to keep him still.*"

D'fháisc Réamonn a ghreim ar láimh Mheaigí nuair a bhain an carr amach. Dath geal ar an méid dá éadan nach raibh clúdaithe le fuil de réir mar a thosaigh an bóthar corrach á chur ag éagaoineadh go pianmhar.

Níor dhírigh na fir oibre a ndroim nuair a chuaigh an heacnaí síos tharstu trí seachtainí dár gcionn ach níor stop sin iad gan Eileen agus a máthair a fheiceáil istigh ann. Biadán íseal ag dul ó bhéal go béal nó gur scaip Barrett le huaill iad.

"Come on, you shower of bastards, stop the fuckin' talkin' or fuck off home!"

Réab siad chun oibre ar an bpointe, ag bá a gcuid piocóidí sa gcnocán gainimh rua, múnóga allais ar a ngrua cé nach raibh leathuair féin den lá caite go fóill.

"Spread out! Spread out to fuck and don't be bunched together like a bunch of ould cailleachs, spread out!"

Ghéill siad go deifreach. Fios acu nach raibh uaidh ach leithscéal chun a chuid cantail a ídiú agus an bóthar abhaile a thabhairt do chuid acu. Mheas siad go raibh Barrett géar gangaideach an chéad bhabhta ar oibrigh siad dó ach bhí sé brúidiúil amach is amach an geábh seo. Thomhais Barrett cheithre choiscéim amach ar aghaidh chuile dhuine, ag bá sháil a bhróige sa talamh mar mharc.

"I'll be gone for a few hours and anyone who hasn't dug as far as this mark better be gone before I return."

Bhí ruibh air ag dul isteach sa leoraí, fonn dalba tosaí ag lascadh duine éicint. Ar an suíochán lena thaobh a bhuail sé dorna go nimheanta tar éis don leoraí baint amach. A intinn idir dhá cheann na meá, aghaidh a thabhairt soir ar a dhúchas agus salm na mallacht a chur go brách ar an gceantar mallaithe seo. Smaoinigh sé ar Chathy Lardner, sméar mhullaigh d'ógmhná an Achréidh, í as a meabhair ina dhiaidh. Chuile ghealladh dá dtug sé di le cúpla mí roimhe ag rith trína intinn. É ag cruachan a ghreama ar rotha stiúrtha an leoraí nuair a

72

smaoinigh sé ar bhoige a dhá cíoch. Casadh soir agus coinneáil ag tiomáint go dtabharfadh sé i láthair Dé os comhair na haltóra í. Barróg dá láimh a chuirfeadh sé mar fháinne pósta uirthi agus cead fuirste a bheith acu i gcolainn a chéile go dtí lá deiridh a saoil. Dá mbeadh sé chomh simplí le casadh den rotha ní smaoineodh sé an dara huair air, ach chaillfeadh sé a phost leis. Bheadh sé ag caitheamh uaidh an t-ardú céime nach raibh mí aimsire de leas bainte fós aige as. Bhainfí de an leoraí mura mbeadh sé sásta oibriú sa gceantar a bhí curtha de chúram air. Cá mbeadh sé ansin? Ag piocadh fataí d'fheirmeoirí nó go mbeadh a chuid ingne caite isteach go dúid. Taobh amuigh de shéipéal an Chaisil a stop sé an leoraí. Stiall coganta d'ionga a ordóige lena chuid fiacla aige sul má shiúil sé isteach doras an tséipéil go neirbhíseach. Chloisfeá biorán ag titim sa gciúnas, gan cor astu ach oiread le gnáthdhealbha an tséipéil os comhair na haltóra. An Canónach ag gearradh fiacla go mífhoighdeach mar a bheadh eachmairt oilbhéasa air. Thosaigh sé ar an searmanas sul má bhí an choiscéim dheiridh i dtreo na haltóra tugtha ag Barrett. D'éirigh Eileen ina seasamh ar an bpointe. Í mall támáilte de bharr mheáchan an pháiste nuair a thug sé comhartha go mífhoighdeach lena chiotóg dóibh a theacht go dtí bun na haltóra. Bhí sé beagán níos fáilí leis an mbeirt fhinnéithe a bhí roghnaithe aige féin chun seasamh leo. Níor thóg Eileen a súile den urlár fad is bhí sí ag freagairt.

"An nglacann tú le Liam mar fhear céile, más tinn nó más slán, más bocht nó más saibhir, nó go scarann an bás sibh?"

"Glacaim," gan í le cloisteáil ach ar éigean.

Barrett ina staic nuair a cuireadh an cheist i nGaeilge air féin.

73

An Canónach á dhearcadh go fíochmhar ag fanacht le freagra.

"*Say, I do.*"

"*I do.*"

Shínigh sé na cáipéisí a cuireadh os a chomhair sa sacraistí gan breathnú díreach orthu. Ba chuma leis ach fáil réidh leis agus a chosa a thabhairt slán as an séipéal. Ba í máthair Eileen a d'íoc an sagart. Meangadh beag bréagchráifeach uirthi ag cur na nótaí isteach ina ghlaic ach gan an oiread cuntanóis ann á nglacadh is dá mba isteach i mbéal leoin a bheadh sí á gcur. Scaoil Barrett roimhe síos an séipéal iad, an mháthair faoi ascaill Eileen nach raibh siúl an bhealaigh ach ar éigean inti. Oiread is breathnú ina ndiaidh ní dhearna siad ach isteach díreach sa gcarr. Chuir an cathú súil Bharrett ag dearcadh go dúchroíoch i dtreo theach an ósta sul má shuigh sé isteach sa leoraí.

Chuir an heacnaí na fir oibre ag sioscadh eatarthu féin aríst nuair a chuaigh sé tharstu suas. Chuile dhuine agus a bharúil féin aige nó gur chuala siad torann an leoraí. Phreab siad ar ais chun oibre ar an bpointe. Chuile dhuine ag réabadh amach an ghainimh rua go díocasach. Gach a raibh marcáilte bainte síos go leic ag chuile dhuine ach ag Pádraig Mhicil. Gan oiread teacht aniar i bPádraig leis na fir eile de bharr ruaigeanna den phlúchadh a bheith ag cur as dó. Tháinig cnead ann nuair a chonaic sé cábán an leoraí ag nochtadh i bhfad uaidh. Rith ar mhullach na talún i dtreo an mhairc a rinne sé. Cársán ann ag rómhar go fiáin. Colm Tom Mhóir a tháinig i gcabhair air.

"Fág agamsa é, a Pádraig."

"Go saolaí Dia is Muire thú!"

Bhí Colm ag réabadh amach an ghainimh rua ina dhabaí. Scramánach óg oscartha nach raibh i bhfad ag cur slachta ar an trinse. Ceann scríbe bainte amach acu nuair a tháinig Barrett ar an láthair.

"*What the fuck are you doing there?*"

"*Givin' Pádraig a hand.*"

"*Did I tell you to do that?*"

"*No, sir.*"

"*When I tell you to do something you do it. I'm tellin' you to fuck off home. Now, fuck off the two of you.*"

"*Ah, no, sir. Ar son Dé, I have a wife and children.*" Chaith Pádraig é féin ar a ghlúine ag iarraidh trócaire.

"*Fuck off now, I have no time for your* béal bocht. *I'll show you who's in charge around here.*"

Lagbhríoch go maith a d'imigh Pádraig Mhicil, cúpla deoir ag éalú amach as coirnéal a shúl nuair a thug sé an t-amharc deiridh go náireach ar an gcuid eile de na fir. Bhí Colm Tom Mhóir i ngreim chomh crua i gcois na piocóide is nach raibh rian fola fanta ina chuid alt. Dúnmharú Bharrett ag preabadh trína intinn, an teannas a bhí san aer ag triomú na smugairlí i scornach na bhfear. Chas Colm ar a sháil ag caitheamh na piocóide céad slat tríd an aer mar chomhartha nirt.

"Beidh aríst ann," a deir sé trína chuid fiacla sul má thug sé a aghaidh abhaile.

D'fhan Barrett leathnóiméad ag breathnú ina ndiaidh sul má shuigh sé isteach i gcábán an leoraí. As sin níor chorraigh sé an chuid eile den lá ach é ag cnádú ar nós móta a mbeadh gríosach dhearg lasta istigh ina chroí.

Briste a bhí croí Réamoinn, brúite briste ar feadh trí seachtainí istigh san ospidéal. Gan a fhios aige cá raibh sé ar feadh cuid mhaith de sheachtain, trí cinn d'easnacha leonta a thuig sé ón dochtúir, ceann acu briste in dhá áit. Bhí a shliocht air, ar éigean a bhí sé ag fáil a anála leis go fóill. Faitíos air a scamhóga a líonadh mar gheall ar an bpian a bhíodh ina chliabhrach i dtús ama. "Fáilte an deabhail romhat" a deir sé ina intinn féin nuair a chonaic sé an bhanaltra ag déanamh air go gealgháireach.

"*Walkies, Réamonn, come on,*" an port céanna chuile lá.

Gan maith ar bith dó a rá léi nach raibh sé in ann siúl, nach raibh sé ag iarraidh siúl go deo arís, nach raibh uaidh ach luí go dúbhrónach sa leaba ag déanamh a mhachnaimh go cráite.

"Aah . . . aaah . . ."

"*Don't be afraid, most of that is fear. The doctor says you're on the mend.*"

"*Easy.*"

Níorbh í an chos ba mheasa dó ach na maidí croise nuair a chuireadh sé faoina ascaill iad. Pian chráite a chuiridís sna heasnacha nach raibh cneasaithe ceart go fóill, pucháin le feiceáil trína chraiceann san áit a rabhadar ag fás ina chéile.

"*Don't worry, I'm holding on to you. Don't be afraid, Réamonn, put your weight on the leg.*"

Bhí faitíos an tsaoil air go gcloisfeadh sé an chnámh ag briseadh arís.

"*The Doctor says you can go home.*"

"*Home?*"

"*Yes, you can go home this evening. Who's at home?*"

"*Nobody.*"

"*Oh . . . Well, you're not able to fend for yourself yet.*"

Ní raibh sé ag éisteacht ar chor ar bith léi, a dhá oiread péine ina chroí is a bhí ina chnámha. Dhún sé a shúile go déisteanach ach bhí spól a leonta le feiceáil chomh follasach céanna.

"*Are both your parents dead?*"

"*Yes.*"

"*I must talk to the doctor so. Walk back to the ward on your own now.*"

Shiúlfadh sé abhaile ar leathchois dá mbeadh fonn baile air, ach ba é an áit deiridh é a raibh sé ag iarraidh smaoineamh air, gan trácht ar aghaidh a thabhairt ar ais ann. Dhá mbeadh an oiread tapa ann is go mbeadh sé in ann siúl chomh fada le stáisiún na traenach, d'fhéadfadh sé suí ar a thóin aríst nó go mbeadh sé i gceartlár Londain.

Ar ais go dtí an leaba a shiúil sé, gan focal ach síneadh siar ar fhad na leapan agus na maidí croise a shíneadh lena thaobh. Stangadh bainte ag caint na banaltra as, a intinn ag ruatharach. Na caoirigh ar thaobh an tsléibhe agus an dá mhada tar éis a nádúr lena dhúchas a mhúscailt, tafann lúcháireach ag líonadh a dhá chluais chomh follasach is dá mbeidís lena thaobh. Dhún sé a shúile in aghaidh na ndeor.

Ní raibh a fhios aige cén fhad a bhíodar dúnta aige. B'fhéidir uaireanta an chloig ach phreab sé nuair a d'oscail sé aríst iad. Meaigí agus Lady Bromley ina seasamh go ciúin cois na leapan.

"*Hello,* a Réamoinn."

"*Hello.*"

Thóg sé a shúile de Lady Bromley ar an toirt, geis a shinsir ag umhlú a chinn i láthair na n-uasal, ach an ghráin shaolach ar mhianach na dtiarnaí talún ag fiuchadh a chuid fola. Tiocair báis a athar ag rith trína intinn nuair a labhair sí.

"*How are you, Réamonn?*"

"*Good, thanks.*"

"*Good. We've been quite worried about you. We decided to come and see how you are.*"

"*Thanks.*" Is beag nár chinn air é a rá gan stad a theacht ann. Deirge an doichill ag cur bruth ina ghrua, meall teannais ag at go míchompóirteach ina chliabhrach. Ní raibh aon doicheall aige roimh an mbanaltra nuair a chonaic sé chuige aríst í.

"*Sorry, Réamonn, the doctor says you're not allowed home if there's nobody to mind you.*"

"*Alright.*"

"*What's the problem?*"

"*Well, he was allowed home today but he's not well enough to fend for himself.*"

"*That's no problem, Margaret and I can look after him. Isn't that right, Margaret?*"

"*No problem.*"

Dá mbeadh a dhóthain Béarla aige dhiúltódh sé don tairiscint, ach bheadh an oiread pislíneachta air ag iarraidh é a mhíniú i mBéarla is gur shocraigh sé rith le cóir. Oiread fíbín ar Lady Bromley le duine a mbeadh néal beag uirthi. Ardú meanmnan as a bheith ábalta theacht i gcabhair ar dhuine éicint. Isteach sa suíochán cúil a chuaigh sé dá buíochas. Ise ag tuineadh leis suí chun tosaigh san áit a bhféadfadh sé a chosa a shíneadh, cé go mb'fhearr leis na cosa a ghearradh ón nglúin de ná bheith ag coinneáil comhrá léi ar feadh an bhealaigh abhaile.

Níor labhair sé focal ar bith ach *yes* agus *no* de réir mar a bhí siad ag fiafraí an raibh sé compóirteach, nó an raibh an carr ag cur aon phian air. D'ardaigh nádúr an bhaile a mheanmna ar feadh ala an chloig nuair a thosaigh an carr ag dul in aghaidh na n-ard ach tháinig cnoc ar a chroí in athuair nuair a smaoinigh sé ar Eileen. D'fháisc sé a chuid liopaí ar a chéile agus é ag déanamh a mharana go brónach. Bhí Meaigí agus Lady Bromley ag síorshioscadh go banúil. Níor thuig sé cén fáth gur éirigh siad ciúin go tobann nó go bhfaca sé an carr bunoscionn thíos faoi sa gclochar. Bhí sé ráite ag na banaltraí leis gur timpiste cairr a bhris a chnámha ach bhí an radharc seo tar éis geit a bhaint as, tar éis fáth a bhuartha a shoiléiriú go goilliúnach.

"*You were very lucky, Réamonn!*"

Níor fhreagair sé ar chor ar bith, taom míshuaimhnis ag tochras na mífhoighde. Theastaigh uaidh a bheith as féin. Ba chuma beo ná marbh ach a bheith ina aonar. Labhair sé chomh luath is a chonaic sé an *Lodge.*

"*I'll walk the rest of the way.*"

"*From here?*" Iad ar aonfhocal le teann alltachta.

"*Don't be ridiculous, Réamonn, you cannot quite walk yet.*"

"*I can if I take it slowly.*"

Mheabhraigh sclaigeanna an bhóthair dó go raibh dromchla nua á chur air. Ba mhór an faoiseamh na fir oibre a bheith imithe abhaile tar éis an lae. An rud nach bhfeicfidís ní bheadh sé ag déanamh aon imní díobh. Tháinig scéin ann nuair a chas sí isteach geata an *Lodge.*

"*You can stay at the Lodge while you're convalescing.*"

"*Ah Jays, no, no, no.*"

Bhí doras an chairr oscailte aige agus é ag cur coranna ann féin ag iarraidh léimneach amach nuair a stop sí.

Meaigí a rug air agus a chuir beagán suaimhnis ann. "Fan ansin, a Réamoinn, is ná gortaigh thú fhéin aríst."

"Tá mé ag iarraidh a dhul abhaile."

"I think we'd better take him home, Lady Bromley."

"Very well, but I must get some provisions from the Lodge for his breakfast."

Thuig sé an méid sin ach ní raibh sé ar a shuaimhneas. Fuip inti ó d'fhág sí an carr nó gur oscail sí isteach an doras.

"Déan suaimhneas anois, a Réamoinn, go fóilleach. Is gearr go mbeidh tú sa mbaile."

"Níl mé ag iarraidh í sin a bheith i mo thimpeall."

"Ach is ar mhaithe leat atá sí."

"Níl mé á hiarraidh."

"Ach caithfidh duine éicint aire a thabhairt dhuit."

"Beidh mé ceart. Níl mé ag iarraidh duine ar bith."

Bhí sé ar nós eascainne, é ag iarraidh éirí agus siúl amach as an gcarr, ach b'éigean dó géilleadh don bhuarach a chuir leonadh na gcnámh air. Mála beag néata a shín lady Bromley chuig Meaigí.

"This will keep him going until tomorrow."

Lioc sé síos sa suíochán ag déanamh suas ar an mbaile. Fios maith aige go mbeadh súile fiosracha ag faire an chairr mhóir agus ag fáil caidéise dá ceann cúrsa. As corr a shúl a chonaic sé Barrett ina shuí i gcábán an leoraí istigh ar na leacracha. Ba ag an soicind céanna a chonaic siad féin a chéile. Ghreamaigh an dá amharc ina chéile ar feadh ala an chloig sul má thugadar araon súil chorrach sa treo eile.

Mhothaigh Barrett go raibh sé thar am aige aghaidh a thabhairt i dtreo éicint, leath an lae caite go dúr doilíosach i gcábán an leoraí aige. Na fir oibre á dhearcadh as corr a súl sul má thug siad a n-aghaidh abhaile tar éis an lae. Bhí baile acusan, rud nárbh fhéidir leis-sean a mhaíomh, sa taobh seo tíre ar aon nós. Aríst is aríst eile b'éigean dó a mheabhrú dó féin go raibh sé pósta tar éis an lae, gur shiúil sé síos go haltóir is gur ghlac sé leis an tsacraimint in aghaidh a thola. Trí seachtainí páise a bhí fulaingthe aige idir dhá cheann na meá fad is bhí an Canónach ag cinntiú nach raibh aon cheangal pósta air ina pharóiste dúchais. Trí seachtainí i bPurgadóir, is gan a fhios aige an soir nó siar a bhí sé le daoradh. Máthair Eileen ag grúscán ó thagadh sé go n-imíodh sé aríst. Eileen bodhar agus balbh.

Chuir sé glas ar an leoraí sul má thosaigh sé ag siúl go drogallach i dtreo an tí, gan aon dul as aige ach éisteacht leo faoi láthair, cead a thabhairt dóibh céasadh agus léasadh teanga a thabhairt dó nó go gcríochnódh an obair. Cogar curtha i gcluais an innealtóra cheana féin aige. Dá mbeadh folúntas ar bith taobh thoir de Ghaillimh go mb'fhearr leis a bheith ní ba ghaire dá mhuintir. Iad a fhágáil sa deabhal ansin chomh luath is a gheobhadh sé an seans. Bhain sé croitheadh as a ghuaillí mar a bheadh sé ag iarraidh cuing an phósta a bhriseadh. Cuing ar bheagán ceangail mar gur fada óna chroí a bhí na focla a baineadh as de ghrá an réitigh. Bhí chuile smaoineamh á mhisniú nó go dtáinig sé chomh fada leis an doras ach thit an lug ar an lag aríst aige le gráin a lámh a chur ar an laiste. Níor fhan fuaim ná focal aige nuair a chonaic sé an chóir a bhí ag fanacht leis. Eileen ag teacht ina threo go

81

gealgháireach nó gur phóg sí go grámhar é. An mháthair leis na sála aici is gan aithne uirthi nach anuas ó neamh a thit sé chuici.

"*You're welcome to this family, Willie.*"

"*Thank you, Mrs Walsh.*"

Bord beatha faoi réir i lár an tí a bhí ag baint an tsolais as a shúile.

"*Sit in, it's overdone, we were waiting for you.*"

"*Let him wash his hands, Mother.*"

Níor thuig sé cén troscadh a bhí déanta aige nó gur thosaigh sé ag ithe, pláta i ndiaidh pláta, nó go raibh sé subhach sách, gan aithne an raibh olc ná mioscais riamh eatarthu. Dosaen buidéal pórtair i lár an bhoird agus é ag baint cinn astu go súgach. Bhí sé ar thob éirí chun cúnamh a thabhairt le níochán na ngréithe, ach bhac sí lena láimh é.

"*Sit down there with your wife now and enjoy yourself!*"

"*Thanks, Mrs Walsh.*"

"*Make yourself at home in this house from now on, Willie.*"

Mhothaigh sé cosa Eileen ag fáisceadh a cheathrún trasna faoin mbord. Bhíog sé ag breathnú sna súile uirthi. Bhí an fuath agus an teannas imithe agus loinnir an tsonais tagtha ina n-áit.

Chomhair Réamonn buillí an chloig nó go raibh sé cinn buailte aige, gan é i bhfad ina dhúiseacht. An nádúr ag meabhrú dó go raibh sé in am a dhul chuig an leithreas. Córas nach raibh de bhrabach ar aon teach sa gceantar cés moite den *Lodge*. Dearmad déanta ar phianta aige nó gur shíl sé díriú aniar sa leaba. Cleachtadh aige a bheith de léim amuigh ar an urlár nó gur bhain an chéad arraing an anáil de. Ó orlach go horlach a dhírigh sé suas é féin. Meall déanta ag a chroí a mhothaigh níos troime ná a cholainn. Scread sé ag fáisceadh an mhaide croise faoina ascaill. B'in buntáiste amháin a bhain leis an mbaile, nár ghá dó an scread a cheilt. Mhothaigh sé corrach ar a chosa, fíorchorrach mar a bheadh beagán ré roithleagán á bhualadh. Amhras ag cur drochmhisnigh air. Ba ghearr uaidh cabhair dá dtitfeadh sé san ospidéal ach bhí sé chomh dóigh dá chnámha fíniú dá dtitfeadh sé anseo. Damháin alla ag brostú as a bhealach nuair a chuir sé a dhroim in aghaidh an bhalla, ó chois go cois go mall réidh timpeall le balla. Caoirigh agus uain le cloisteáil ag méileach, dá mbeadh sé i riocht taithneamh a bhaint as a nglór. Ionú ag teastáil uaidh nó go bhfuair sé a anáil leis tar éis cúpla coiscéim. Ní raibh i bhfad le dhul aige. Seomra beag bídeach a raibh urlár garbh suiminte ann, gan de throscán ag gabháil leis ach an leaba agus cathaoir a mbíodh a chuid éadaigh leagtha uirthi. Ba mhaith an scéal dó nár bhain sé éadach ar bith de féin sul má luigh sé ar a leaba nó chaithfeadh sé aghaidh a thabhairt ar an tsráid ina chraiceann. Tháinig beagán misnigh dó ag dul trí dhoras an tseomra, an drisiúr mar thaca aige nó gur éirigh leis an doras cúil a oscailt isteach. Bhíog a chroí beagáinín ag breathnú suas ar éadan an chnoic. Caoirigh ina spotaí beaga geala amach chomh fada lena bharr. Ó! . . . ní fhéadfadh sé a shúile a chreidiúint. An méid caorach dá chuid a bhí tar éis breith ó d'imigh sé tugtha anuas den sliabh agus curtha ar féarach sa ngarraí a bhí cosnaithe ar chúl an tí aige dóibh. Na huain ag séirseáil i ndiaidh a chéile mar a bheidís ag ceiliúradh bhreacadh an lae. Tocht a chuir an bród air, bród as comharsa éicint a bhreathnaigh i ndiaidh na gcaorach dó gan iarraidh gan achainí. Ní thuigeann aon duine céard is comharsa mhaith ann nó go dtagann an t-anó, a smaoinigh sé agus é ag éisteacht lena chuid madraí ag miongaireacht tafainn istigh sa scioból. Fios aige nach raibh aon anó ligthe orthu ach iad curtha ar chóir shábháilte mar a dhéantaí i gcónaí ag an tráth a mbíodh caoirigh le linn breithe. Líon sé a scamhóga le haer úr an tsléibhe. Torann a chuid uisce ar leic an dorais ag tabhairt faoisimh dó agus é geantáilte idir an dá ursain. Bhí a chuid comharsan ag rith trína intinn ó dhuine go duine. É ag iarraidh a shamhlú cé acu a bhí tar éis a theacht i gcabhair air nuair a chuala sé an cnagadh ar dhoras an bhóthair.

"An doras cúil!" a d'fhógair sé ag dúnadh cnaipí go deifreach. Aiféala air nach ndeachaigh níos faide ná béal an dorais nuair a dhearc sé ar an ngail a bhí ag éirí den lochán. B'fhearr leis an talamh á shloigeadh nuair a tháinig Meaigí timpeall an choirnéil. Scéin an bhainbh dhóite ann ar fhaitíos go mbeadh cailleach an *Lodge* leis na sála aici.

"Ó, ní raibh ceapadh ar bith agam go mbeifeá i do shuí, a Réamoinn."

"Nuair is crua don chailleach caithfidh sí rith, ar ndóigh."

"Bí cúramach."

"Tá mé ceart, cé as ar éirigh tusa an tráth seo de mhaidin?"

"D'fhág mé an baile níos luaithe inniu le cúnamh a thabhairt dhuit sul má thiocfainn ag obair."

"Is an bhfuil tú tar éis a theacht ón gCaiseal cheana féin?"

"Gheall mé dhóibh san ospidéal go dtabharfainn cúnamh dhuit ar feadh cúpla seachtain. Caithfidh tú suí síos anois."

"Déanfaidh mé fhéin é, is fearr liom mo dhroim a choinneáil le balla mar seo."

Thug sí cead a chinn dó nó gur éirigh leis cathaoir a aimsiú. Bhí fuip inti ar fud an tí ar an bpointe boise, gan í ag cur ceiste cá raibh seo ná siúd ach a srón curtha roimpi aici. Giobaidí brosna aimsithe sa gcliabh a bhí cois an teallaigh aici agus í ag scaoileadh cipín fúthu. D'éirigh a chroí beagán nuair a chonaic sé na lasóga ag cur teasa ar ais sa teallach. Teallach a bhí fuaraithe le mí aimsire. Gan focal as Meaigí ar fud an tí, isteach is amach ar an tsráid faoi dhó nó gur líon sí an cliabh go béal le dhá ghabháil mhóna. Thosaigh an citeal ag géilleadh go ceolmhar don teas. Lán na spúnóige de shalann curtha in uisce na n-uibheacha aici, sul má leag sí i lár na tine iad i gcanna stáin a raibh an focal *TREACLE* dubhaithe ar a thaobh. Níor fhiafraigh sí cá raibh an tobar ach an cosán coise a leanacht agus lán an bhuicéid d'uisce glan a thabhairt ar ais léi. Leag sí muga tae, trí stiallóg aráin agus dhá ubh ar stól cheithre chos agus d'fhág sí ar dheis a láimhe é. An chéad súmóg den tae tar éis é a thógáil ó bhás go beatha. Bhí sí ag cur uirthi a cóta sul má chroch sé an muga in athuair.

"Tiocfaidh mé aníos tráthnóna chun do shuipéar a réiteach."

"Níl mé ag iarraidh a bheith ag cur aon trioblóid ort."

"Ní trioblóid ar bith é. An bhfuil aon rud eile ag teastáil uait?"

"Níl. Go raibh míle maith agat, a Mheaigí."

"An mbeidh tú ceart go leor?"

"Níl clóic ar bith anois orm. Slán, a Mheaigí . . . a Mheaigí?"

"Céard?"

"Scaoil amach an dá mhada as an scioból más é do mhórthoil é, is mór an chuideachta dhom istigh anseo iad."

85

Bhí an soilíos á bíogadh chun áthais ag baint an laiste den doras, oibriú macnais sa dá mhada ag dul amach thairsti nó go dtug siad faoi deara strainséartha í, iad ar thob a míshásamh a chur in iúl nuair a lig sé fead orthu.

Chonaic sí meanmna mhisnigh á ghríosadh chun bisigh chomh luath is a thosaigh an dá mhada ag pocléimneach ar fud an urláir ag fáinneáil anonn is anall de sciotán mar a bheidís ag cinntiú nach ligfidís as a n-amharc aríst go brách é. É ag caint go fáilí leo agus iadsan á fhreagairt ina nglafairt áthasach nádúrtha féin. B'fhurasta a aithint do Mheaigí gur thuig siad féin a chéile.

"Tá an leoraí imithe, a Mhicil."

"Hea?"

"Tá sí scuabtha, a dheartháir, ní raibh dé ná deatach uirthi nuair a tháinig muid."

"An bhfeiceann tú a lorg amach ar an leic? Soir a chas sí."

"Ní ghabhfadh sé á hathrú gan é a rá linn, nach é fhéin a dúirt linn fanacht is go dtabharfadh sé soir sa leoraí chuile mhaidin muid."

"M'anam go raibh mé ag ceapadh gur chuala mé torann thart ar a leathuair tar éis a sé, sin leoraí a deirimse leis an mbean nó tá mise go mór as meabhair."

"Tá tú ceart, chuala mise mé féin torann bodhar."

"Ní fheicfeá do mhéir ag ceo an uair sin."

"Deabhal mórán níos fearr fós é."

"Tá sé ag crochadh suas. Scairtfidh sé amach ar ball."

"Mura scuabtha leis uilig a bheadh sé."

"Meas tú, an deabhal?

"M'anam muise go n-aireoidh muid uainn anois é tar éis a raibh de ghráin ar dtús againn air."

"Tá sé ligthe faoi uilig ó phós sé."

"M'anam nach é an chéad fhear é ar chuir an pósadh sróinín ann.

"Meas tú nach mb'fhearr dhúinn tosaí á shiúl?"

"Á shiúl?"

"Ar scáth trí mhíle. Tá sé gar don hocht, an bhfuil?"

"Tá deich nóiméad fós agat."

"Sé dícheall an deabhail muid a bheith inár staic anseo."

"Níl aon neart againne air."

"*By dad*, níl."

"Chuile dhuine a bheith istigh i mbosca an leoraí anseo ar na leacracha roimh a ceathrú don hocht atá ráite aige linn."

"Sin í an chaint a chaith sé."

"Ach céard a dhéanfas muid más imithe uilig atá sé."

"Imeacht ghé an oileáin air, cuirfear geangar eile ina áit, is dóigh."

"Cuirfear má chuirfear, b'fhéidir gurb é an bóthar abhaile a thabharfaí dhúinn."

"Aire dhaoibh!"

"Céard?"

"Cloisim ag rolláil in áit éicint í."

"Ní chloisimse tada sa dá chopóg seo."

"Tá sí ag teacht, a deirim libh, éist."

"Á, dar Dia, chloisfeá an féar ag fás, bail ó Dhia ort."

"Dar fia, tá agus sách gar dhúinn ach nach bhféadann muid é a fheiceáil ag an gceo."

Bhíog siad chomh luath is a tharraing an leoraí isteach ar na leacracha, ag teacht ina rite reaite as chaon taobh, ag cur leathchoise ar an rotha agus ag dul de léim isteach thar an mbosca. Níor thugadar an carr beag a bhí ag teacht i ndiaidh an leoraí faoi deara nó go raibh siad ar bord. Barrett tar éis a dhul amach chun treoir a thabhairt don tiománaí, iad ag cogarnaíl eatarthu féin.

"Banaltra an Chaisil, ab í?"

"Sí atá ann."

"Tinneas an pháiste, is dóigh?"

"Murab é aon slaic a tháinig ar an tseanchailín."

"Cé aige a mbeidh a fhios é?"

"Ssssh! Tá sé ag teacht."

Chuile dhuine acu ag breathnú amach faoina gcuid malaí ar Bharrett. Oiread is breathnú ina dtreo ní dhearna sé ach suí isteach i gcábán an leoraí agus a haghaidh a thabhairt i dtreo láthair na hoibre. Súile a bhí chomh grinn le súile seabhaic ag faire charr na banaltra nó gur thosaigh an leoraí á dtabhairt as amharc.

"Síos ag an teach ann a chas an carr ceart go leor."

"Is deabhlaí nár fhan sé sa mbaile más i dtinneas clainne atá sí."

"Sssh! Fainic an gcloisfeadh sé sibh."

"Ní chloisfidh sé tada ag torann an leoraí."

An fhuinneog a scaoileadh anuas a rinne Barrett agus eochair an bhosca a shíneadh amach. Na fir ag scaipeadh go sciobtha i mbun a ngraithe. Cor ná car ní raibh aige istigh i gcábán an leoraí, fiú nuair a tháinig am lóin níor mheabhraigh sé dóibh é mar a dhéanadh sé chuile lá eile. An t-ádh orthu go raibh uaireadóir póca ag duine acu, murach sin ní bheadh a fhios acu cén t-am é, ach ag iarraidh meabhair a bhaint as an ngrian. Ar foscadh faoi leiceann leice a chuaigh siad. Stiallóga móra aráin a bhí casta in éadach geal glan ag maolú ghoin an ocrais. Mhaolaigh an chogaint nuair a chuala siad torann an chairr ag déanamh orthu. Iad ag tabhairt uillinneacha i ngan fhios dá chéile nuair a stop an carr le taobh Bharrett. Mura raibh cor ó mhaidin as ní raibh sé i bhfad á chaitheamh féin amach as an gcábán nuair a stop an carr, bís air ag éisteacht le teachtaireacht na banaltra. Lámh a chroitheadh léi a rinne sé agus fuadar faoi ag dul isteach aríst i gcábán an leoraí. Tiomáint an bealach uilig go dtí an teach a rinne sé cé gur thuig sé nach raibh aon áit le casadh ann. Fios aige nach raibh aon chasadh i ndán dó nuair a chonaic sé a mhac ag diúl ar chíoch Eileen, an mháthair ag fágáil an bhealaigh go discréideach tar éis lámh a chroitheadh leis.

"Go ndéana Dia fear mór maith dhó," ar sise ag dúnadh an dorais amach ina diaidh.

Bhí loinnir thraoite i ngrua Eileen tar éis a luí seoil, ach bhí a dhá shúil ar tí lasadh le ríméad agus le grá. "Nach bhfuil sé go hálainn?"

Le póg a d'fhreagair sé í. Póg mhilis mhuirneach a bhain an anáil díobh araon.

"*Can I hold him?*"

"*Go on.* Is é do mhacsa é."

Scread an leanbh chomh luath is a baineadh an chíoch as a bhéal.

"*He's taking after you.*"

"*What do you mean?*"

89

"Same taste."

Bhí loinnir bheag scéiméireachta ina dhá súil. Mhothaigh sé a chroí ag bogadh nuair a rug sí i ngreim láimhe air.

"Are you happy now, Willie?"

"Yes, Eileen."

"Me too, I'd love to call him Dónall."

Bhí laethanta ann gur mheas Réamonn nach gcúiteodh sé a saothar go brách na breithe lena chomharsana. Laethanta eile a mbíodh a chroí chomh dubh dorcha is nár léir dó scalladh na gréine ag rince ar dhromchla na locha. Ní taobh le babhta a smaoinigh sé aghaidh a chuid maidí croise a thabhairt ar an mbruach dhomhain agus a chuid doilís a scaoileadh go tóin poill. Duine de na comharsana a d'athraíodh a intinn go hiondúil, dhá uan ag méileach faoina ascaill ag teacht anuas den chnoc agus an mháthair ag síormhéileach go himníoch ag teacht ina ndiaidh.

"Bhí cúpla aici seo thuas ag Clochar na Sionnach, a Réamoinn. Níor mhaith liom iad a fhágáil ann nó go neartódh siad ar fhaitíos na bhfaitíos."

"Go bhfága Dia do shaol is do shláinte agat!"

Oiread práinne aige i méileach lagbhríoch na n-uan is go n-imíodh an ceo dá chroí. Ba iad a mheall amach as an leaba é le breacadh an lae. Oiread tiarála aige ag iarraidh a chuid éadaigh a chur air is nárbh fhiú an tairbhe an trioblóid, murach go mbíodh glór na n-uan ag glaoch air. Tharraingíodh sé a chosa ina dhiaidh suas is anuas le claí, ag méileach isteach orthu mar a bheadh seanchaora ann. Sceitimíní air nuair a chuir sé dallamullóg ar na huain bheaga is thagaidís ag rith ina threo.

Náire a bhuail é an mhaidin a chuala Meaigí ag méileach é, gan cuimhne aige go raibh an Caiseal fágtha aici nuair a sheas sí lena thaobh. Fruisín beag a thug sí ar dtús dó mar gheall go raibh sé ag baint mealladh as na huain, ach d'aithin sé an riméad ina glór as é a fheiceáil ag fuirseadh ar a chonlán féin. Roimh an oíche a bhíodh an drogall ba mhó air. Leisce air a bheith ag cur moille ar Mheaigí a raibh bóthar fada aistreánach go dtí an Caiseal amach roimpi, an oíche tite go minic sul má d'fhág sí slán aige. Solas beag dearg a bhí ar dheireadh a rothair chomh feiceálach le lampa an Chroí Rónaofa nó go sloigeadh an dorchadas í. Mheas sé gurbh í bhí ag goid a chuid spleodair. Cluaisíní croí air ó thagadh sí nó go bhfágadh sí taobh lena chomhluadar féin é, ag sioscadh le gríosach na tine. As ruaig ruacántachta a d'éiríodh sé faoi dheireadh, gearradh fiacla air ag aclú a chos ar fud an urláir. Phreabadh an dá mhada ina theannta, iad ag dúil le seársa amach faoi shliabh ach shínidís trasna an teallaigh aríst nuair a théadh útamáil a máistir ó mheabhair orthu.

Mar a bheadh sé ag siúl ar uibheacha a bhí sé ag athrú na gcos ar dtús, imní air go bpléascfadh na cnámha leathchneasaithe is go bhfágfadh an phian chráite ag screadach in ard a chinn é. Ba ghearr gur lig taom misnigh dó na maidí croise a leagan uaidh agus a bhealach a chrúcáil timpeall le ballaí. Bhí chuile lá á athbheochan chun feabhais de réir mar a thuig sé gur mhó an phian a bhí an drochmhisneach a chur air ná leonadh na gcnámh. Meaigí ag moladh leis nuair a thosaigh sé ag aithris a chuid gníomhartha gaisce di.

Bhí tine mhór fadaithe aige an tráthnóna seo agus sceitimíní air ag tnúthán lena teacht nó gur thosaigh an clog ag meabhrú dó go raibh sé thar am. D'éirigh sé ina sheasamh go himníoch nó go dtug sé súil eile amach sa bhfuinneog. Bhí an oíche ag titim is gan í tagtha ina ghaobhar beag ná mór, mura mb'éigean di aghaidh a thabhairt abhaile le hanó éicint. Níor bhreathnaigh sí aon chlóic a bheith uirthi an mhaidin sin, murab amhlaidh a mheas sí nach raibh aon chúnamh ag teastáil uaidh ní ba mhó ó tharla na maidí croise a bheith caite uaidh aige. Chuir an smaoineamh driog trína chroí. Oiread teanntáis déanta aige uirthi is go mbíodh sé ag smaoineamh ar scéal barrúil éicint lena cur ag gáire. Scairt a d'ardaíodh croí chaon duine acu. Níor smaoinigh sé go dtí sin gur grá Dia a bhí sí a dhéanamh. Seans go raibh a allúntas ídithe aige, cé nár thug sí aon leide dó. Róchúthalach lena rá amach leis, is dócha. An córas ab intuigthe ar fad roghnaithe aici. Fanacht uaidh agus cead aige féin adhmad a bhaint as cúrsaí. Bhuail faitíos é mar a bhuailfeadh gasúirín a bheadh ag tnúthán abhaile lena thuismitheoirí. Lasracha na tine ag sá amach a dteanga mar a bheidís ag magadh faoi, an tine a bhí fadaithe aige chun fáilte a chur roimh Mheaigí ag imeacht suas an simléar ina púir dheataigh. Seans go raibh Meaigí ar ais ar an gCaiseal ag an tráth seo, taobh thiar den chuntar san óstán ag tarraingt piontaí. Nár dheas an rud an oíche a chaitheamh ag ól cúpla pionta i ngeoin chomhrá léi. Dá mbeadh carr aige. Smaoineamh a bhí chomh géar goilliúnach is gur chuir sé strainc phianmhar air féin. Eachtraí an lae úd ag teacht chun cuimhne aríst chomh míthrócaireach leis an nóiméad ar tharla siad. Baineadh preab as nuair a buaileadh an doras.

"Tar isteach."

Bhí sí chomh múinte is nach dtagadh sí isteach gan an doras

a bhualadh, tar éis é a bheith ráite aige léi nach raibh uirthi ach an laiste a bhaint. Thug sé slíocadh sciobtha dá chuid gruaige lena bhois de réir mar a bhí an doras ag oscailt, ach rinne a lámh staic sa riocht a raibh sí nuair a shiúil Barrett isteach.

"*How are you, Réamonn?*"

"Go maith."

Níor dhúirt sé leis suí síos ach shuigh sé chomh teanntásach is dá mba leis féin an teach.

"*Jays, you were lucky. I was very sorry it happened to you.*"

"*I know.*"

"Deabhal neart air, *I suppose.*"

"Níl."

"*I'm thinkin' of buying a car myself at present. Hope I have more luck with it than you had.*"

D'fhan Réamonn ina thost. Suathadh bainte as ag an gcuairteoir gan choinne.

"*The county council want me to supervise a bigger area and I can't be taking the truck off site. I want you to come back to work, Réamonn.*"

"Hea?"

"*I want you to drive the truck.*"

Thosaigh drioganna misnigh ag tabhairt ardú meanmnan dó, é ag samhlú an rotha stiúrtha ag princeam idir a dhá láimh, fonn air glacadh go sásta leis an tairiscint ach an ghráin a bhí aige ar Bharrett á chosc.

"*I'm not able,*" ar seisean faoi dheireadh, in aghaidh a thola.

"*I'll show you how, you'll be flying in a few weeks.*"

"*Ah Jays . . . No.*"

"*All you have to do is drive the truck.*"

93

"*Ah . . . I'm not able yet.*"

"*I see. What if you start in two weeks' time so?*"

"*Alright.*"

"*Good man yourself, Réamonn, I'll have plenty of work for you.*"

"*Right so.*"

"*I'll put you on the payroll from today. I'll drop over a small load of stones to you and you can start breaking them with a hammer out in the cart house, it will pass the day for you. I'll need lots of broken stone.*"

Ní raibh sé d'uain ag Réamonn a intinn a dhéanamh suas nuair a buaileadh an doras aríst.

"Tar isteach."

B'fhurasta a aithneachtáil ar Mheaigí gur baineadh geit aisti nuair a chonaic sí Barrett roimpi, a cuid leicne chomh dearg le caorthann ag beannú dó. Teannas beag ag leathnú ar fud an tí.

"*I'd better be going now.*"

"*No, don't go, Mr Barrett. I check on this fella morning and evening. I won't be long.*"

Thug Barrett súil ina diaidh nuair a thosaigh sí ag siobáil ar fud an tí. Bhí smaointe neamhgheanmnaí sa tsúil a chaoch sé ar Réamonn sul má labhair sé.

"*Tomorrow morning, so, Réamonn.*"

"*Right.*"

Ní raibh sé ag iarraidh géilleadh dó ach go ndéanfadh sé rud ar bith ar ala na huaire lena dhíbirt amach an doras.

"*You don't have to leave, I'll be finished in no time.*"

"*I have to go home now, my wife had our first baby this afternoon.*"

"*Oh lovely. Boy or girl?*"

"*A boy, my spitting image, they say.*"

"*Well, congratulations, that's great news, isn't it, Réamonn?*"

"*Yeah.*"

Bhí Barrett ag dealú leis amhail is dá mbeadh an stodam a bhí i nglór Réamoinn tugtha faoi deara aige. "*See you tomorrow,*" ar seisean ag tarraingt an dorais amach ina dhiaidh.

"Ag iarraidh orm a dhul ar ais ag obair a bhí sé."

"Ar ais ag obair?"

"Sea, tá mé ag tosaí aríst amárach."

"Amárach? Níl tú in ann, a Réamoinn."

"Níl aon dul as anois agam, ach ní bheidh aon ghá dhom an baile a fhágáil. Clocha a bhriseadh ina bpíosaí beaga amuigh ansin i dteach an chairr a bhí sé a iarraidh agus an leoraí a thiomáint nuair atá mé in ann."

"Ó, níl a fhios agam, a Réamoinn, do chomhairle féin. Is furasta an tsláinte a chailleadh ach is deacair í a fháil ar ais."

"Ara, beidh mé ag obair de réir mo láimhe. Caithfidh sé an lá dhom."

"Is dócha gur ar mhaithe leat a bhí sé, ar ndóigh."

"Tá tú an-deireanach anocht, a Mheaigí. An bhfuil solas maith agat?"

"Ní bheidh mé ag dul abhaile."

"Céard?"

"Ní bheidh mé ag dul abhaile aon oíche níos mó. D'iarr Lady Bromley orm fanacht sa *Lodge.* Sin é an fáth go bhfuil mé deireanach anocht."

"Beidh tú lánaimseartha sa *Lodge*, ach céard faoi obair san óstán?"

"Bhí sé deacair cinneadh a dhéanamh. Bhí lucht an óstáin ag cur brú orm fanacht leo lánaimseartha freisin."

Mhothaigh Réamonn drioganna beaga áthais ag treabhadh trína chuisleacha ag éisteacht le comhrá Mheaigí.

"Ní raibh mé in ann Lady Bromley a dhiúltú. Ní fhaca mé an oiread faitís ar aon duine ariamh."

"Faitíos?"

"Líonrith. Feicim an faitíos ag leathnú ina dhá súil nuair a fhágaim slán aici, fiú amháin anocht nuair a dúirt mé go raibh mé ag teacht chomh fada leatsa. Dúirt sí nach dtiocfadh sí a chodladh nó go dtiocfainn ar ais."

"Bhuel, tá mise sásta go bhfuil tú ag fanacht sa gceantar."

"An bhfuil?" Bhí sí ag cur uirthi a cóta go deifreach. "An bhfuil béile ite agat?"

"Tá le fada."

"Fanfaidh mé níos faide chuile thráthnóna eile ach ós í seo an chéad oíche sa *Lodge* agam, tá mé ag iarraidh a dhul ar ais chuici."

Mhothaigh Réamonn meall uaignis ag plúchadh bhéal a chléibh. Éad air le Lady Bromley a mbeadh comhluadar Mheaigí go maidin aici. Barrett tar éis dealg a chur trína chroí le scéal an linbh.

"Oíche mhaith, a Réamoinn."

"A Mheaigí?"

Bhí a haghaidh ar an doras nó gur mhothaigh sí an impí a bhí ina ghlór dá casadh ina threo. "Céard?"

Mungailt a thosaigh a chuid liopaí, ag iarraidh a mhothúcháin a chur i bhfoirm focal. Aiféal air nár choinnigh srian ar a theanga nuair a sciorr an abairt go ciúin caointeach amach as a bhéal.

"An bpósfaidh tú mé?"

B'fhacthas dó gur mhair an ciúnas ar feadh na síoraíochta, náire air breathnú idir an dá shúil uirthi, náire nó faitíos roimh an eiteach.

"Ag magadh atá tú, nó dáiríre?"

"Dáiríre."

"Tá tú tar éis an anáil a bhaint dhíom."

"Ní phósfaidh, is dóigh. Tá brón orm, a Mheaigí, gur chuir mé an cheist ort."

"Ní ceist í a bhfuil aon chleachtadh agam uirthi."

Thug tuin a cuid cainte oiread dóchais dó is gur ardaigh sé a amharc ag tnúthán le dea-scéal. Níorbh í an Meaigí céanna ar chor ar bith í. Luisne aoibhnis ina grua agus amharc a súl ag princeam le sceitimíní.

"Pósfaidh." Gan oiread anachain inti is a dhiúltódh é fiú dá mba é sin a mian.

Breith ar láimh uirthi a rinne sé, deora móra áthais ag at faoina shúile. Fonn air í a phógadh ach gan iad sách teanntásach ar a chéile. Dúirt an fáisceadh a thug sí dá láimh go leor leis. É ag cinneadh ar aon duine acu scaoileadh le láimh an duine eile, amhail is dá mbeadh an toil a bhí tugtha dá chéile acu tar éis cuingir mhéar a chur orthu.

Coicís a chaith Réamonn ag briseadh cloch. Mála garbh faoina thóin agus é ina shuí i mullach an charnáin, gan d'uirlis ag teastáil uaidh ach casúr agus péire *goggles*. Bhíodh aoibhneas ina chroí ag éirí chuile mhaidin. Stiall fhada de bhráillín a d'fháisceadh sé go crua thart timpeall a chuid easnacha chun iad a chosaint ón treascairt. Ba mheasa dó siúl isteach is amach go dtí teach an chairr ná an lá oibre. Níor spáráil sé é féin agus bhí a shliocht air. Leath na súile i gcloigeann Bharrett nuair a chonaic sé an carnán a bhí briste aige tar éis cúpla lá, lán an leoraí nó go raibh maoill ar an mbosca. Chuile bhuille dár bhuail sé ag aclú na matán agus á gcruachan in athuair nó go dtáinig Barrett agus anbhá air amhail is dá mba deireadh an tsaoil a bhí foilsithe dó.

"Ah Jaysus, you'll have to drive the truck, Réamonn," ar seisean. "The council are putting pressure on me."

"Another week and I'll try . . . "

"Tomorrow morning, I'll spend the day with you. Don't worry, I'll put you through the ropes."

Dhá uair an chloig a chaith siad ar na leacracha an mhaidin dár gcionn, ag cúlú isteach is ag tiomáint amach, chuile mhíle ní dár bhain leis an inneall mínithe ag Barrett agus cluas ar Réamonn ag sú isteach an eolais.

Bhí ríméad le feiceáil ar aghaidh na bhfear oibre nuair a thiomáin sé an leoraí síos chomh fada leo. Barrett á chomhairliú go foighdeach ar feadh an lae nó go dtáinig am scoir.

"It's no bother to you, Réamonn," ar sé go ríméadach. "You can bring the truck home with you now, you have plenty of parking space at your gable end."

Bhí an chaint imithe ó Réamonn le teann bróid.

"And look, Réamonn, I'll buy all the broken stone you can supply. If you can get somebody else to break them for you I'll make sure you get well paid for them."

B'fhacthas dó go raibh trust sa láimh a chroith Barrett leis sul má d'fhág sé ar a chonlán féin é chun an leoraí a stiúradh abhaile. Faoi dhó ab éigean dó an bonnán a shéideadh ar Cholm Tom Mhóir sul má thug sé aon aird air. Allas air ag biorú móta, ach teannadh leis anoir an garraí nuair ba léir dó nárbh é Barrett a bhí i bhfeighil an leoraí. Seacht gcroí ag teacht dó nuair a chuala sé go raibh deis aige cúpla punt a shaothrú ag briseadh cloch. Gan fí ná feáin air nó go dtosódh sé láithreach le solas laindéir nó gur iarr Réamonn air foighid a bheith aige go maidin.

Ba ina dhiaidh a tharraing Réamonn an chos leonta amach as an leoraí. Pian chráite ag meabhrú dó go dtógfadh sé achar aimsire sul má bheadh sé ar a sheanléim. D'imigh an phian chomh luath is a d'oscail sé an doras is a chonaic sé an bord beatha a bhí faoi réir ag Meaigí roimhe. Gan a fhios aige an raibh sí ní ba ghaire ná an *Lodge* nó gur las a meangadh gáire buacais an tsóláis ina chroí. Rith sí ina threo go fonnmhar agus saothar ina glór.

"Beidh muid ag pósadh sé seachtainí ó amárach," a deir sí agus í beagnach ag caoineadh le háthas. "Bhí mé ag caint leis an gCanónach inniu, tá chuile rud socraithe."

Dea-scéal ó Dhia againn a chuir sé de chogar ina cluais. Iad féin ag muirniú a chéile go grámhar nuair a shocraigh siad gan gleo ar bith a dhéanamh den scéal. Nigh Réamonn cairt an lae dá lámha sul má shuigh sé isteach chun boird. Solas na gcoinnle ag spréacharnaíl ina chuid súl agus é ní ba shásta ná fear a mbeadh an *sweep* buaite faoi dhó aige in aon lá amháin.

Lámh a chroitheadh leis a rinne Colm Tom Mhóir. Crúb mhór charnach a chruinnigh ina cupóg timpeall ar láimh Réamoinn. Ríméad ag bruith i suáilceas a éadain nuair a thoiligh sé seasamh leis ar lá a phósta.

"Go gcuire Dia chuile ádh ar an mbeirt agaibh. Is mór an onóir dhomsa seasamh leat. Ní chúiteoidh mé go brách leat a bhfuil de chomaoin curtha agat orm."

Seachtain a bhí caite ag briseadh na gcloch ag Colm, é chomh luathlámhach is go raibh páighe trí seachtainí saothraithe aige. Bhíog sin tuilleadh é. Ba é a chuimhnigh ar na clocha reatha a bhí sna leachtaí, gan briseadh ar bith ag teastáil uathu ach iad a chur ar bhealach an leoraí.

"Déanfaidh clocha saibhir muid ó fhad go dtí é, a Réamoinn," a dúirt Colm tar éis an dara seachtain. Fíbín air ag briseadh na gceann mór le moch maidne agus á meascadh leis na clocha reatha as na leachtaí. Barra rotha agus dhá chliabh a thug sé leis an tríú seachtain nuair a thosaigh an t-aistear ag fáil ní b'fhaide.

"*You must have half the fuckin' village working for you,*" a deir Barrett, nuair ab éigean dó cloí lena mhargadh agus carnán airgid a íoc le Réamonn.

Thum Réamonn a mhéir i mbuidéilín an uisce choisreacain sul má tharraing sé doras an tí amach ina dhiaidh. Bhí sé ag mothú sáinnithe agus míchompóirteach san éadach nua, oiread *starch* i mbóna na léine a roghnaigh Meaigí dó is go raibh sé chomh crua le fonsa tobáin thart timpeall a mhuiníl. Ba é an carabhat ba mhó a bhí ag goilliúint air, rud nár cuireadh mar bhraighdeán air ariamh roimhe. Meaigí ag tuineadh leis é a chur air nó go dtiocfaidís amach as an séipéal agus leisce air í a dhiúltú mar go raibh a fhios aige go maith go raibh sí curtha as a ciall ag gaileamaisíocht Lady Bromley. Ag cromadh chun an eochair a chur i bhfolach faoi chloch a bhí sé nuair a chuala sé fuaim an chasúir. Rinne sé a bhealach chomh deifreach is a d'fhéad sé i dtreo theach an chairr, é ag mothú sách corrach ar a chosa sna bróga nua. Ina shuí ar mhála garbh i mullach carnáin de chlocha briste a bhí Colm Tom Mhóir, port feadaíola crochta suas aige agus é ag déanamh mionús de chuile chloch le buille amháin de cheapord.

"Ach cén deabhal nó deamhan atá tú a dhéanamh ansin, a Choilm?"

"Tuige?"

"Tuige? Nach bhfuil tú dul ag seasamh liom, an bhfuil, is é inniu an lá?"

"Tá a fhios agam, ach níl sibh ag pósadh go meán lae, beidh an carnán seo briste agam."

"Nach bhfuil sé i bhfoisceacht dhá uair an chloig dhó."

"Beidh an fánán go séipéal agam, ní thógfaidh sé fiche nóiméad orm a dhul don Chaiseal."

"Síos i gcarr Lady Bromley atá tú ag dul in éineacht linne."

"Óra, an sclíteach, níl mise ag dul ina carr. Is túisce a shiúlfainn é."

"Is túisce a shiúlfainn féin dá mbeadh neart air, ach tá Meaigí i ladhar an chasúir aici. Gabh abhaile is athraigh éadach go beo."

Drogallach go maith a scaoil sé uaidh an casúr.

"Tá mé ag dul síos ar an m*bicycle*, a Réamoinn. Stopfadh mo chroí istigh ina carr sin."

"Óra, ní bheidh tú ann ach deich nóiméad síos is deich nóiméad aníos . . ."

"Ní bheidh ná deich soicind mar ní bheidh mé ag dul ann. Ní bheadh a fhios agamsa sa deabhal céard is fearr a rá le boic mhóra mar sin."

"Fág an chaint aici fhéin is ag Meaigí."

"Feicfidh mé thíos thú. Imigh leat, déanfaidh mise mo bhealach fhéin síos."

Ní raibh aon mhaith do Réamonn a bheith ag impí air mar bhí truslóg i ngach coiscéim dá raibh sé a thabhairt uaidh i dtreo a thí féin. Faoi dhó a dhóbair Réamonn casadh ar ais agus a rothar féin a thabhairt leis. Leithscéal éicint a dhéanamh le Meaigí agus saoirse úr an aeir a bhlaiseadh aríst ag rothaíocht le fána. Ach ní raibh sé de chroí ann a fhocal a bhriseadh le Meaigí. A sheacht míle mallacht curtha go mion is go minic ar Lady Bromley aige ó dúirt Meaigí leis go raibh sí ag cur a ladair isteach sa scéal. Gan aithne uirthi nach amach as a colainn féin a rug sí Meaigí lena raibh de chion aici uirthi. Meaigí ar a mine géire ag iarraidh an dá thrá a fhreastal nuair a d'aithneodh sí an stodam ina ghlór.

"Níl aon neart agam air, a Réamoinn, tá a fhios agam gur ar mhaithe linn atá sí."

"Is é an trua go bhfuair sí fios ar bith air."

"Ach chaithfinn é a inseacht di. Lig isteach i gcluais í agus amach sa gcluais eile. Níl dochar ar bith inti ach nach mbíonn tada eile le déanamh aici ó cheann ceann na bliana."

"Ní minic buíochas ar ghraithe gan iarraidh." Bhí a fhios aige ar an bpointe go raibh iomarca gangaide ina ghlór. Shloigfeadh sé an abairt aríst dá bhféadfadh sé.

102

"Ach is le croí mór maith atá sí á dhéanamh, ba mhaith dhúinn againn í an lá a gortaíodh thú."

D'aithin sé ar ghlór Mheaigí go raibh sí beagán gortaithe, údar aici a mheabhraigh a choinsias dó, ag smaoineamh ar an méid fola a d'fhág sé smeartha ar shuíochán an chairr. "Mise atá mícheart, a Mheaigí. Déan thusa socrú ar bith atá tú a iarraidh, ní easpa buíochais atá ag baint chainte asam ach easpa muiníne."

"Ní bheidh ann ach lá."

Bhí oiread de phian ag cur creathadh ina glór is gur bhuail náire é, náire nach raibh i bhfad ag cloí an drogaill a bhí an doicheall a chothú. Lámh a chur timpeall a básta a rinne sé, fearúlacht a ghutha ní b'fhearúla fós ina chogar.

"Tá brón orm, ná bíodh níos mó imní ort ina thaobh."

B'fhíor dó, b'in é deireadh a chuid imní nó go bhfaca sé an carr ag doras an *Lodge*, oiread de loinnir sa dath dubh is go raibh sé á chaochadh. Leoithne ghaoithe ag déanamh cuid suntais de na ribíní geala síoda a bhí ceangailte chaon taobh de – tar éis chomh maith is bhí a charabhat saothraithe aige ag iarraidh a bheith á chur i bhfolach ar shúile an bhaile. Rinne meall neirbhíse glogar ina phutóga. Bhí sé in am an maide siúil a chur i bhfolach. Bheadh sé ag mothú ina amadán ceart críochnaithe dá bhfeicfeadh sí ag teacht é agus an maide aige. Ní raibh sé d'ionú aige é a leagan ar chúl an sconsa nuair a tháinig sí chuige amach go luaineach le lán a gabhála de bhláthanna agus í ag caint go húdarásach in ard a gutha.

"*A bouquet of flowers, Margaret, perfect decoration for the back window. Réamonn, you shouldn't have walked.*"

"*I'm alright.*"

103

"*Come into the drawing room while Margaret is getting dressed.*"

"*Ah no, no thanks, I'm alright here.*"

"*Oh, a little nervous about walking your beautiful bride down the aisle, Réamonn, are you?*"

"*I'll walk around here a while.*"

"*As you please.*"

Bhí sciatháin uirthi ag rith ar ais. Thabharfadh sé mórchuid ar naipcín póca a thriomódh an t-allas. Thriomódh sé le binn a sheaicéid é murach faitíos go mbeidís ag breathnú amach trí na fuinneoga. Thosaigh colúr ag cuachaíl go hard i mbarr crainn mar a bheadh sé ag glaomaireacht as a shaoirse. Buíoch beannachtach a bheadh Réamonn ag malartú áite leis ag an bpointe sin, nó leis an dá eala a bhí ag soláthrú go ciúin ar chladach tanaí na locha. Bhí a fhios ag na huaisle le suíomh a roghnú. Radharc chomh hálainn is go gcaochfadh sé amharc na súl nuair a thosaíodh an ghrian ag scairteadh i scáthán an uisce. Cúpla acra de phlásóg féir a bhí chomh mín leis an síoda. Coill chrainnte a chrochfadh brat bileog idir bocht agus saibhir. Bhí rud ar aire Réamoinn thairis a bheith ag déanamh iontais den áilleacht, ach bhí sé chomh tarraingteach is go gcaithfeadh sé suntas a thabhairt dó fiú dá mba é rópa a chrochta a bheadh timpeall a mhuiníl. Bhí sé ag cartadh lena dhá mhéir nó gur éirigh leis an cnaipe uachtair a scaoileadh ar chúl an charbhait. Gan a fhios aige arbh é a mhuineál a bhí ag at nó an bóna a bhí ag traothadh. Rith bás a athar trína intinn, é á shamhlú mín marbh i lochán fola. Thosaigh sé ag guairdeall nó gur aimsigh sé coirnéal cúlráideach chun a chuid uisce a dhéanamh, gan aon chrúóg aige leis ach ag iarraidh an deis a thapú ar fhaitíos go mbeadh sé ag sciorradh aríst uaidh agus é ina phúdarlach cheal deis a dhéanta. Ar éigean a bhí an talamh buailte ag an gcéad bhraon nuair ab éigean dó cnaipí a dhúnadh faoi dheifir.

"*Where are you, Réamonn? Oh dear, don't tell me he has run away. Réamonn!*"

"*I'm coming, I'm coming.*"

"*Come and meet your beautiful bride.*"

Gach a raibh de thapa ina dhá chois á bhrostú i dtreo an chairr, a bheith suite isteach sa suíochán cúil agus cead ag Meaigí caint a choinneáil chun tosaigh léi ar an aidhm ba phráinní ina shaol ag an ala sin.

"*No, no, Réamonn, the back seat is reserved for the bride.*"

"Mallacht dílis Dé ort" ráite faoina anáil aige, nó gur bhain Meaigí an anáil de, gur stop a chroí ar feadh ala an chloig nuair a shiúil sí amach doras an *Lodge* chomh geal leis an eala a bhí amuigh ar an loch, gan le feiceáil di ach an t-éadan a bhí ag dearcadh go gealgháireach ina threo. An feisteas cinn chomh fada is go mbeadh sí á tharraingt ina diaidh ar an talamh murach Lady Bromley a bheith á iompar ina gabháil.

"*Open the door fully, Réamonn.*"

"*Right.*"

"*My beautiful Margaret, you look quite stunning in the sunlight!*"

"Cá bhfuil Colm?"

"Imithe síos ar a *bhicycle.*"

Cáir gháire a chuir sí uirthi féin. Cáir neamhimníoch a shuaimhnigh néaróga Réamoinn beagán.

"*Careful that we don't crease your gown. That's it,*

Margaret, move in a bit more so that I can fix your veil on the seat beside you."

"*What do you think, Réamonn?*"

"*Ha?*"

"*Of Margaret's attire?*"

"*Tis nice.*"

"*I think it's exquisite.   That was my mother's wedding dress.*"

As a bealach a shíl sé suí isteach sa gcarr.

"*No, no, you drive, Réamonn.*"

"*Ah, Jays, no.*"

"*Go on, I must be free to attend to Margaret's dress. I'm feeling too giddy to drive.*"

Bhí scéin ann ag tiomáint amach faoin áirse mhór chloiche agus ag tabhairt aghaidh an chairr ar an gCaiseal. Í chomh compóirteach, chomh so-láimhseáilte le hais an leoraí ach é ag déanamh cnaipí ar fhaitíos go scríobfadh sé a taobh in aghaidh na dtomacha aitinn.

Níor dhírigh na fir oibre a ndroim ach stop siad ag obair fad is bhí an carr ag dul tharstu. Lámh ina gcaipín ag an gcuid ba shine in ómós do charr an *Lodge*. Ba é Barrett an t-aon duine a chroch a lámh, a dhá shúil ag at sna mogaill ag breathnú isteach sa gcarr. Oiread is méir níor thóg Réamonn den rotha. Meall teannais ag at ina chliabhrach de réir mar a bhí sé ag teannadh leis an áit a raibh a charr féin bunoscionn sa gclochar. Oiread airde ar an mbóthar a bhí amach roimhe aige is gur gheit sé nuair a chuaigh Colm Tom Mhóir thairis de sciotán, na stocaí tarraingthe suas os cionn íochtar an treabhsair aige. Droim a sheaicéid chomh líonta le seol báid agus é ag dul le fána ina chuaifeach ar a rothar. Seans nár thuig Lady Bromley cén t-údar gáire a bhí ag Meaigí nuair a chuaigh Colm ina scail amach thar an gcarr, ná aríst ag geata an tséipéil nuair a lig sí scairt neamhurchóideach ag breathnú ar an bpúir de dhusta an bhóthair a bhí Réamonn a bhualadh amach as feisteas Choilm le bois a láimhe.

Ní raibh aithne ar an gCanónach gur chuir olc ná cantal roic ina bhaithis ariamh. Canúint curtha ar a ghlór aige ag caint le Lady Bromley, é foighdeach fáilí fad is bhí sí ag socrú ghúna na brídeoige ar chéimeanna na haltóra. Ba é Réamonn an t-aon duine a chonaic an splanc nimheanta i gcúl a shúl chuile uair dár chas sé ina threo. Anáil faoi shásamh níor tharraing sé nó go raibh an phaidir dheiridh ráite agus iad ag siúl aníos an séipéal i ngreim láimhe ina chéile. Líon sé a scamhóga le haer úr chomh luath is a fuair sé amuigh ar an bhfairsinge é féin. Abhóga móra fada ag Colm Tom Mhóir siar go dtí binn an tséipéil ag caitheamh gaile, a chuid peiríocha curtha de aige thuas faoi chosa an tsagairt. Bainte as cleachtadh a bheith ar a leathghlúin ag an doras agus líonraithe uilig nuair ab éigean dó a ainm a scrábáil ar pháipéir an phósta. Ní raibh a shásamh bainte as an gcéad ghail aige nuair a chuala sé ag glaoch iad. D'éirigh leis gail amháin eile a shloigeadh fad is bhí sé ag rith ina dtreo. Mullach dearg an toitín múchta le dhá mhéir aige agus an stumpa sáite síos ina phóca uachtair le diúl níos deireanaí.

"*OK, everyone, Canon Kelly is going to join us for a meal at the hotel.*"

Rinneadh staic de na fir, iad cinnte dearfa go raibh teannas an lae thart.

"Ah, Jays, no, I'm goin' home."

Bhí Colm ag tarraingt na stocaí suas ar íochtar a threabhsair agus é ag gluaiseacht uathu ar leathmhaing. Do Mheaigí a ghéill sé faoi dheireadh.

"Fan in éineacht linn, a Choilm, más é do thoil é."

Ní roimh an mbéile a bhí drogall ag ceachtar acu ach roimh an gcomhluadar, roimh an ardnós a bhain le hóstáin agus roimh an gcual de sceana is spúnóga a bhí leagtha amach ar a n-aghaidh. Boladh na beatha ag cur gona ar Cholm ach creathadh cos is lámh air le faitíos go dtitfeadh aon ghreim ar an urlár. Bhí sé ag faire as corr a shúl ar an mbealach a raibh Lady Bromley ag láimhseáil na n-uirlisí boird agus í ag spalpadh Béarla galánta leis an gCanónach ag an am céanna. An Canónach ábalta coc a choinneáil léi. An bheirt ag scaoileadh siar súmóga fíona agus faitíos ar Cholm go gcloisfí an slup a bhí sé a bhaint as a ghloine bhainne. Blas ar bith ach go rabhadar ag suaimhniú beagán nuair a baineadh suathadh eile astu. An Canónach tar éis cúpla buille de spúnóg a bhualadh ar a ghloine agus Lady Bromley ag éirí ina seasamh.

"Please allow me a few moments to wish Margaret and her husband a long lifetime of happiness. No words of mine could adequately thank Margaret for her loyal service to the Lodge. She's kind and loving as if she were my own flesh and blood and totally honest and dependable. Life in the Lodge would hardly be worth living without Margaret. As a small token of my appreciation, Margaret, I have booked you and Réamonn into the Great Southern Hotel in Galway City for a full week of honeymoon bliss."

Níor bhain imeachtaí an lae feanc as Meaigí ach ba léir gur

mhúscail an abairt deiridh a hairdeall. Thug sí súil imníoch ar
Réamonn ar dtús sul má shuaimhnigh sí le greim láimhe é.

"Caithfidh mé a bheith ag obair amárach," ar seisean i
gcogar.

"Tá a fhios agam."

*"Don't worry, Margaret, the staff here will show you to a
room where you can change. Your bags are packed. It's all
arranged. Réamonn can borrow my car. You can tour around
Galway for the week. I won't need the car. I'm actually
staying in this hotel until you return. I couldn't bear to be
alone in the Lodge.*

"Céard atá ag cur as dhuit, a Willie?"

"Tada."

"Mise atá ag cur as dhuit, an mé?"

"No, Eileen, it's not you."

"Bhuel, tá pus éicint ort."

*"It's that bastard, Réamonn. He didn't turn up to drive the
truck this morning."*

Níor lig sí do na smaointe a rith trína hintinn a dreach a
athrú.

*"If I understood the lads right, he's gone away on his
honeymoon."*

"Honeymoon?"

*"For a whole week in the Great Southern Hotel. Driving
around like a lord in Lady Bromley's car, they were saying."*

"It's far from a hotel he was reared."

"Jays, I was livid this morning."

109

"It's your own fault, isn't it you that's paying for their honeymoon frolics."

"How?"

"Paying that fellow for broken stone and Colm Tom Mhóir bringing them out of fields in a wheelbarrow, stones that were picked out of the tillage for years."

"It's good quality stone, though."

"There's plenty of loose stone in our own land, don't let them walk on you."

"Jaysus, you're right."

Port croíúil feadaíola a bhí crochta suas ag Colm Tom Mhóir agus lán dhá chliabh de chlocha beaga ar an mbarra rotha aige. D'athraigh sé cosán de réir mar a bhí an rotha mór adhmaid ag gearradh na scraithe sa ngarraí bán a bhí idir garraí na leachtaí agus an bóthar. Tuirsiú a láimhe d'obair amach roimhe. Leachtaí le cúl a chéile. Obair na gcianta. Glúin i ndiaidh glúine de chlainne Seoige ag piocadh na hithreach tar éis chuile bharr fataí. Ba í an chloch bheag an anachain a mhaolaíodh béal speile nuair a bhí barr féir le baint tar éis an ithir a ligean i mbán. Ach tháinig an lá go raibh níos mó samhaoine le baint as an mbarr cloch ná as an mbarr fataí. Leathnaigh cáir bheag gháire ar éadan Choilm ag smaoineamh air, é bogtha amach in allas de bharr a raibh sé a bhaint de shásamh as a chuid oibre, gan croitheadh ar bith aige sa gcliabh cloch nuair a thógadh sé idir a dhá láimh é is d'fholmhaíodh sé ar urlár an leoraí é. Imeacht Réamoinn ar sheachtain na meala tar éis tuilleadh díocais oibre a chur air chun nach mbeadh sé le rá ag duine ar

110

bith gur loic sé ar a chomrádaí. Líon a chroí le trua dó, sáinnithe istigh in óstán ar feadh seachtaine, gan gair aige a pholláirí a shéideadh ná snaofairt a dhéanamh dá mbeadh a chailleadh den tsaol leis. Púicearlaigh mhóra ghalánta nár lig aon ruagán gnaíúil de bhroim ariamh ag dul timpeall agus bónaí a gcuid léinteacha chomh geal leis an eala. Thug sé buíochas le Dia as an tsaoirse, ag glanadh an allais dá bhaithis tar éis dhá chliabh eile a chur ar bord. Is beag eile a líonfadh í, aistear eile, dhá aistear ar a mhéid.

Ba iad a dhá ghadhar a chuir ar a airdeall é, gan d'ionú aige fógairt orthu nuair a d'imigh siad ina rite reaite agus iad ag tafann. Smachtaigh sé le fead iad ach lig sin an cat as an mála. Suí ar chúl leachta a rinne sé, gan cor as ach a chluasa bioraithe aige. D'aithin sé an ghangaid i nglór Bharrett ón gcaoi ar dhúirt sé *"Jaysus Christ Almighty"*. Fanacht socair agus é a scaoileadh thairis. Ar ndóigh, bheadh a fhios aige go maith go raibh duine éicint ag líonadh an leoraí, a chead sin aige ach ní raibh Colm chun aon araoid a chur air. An ghráin shaolach aige air ón lá ar bhris sé go héagórach as a chuid oibre é. Coipeadh fola anois féin air cé nach raibh sé ag cur chuige ná uaidh, ach ba ghearr go raibh.

"Where's the fuckin' key for the fuckin' truck?" Oiread oilbhéasa ina ghlór is gur bhain sé macalla as na cnoic.

D'fhéadfadh Colm é féin a ithe le teann cantail. Tar éis go raibh fainic curtha ag Réamonn air déanamh cinnte go mbeadh an eochair fágtha sa leoraí aige ó mhoch maidne. Iomarca fiántais in éadan cloch.

"Get the fuckin' key for me, Colm. Get out here and don't mind your fuckin' hide and seek."

Ní raibh aon dul as aige ach éirí agus rith i dtreo tigh Réamoinn. Barrett le cloisteáil ag grúsacht aige, mar a bheadh sé ag sciolladh trína chuid fiacla. Sciob sé leis an eochair de chrúca an drisiúir go deifreach, ar buile leis féin as a bheith chomh siléigeach. An eochair a shíneadh chuige agus cead aige a bheith ag caint leis féin ach ní raibh Colm chun labhairt leis. Go brách aríst ní raibh sé chun beannú dó. Bhí greim leathláimhe ar dhoras an leoraí ag Barrett agus a chuid leicne ina gcaoir dhearga ag ruibh oilc. Sciob sé an eochair as a láimh chomh hamplach le gadhar ocrach.

"*You can fuck off home now, I'm not taking any more stones from here. Ye won't fool me. No fuckin' Connemara* amadán *is going to nest in my ear.*"

Chas sé go drochmheasúil le dhul isteach sa gcábán nuair a rug Colm ar ghualainn air. Daol oilc tar éis é a chur i bhfiántas. A dhorn chomh cruaite le cnap miotail faoi réir le Barrett a bhualadh isteach ar chnámh a ghéill, ach ní bhfuair sé de sheans é. An uillinn a thabhairt siar uaidh chomh nimheanta le cic ó mhúille a rinne Barrett. Isteach díreach ar chlár na baithise a bhuail sé Colm, á chur in aghaidh a chúil nó gur thit sé ar a thóin in aghaidh an chlaí. Míobhán ina cheann. Brat réaltóg idir é féin agus Barrett nó gur mhothaigh sé pus na bróige á aimsiú sna heasnacha. Pian chráite a bhain an anáil de. Aríst is aríst eile a bháigh Barrett pus a bhróige ina phutóga. É ag casadh ar an talamh ag iarraidh na ciceanna a sheachaint nó go raibh sé i mbéal na bearna. Bhí saothar ar Bharrett ag casadh ar ais i dtreo an leoraí.

"*That'll teach you a lesson, you big stupid bastard!*"

Ar mhaide giúsaí a bhíodh leagtha trasna i mbéal na bearna

a rug Colm as spadhar. É chomh leonta is gur ar éigean a chuir sé na cosa faoi. Chinn air an maide a ardú sách ard lena thabhairt anuas ar a mhullach do Bharrett, ach d'éirigh leis é a chasadh le hiomlán a nirt agus é a bhualadh isteach ar an taobh leis sul má thit sé i mbun a chos. Chuala sé cnámha ag pléascadh sul má chuir Barrett scread chráite as. Titim ar a dhá ghlúin a rinne sé agus a dhá láimh a fháisceadh in aghaidh a chuid easnacha. Mallachtaí ag réabadh go pianmhar trína bheola rite.

Murach an míobhán a bhí fós ag cur réaltóg sna súile ag Colm, bhí an fata deiridh cangailte ag Barrett, ní raibh aige ach ag breathnú air ag dreapadóireacht isteach i gcábán an leoraí agus á tosaí.

Ó, a Íosa Críost, ag déanamh air a bhí Barrett, fonn díoltais ag cur scéin dhúnmharfach ina dhá shúil. Inneall an leoraí ag búireach ar nós tairbh bhuile. Ar chloch a rug sé, á caitheamh le hiomlán a nirt. Bhris gloine mhór an leoraí isteach i mullach Bharrett nuair a bhuail an spiacán cloiche le teannadh í. Ar éigean Dé a d'éirigh le Colm na cosa a chur faoi agus léimneach as bealach an leoraí. Na réaltóga a chuir an chéad bhuile ina shúile ag scaipeadh anois agus na cosa ábalta é a choinneáil suas ar éigean. Barrett ag cur an leoraí i ndiaidh a cúil lena ionsaí in athuair, cársán ann ag eascainí.

Chrom Colm aríst ag breith ar ail a bhí dhá chloch mheáchain, a chuir gleann sa doras le taobh Barrett. Níor fhan sé leis an dara ceann ach gluaiseacht as bealach an cheatha. Níor mhór dó, bhí clocha ag baint aithinneacha as an gcábán os a chionn. Colm coipthe as a chranna cumhachta, ag caitheamh cloch go nimheanta. Níor stad sé ach ag breith ar chlocha níos éadroime agus á gcaitheamh níos faide nó gur imigh an leoraí as raon a láimhe.

"Níl mé in ann, a Réamoinn."

"Tá tú in ann, níl tada ann ach é a thriáil."

"Níl sé de mhisneach agam."

"Níl duine ná deoraí ag breathnú ort."

"Ach má tharlaíonn tada . . ."

"Tá sé an-simplí."

"Caithfidh tú inseacht dom arís céard a dhéanfas mé."

"Rud beag cleachtaidh anois sul má chasann tú air an t-inneall. Brúigh isteach an *clutch*."

"É seo?"

"Sea, brúigh isteach uilig é, amach go deas réidh, isteach aríst."

"Dá mbeadh a fhios ag Lady Bromley gur thíos i gCo. an Chláir a bhí a carr agus mise á tiomáint, thiocfadh meirfean uirthi."

"Ach sin é a bhí sí ag iarraidh orainn a dhéanamh."

"Más ea, ní ag tiomáint istigh i lár dumhach ghainimh é."

"Ach ní fhéadfá áit níos fearr a fháil, dumhchanna fairsinge Fhánóir. Tosaigh suas í."

"Ó, a Réamoinn, meas tú?"

"Cas air í."

"Ó, a Mhaighdean!"

"Brúigh isteach an *clutch*, anois tá sí sa gcéad ghiar, scaoil amach an *clutch* go mall."

"Ó, a Mhaighdean, tá sí ag imeacht!"

"Cas an rotha, sin é anois, coinnigh ort timpeall i gciorcal, tá tú thar barr."

"Ní chreidim é seo."

"Coinnigh ort timpeall cúpla babhta eile."

"Beidh ré roithleagáin i mo chloigeann má choinníonn mé ag dul timpeall mar seo."

"Uair amháin eile is fágfaidh muid go dtí amárach é."

"Cén chaoi a stopfaidh mé anois?"

"Brúigh isteach an *clutch*. Sin é, brúigh an *brake* anois, cas as í."

"Ó, a Réamoinn, rinne mé é!" Chaith sí a dhá láimh ina thimpeall, á phógadh go ríméadach.

"Ní raibh mairg dá laghad ort. Níl ann ar fad ach cleachtadh."

"Sin rud nua eile déanta agam an tseachtain seo."

Bhí glinne an át_3áthais ag damhsa ina dhá súil, í ag dearcadh chomh domhain isteach i súile Réamoinn is gur mheas sé go raibh sí ag feiceáil na smaointe ba dhoimhne ina intinn.

"An bhfuil tú sásta i mo chuideachta, a Mheaigí?"

"Ó, a Réamoinn, tá a fhios agat go maith go bhfuil."

Bhain póg an chaint díobh.

"Bíonn an chinniúint ann, a Réamoinn."

"Céard atá i gceist agat?"

"Murach go raibh tú ar meisce an oíche siúd san óstán, bhuel, murach gur gortaíodh sa timpiste thú, ní bheadh muid le chéile mar seo."

"Bhí sé i ndán dúinn, is dócha."

"Buíochas le Dia, bhí an oiread trua agam dhuit an oíche a raibh tú óltach, bhí móréagmais éicint do do ghortú."

115

"B'fhearr liom gan labhairt ar na rudaí sin, a Mheaigí, tá an tseachtain seo ró-aoibhinn le bheith ag caint ar rudaí goilliúnacha."

"Ach ní thiocfaidh tú ar an ól mar sin aríst, geall dhom é."

"Ná bíodh imní ort."

"D'fhéadfadh tú a bheith marbh."

"Ach níl, tá an bheirt againn beo bíogach. Gabh i leith uait go dtí an trá sul má thabharfas muid ár n-aghaidh ar ais."

Bhí an doras oscailte aige agus uallfairt na mara le cloisteáil ar an aer úr a bhí á shéideadh isteach den Atlantach.

"Boladh na farraige, a Réamoinn, tá sé go hálainn, bí cúramach anois le do chois, lig do mheáchan ormsa."

"Faraor nár thug mé liom mo mhaide."

"Tá sé éasca siúl anseo ar aon chaoi."

"Sin é amuigh Inis Oírr i mbéal an chuain."

"Tá an áit seo aoibhinn.

"Siúlfaidh muid suas thar bharr na ndumhchanna, mar sin."

"Seo é na Flaithis, a Réamoinn."

"Tá sé fíorálainn."

"Ní fhaca mé dumhchanna gainimh chomh hard seo ariamh."

"Gaineamh séidte uilig."

"Gan tada beo le feiceáil ach na coiníní."

"Tiocfaidh muid suas go dtí barr na duimhche seo."

"An bhfuil do chosa in ann aige?"

"Tá siad ag feabhsú chuile lá."

Ní raibh puth dá n-anáil acu nuair a tháinig siad go dtí a barr. Saothar orthu ag cur lámh timpeall a chéile mar a bheidís tar éis barr an domhain a bhaint amach. Abhainn bheag tar éis a bealach a shníomh anuas de na cnoic ó thuaidh, an t-uisce chomh síothlaithe ag an gcloch aoil is go raibh sé glan gléineach ag rith amach ar an ngaineamh. Corr éisc ag coinneáil súl orthu ó bhruach na habhann. Coiníní isteach is amach i gcoinicéir mar a bheadh siad á ndeifriú as a mbealach.

"Fáisc isteach leat mé, a Réamoinn."

Dhiúl siad na liopaí as a chéile go híogmhar, ag ísliú síos ar a nglúine agus ag síneadh siar ar bharr an chnocáin. Tomacha muiríní ina dtimpeall á gcur i bhfolach ón saol mór.

"Meas tú, an bhfuil aon duine ag breathnú, a Réamoinn?"

"Níl ach an chorr éisc."

"Tá fhios agat cén teachtaireacht a bhíos ag teacht faoina sciathán aicise."

"Is cuma, a Mheaigí, ní hé úll na haithne feasta é."

Rírá agus ruaille buaille a thosaigh tigh an Bhreathnaigh nuair a tháinig Barrett abhaile agus é ag cur snaidhmeanna air féin le pian. Chaill Eileen an cloigeann, ag iarraidh fios a chur ar dhochtúir agus díoltas a bhaint de Cholm Tom Mhóir ag an am céanna.

"*No, no, Eileen, I don't want to go to hospital.*"

Bhí an tseanlámh i bhfad ní ba mheabhraigh nuair a tháinig an crú ar an tairne. Í ar a mionda ag baint a chuid éadaigh de Bharrett nó gur nocht sí an léasán dubhghorm a bhí os cionn a chuid easnacha. Rith sí pont a cuid méaracha ó easna go heasna nó gur aimsigh sí an dá easna a bhí briste. Scread Barrett in ard a chinn.

"*Aaah! Aaaah, Jaysus!*"

"*Stop, Mom,* tá tú ag cur pian air."

"Faigh braillín, a Eileen, agus gearr ar a fad í le siosúr. *You have two cracked ribs, Willie.*"

"An collach muice ós é Colm Tom Mhóir é nach raibh in ann an smaois a ghlanadh ceart dhe féin an lá ab fhearr a bhí sé."

"Caith tharat é, a Eileen, nó go gcuire muid buadán leis seo. Déan cheithre stiall den bhraillín."

"Tabharfaidh mé stiall feola anuas dá chuid leicne le mo chuid ingne an chéad bhabhta eile a bhfeicfidh mé é," a dúirt Eileen.

"*We have to tie this around you now, Willie.*"

"*OK.*"

"An múille lofa ós é sin é."

"A Eileen, fáisc é seo a chúnamh dhom, cas timpeall air é. Ní féidir liomsa mo chuid méaracha a thógáil den chnámh nó go bhfáiscfidh tú an bhraillín isteach ina aghaidh, sin é anois."

"*Aaaah! Aaaaah!*"

"*Sorry now, Willie, but it has to be tight* . . . Fáisc, a Eileen, fáisc."

"Tá súil agam go bhfuil muid ag déanamh an rud ceart, a Mhama."

"*Ah, that's better, thanks.*"

"Fáisc an chéad cheann eile os a chionn sin, sin é anois, chomh crua is atá tú in ann, crua a dúirt mé."

Ní mba thráth argóna é. Ó chois go cois a thug Eileen siar sa seomra é. Dath geal air ag pian.

"*All I did was ask for the key and the bastard attacked me. He threw a stone the size of a turnip through the windscreen, missed my head by inches.*"

"*That's attempted murder. You should never have gone near those savages.*" Bhí fuip inti ag cur uirthi a cóta.

"*Where are you off to, Eileen?*"

"*Straight down to the barracks in Cashel to report that bastard.*"

Lá iomlán a chaith Colm Tom Mhóir amach os comhair dhoras óstán an Bhóthair Iarainn, é suite ar a ghogaide faoin ráille a bhí trasna an bhóthair uaidh. Súil le Dia go bhfeicfeadh sé cloigeann Réamoinn ag teacht amach an doras chuile nóiméad chun go ndéanfadh sé a bhreithiúnas aithrí leis. A chroí ag preabadh chuile uair a gcorródh an doras, ach gan dé ná deatach air. Easpa muiníne nó easpa Béarla á chosc nuair a smaoinigh sé aghaidh a thabhairt isteach agus a thuairisc a chur. Ní stopfadh easpa Béarla é murach an bhail a bhí air. Bheadh sé ag plobarnaíl ar chaoi éicint nó go dtuigfidís é murach an cnap a d'fhág uillinn Bharrett ar a bhaithis. Gan duine ag dul thairis nach raibh ag tabhairt suntais dó. Fiú an garda a chas ar a sháil is a bhreathnaigh go géar idir an dá shúil air sul má chuaigh sé ina bhealach aríst gan focal a rá.

Mura mbeadh an oiread de mhí-ádh air is gur éalaigh siad amach fad is bhí sé ag rith suas go dtí na leithris phoiblí. Áit ar theastaigh uaidh a dhul aríst ach go raibh sé á chur ar an méir fhada nó gur chinn air. Bhí sé idir dhá chomhairle an rothar a thabhairt leis nó é a fhágáil leis an ráille nuair a baineadh preab as. An garda a bhí ag déanamh air ó chois go cois agus garda eile ina chuideachta. A gceann scríbe le léamh chomh follasach ina súile is gur mhothaigh sé a theanga ag triomú. É chomh sáinnithe le coinín i súil ribe tar éis chomh maith is bhí an oíche roimh ré saothraithe aige ag éalú faoi scáth an dorchadais ar a rothar. Pian na mbuillí i chuile chnámh ag gabháil leis agus é ag leagan air féin chomh fada ó bhaile agus a d'fhéad sé roimh éirí gréine. Ach ní raibh aon éalú ón dlí.

"*What are you doing there?*"

"*Nothing, Guard.*"

"*What happened to you?*"

"*Fell off the bike.*" Bhí an abairt sin curtha de ghlanmheabhair aige ar a bhealach isteach.

"*You've been there all day. What are you waiting for?*"

"*Nothing, the train.*" Bhí sé ag súil chuile nóiméad go mbéarfaidís air. Go gcuirfidís cuingir lámh air is go gcrochfaidís leo é, ach ceist ná araoid níor chuir siad air thar an méid sin, iad fanta ansin á fhaire nuair a thug sé leis an rothar is a bhrúigh sé roimhe i dtreo an stáisiúin é. Ní chreidfeadh aon duine nach ag fanacht leis a bhí an traein. Í ag cuachaíl ghaile in airde sa stáisiún nuair a cheannaigh sé an ticéad.

Súil thar a ghualainn aige ar fhaitíos go raibh fiach ina dhiaidh. D'fhág sé an rothar sa deabhal ansin ach anáil níor tharraing sé faoi shásamh nó gur tharraing an traein as a chuid rútaí é.

Bhí an fharraige agus na locha ag baint farasbairr áilleachta dá chéile de réir mar a shníomh carr an *Lodge* an bealach caol casta siar le cósta, Meaigí go bródúil ar an stiúir, mórálach as a cumas tiomána tar éis na seachtaine.

"Ní raibh an tseachtain i bhfad ag imeacht, a Réamoinn."

"Ní raibh."

D'aithin sí athrú ina mheon ó thosaigh siad ag teannadh siar, ciúin tostach mar a bheadh a intinn i bhfad ó bhaile. Thuig sí dó, shíl sí go brách nach mbeadh aon diomú uirthi ag dul abhaile ach ba dhoiligh léi cúl a thabhairt d'aoibhneas na seachtaine.

"An dtiocfaidh tusa ag tiomáint anois?"

"Coinnigh ort, tá tú ag déanamh go breá."

Ba é a raibh uaithi é, í ar phláinéad eile ó d'éirigh léi ceird na tiomána a smachtú. Corrchaora ag baint geite aisti nuair a théidís trasna roimpi.

Dhá charr a casadh leo ó d'fhág siad baile mór na Gaillimhe. Stopadh ar fad a rinne sí nó gur lig sí thairsti iad. Gan oiread leithid sa mbóthar is d'fhágfadh dóthain fairsinge ag a lámha neamhoilte. Bhí réimse fada bóthair amach roimpi ag an tráth seo agus gan dubh na fríde féin ina bealach nuair a tharraing sí isteach go cúramach ar cholbha an bhóthair agus chas sí as an t-inneall. Rug sí go cineálta i ngreim láimhe air.

Uaidh a bhí sé ag breathnú ar néal éicint nach raibh ann. Ghéill sé don iontú a bhain sí as.

Dhá shúil a bhí ar tí lasadh le seachtain, dubh doilíosach ag breathnú anois. "Tá a fhios agam céard atá ag cur isteach ort, a Réamoinn."

A chuid beola a fháisceadh ar a chéile agus breathnú go truamhéalach uirthi a rinne sé.

"Tá sé ag goilliúint chomh mór céanna ormsa ach ní ligfidh muid dhi a bheith ina cnámh spairne eadrainn. Caithfidh mé fanacht sa Lodge in éineacht le Lady Bromley chuile oíche, ar feadh scathaimh ar aon nós. Ach beidh an bheirt againn in éineacht ó ardtráthnóna go meán oíche chuile oíche den tseachtain nó go n-éirí liom socrú níos feiliúnaí a dhéanamh. Ná bí stuacach liom, a Réamoinn, más é do thoil é. Ní féidir liom droim láimhe a thabhairt di ar an bpointe boise, ní bheadh sé de chroí ionam. Ceapann daoine go mbíonn fuíoll na bhfuíoll aici mar gheall go bhfuil sí ina cónaí sa *Lodge*, ach bíonn uaigneas agus faitíos agus pian agus drochmhisneach uirthise chomh maith leis an gcuid eile againn."

Bhí sé ag éisteacht léi go haireach, a cuid cainte ag múineadh ceachta a bhí dochreidte dó. Í a fháisceadh isteach leis mar chomhartha aontais a rinne sé, í chomh piocaithe pointeáilte le bábóg ina ghabháil. Chomh crua tanaí le biorán stoca. Ba é a croí an pháirt ba bhoige di, croí lách séimh cineálta a thug ardú meanmnan dá ísle brí ar feadh na seachtaine. B'in é an fáth go raibh drogall aige roimh chuideachta Lady Bromley. Meaigí a bheith aige dó féin, gan duine ar bith eile a bheith ag teacht eatarthu go dtí lá an bhreithiúnais. Bhí sé ar thob é a rá léi nuair a chuir sí lámh timpeall a mhuiníl ag tarraingt aghaidh a bhéil uirthi nó gur phóg sí go fada muirneach é. Póg a leáigh an doilíos is a chloígh an doicheall le teann paisiúin.

Eisean a thiomáin an chuid eile den bhealach, iad i ngreim láimhe go ciúin ina chéile nó gur chuir sí i mbarr a chéille le ríméad é nuair a chroch sí suas amhrán i nguth binn beacht.

Dhá mbeinn trí léig i bhfarraige nó ar shléibhte i bhfad ó thír,
Gan deoraí beo i mo ghaobhar ann ach an raithneach ghlas is fraoch,
An sneachta a bheith ag titim orm, is an ghaoth dá fhuadach díom' Bheinn ag comhrá le mo Taimín Bán, is níorbh fhada liom an oíche.

D'ardaigh sé suas an dara véarsa ina cuideachta, iad ar aon nóta agus ar aon bhuille. Guth saibhir soiléir nach raibh roinnte leis an gcine daonna aige. Cleachtadh maith ag an dá ghadhar agus ag na caoirigh a bheith ag éisteacht leis. Chomh luath is a bhíodh sé leath bealaigh suas an cnoc, thosaíodh air go nádúrtha ag gabháil fhoinn in ard a chinn. Ba dheacair dó fanacht ina thost ar thaobh an chnoic nuair a thosaíodh na héanlaith á bhíogadh chun ceoil ina dteannta, iad féin ag ceiliúradh saoirse a d'ardaigh ó thalamh go haer iad.

Bhí sé i muinín an chiúnais aríst nuair a theann siad leis an óstán. Meaigí á pointeáil féin, ag slíocadh a cuid gruaige siar as a súile. D'fháisc sí a lámh go ciúin á mhisniú.

"Céard a déarfas mé léi?"

"Ní gá dhuit tada a rá ach, '*Thank you, Lady Bromley*'."

Ní bhfuair sé de sheans níos mó imní a tholgadh. Ar éigean Dé a bhí an carr stoptha nuair a tháinig sí amach an doras ag rith agus oiread gogaireachta aici le cearc fraoigh.

"*Oh dear, how good to see you again, I've been looking forward to it all day. Oh, oh, you look radiant, my dear Margaret! Did you have a good time?*"

"*Excellent, Lady Bromley, thank you.*"

"*And, Réamonn, you look so fresh and handsome. Did you enjoy yourself?*"

"*Thanks very much, Lady Bromley.*"

Bhí giolla amach leis na sála aici agus lán carr asail de mhálaí aige. Bhí Réamonn amuigh go deifreach ag tabhairt láimhe dó.

"*No, Réamonn, you must refrain from lifting those trunks until your fractured bones have re-knitted properly.*"

"I'm sound."

"No, Réamonn, I insist."

Bhí Meaigí í féin amuigh as an gcarr chomh haclaí le giolla a bheadh ag iarraidh aghaidh tairbh a thógáil de throdaí gonta.

"You sit in the front, Lady Bromley."

"No, no, no, dear. One must not come between the bush and the berry, after all?"

"But you'll have more room in front, Lady Bromley. I can squeeze in here beside the luggage."

"No, no. Oh dear, I insist you sit beside your husband, Margaret. A honeymoon couple should ride home side by side. Sit in, please, I must take a photograph for your album."

Daoine a mheas sé a bheith ag breathnú trí fhuinneoga orthu ba mhó bhí ag déanamh imní de Réamonn. Léim bainte as an gcarr aige de bharr na deifre a bhí air ag fágáil na háite.

"Well, tell me all about it, Margaret."

Le grúsacht a chuir sé fainic ar Mheaigí a bheith discréideach leis an bhfírinne.

"We had a wonderful week, Lady Bromley. The hotel was super and we both want to thank you most sincerely. Don't we, Réamonn?"

"Thanks very much, Lady Bromley."

"Oh, it was only a token of appreciation for what your good wife has done for me, Réamonn. No problem with the car, I hope?"

"No."

"Good, did you drive anywhere exciting?"

"We drove every day. We went as far as Fanore in County Clare one day."

"*Oh, how wonderful.*"

"*Beautiful place, huge sand dunes.*"

Chuir Réamonn grúsacht eile as, ach níor scaoil Meaigí aon chat as an mála cé gur bhain sí geit astu araon.

"*Guess what, Lady Bromley?*"

"*Yes, dear?*"

"*I can drive.*"

"*Oh, that's fabulous.*"

"*Réamonn gave me a few lessons every day.*"

"*Good for you, Réamonn. Oh, excellent, my hands are getting too fragile to handle this car.*"

Bhí sé ag tabhairt cluaise dá gcomhrá nó go dtáinig sé chomh fada leis an áit a raibh an bóthar á dheisiú, é idir dhá chomhairle maidir lena láimh a chrochadh go suáilceach agus luach saothair a gcuid fiosrachta a thabhairt do na fir, nuair a chonaic sé an bhail a bhí ar an leoraí.

"*Oh, Jaysus,*" sciorrtha trína chuid fiacla i ngan fhios dó féin. An bheirt bhan ag aontú leis mar gur cheap siad gurb iad sclaigeanna an bhóthair a bhain an eascainí as. Isteach i gcluais agus amach sa gceann eile a lig sé an chuid eile dá gcomhrá, a chuid samhlaíochta ag baint iliomad céille as an ngloine bhriste nó gur tharraing sé isteach ag doras an *Lodge*. Bhí doras an chairr oscailte aici chomh haibéil is dá mba cleabhar a bheadh tar éis ga a chur inti. Roilleadh cainte léi ag baint ghlas an dorais. Thosaigh Réamonn ag tógáil bagáiste amach as an gcarr ó cheann go ceann.

"*No, Réamonn, leave the luggage for the moment until I show you your bedroom. I had it redecorated while you were on honeymoon.*"

Cromtha isteach sa gcarr a bhí Réamonn nuair a chuir an chaint déistean air, an mála a raibh greim scrogaill aige air a scaoileadh uaidh go corraitheach a rinne sé. Alltacht ag cur scéine ina dhá shúil ag casadh i dtreo Mheaigí. Go lagbhríoch a dhearc sí ar ais, a dhá súil ag tuineadh le foighid. Fios aici go raibh cleachtadh ag chaon duine acu ar chead a gcinn. Ar Réamonn a d'fhiafraigh sí ionú i gcogar.

"Gabh i leith uait, ná habair tada, socróidh muid ar chaoi éicint é."

Leathnú tuilleadh a rinne a amharc. A dhreach ag dúchan chun drochmhúineadh.

"*Margaret? Where are you? Come and see for yourself.*" De bharr an staighre a bhí sí ag glaoch.

"Tá mise ag dul abhaile."

"Réamonn? Ar son Dé . . ."

"*Where are you both?*"

Chas Réamonn ar a sháil chomh luath is a chuala sé seabhrán a cos ag teacht ar ais anuas an staighre. Meaigí ag mothú lagair ag creathadh ina glúine. Í ag dearcadh go truamhéalach ina dhiaidh nuair a rug sé ar an maide siúil a bhí i bhfolach aige is thug sé do na boinn i dtreo an gheata é.

"*Is there something wrong Margaret?*"

"*No, no, Réamonn wants to go home . . . first . . . to check the house and everything.*"

"*Oh . . . Oh, I see, but you're not moving out, Margaret?*"

"*Eh, no, no, Lady Bromley.*"

"*Jolly good, I was worried for a moment.*"

"*It's OK, Lady Bromley.*"

"*Come and see your bedroom.*" Bhí sceitimíní uirthi ag dul

126

suas an staighre, Meaigí ag cuimilt boise dá súil i ngan fhios ar fhaitíos go léireodh deora a móréagmais, ach de bhuíochas a raibh ar a haire bhain an seomra geit aisti, é chomh mór le teach agus chomh galánta is gur leathaigh a béal.

"Fit for a queen!"

"Oh, Lady Bromley, this is too lavish, it's beautiful."

"No more than you deserve, Margaret, you've been very loyal to me. Come on then, let's prepare for supper."

"Well . . . OK, Lady Bromley."

"Oh goodness, I'm so so excited to have you two living in this house."

"Lady Bromley?"

"Yes, my dear."

"Could I . . . Could I . . . Will you excuse me for ten minutes? Well, half an hour, I'd like to run up as far as, well the other house, to check on everything with Réamonn."

"Oh."

"I'll be back before long."

"Of course. By all means. Feel free to come and go as you wish."

"Thank you, Lady Bromley."

"But you must always be back before dark. You know how I fear the dark."

"Don't worry, I'll only be half an hour."

"Why don't you take the car? That's a jolly good idea, take the car, Margaret. The two of you can drive back together . . . Is something bothering you, Margaret?"

"Oh, no, no, just . . . I'll be back soon."

Bhí a gcluasa bioraithe ag an dá mhada sul má tháinig Réamonn in amharc ar chor ar bith. Coiscéim a máistir á gcur ag princeam le ríméad. Iad ag ríochan a gceangail ag iarraidh déanamh air go lúcháireach, spoir báite sa talamh acu agus iad ina seasamh ar a gcosa deiridh nó gur scaoil sé a mbraighdeán. Iad ag fáinneáil ina thimpeall go fáilteach, ar a míle dícheall ag iarraidh labhairt leis. Ní raibh aon fhonn cainte air. Stodam tar éis a bheola a fháisceadh ina chéile. Oiread is breathnú ar an teach ní dhearna sé ach a aghaidh a thabhairt suas an cnoc. Fios aige nach feisteas feiliúnach cnoic a bhí air ach an stodam á thiomáint in aghaidh stuif, ach dá spadhartha dá raibh sé b'éigean dó géilleadh don phian. Na cosa ag meabhrú dó nach raibh siad in araíocht a dhul san aistreán. Lig sé a ucht anuas ar chlaí, an baile beag nochtaithe thíos faoi. Púir dheataigh ag éirí as gach simléar, ag fáinneáil go calma thar chíor na dtithe sul má ghluais siad ar fad go mall sa treo céanna. Chrom sé nuair a tháinig an carr amach trí gheata an *Lodge*.

"Mo sheacht míle mallacht aníos ort!" A theanga ag feannadh na bhfocal le teannadh amach as a bhéal. An dá mhada ar bís ag fanacht le treoir ach é ag cinneadh orthu aon mheabhair a bhaint as an abairt, abairt a chuir an máistir ar a chromada. "A sheanchailleach bhradach, ná bí ag ceapadh go bhfuil mise ag dul géilleadh dhuit, sách fada bhí mo mhuintir ag umhlú do do shliocht."

Cor ná focal níor fhan aige nuair a stop an carr ag binn an tí. An meall teannais ag bogadh ina chliabhrach nuair ba léir dó gur aisti féin a bhí Meaigí. Stodam ag caraíocht go tréan lena ghrá di nuair a theastaigh uaidh glaoch uirthi, a chur in iúl di nach raibh aon mhaith a bheith ag cnagadh ar an doras. Ba iad an dá mhada a rinne scéala air le cúpla glam bagrach tafainn.

"Luigh síos."

Ghéill siad ar an toirt don bhagairt a bhí ina ghlór.

Bhí sé á feiceáil ag déanamh air as corr a shúl. Theastaigh uaidh breathnú uirthi, tosaí ag siúl ar ais ina treo ach dhiúltaigh an stodam dá mhianta. Fiú nuair a sheas sí lena thaobh, chinn air a ucht a thógáil den chlaí agus casadh timpeall.

"A Réamoinn, labhair liom, ar son Dé. Ní raibh a fhios agam go raibh sí ag dul á dhéanamh sin, bhain sé an oiread de stangadh asamsa is a bhain sé asatsa."

Níorbh fhéidir leis cuimhneamh ar thada le rá.

"Labhair liom, a Réamoinn, is féidir linn é seo a shocrú. Labhróidh tú liom, a Réamoinn. A Réamoinn, ná bí chomh doscúch sin. Níl ann ach seachtain ó gheall chaon duine againn os comhair na haltóra, más tinn nó más slán, más bocht nó . . ."

"Níor gheall mé go dtiocfainn i mo chónaí in éineacht le cailleach an *Lodge* . . . más sin é a bhfuil de mheas agat ar mo theach anois, is é an meas céanna atá agat orm fhéin."

"Tá a fhios agat nach bhfuil sé sin fíor. Tá a fhios agat go mairfinn go sásta thuas ar bharr an chnoic sin in éineacht leat."

"Sí an chailleach sin thíos atá ag rialú ár saoil anois."

"Ach céard is féidir liom a dhéanamh?"

"Fág sa deabhal ansin í, faigheadh sí duine éicint eile."

"A Réamoinn, bí réasúnach, ní féidir liom é sin a dhéanamh anois díreach."

"Ach is féidir leat mise a fhágáil liom fhéin."

"Níl mé ag iarraidh thú a fhágáil leat fhéin, ach tá mé idir dhá thine Bhealtaine faoi láthair. A Réamoinn, cuir do lámha i mo thimpeall."

Go drogallach a ghéill sé di, ach chomh luath is a phóg sí é leáigh a bhalla cosanta agus phóg sé ar ais í go díocasach. Iad ag diúl na liopaí as a chéile go cíocrach grámhar. Oiread ceana aige uirthi is go raibh sé ag baint osnaíl mhionéagaoine aisti de bharr chomh crua is bhí sé á fáisceadh isteach leis.

Cogar a chuir sí ina chluais faoi dheireadh. Achainí chráite i ngach focal. "Gheall mé di go dtiocfainn ar ais anocht. D'fhanfainn anseo go deo in éineacht leat, ach níl sé de chroí ionam í a dhiúltú faoi láthair."

Bhog a ghreim oiread na fríde.

"An dtiocfaidh tú síos in éineacht liom cúpla oíche? Cumfaidh mé leithscéal éicint di tar éis cúpla lá, a Réamoinn?"

Bhí sé tar éis casadh thart aríst agus a ucht a fhulaingt ar an mballa crua cloiche.

"A Réamoinn? Caithfidh mé a dhul ar ais. Gheall mé é."

Bhíodar araon ciúin ansin. Araon idir dhá chomhairle. Chuaigh freang trína chroí nuair a chuala sé ag dealú léi go brónach í. Geoin chroíbhriste a cuid goil ag teacht chuige ar an ngaoth, nó gur shuigh sí isteach sa gcarr. Thosaigh an dá mhada ag geonaíl go mífhoighdeach nuair a thosaigh a máistir ag gol go ciúin cráite.

Leanacht de na paisinéirí eile a rinne Colm Tom Mhóir. Mála ina leathláimh aige agus greim coinnithe ar an ráille aige leis an leathláimh eile. Cnoc ar a chroí nuair a chuir sé a chos ar bord loinge. Ní taobh leis a bhí dúbhrónach. Iad feicthe ar chéibh Dhún Laoghaire ar feadh an tráthnóna aige. Aithreacha agus máithreacha ag bronnadh shliocht a mbroinne ar an imirce. Go leor acu a d'aithin sé aníos ar fhad an deic ag croitheadh láimhe i dtreo na céibhe. Bhíog a chroí nuair a chonaic sé cnoic uaidh siar, é á shamhlú féin ag dul d'abhóga go dtí na mbarr. Bhí a chion féin faitís ar Cholm. Faitíos roimh an éiginnteacht a bhí amach roimhe, gan a fhios aige beirthe ná beo cá dtabharfadh sé a aghaidh ó thiocfadh an bád i dtír i Hollyhead. Gan aon néal suaimhneach codlata déanta aige ó d'fhág sé an baile, cés moite den chodladh gé a rinne sé nuair a thosaigh carráiste na traenach á bhogadh mar a dhéanfadh cliabhán.

Ag siúl shráideanna Bhaile Átha Cliath a bhí an oíche caite aige, luach an lóistín thíos ina phóca ach drogall air a dhul ag ídiú na gcúpla focal Béarla. Staidéar céadfach déanta ar chuile choirnéal sráide aige nó go raibh sé chomh paiteanta le beach ag filleadh ar an stáisiún. Pictiúr an bháid bháin feicthe ar bhalla an stáisiúin aige agus fios aige gur uirthi a chaithfeadh sé aghaidh a thabhairt. A athair is a mháthair is a dhúchas ag glaoch air, ach fios aige gur mó misnigh a theastaigh le filleadh abhaile ná le teitheadh as a thír.

Bhí sé ag faire go dúchroíoch anois ar dhá shéacla fir ag baint rópa cinn na loinge den mhullard. An dual deireanach a bhí fanta idir é féin agus a thír á tharraingt ar bord. Chuir sí búir agus púir as a simléar ag casadh go mall amach chun farraige. Greim an fhir bháite ar an ráille ag Colm agus a amharc dírithe siar ar an áit a raibh an ghrian ar thob a dhul faoi. Deora móra ag leanacht a chéile anuas ar fhad a leicinn ag smaoineamh ar a liachtaí tráthnóna a raibh sé ag teacht le

131

fána an chnoic ag amharc ar an meall dearg gréine á tomadh féin sa bhfarraige.

Ní raibh sé ag dul ag tógáil a shúile den ghrian nó go n-imeodh an dé deiridh aisti. Bheadh amharc ní b'fhearr aige uirthi de réir mar a dhoirtfeadh an bád amach. Fios aige go dtí an t-orlach cén áit ar an gcnoc a shéalaíodh a cuid solais chuile thráthnóna. An t-uaigneas tar éis gach a raibh ina thimpeall a ligean i ndearmad.

"Mallacht Dé thiar ort, a Bharrett, agus ar gach a mbaineann leat!" É ráite sách ard aige le haird a tharraingt.

"Aniar thú chuirfinn geall?"

Scaoil sé a ghreim ar an ráille, náire agus iontas ag déanamh staice dá theanga ina bhéal. Fear óigeanta fuinniúil fáiscthe a bhí tar éis labhairt. Láíocht ag soilsiú ina dhá shúil.

"Sea, as ceantar na gCnoc."

"As Leitir Móir mise."

Bhí a lámh sínte amach go fáilteach aige. Lámh a bhí chomh crua le ladhar mhiotail nuair a chroith Colm í.

"*Jays*, tá tú an-mharcáilte?"

"Titim de *bhicycle*."

"Sé atá in ann, bhí an t-ádh ort. Ab é an chéad gheábh agat é, tá tú ag breathnú uaigneach."

"Níor fhág mé an baile riamh cheana. Céard fútsa?"

"Tá cosán dearg déanta sall is anall agamsa. Sa mbaile ag tabhairt láimhe don seanleaid a bhí mé, bainim cúpla leoraí móna dhó chuile bhliain."

"An bhfuil sé éasca obair is lóistín a fháil thall?"

"Tá dalladh oibre ann, a dheartháir. An bhfuil aon duine thall a bhaineann leat?"

"Níl deoraí. An bhfuil Béarla agatsa, an bhfuil?"

"Ní bheidh tú i bhfad ag teacht isteach air, cúpla bliain is beidh tú chomh paiteanta leo fhéin."

"Dea-bhreith i do bhéal."

"Ná bíodh imní ar bith ort, a dheartháir, is féidir leat fanacht in éineacht liomsa ar feadh cúpla seachtain más maith leat nó go bhfaighidh tú áit fheiliúnach."

"Nár laga Mac Dé thú!"

"Tá obair freisin againn, tá triúr dearthár liom thall. Tógann muid obair ar *sub-contract*."

"Sé Dia féin a chas liom thú."

"Gabh i leith isteach sa mbeár go n-ólfaidh muid pionta."

"Beár?"

"Tá beár uirthi seo. Seáinín Chualáin an t-ainm atá ormsa."

D'éalaigh an ghrian síos thar Iarthar Éireann i ngan fhios do Cholm. Oiread is breathnú siar ní dhearna sé ach an t-ualach ag éirí dá chroí de réir mar a thosaigh an long ag bogadh anonn is anall i suathadh na farraige.

Níor chodail Réamonn néal. Cíor thuathail a intinne á chur ag preabadh uair ar bith ar dhóbair an suan suaimhneas a thabhairt dó. Síneadh taobh amuigh den éadach leapan a rinne sé. Éadach leapan nár corraíodh as an gcófra ó cailleadh a mháthair. Ní cheal compóirte a choinnigh ó chodladh é. Mórchuid ama caite ag cóiriú na leapan aige an lá sular phós siad. Tuí shrathair buailte ar an *mattress* nó go raibh sé chomh bog compóirteach le nead dreoilín. A chuid samhlaíochta ag fáil an cheann ab fhearr ar na pianta a bhí ina chnámha an lá sin. An saol fada séanmhar a bheadh aige féin is ag Meaigí faoi chaolach an tí seo á ghríosadh chun an smál ba lú de luaith ná de dhusta a bheith glanta amach aige sul má d'iompródh sé isteach thar an tairseach. Briste nó brúite a bhí na cosa, ba chuma, bhí sé i gceist aige a bhrídeog a iompar thar an tairseach. Shamhlaigh sé anois í ina dúiseacht i leaba mhór mhínádúrtha, an chailleach a raibh a dhá dícheall cúraim uirthi á céasadh le ceisteanna. Bhuel, a chead sin aici anois. Chuile dhuine sa leaba a chóirigh siad dóibh féin ach ní raibh seisean ag dul ag codladh aon néal sa leaba a bhí cóirithe ag cailleach Bhromley . . . ná sa leaba a bhí cóirithe aigesean nó go mbeadh Meaigí idir na braillíní in éineacht leis. Chuir an smaoineamh ina shuí de spadhar é. Bhí scamaill á dtuairteáil trasna na spéire nuair a sheas sé taobh amuigh ag déanamh a chuid uisce. Maidneachan lae ag malartú áite le dorchadas na hoíche. Solas nár luigh lena chroí dubh dorcha. Fuacht bhéal maidne ag baint croitheadh as a ghuaillí nó gur chas sé isteach i dtreo na tine go deifreach, coigilt a bhí fuaraithe ar an teallach le seachtain. Meaigí ag rith trína intinn aríst nuair a chuir sé lasair faoi na cipíní a bhí leagtha go néata cois an teallaigh ar fhaitíos nach mbeadh aon dé sa ngríosach tar éis filleadh abhaile ar lá a bpósta. Ba mhaith ann anois iad. Chroch sé leis an buicéad nó gur thug sé isteach buicéad uisce glan ón tobar nuair a thosaigh putóga folmha ag meabhrú ocrais dó. Éanlaith ag casadh ceoil ar a mionda ach a éagmais rómhór le sásamh a bhaint as. Ba ghearr go raibh an citeal é féin ag gabháil fhoinn. Lán a bhoise tae caite síos i dtaephota aige agus é ag tarraingt cois na tine. Mheas sé gurbh iad na rísíní a choinnigh beagán boige sa gcáca a bhí casta i mála bán istigh faoi mhias aige. Ag cur airde ime ar an tríú stiallóg a bhí sé nuair a chuala sé torann aduain don tráth sin maidne. Stop sé ag cangailt na plaice a bhí ina bhéal nó gur éist sé níos airí. Torann cairr go cinnte. Gheit sé ina sheasamh go deifreach ag smaoineamh ar charr an *Lodge*. Céard a dhéanfadh sé dá mbeadh an bheirt acu ann? Níor fhan sé lena fháil amach, ach an doras amach a thabhairt air féin agus tosaí ag dreapadh an chosáin a bhí ag dul in aghaidh an chnoic chomh tréan is a cheadaigh a choisíocht dó. Bhí soilse lasta ar an gcarr a bhí ag déanamh air aníos ach stop sé ag an gcrosbhóthar agus thug sé a aghaidh amach Bóthar an Chaisil. Aníos as tigh na mBreathnach a bhí sé tar éis a theacht. Barrett. Chomh cinnte is bhí réaltóg sa spéir, bhí sé ag caint ar charr a cheannacht an lá ar iarr sé air a dhul ag tiomáint an leoraí. Fear a raibh a leithscéal le gabháil aige leis, dá nglacfadh sé le leithscéal uaidh. Bhí sé chomh dóigh dó spréachadh agus é a ruaigeadh den suíomh ó tharla gur imigh sé gan chead. Dá mbeadh breith ar a aiféala anois aige . . . Ina dhiaidh is ea a fheictear a leas don Éireannach. Aghaidh a thabhairt ar an dúshlán. Bhí an dá mhada ag sníomh a gceangail le ríméad, iad ag miontafann mar a bheidís ag éileamh seársa go dtí barr an tsléibhe. Shlíoc sé chun suaimhnis iad sul má dheifrigh sé ar ais nó gur athraigh sé éadach. Cúpla glam ní b'olagónta a chuireadar ina dhiaidh nuair a chonaic siad ag imeacht ar an rothar é. Níorbh iad a bhí ag déanamh imní anois de ach a bheith imithe de sciotán thar gheata an *Lodge*. Ag cromadh ar a gcuid oibre a bhí na fir nuair a tháinig sé ar an láthair, Barrett istigh sa gcarr ag plé le páipéir.

"Go maire tú do nuaíocht, a Réamoinn," ar bharr a ngoib

ag chuile dhuine de na fir agus iad ag croitheadh láimhe leis. Barrett tar éis an ceiliúradh a thabhairt faoi deara i scáthán a chairr. Chonaic Réamonn ag leagan uaidh na bpáipéar go deifreach é agus ag tabhairt a ghualainne amach don doras. An dath ag neartú ina ghrua de réir mar a bhí sé ag déanamh air go mallchosach. A chuid liopaí ag cruinneáil is ag cruachan mar a bheadh sé ag réiteach spallaí cainte le cur go feirc ann.

B'in é an uair a thug sé faoi deara gur gortú éicint a bhí á mhoilliú sa siúl. Bhain torann neamhghnách cairr a bhí ag teacht in aghaidh na n-ard an teannas as an aer. Rinne Barrett staic. Chuile shúil ag casadh agus ag leanacht an chairr ar fhad caol casta an bhóthair nó gur chuir sí an osna dheiridh aisti ag teacht tharr mhullach an mháma.

"*Engineer!*" a scread Barrett.

Bhí torann á bhaint as piocóidí ar an toirt. Barrett tar éis casadh ar ais agus lámh a chroitheadh go gealgháireach le fear beag maol a bhí tar éis éirí amach as an gcarr. Chrom Réamonn ag obair a chúnamh do na leaids, leisce a bheith ina staic os comhair chuile dhuine.

"Céard a tharla don leoraí, a leaids?"

"Hea? Cheal nár chuala tú é? Bhí sé ina rucstaí idir Barrett agus Colm Tom Mhóir."

"Colm Tom Mhóir?"

"Deir daoine go dtug siad griosáil aisteach dá chéile. Bhí sé seo dhá lá gan corraí amach ar chor ar bith."

"*Oh Jays*, ní raibh a fhios agam tada."

"Chuir Colm liagán isteach thríd an bhfuinneog ina mhullach, deir siad. Ach cén mhaith sin nuair nár chriog sé an bastard istigh sa gcábán?"

"Go bhfóire Dia ormsa, más in é an cás é."

"Tá beann agat air go deimhin, fritheadh an ceann is fearr ar Hitler tar éis a raibh d'oilbhéas ann."

"Do Cholm Tom Mhóir atá trua againne, ní facthas ó shin é."

"Hea . . . Cá bhfuil sé?"

"I Sasana atá daoine ag ceapadh, is mór an trua an seanchúpla. Tháinig na gardaí thuas ag an teach acu. Is mór an mhaith go raibh Colm scuabtha mar ní fhágfadh Barrett sin bonn bán aige."

"Féach thoir anois é is shílfeá nach leáfadh an t-im ina bhéal."

"Tá sé in ann tóin a líochán nuair a fheileann sé dhó."

"I'm glad you're satisfied with the progress, Mr Lee."

"It's a credit to you, Willie. You must have a great bunch of workers."

"Gentle persuasion, Mr Lee. I believe in a fair day's work for a fair day's pay."

"A noble outlook, Willie. I'm delighted with the progress. Can you manage without the crusher for another while?"

"No problem. I can buy broken stone locally, that's some of it there. I think the quality is OK"

"It's perfect."

"I can buy it fairly reasonable, a small local firm breaking them by hand, nice to help them if we can."

"That suits me down to the ground. Saves hauling a crusher from Galway."

137

"But you might be able to help me with the truck, Mr Lee. We had a little accident with the windscreen, overenthusiastic workers."

"Don't worry, one of the mechanics will fit a new one for you."

"Jays, thanks, Mr Lee. That's a load off my mind."

"You get the work done for me, Willie, and I'll look after you."

"OK, thanks very much."

"Good luck, Willie, keep up the good work."

Bhí Réamonn ag faire an t-searmanais as corr a shúl, fios aige go raibh uair na cinniúna ag teannadh leis. Ba bheag nach ndearna Barrett cúpla céim damhsa sul má chas sé timpeall, an t-ardmholadh a bhí faighte aige ag cur macnais air nó gur aimsigh a shúile Réamonn. D'imigh an cháir gháire ar an toirt.

Réamonn ag súil leis an mbúir a chuirfeadh tús lena dheireadh, gan focal as na fir ach teannas ina ndearcadh mar a bheidís ag comhaireamh an ama idir tintreach agus toirneach.

Le croitheadh dá cheann a threoraigh sé Réamonn ina threo, gan faoiseamh ar bith le fáil as an dreach a bhí ar a dhearcadh. Drúcht ná báisteach níor dhúirt sé nuair a tháinig Réamonn chomh fada leis ach é ag bá na súl ann, an tost leanúnach ag cur in iúl do Réamonn gur aige a bhí tús imeartha.

"Sorry I was gone last week."

"You heard the news, I presume?"

"What?"

"What that mad Colm did to the truck. I cannot buy any more stone off you, Réamonn. Instructions from the engineer. He was livid when he heard about the windscreen and everything."

"*Alright.*"

"*But you're welcome to drive the truck. I'll have a new windscreen fitted one of the days.*"

"*Sound so.*"

"*Good, I'll draw a few loads from Walsh's land today, I'll send a few of the lads up with ye.*"

Sásta go maith lena mhargadh a bhí Réamonn ag casadh uaidh. Faoiseamh aige nach é an bóthar a bhí faighte aige. B'fhearr chuile ailím ná a bheith faoi bhéal cléibh ag Lady Bromley.

"Réamonn."

"*What?*"

"*Congratulations on your wedding, by the way.*"

"*Thanks.*"

"*Don't use all your energy at home now, spare a bit for driving the truck.*"

Mhothaigh Réamonn fonóid a chuid gáire ag dul go smior, é ar a mhine géire ag iarraidh aoibh neamhghoillúnach a chur air féin os comhair na bhfear a bhí ag baint spraoi as siollaí ardghlóracha Bharrett. B'fhada leis ná an saol go mbeadh sé ar foscadh i gcábán an leoraí. Doicheall dá laghad ní raibh aige leis an suíochán a bhí bog báite faoina thóin. Smidiríní gloine ag grúscán faoina chosa. Meaigí agus cailleach Bhromley ag cothú drioganna cráite ina ucht. Faoiseamh a bhí sa bpúir dheataigh a chuir an t-inneall uaidh. É á phlúchadh ó shúile na bhfear ar ala na huaire.

"Oh, no, Lady Bromley, you must not talk to him."

"But he must realise that his beautiful bride is more important than his work, that was the third night."

"It's only a temporary arrangement, it's . . . it's sheep branding time and they brand after work until the small hours. It's much handier to stay in his own house."

"Oh, but it's not fair to you, my dear. I can see you're upset."

"No, no, I'm going up there now to cook his dinner and be with him for a while when he returns from work."

"You're working too hard, Margaret, you look tired and tense. Allow me to help. We can drive up there together."

"Oh no, well, some other time, Lady Bromley, when the branding is finished and things."

"I realise you like to have a few hours together in private, but you must relax, Margaret. Stress and strain is not good for your health."

"I'm fine, Lady Bromley, thank you for being so considerate. I must go now. I'll see you later."

"Don't be too late, we all need sleep."

Bhí sí feicthe ag Réamonn ó chuir sí a cos taobh amuigh de gheata an *Lodge*, leathshúil cocáilte i dtreo an gheata aige le huair an chloig roimhe sin, tnúthán lena colainn chaol dhea-mhúnlaithe a fheiceáil ag siúl go beo bríomhar ina threo. Samhlacha taitneamhacha den cholainn chéanna ag rith trína intinn. É ag breith ar chorrchloch is á gcaitheamh isteach thar bhosca an leoraí a chúnamh do na fir, ar fhaitíos go dtabharfaidís faoi deara a thnúthán léi. B'in bua mhór amháin a bhain le talamh na mBreathnach, go raibh sé ar shúil an bhóthair, sách gar le go bhféadfadh sé siúl amach agus bleid chainte a bhualadh uirthi, rud ba mhaith leis a dhéanamh murach doicheall éicint a bhí á chosc. Na fir ar fad ag ligean an láin as a ndroim nuair a chuir sí bail ó Dhia orthu.

"Go mba hé dhuit," a scairt siad ar ais go laethúil, iad ag déanamh duine díobh féin di ó phós sí Réamonn. Í ag moilleadóireacht d'aon uaim, ag coinneáil coic leo agus a hamharc dírithe ar Réamonn. Súil le Dia go mbreathnódh sé díreach uirthi, go meallfadh sí ina treo le hamharc a súl é. Ach claonfhéachaint a tháinig ann, mar a bheadh náire air os comhair na bhfear. Leagan air ag caitheamh isteach na gcloch a rinne sé nuair a dhírigh an chuid eile a ndroim. A éadan bogtha amach chun cineáltais. Bródúil as an mbua a bhí ag Meaigí ag déanamh teanntáis ar mhuintir an bhaile. Bhí sí ag dealú léi i dtreo an tí anois agus é tar éis cac ar na huibheacha aríst eile ó b'annamh le Barrett iad a fhágáil ar a gcomhairle féin.

Trí thrá le freastal ag Barrett ach gan mairg ar bith air, dhá lá iomlána caite ina bhfochair aige ag réiteach bóthair isteach i dtalamh na mBreathnach. Dhá uair an chloig leagtha amach aige dóibh le leoraí a líonadh go dtí barr an bhosca. Uaireadóir nochtaithe aige chuile bhabhta dá dtagadh Réamonn le hualach agus ceisteanna le freagairt má bhí sé nóiméad ar bith thar an dá uair. Dhá uair an chloig ag baint allais astu, ach iad ag mothú saoirse iontach ó d'imigh siad as amharc a shúl.

Súil chorrach a thug máthair Eileen orthu nuair a tháinig sí thar mhullach an chnocáin gan choinne. Í ag cangailt a carbaid leis na cúpla fiacail a bhí fanta nuair a chonaic sí an bóthar tríd an talamh cuir. Réidhe an achair beag ag a carbad nuair a chonaic sí na léasáin talúna san áit ar thóg siad na leachtaí.

"Ná fágaigí aon chlocha beaga in bhur ndiaidh ar an talamh."

Ordú fuarchúiseach a chuir sí i gcríoch ag bailiú bruscar beag spallaí lena lámha. Í ag braiteoireacht iad a chaitheamh isteach thar bhosca an leoraí nuair a chonaic sí Réamonn. Scaoil sí uathu ar an talamh iad, na fiacla ag cangailt go díocasach mar a bheadh sí ag déanamh mionúis ina béal de. Geoin na bhfear tar éis a dhul chun ciúnais go tobann, fios acu gur mór idir siodaráil seanmhná a chreid gur le barraí a fhás a chuir Dia talamh ar fáil agus an colg a bhí ina dhá súil ag breathnú ar Réamonn. Í chomh bioraithe le coileach a bheadh ag brath a dhul sa gcírín aige. An chloch go héagórach sa muinchille aici dó ón lá ar thug sé a dúshlán. D'éalaigh Réamonn leis isteach sa gcábán, d'fhonn aghaidh a béil a sheachaint. Fios aige gur i bhfad ó chuntanós is ó náire a rugadh í, go raibh sí ag cur faobhair ar lansa de theanga ina béal, is go mba ghearr uirthi scáth ná náire a liobairt anuas de os comhair chuile dhuine.

"Leag ort, a Réamoinn, tá sí sách lán."

Glór fadbhreathnaitheach a bhí tar éis a theacht i gcabhair air.

Mhothaigh Barrett an teannas san aer tar éis filleadh óna chuid oibre, gan an braighdeáinín sonais féin de bhrabach ar an mbeirt bhan. An páiste nach raibh focal ar bith cainte go fóill aige ba ghlóraí a bhí. A dhá láimhín bhoga bhídeacha sínte aníos as a chliabhán aige. An neamhshuim plúchta le scread aige ó tugadh d'fhaisean dó bheith á thógáil nuair a thagadh a athair abhaile.

"Maith an buachaill, *good job somebody welcomes my company.*"

Níor oscail Eileen a béal. Ach chinn ar a máthair srian a chur lena teanga ní b'fhaide.

"*You will sack that fella first thing tomorrow morning.*"

Bhreathnaigh sé ó dhuine go duine orthu, ag ceapadh gur spraoi de chineál éicint a bhí ar bun acu.

"*Sack who?*"

"*Réamonn, who else.*"

Smaoinigh Barrett go maith air féin sul má shocraigh sé gur bhinn béal ina thost. B'fhada leis go raibh sé féin agus Eileen i dteas na bpluideanna sul má dhúisigh sé an cheist in athuair.

"*We don't like him on our land. Mom is livid over it,*" a d'fhreagair sí go borb.

"*He's the only truck driver around here. I wouldn't care a shite if the bastard dropped dead only for I need him. If ye want revenge exploit the bastard, that's what I'm doing.*"

"*How?*"

Theann sé a chluais isteach léi d'fhonn a chuid cainte a chumhdach ó aon chúléisteacht.

"*This is our secret, Eileen, and I don't want another sinner on this earth to know about it. I'm starting a company to supply the council with broken stone. We get paid by the ton for every load we supply, but nobody ever got rich by being too honest. I have the Council lads in there filling them but nobody is any the wiser. I'm doing this for us, Eileen. Let's move up in the world and build a big mansion. But you won't*

143

do that without money and Réamonn is making money for us at the moment."

Bhí sí á searradh fhéin isteach leis go sásta. Í á samhlú féin ag déanamh bolg le gréin i dteach mór áirgiúil, searbhóntaí ag umhlú di. Fuíoll na bhfuíoll de chuile rud.

"Leave Mom to me," a deir sí sul má thosaigh sí á phógadh go santach.

Go ciúin cúthalach a d'oscail Réamonn an leathdhoras, deatach feicthe as an simléar aige ó d'fhág sé an crosbhóthar. Deifir air ag iarraidh a bheith ina cuideachta nó go raibh sé ina cuideachta. Lag fann fáilteach a bhreathnaigh sí air, ag tógáil a súile de aríst go faiteach. É socraithe go fearúil ina intinn aige breith ina bharróg uirthi agus í a phógadh go grámhar chomh luath is a thiocfadh sé thar an tairseach, ach a chuid fearúlachta á chosc nuair a tháinig an crú ar an tairne. Lorg lámh na mná chomh follasach is go raibh náire air ag crochadh a chasóige ar an tairne a bhí i gcúl an dorais. Gail ag éirí as an uisce a bhí sí a dhoirteadh amach as an gcitil.

"Nigh do lámha anois is beidh do bhéile ar an mbord agam."

Grúsacht bheag buíochais a rinne sé. Boladh na beatha ag tabhairt uisce óna chuid fiacla agus an mothú te teolaí ag cur athrú iomlán ar an teach.

Chaon duine acu ag coinneáil a súl ar a gcuid plátaí de réir mar a d'ith siad an greim blasta go ciúin.

"An bhfuil tú tuirseach tar éis an lae?"

"Ara níl, céard atá ann ach isteach is amach sa leoraí."

Thriomaigh an chaint cheal ábhar a d'fheilfeadh don teannas a bhíodar tar éis a chothú aríst eile, meangadh gáire uirthi leis ag doirteadh amach cupán tae dó ach é ag cinneadh air breathnú díreach uirthi. B'fhacthas dó go raibh sí ag breathnú tarraingthe, bándreach ina héadan nuair a thug sé spléachadh súl i ngan fhios uirthi. Leathmharbh ag obair do chailleach Bhromley, a smaoinigh sé go coilgneach.

Corrdhaol á mhisniú chun lámh a chur ina timpeall ach dúire éicint á bhacadh sul má d'éireodh leis an beart a chur i ngníomh. Lán a shúl go maith bainte aige aisti fad is bhí sí ag líonadh mias uisce bog as an gcitil. A dhúil ag méadú ina comhluadar, breathnú ar a cosa dea-mhúnlaithe agus ar a másaí míne tanaí nuair a chrom sí síos. Thóg sé a shúile di go tobann nuair a chas sí thart is tháinig sí ina threo. Sheas sí chomh gar dó is go raibh a ceathrú te in aghaidh a leicinn. Leathlámh ag tógáil a phláta nach raibh mórán níocháin ag teastáil uaidh agus a leathlámh eile ag slíocadh chúl a chinn go mall agus síos ar fhad a dhroma. Dá ligfeadh sí dá láimh suaimhneas a dhéanamh in aon spota amháin ar feadh ala an chloig bheadh lámh curtha timpeall a básta aige, nó suas faoina cuid éadaigh mar a dhéanadh sé ar sheachtain na meala, ach níor lig. Slíoc mall fada amháin mar a bheadh sí ag slíocadh mada nach raibh le trust. Casadh ar a sáil ansin agus tosaí ag níochán na ngréithe de réir a láimhe. Bhain sé slup as an súmóg tae le meabhrú di go raibh an muigín go fóill aige. San áit a raibh an pláta a leag sé uaidh é. Súil go ndéanfadh sí an cleas céanna nuair a thiocfadh sí ar thóir an mhuigín. Chroith sí a lámha síos sa mias nuair a bhí an soitheach deiridh nite aici. Leisce air an baoite a mheabhrú di nuair a chuir sí uirthi a cóta. Creathadh ina glór brónach agus gan í le cloisteáil ach ar éigean nuair a d'oscail sí an doras.

"Caithfidh mé imeacht." Ag breathnú amach ar an tsráid a bhí sí ag fanacht le freagra.

Tocht ag at ina ucht nuair a dhún sí an doras ina diaidh. Fonn air éirí le glaoch ar ais uirthi ach é ag fanacht ó ala go hala nó go raibh sí rófhada ó bhaile. Chaith sé cuid mhaith de leathuair sa riocht ina raibh sé. Rachtanna olagóin agus rachtanna feirge ag déanamh uainíocht ar a chéile. Chuir sé stropa eascainí i ndiaidh Lady Bromley sul má rug sé as taghd ar a rothar is thug sé a aghaidh ar an gCaiseal.

D'fháisc Colm Tom Mhóir an *foot-iron* ar a bhróg chomh teann is a bheadh crú ar chrúib capaill. Joe Chualáin tar éis scór coiscéim de thrinse a leagan amach dó agus pionna a chur mar mharc ag a deireadh.

"Bónas anois, a Choilm, má théann tú thar an marc seo."

Bháigh Colm an *foot-iron* sa talamh nó gur bhog sé amach dairt mhór théagarthach. Bháigh sé a bhróg síos go rúitín i ndiaidh an *foot-iron* den dara géabh ag iompú brúisc mhór eile den chailc a raibh siad ag gearradh an trinse tríd.

"Dar Dia, tá contúirt ar an dream atá thíos in Australia go gcuirfidh tú an *foot-iron* síos chomh fada leo," a deir Joe, agus lagracha air ag gáire faoin díocas a bhí ar Cholm chomh luath sin ar maidin.

"Tá sé in am iad a dhúiseacht," a deir Colm ag bá an *foot-iron* aríst. Cáir gháire air le ríméad go raibh a dhúthracht oibre ina ábhar fonóide. Fios maith ag chaon duine acu go mbeadh bónas ag dul do Cholm tar éis an lae. Oiread agus lá amháin níor chlis sé ar feadh na sé mhí a bhí caite i Sasana aige gan a dhul i bhfad thar an marc, cés moite den chéad seachtain nuair a bhí sé criogtha. Fiú amháin nuair a d'óladh sé scalach piontaí le linn an deireadh seachtaine bhíodh an phóit curtha amach trína chraiceann aige roimh mheán lae Dé Luain. Na Cualáin ag piocadh as go spraíúil, ag rá go gcaithfí é a thabhairt chuig an gceárta le dhá chrú a chur air nuair a phléascfadh sé lasca bróige le teann uafáis oibre. Ach bhí luach a shaothair dá réir aige, na Cualáin thar a bheith gnaíúil leis. Sláimín deas curtha faoin gcearc ghoir aige, mar a deireadh Seáinín Chualáin nuair a chuireadh sé an oiread seo sa mbanc dó chuile sheachtain. É féin sách paiteanta le dhul isteach is amach sa mbanc anois tar éis go mbíodh sé ar anchaoi nuair a chuaigh sé isteach ar dtús ann. Gan a dhath mairge air a dhul suas chuig an mbeár agus deoch a ordú anois.

"*Four pints of bitter, mate,*" a deireadh sé, nó *five pints* dá mbeadh cúigear acu ann. An t-airgead a shíneadh chuig Seáinín Chualáin a dhéanfadh sé dá mbeadh mná in éineacht leo—iadsan ag ordú deochanna a raibh ainmneacha aisteacha orthu. Ba é Seáinín a scríobhadh abhaile dó. Uair sa mí chomh rialta leis an ngealach. Páipéar chúig phunt ina láimh aige faoi réir le filleadh istigh sa litir.

"Déarfaidh mé léi go bhfuil bean agus triúr gasúir anois agat," a deir Seáinín, ag déanamh an deabhail air.

"Ná habair, a dheabhail, abair go bhfuil mé ag déanamh thar cionn. Chuirfeadh sé féin S.A.G. ar chúl na litreach sul má chaithfeadh sé i mbosca í. D'fheicfeadh sé ar chorrlitir a d'fhaigheadh a Mhama é. Struipeáil amach a rinne Colm nuair

147

a thosaigh cuid de na fir eile ag cur orthu *oilskins*. Brádán salach báistí tar éis an spéir a thabhairt anuas ar an talamh.

"Coinneoidh sí fuaraithe go deas muid," a deir Colm, ag caitheamh lán sluaiste de dhóib mhoirtiúil amach go maith thar bruach. B'in é an bua a thug an spreacadh dó, maoil a chur ar an tsluasaid agus é a chaitheamh cheithre choiscéim siar ó bhéal an trinse. *Banksman* ag teastáil ó go leor eile de na fir lena coinneáil glanta uathu.

"Níor scar siad trí bharr den sleán ariamh," a deireadh Colm nuair a d'fhaigheadh na Cualáin caidéis de.

"Fainic ar a bhfaca tú riamh nach gcoinneofá frapaí leis an trinse, a Choilm. Tá do chuid agat má dhúnann sí isteach ort."

"Ná bíodh imní ort, a Joe, fágfaidh mise sábháilte í."

D'fhág. É mar leithscéal aige le gail a chaitheamh. Dhá shail mhóra dharaí a chur ina seasamh ar a gceann in aghaidh chaon taobh den trinse ar dtús agus daingniú eatarthu le hadhmad is le geanntracha. Buit feaig fágtha faoi bhun chuile cheann acu ag Colm mar gur ina n-aghaidh a ligeadh sé an lán as a dhroim, sul má d'ionsaíodh sé an chéad stráice eile.

Trí bhabhta a bhí glaoite ag Joe Chualáin air sul má chuala sé é. Oiread rúcála aige ag bá an *foot-iron* is nach bhfaca sé Seáinín ag teacht isteach ar an suíomh ina charr.

"Gabh i leith, a scuit, nó an bodhar atá tú!"

Oiread caitheamh i ndiaidh an trinse ag Colm is a bheadh ag caora i ndiaidh garraí geamhair. Bhí an bheirt Chualánach i ngeoin chomhrá, iad imníoch ag breathnú, ní ar an dea-rud a smaoinigh Colm.

"Céard atá suas, a leaids?"

"Caithfidh muid thú a athrú go dtí áit éicint eile, a Choilm."

"Mé a athrú? *Ah Jays*, nach bhfuil mé ag déanamh *alright*, an bhfuil?"

"Níl locht ar bith ortsa. *Dosser* eile a bhí ag breathnú i ndiaidh an *Town Hall* dhúinn, tá trí sheans faighte anois aige ach fuair sé an bóthar ar maidin inniu. Ná bac le fear ar bith a gcoinneoidh cúpla pionta óna chuid oibre é."

"*Ah, Jays*, a leaids, níl graithe ar bith in aice an *Town Hall* agamsa."

"Tá muid ag iarraidh duine éicint gur féidir linn a thrust. Sin é an fáth gur phioc muid thú."

"Suigh isteach sa gcarr, a Choilm. Socróidh mise na *digs* is chuile rud dhuit."

"*Digs?*"

"Caithfidh tú fanacht i ngar don áit, sa tráthnóna agus san oíche is mó a bheas tú ag obair."

"*Ah Jays*, a leaids, faighigí duine éicint eile."

"Breathnaigh, a Choilm, níl muide ag dul á thabhairt le rá dhóibh nach bhfuil Éireannach in ann é a dhéanamh. Ní bheidh ort ach doirse a oscailt, an áit a scuabadh, *lawn* a choinneáil bainte. Spáinfidh mise chuile rud dhuit. Beidh fón ansiúd le glaoch orainn, má bhíonn aon chlóic ort."

"Fón? Níl a fhios agamsa ó Dhia thuas na Glóire le fón a oibriú."

"Féadfaidh tú seasamh thuas ar dhíon an *Town Hall* is tosaí ag screadach orainn, mar sin, ní bheidh muid ach deich míle uait. Níl badar ar bith sa bhfón, spáinfidh mé dhuit lena úsáid."

149

"Á, muise, Dia dhá réiteach, nuair is mó a bhí mé ag fáil sásamh orm fhéin sa trinse."

"Bain dhíot an *bloody foot-iron* sul má thiocfas tú isteach sa gcarr. An bhfuil tú ag iarraidh a dhul síos thrí urlár an *Town Hall*?"

Is cuma cén chrúóg a bhíodh ar Bharrett ach ní ligeadh sé fear an phosta thairis aon mhaidin. Fiú nuair a thagadh an t-innealtóir, ní ligeadh sé fear an phosta thairis. "*Excuse me,*" ráite aige agus é seasta roimhe nó go scrúdódh sé na litreacha. Bhí sé tugtha faoi deara ag na fir. Dá dtógfadh sé litreacha an tí ar fad uaidh ní chuirfidís suim ar bith ann ach ní thógadh. Breathnú tríothu agus iad a shíneadh ar ais aríst ag fear an phosta, nó ceann amháin a phiocadh astu corruair agus na cinn eile a shíneadh ar ais. Dhealaíodh sé leis ansin ar an gcúlráid nó go gcaithfeadh sé eadra á léamh. Ba mhinic leis na litreacha buile cuthaigh a chur air, é meáite go maith ag na fir.

"Aire dhíbh anois, a leaids, tá sí curtha ina phóca aige."

"An bhfuil aon mhúisiam ag breathnú air?"

"Ó a dheabhail, crom, tá sé ag teacht agus brúisc air."

"Níl aon focain obair á déanamh! *Pull up your fuckin' socks now or go home! A shower of fuckin cailleachs is all you are, sink the fuckin' pickaxe.*"

Ó dhuine go duine ag tabhairt íde béil dóibh nó go mbíodh an taghd caite aige. Isteach sa gcarr ansin agus é ag mugailt a chuid cantail nuair a léadh sé an litir in athuair. Bhíodh laethanta nach bhfágadh sé amach an carr aríst nó go raibh sé ag dul abhaile, é ina ábhar fonóide ag na fir oibre nuair a thosaídís ag cogarnaíl eatarthu féin.

"Tá sé ag déanamh thar cionn leis an nGaeilge nó go mbuaileann an dáir é."

"Níl eascaine ar bith i nGaeilge aige."

Dé Sathairn ab fhearr é. Obair na seachtaine tomhaiste ina choiscéimeanna aige agus é scríofa isteach i leabhar. B'iondúil leis an-ghiúmar a bheith air Dé Sathairn, é ag sioscadh is ag gáire leis féin ag breathnú ar na figiúirí nuair a bhíodh an tomhais déanta aige. B'fhada leis na fir go mbíodh sé a haon a chlog. Siobáil seachtaine le déanamh timpeall an tí ag a bhformhór. Ach ní siobáil a bhí ag déanamh imní díobh an Satharn seo. Bhí sé thar am na caoirigh a *dip*eáil.

Is amhlaidh a thagadh meitheal le chéile agus roinnidís an obair eatarthu. Beirt nó triúr ar an sliabh ag casadh anuas na gcaorach. Triúr nó ceathrar eile á dtreorú isteach chuig an umar. Beirt ag breith orthu ó cheann go ceann is á dtumadh síos sa súlach buí a mharaíodh chuile mhíol is chuile chruimh dá mbíodh ar a gcraiceann. Beirt nó triúr eile á dtreorú suas arís i gcosán éagsúil ón gcuid a bhí fós ar a mbealach anuas. Bhí an tseachtain caite acu á eagrú. Fios ag chuile dhuine cén lúb den slabhra a bhí ag brath air féin. Chuile dhuine ach Réamonn. Bhí athrú aisteach tar éis a theacht ar Réamonn. Gan suim fanta i dtada aige. Gan a fhios aige an beo nó marbh a bhí a thréad caorach.

"Níor fhan caoi ar bith air ó chuaigh sé ar ais ar an ól."

"Sin é atá á chriogadh, ar ndóigh."

"Chuile phingin dhá pháigh caite thíos ar an gCaiseal aige."

"Chomh luath is a shéidfeas an boc an fheadóg chuile Shathairn, tá sé scuabtha síos ar a *bhicycle*."

151

"Deir daoine nach dtagann sé abhaile ar chor ar bith go dtí oíche Dé Domhnaigh, maidin Dé Luain corruair."

"Chonaic mé le mo dhá shúil é tite chois an chuntair, ní raibh aon mhaith dhom ag cur comhairle air. Deoch a bhí an fear bocht ag iarraidh a cheannacht dhom."

"M'anam go gcoinneoidh siad sin líonta dhó iad nó go bhfuil a chuid pócaí folamh. Cead an deabhail a bheith ansin aige nó go bhfaighidh sé an chéad pháigh eile."

"Óra, tá sé seo thoir ag breathnú ar an am."

"Ar ndóigh, tá trí ceathrú huaire le dhul fós againn."

"Tá guairdeall éicint inniu air, muise, an bhfeiceann tú na lampaí is chuile rud leagtha amach aige?"

Bhreathnaigh Barrett ar an am aríst eile.

Jays, a deir sé leis féin, níl cor ar bith ag an tsnáthaid inniu tar éis a mbíonn de dheifir uirthi chuile lá eile. Cén bhrí ach an lá fíorfheiliúnach.

Fonn an deabhail air imeacht agus iad a fhágáil ansin ach é mionnaithe aige gan orlach ar bith a ligean leo. Thug sé súil eile ar an am. Dhá scór nóiméad. Níochán agus bearradh a thabhairt dó féin agus é féin a dheisiú amach sa gculaith ab fhearr a bhí aige chomh luath is a thiocfadh sé abhaile. Sceitimíní á bhualadh ag smaoineamh ar an gcogar a chuir Eileen ina chluais ar maidin. Gan é ina dhúiseacht ceart ar chor ar bith nuair a chuir sí a dhá láimh is a dhá cois ina thimpeall. "An dtiocfaidh an bheirt againn ar *dirty weekend*?" Ní raibh sé i bhfad ag dúiseacht. Dhúiseodh sí dealbh leis an obair a bhí uirthi.

"Cén áit?"

"Áit ar bith, is cuma, Gaillimh nó Cathair na Mart, pé ar bith áit is maith leat."

"Ach céard faoi do Mhama?"

"Tabharfaidh sí aire do Dhónall, tá sé socraithe agam." Bhí sí á sníomh féin go téisiúil suas ina aghaidh, á chur i bhfiántas.

"Cén uair a imeos muid?"

"Chomh luath is a thiocfas tú abhaile."

Bhí a ceathrú ar tí lasadh faoina bhois. É á shearradh fhéin go bíogúil le chuile chor dár dtug sí. É spadhartha le dúil inti nuair a chas sí uaidh.

"Spáráil thú féin go dtí anocht," a deir sí, a dhá súil chomh mealltach is go gcuirfidís cathú ar naomh. Chuaigh sí amach as an leaba chomh haclaí le meannán.

"Caithfidh mé mála a líonadh," ar sise ag scaoileadh di an bheagáin a bhí á folach. Sheas sí ina craiceann dearg ag breathnú air. A colainn traoite ar ais ina seanmhúnla caol tanaí tar éis bhoilsc an pháiste. An dúil chráite le feiceáil ina shúile aici. Chuaigh sí de léim ina mhullach sa leaba aríst, an t-éadach leapan eatarthu.

"Beidh an deireadh seachtaine fada," a dúirt sí, á phógadh, "níor mhór dhuit anáil mhaith a bheith agat."

Chroith sé a uaireadóir ar fhaitíos gur stoptha a bhí sí, os cionn leathuaire le caitheamh go fóill. Bhí Réamonn ag teacht le hualach eile cloch. Fonn air a rá leis nárbh fhiú dóibh tosaí ag líonadh aon ualach eile go Luan, nó gur smaoinigh sé ar an airgead. Cuid mhaith de dhá mhíle punt sa mbanc de bharr na gcloch cheana féin. An t-innealtóir chomh sásta leis an dul chun cinn is go síneodh sé rud ar bith.

"*I have a few dockets here from Connemara Stone Supplies.*"

"*I'll sign them, Willie, no bother. It was a great idea to buy*" *the stone locally. We'll need a lot more of it next year when we start the Clifden Road."*

B'in í an trioblóid. Bhí talamh na mBreathnach sportha amach tar éis a raibh de leachtaí ann. Murach Eileen ní bheadh mogall anois acu. Comharsana fíorbhuíoch di nuair a thairg sí an talamh a ghlanadh amach dóibh. Iad ag glanadh leo ó ghabháltas go gabháltas, chuile thalamh ach talamh Réamoinn.

Súil ar bheagán gliondair a bhí Réamonn a thabhairt sa scáthán. É ag cúlú isteach go cúramach go dtí an áit a raibh na fir ag obair. Drogall aige roimh an tsabóid. Bhí sé in ann ceart a bhaint de chuile lá fad is bhíodh sé ag obair, ach bhíodh drogall air roimh an deireadh seachtaine. An ghráin shíoraí glactha leis an teach aige. Luí san oíche agus glas a chur ar an doras le moch maidne. B'in é a chloch nirt ó d'fhan Meaigí uaidh, pé ar bith cén daol a bhuail í.

Bhíodh a chosa ag rith uaidh ag dul abhaile ar feadh cúpla mí nó trí, fiú mura labhróidís dhá fhocal le chéile. Bhíodh sí roimhe agus a bhéile réitithe aici. Ach d'fhan sí uaidh gan fáth gan chúis, murab iad an corrthuras a thugadh sé ar theach an óil a staon í. Bhíodh teannadh leis ag teacht abhaile óna chuid oibre nó go bhfuair sé an teach fuar folamh roimhe. B'in é an tráthnóna ab uaigní dár chaith sé riamh. Fiú nuair a cailleadh a athair agus a mháthair, bhí sé ní ba nádúrtha ná uaigneas an tráthnóna sin.

Choinnigh sé súil ar gheata an *Lodge* ag dul síos is aníos thairis lá arna mhárach. Slaghdán nó éalang éicint ag rith trína intinn nuair a sheas cailleach Bhromley i lár an bhóthair roimhe, oiread ruibhe uirthi ag sciolladh air nach raibh a fhios aige sa deabhal céard a bhí sí a rá de bharr torann an innill a bheith ag plúchadh a cuid cainte. Bhí a leathlámh dírithe isteach i dtreo an *Lodge* aici agus é ag tuiscint '*Margaret*' corruair uaithi mar a bheadh sí ag tabhairt ordú dó a dhul isteach agus codladh sa leaba a bhí cóirithe aici dó. Gabh i dtigh deabhail, a dúirt sé faoina anáil nuair a chuir a cuid feirge ag damhsa i dtreo an dorais í. Tosaí ag tiomáint leis a rinne sé agus í a fhágáil sa deabhal ansin.

Baineadh preab as nuair a bhuail Séamaisín Jim rap ar an bhfuinneog. Gan é ag déanamh aon teanntás orthu le tamall.

"Céard atá ort, a Shéamais?" a deir sé ag casadh síos an fhuinneog, airdeall déanta sna scátháin aige ar dtús go bhfeicfeadh sé an raibh chuile rud ceart.

"Tá muid ag dul ag *dip*eáil na gcaorach tar éis am dinnéir, an dtiocfaidh tú in éineacht linn?"

Ba é féin an ceann feadhna ar an lá seo tráth. Obair a thugadh sásamh thar cuimse dó, bhíog a chroí ag tnúthán le tráthnóna ag caitheamh tollán i gcuideachta na bhfear. Fead agus scread ag treorú a phéire gadhar, ach tháinig lagar spioraid chomh haibéil céanna.

"Ní bhacfaidh mé leo inniu, a Shéamais, deabhal am agam ceart."

Bhí an fhuinneog casta suas go barr aige agus é ag tiomáint leis sul má bhí seans ag Séamaisín níos mó de thuineadh a dhéanamh.

155

"Ní dhearna tú aon mhaith, a Shéamaisín?"

"Shíl mé go raibh agam ar dtús ach d'fheicfeá an duifean ag leathnú ina shúile."

"Sin é an t-ól nuair a fhaigheann sé greim ar dhuine."

"Ní cheapfainn go dtaobhaíonn Meaigí ar chor ar bith anois é."

"Ní raibh aon ádh ariamh ar aon duine dár mhair sa deabhal de *Lodge* sin."

"Ní raibh, ba é an trua é, ba dheas an lánúin iad pé ar bith cén mí-ádh a tháinig orthu . . ."

Agall drochmhúinte a chas a gceann i dtreo Bharrett, carr a bhí tar éis seasamh amach ar a aghaidh agus stumpa láidir fir tar éis a theacht amach as.

"*Oh Jays, hello, Jimmy, where have you come from?*"

"*Don't mind your fuckin' 'hello' to me, Barrett.*"

Chuir Barrett an fheadóg ina bhéal ar an bpointe agus shéid sé í, ag tabhairt comhartha láimhe do na fir a dhul abhaile ag an am céanna.

"Leathuair roimh an am," a deir Séamaisín. "*By Jay*, tá rud éicint aisteach ag tarlú, a leaids."

Tar éis a raibh de dheifir ag *dip*eáil caorach orthu, bhí siad ag moilleadóireacht leis na huirlisí nuair a tháinig cailín breá óg amach as an gcarr. Í chomh trom torrach is go raibh lámh faoina bolg aici ag iarraidh cuid de mheáchan an pháiste a fhulaingt.

"*You thought we couldn't find you out here, Barrett, I suppose,*" a deir sí go coilgneach.

"*I'm not hiding from anyone. Just doing my job out here.*"

"*Well, you did this job to me, what are you going to do about it?*"

"It takes two to tango, Cathy."

"Don't you talk to my sister like that."

"Don't shout, Jimmy, please. Why haven't you answered my letters, Willie?"

Ní raibh aithne ar Bharrett nach ag déanamh cruimhe a bhí sé, ag dul ó chois go cois go mífhoighdeach, a intinn ag ríomhaireacht bealaí le héalú as an ngábh mí-ámharach seo.

"You'll have to marry me, Willie."

"Marry you? I'm married out here for the last seven months."

"But you got me pregnant."

"Now, Cathy . . . you made yourself pregnant carrying on as you did."

"I didn't carry on with anybody but you."

"You should have been more careful."

"But we were going to get married, have you lost your memory?"

"Hysterics'll get you no place with me now. What's done is done and there's fuck all I can do about it."

Shuigh sé isteach sa gcarr agus thiomáin sé leis gan éisteacht le focal eile de na mallachtaí a chuir siad ina dhiaidh. Amach i dtreo an Chaisil a thiomáin sé ar fhaitíos na bhfaitíos. Chas sé isteach bóithrín portaigh nuair a bhí sé imithe as a n-amharc. Ar chúl cruach mhóna a stop sé. Amach ar a chromada, a chroí ag liúradh taobh a chliabhraigh ar feadh i bhfad nó go bhfaca sé ag dul síos thairis iad. Níor chorraigh sé as an spota nó go raibh an carr sloigthe ar fad ag an tírdhreach.

Murach leisce aghaidh a thabhairt ar an gCaiseal gan baslach uisce a chuimilt dó féin, ní thiocfadh Réamonn abhaile ar chor ar bith. Ní raibh níochán ná bearradh ag déanamh mórán imní de i gcaitheamh na seachtaine, gan le feiceáil ag aon duine ach a chloigeann istigh sa leoraí. Ba chuma leis an dá mhada glan ná salach é nuair a thugadh sé greim le n-ithe dóibh. Bhí an mothú imithe astu sin féin ó stop sé á scaoileadh. Ar éigean a bhioróidís a gcluasa nuair a d'fheicidís ag teacht ina dtreo é. Taithí an rópa a bheith go síoraí timpeall a muiníl tar éis an fiach a bhaint as a nádúr. Croitheadh dá ndrioball ar éigean mar chomhartha buíochais nuair a leagadh sé acu a gcuid beatha. Stop sé ag caint leo de réir a chéile nuair a stop sé ag caint le chuile dhuine eile. Leis féin a bhíodh sé ag sioscadh, ó oíche go maidin go minic, mar a bheadh sé ag déanamh dráma agus na páirteanna uilig aige féin. Meaigí ag sáraíocht air agus eisean ag cosaint a thaoibh féin den scéal, ach ní bhíodh aon fhreagra aici dá chuid argóna. Stopadh ag caint agus éisteacht leis ag míniú a cuid easpa tuisceana go mín is go garbh nó go dtitfeadh sé ina chodladh le teann déistine. Bhí sé ag éirí as sin féin. Amach as a cheann a chuireadh sé í ó fuair sé an leabhar ar iasacht ó Bharrett.

Leabhar a fuair sé anall as Sasana a raibh léaráidí de chuile chineál innealra inti. Rudaí nach bhfaca sé a leithéidí ariamh. Bhí corrabairt ag tabhairt dúshláin a raibh d'oideachas air ach níor chloígh sin an mheabhair a bhain sé astu. Innealra a bhí in ann clocha a chartadh amach agus a líonadh leo féin. Gan rotha ar bith orthu ach iad in ann gluaiseacht trí thalamh agus trí áiteanna garbha ar shlabhraí leathana iarainn. Innealra nach mbeadh caint ná trácht orthu go ceann blianta fada murach an

158

cogadh, a bhí ráite ag Barrett leis. Innealtóirí a d'fhan ina suí ó oíche go maidin is ó Luan go Satharn ar a mine géire ag iarraidh tancanna agus armlóin a bheadh in ann gluaiseacht trí pháirceanna a fhorbairt. Churchill agus ceannairí eile an airm á ngríosadh nuair a thosaigh arm Hitler ag fáil an chinn ab fhearr orthu. Bhí an cogadh thart agus na hinnealtóirí céanna ag úsáid píosaí den armlón chun innealra nua-aoiseach a dhearadh agus tosaí ag atógáil tar éis na mbuamaí. Ní raibh léaráid sa leabhar nach raibh scrúdaithe go mion aríst agus aríst eile aige. Bhíodh a mbéal oscailte ag cuid de na leaids a chastaí air sa bpub nuair a thosaíodh sé ag míniú dóibh i dtaobh an innealra seo. Gan focal as nó go mbogadh cúpla deoch amach é ach gan dúnadh ar bith ar a bhéal ansin ach ag iarraidh a chruthú nach raibh a dhath d'imní an tsaoil air. Tháinig breis brí ina choiscéim ag smaoineamh orthu, na héadain chéanna roimhe cois cuntair chuile sheachtain. Dream a d'inseodh duit cén chaoi leis an domhan a chur ina cheart nó go dtitfeadh an t-ól orthu is go dtitfidís féin i mbun a gcos. Iad fós ag ceartú le leathláimh nuair a dhiúltaíodh na cosa iad a choinneáil suas. Ach thuigeadar féin a chéile, daoine meabhracha a bhformhór a bhí ag iarraidh an dó croí a mhúchadh le halcól.

Greim a thabhairt do na madraí agus éadach a athrú. B'in a dhéanadh sé de mhoill nó go dtugadh sé aghaidh an rothair le fána. Ní raibh puth dá anáil fanta aige nuair a bhí sé ag teannadh leis an teach. Cábán an leoraí á chrapliú cheal aclaíochta a mheas sé . . . rinneadh staic de nuair a chonaic sé carr an *Lodge*, a pus ar éigean le feiceáil amach ó bhinn an tí mar a bheadh gadhar mór faoi réir lena ionsaí. Cúlú agus rith, cúl na gclaíocha a thabhairt air féin nó sleasa an chnoic. An mbeadh an oiread de chiméar ar Lady Bromley is go dtiocfadh sí ag an teach chuige? Thiocfadh agus suas sa seomra. Ní raibh aon náire ar an mianach sin daoine nuair a d'fheil sé dóibh féin, ach dar príosta bheadh siúl anois aici. Chloisfeadh sí stropa liodán anois nach raibh i leabhar ná i bpáipéar. Thosaigh sé á gcur le cúl a chéile ina intinn le scardadh isteach trí fhuinneog an chairr ina mullach. Í a chur faoi bhrí na guibhe le salm na mallacht sul má bheadh seans aici a béal a oscailt . . . Ní raibh duine ar bith sa gcarr. Ar bharraicíní a chos a chuaigh sé go dtí an doras cúil. Laiste an dorais a bhaint go ciúin mar a bheadh sé ag éalú ar ghadaí. Scaoil an doras a leithead solais isteach nó gur aimsigh a ghileacht cois an teallaigh í.

"Ó, a Íosa Críost,"

D'aithin sé a héadan ach bhí sí tite i lúta ar fad.

"A Réamoinn?" Bhí sí ag creathadh, í san ísle brí ag breathnú.

"*Oh Jesus*, a Mheaigí, céard a tharla dhuit?"

"A Réamoinn?"

Bhí a dhá láimh sínte amach aici mar a bheadh sí ag iarraidh air fóirithint uirthi. Í ag iarraidh a bheith ag éirí den chathaoir ach é ag baint tiaráil aisti. Thiocfadh sé i gcabhair uirthi de rite reaite murach go raibh mórchuid den mhothú bainte as. Í ag súil le páiste i ngan fhios dó. Go místuama a chuir sé a dhá láimh ina timpeall. Cogarnaíl ina cluais ag iarraidh foighid a chur inti. Cén chaoi a bhféadfadh sé seo a bheith tarlaithe? A shúil chomh grinn i ndiaidh caorach nó bó is go mbeadh na comharthaí sóirt tugtha faoi deara aige sul má bheadh aithne ar bith orthu.

"Sssh, foighid anois, a Mheaigí, ná bí ag caoineadh."

"Tá faitíos orm . . . a Réamoinn, tá faitíos orm."

"Ná bíodh, a Mheaigí, cén fáth nár inis tú dhom é?"

"Ach shíl mé go raibh a fhios agat é."

"Ní raibh a fhios agam tada, ní fhaca mé thú le fada."
Brúcht chaoineacháin a fuair sé mar fhreagra.

"Ná bí ag caoineadh, a Mheaigí. Ní raibh a fhios agam é."

"Tháinig faitíos aisteach orm."

"Sssh, ná bí ag caoineadh, a Mheaigí, ná bíodh faitíos . . ."

"An féidir liom fanacht anseo in éineacht leat, a Réamoinn?"

"Anseo? Ach céard faoi . . . ?"

"Is cuma. Ní ligfeadh faitíos dom fanacht ann níos mó, dá dtarlódh tada ní bheadh duine ar bith agam."

"An bhfuil sé ráite agat léi?"

"Níl fós, bhí faitíos orm nach mbeifeá do m'iarraidh."

"Ach seo é do theach, a Mheaigí. Tá do leaba cóirithe thuas sa seomra sin ón lá ar phós muid."

"Ó, a Réamoinn. Déarfaidh mé léi anois é, go mbeidh mé ag fanacht anseo in éineacht leatsa anocht. Tabharfaidh tú aire dhom?"

"Tabharfaidh mise aire dhuit."

"Agus don pháiste, ní chodlaím néal ó oíche go maidin ach mo dhá láimh fáiscthe ina thimpeall, ar fhaitíos go mbuailfeadh na pianta mé is gan duine ar bith agam."

"Ach níl tú chomh gar sin dhó, ní fhéadfá."

"Níl, ach faitíos. Nuair a mhothaím na coisíní ag brú amach mo bhoilg i gceartlár na hoíche. Bhínn ag cuimhneamh ort. Cuid díot beo beathach istigh ionam, do mo chiceáil mar a bheadh sé ag iarraidh a mheabhrú dhom nach raibh tú sa leaba le mo thaobh, mé líonraithe go smaoineodh sé a theacht ar an saol is gan tú ann le teacht i gcabhair orm."

"Sssh, ní ligfidh mise aon chlóic ort as seo amach."

"Bhí mé an-tinn ó shin. Maidin i ndiaidh maidne ag caitheamh aníos nó go mbínn chomh lag le héan gé. Sin é an fáth nach raibh mé in ann a theacht chomh fada leat. Shíl mé nach raibh tú do m'iarraidh níos mó. Chuaigh Lady Bromley amach le rá leat go raibh mé tinn ach dúirt sí gur chuma leat, gur chuma leat beo nó marbh mé."

"Ná bí do do mhearú féin leis an gcaint sin, a Mheaigí, tá tú sa mbaile anois."

Lig sí scíth ar feadh uair an chloig, na deora ag triomú agus aoibh an gháire ag leathnú ar a héadan mar a scairtfeadh an ghrian tar éis ráig bháistí. Giodam curtha ag an nuaíocht i Réamonn. Amach leis an luaith, isteach leis an móin. Síos leis an tine, amach arís chuig an tobar ina leathshodar. Glór na bhfear agus méileach na gcaorach á ghlaoch chun sléibhe. Ní raibh aon áit faoi spéir na cruinne gurbh fhearr leis píosa den tráthnóna a chaitheamh ag an nóiméad sin. A ghrá geal a fhágáil go compóirteach cois na tine. A dhul ar a sheanléim amach a chúnamh do na comharsana, ach ní raibh greim beatha ar fónamh sa teach.

"Caithfidh mé a dhul don Chaiseal ag siopadóireacht, a Mheaigí, ach ní bheidh mé i bhfad."

"Caithfidh mé fhéin aghaidh a thabhairt uirthi siúd, ach beidh mé ar ais sul má thiocfas grian i dtalamh."

Níorbh í an bhean chéanna anois í, misneach arís aici, a póg chomh blasta leis an gcéad cheann agus grá a croí ag silt trína méaracha chuile uair dár shlíoc sí cúl a chinn.

Ní bheadh píolóta eitleáin chomh bródúil as a stuaim ag stiúradh an rothair le fána. Meáchan a cholainne caite i leataobh go healaíonta ag dul timpeall na gcoirnéal. É chomh glan sciúrtha bearrtha is go raibh sé ag dul ó aithne air féin gan trácht ar lucht siopadóireachta a raibh cleachtadh acu é a fheiceáil go drabhlásach timpeall an bhaile. Fonn ceiliúrtha air ó b'annamh leis ábhar ceiliúrtha a bheith aige. Deoch amháin sul má thiocfadh sé abhaile. Pionta amháin a chuirfeadh bealadh sna hioscaidí aige ag dul ar ais in aghaidh na n-ard. Rinne sé stad i ndoras theach an óil ag cúlú ar ais go dtí a rothar mar a bheadh neach éicint tar éis a mheabhrú dó gur mó tart a chuirfeadh an chéad deoch air.

"Céard iad na trí shúil is géire ar fad, a Willie?"

"Céard?"

"Na trí shúil is géire?"

"Níl a fhios agam."

"Súil cait i ndiaidh luch, súil saoir i ndiaidh cloch agus súil caillí i ndiaidh bean a mic."

"Is fearr súil . . . *in front of you*, cén chaoi a ndeireann tú é, a Eileen?"

"Is fearr súil romhat ná dhá shúil i do dhiaidh, ní féidir tada a chur isteach i do chloigeann."

Ní ar a cuid cainte a bhí aird aige ach a shúil chomh grinn le súil seabhaic go dtáinig sé chomh fada le ceann an bhóthair. Siar a chas sé.

"Cá bhfuil tú ag dul?"

"Siar go dtí an Clochán."

"Siar?"

"Tá mise tuirseach ag dul soir."

"Ach tá mise tuirseach ag dul siar."

"Cathair na Mart, mar sin, *split the difference.*"

"*Yeah.* Ó, tá sé go breá imeacht ón mbaile."

"An chéad saoire ag an mbeirt againn le chéile, a Eileen."

Luigh sí anonn ina mhullach go sásta. Oiread dá brollach nochtaithe is go raibh sé ag tógáil a shúl den bhóthar. Gúna beag éadrom crochta chomh hard is go raibh lásaí dubha ag tarraingt a leathláimhe i gcathú.

"Sé an trua nach bhfuil muid ag dul go dtí tír éicint a mbeadh teas ceart inti, nár bhreá liom luí thíos ar an trá agus mo chuid éadaigh a bhaint dhíom ar fad."

"Ar fad?"

"Lomnocht . . . déanann siad sa bhFrainc é. Meas tú an mbeidh ár ndóthain airgid againn le dhul ar saoire go dtí na háiteacha sin go deo, a Willie?"

"*Oh yeah.*"

"*Yeah?*"

"*Yeah*, ach caithfidh muid a dhul go Sasana ar dtús."

"Go Sasana?"

"Ar feadh seachtaine nuair a gheobhas mé saoire. An dtiocfaidh tú?"

"An dtiocfaidh mé? *Jaysus*, tá mé ag líonadh mo mhála cheana féin."

"Dúirt an t-*engineer* liom go mbeadh jab mór millteach le tosaí ar an mbóthar seo. Ní mór dhúinn a bheith faoi réir."

"Ach cén bhaint atá aige seo le dhul go Sasana?"

"Ceannóidh muid roinnt innealra – *compressor, loader* agus *truck* ar dtús."

"*Jaysus, Willie.*"

"*That's where the real money is. Buy some rough land around here and start a quarry, 'Connemara Quarries'.*"

"*Jesus, Willie, we're going to be millionaires!*"

"*Why not, if we play our cards right.*"

"Bhí a fhios agam é. *Oh Willie, I love you.*"

"*Easy Eileen, I'm driving.*"

Istigh sa seomra staidéir a bhí an tráthnóna caite ag Lady Bromley, na bróga bainte di aici agus a dhá cois in airde ar tholg bog compóirteach. Í ag baint casadh as méaracha a cos de réir mar a bhí teas na tine á líochán go teolaí. Seomra mór áirgiúil a raibh a aghaidh amach ar an loch. Péire doirse móra a raibh a bhformhór faoi ghloine, oscailte amach faoin aer nuair a thagadh lá breá. Dúnta go daingean a bhí siad an tráthnóna seo agus cuirtíní móra troma á gclúdach. Ní raibh an crann soilse a bhí ag silt go lonrach as lár na síleála lasta. Cúpla céad píosa criostail ag spléacharnaíl de bharr an tsolais a bhí ag scairteadh orthu as an spota a raibh Lady Bromley ina suí, solas soghluaiste a bhí crochta ar charcair ghiúsaí ar chaith ealaíontóir sé mhí á dhearadh is á shnoí ina phíosa luachmhar ealaíne. B'eo é an lampa a choinníodh solas le Lady Bromley nuair a bhíodh sí ag léamh. Ceol de chuid Mozart ag plúchadh gach fuaim shaolta ar a cluasa. Ba é cúl a cinn a bhí iompaithe le Meaigí nuair a d'fhill sí as tigh Réamoinn.

"*Is that you, Margaret?*"

"*Yes, Lady Bromley, does the fire need stoking?*"

Ceist nár ghá di a fhiafraí mar go raibh an ghríosach dhearg le feiceáil aici, ach ag iarraidh a bheith ag fadú faoina cuid misnigh.

"No, *my dear, it's very comfortable.*"

"*Can I get you something to drink?*"

"*Thank you. A cup of hot chocolate would be nice. You make such wonderful hot chocolate.*"

"*OK, Lady Bromley.*"

B'eo é a seans anois, a dhul isteach leis an gcupán agus é a rá amach léi go neamhbhalbh, nach raibh sé de neart inti – ní hea, nach raibh sé de mhisneach aici – aon oíche eile a chaitheamh sa *Lodge* mar gheall ar an gcaoi a raibh sí. Dúirt sí trí Sé do Bheatha a Mhuire go dúthrachtach ag iarraidh ar Mháthair na Seacht nDólás gan ligean di tosaí ag caoineadh nuair a bheadh sí ag míniú an scéil do Lady Bromley. Dhá bhriosca a raibh tiús bhéal scine de cháis mar bhlas orthu curtha ar phláta beag *willow pattern* aici agus é leagtha ar thráidire airgid a mbíodh loinnir coinnithe aici ann le haghaidh na hócáide. B'fhéidir nach leagfadh sí pus orthu, ach go raibh sé slachtmhar ag breathnú thar an gcupán a bheith ina chadhan aonraic i lár an tráidire.

"*Oh, thank you, my dear.*" Chuir sí marc idir dhá bhileog i leabhar a bhí chomh toirtiúil leis an mBíobla. "*There's something I wish to discuss with you, Margaret.*"

"*With me?*"

"*Yes, my dear, it concerns both of us. I'm no longer the owner of this property.*"

"*Oh!*"

Bhí a hiarracht curtha de dhroim seoil, a hintinn ag ríomhaireacht go tréan ag iarraidh an bealach ba chiallmhaire a aimsiú le déileáil leis an gcor nua seo. Sháraigh an fhoighid an chinniúint, a dúirt seanráiteas as cúl a hintinne léi, b'fhéidir go raibh freagra a cuid paidreacha ar bharr a goib ag Lady Bromley is nár ghá di an ráiteas pianmhar a dhéanamh beag ná mór.

"*You seem shocked.*"

"*No, no, just a bit surprised.*"

"*Well, it's understandable at my age that I would want to put my personal matters in order.*"

"*Yes, Lady Bromley.*"

"*I have advised my solicitors to transfer the property to you.*"

"*To me?*"

Bhí a béal ag triomú, lagar ag aimsiú a glún. Dhírigh sí suas í féin ag cúlú leathchoiscéime ón gcaint a bhí cloiste aici. Ní raibh focal eile as Lady Bromley ach í ag ligean don mhéid a bhí ráite aici sú isteach. Lena dhá méir a chroch sí an cupán, í ag cuachaíl go sásta de réir mar a bhí a bhlas ag tabhairt beadaíochta dá putóg.

"*I don't understand, Lady Bromley.*"

"*I expected it might come as a shock to you, my dear. Even members of the aristocracy are allowed to be ruled by their hearts.*"

"*But how could I be in charge of this place?*"

"*Simply because you're now the new owner.*"

"*But, but I don't want this place.*"

"*That precisely why I signed it over to you, dear. You deserve it. You have been very loyal to me, Margaret, and I feel I must reward you with all my earthly belongings.*"

"This is unbelievable."

"Let me assure you then. The evidence is here at hand. Open the bureau, dear, it's yours now."

Shleamhnaigh clúdach adhmaid suas agus siar thar a mhullach leis an mbrú ab éadroime de bharr a méire. A liachtaí babhta ar ghlan sí an dusta de le blianta agus gan ceapadh dá laghad aici go mbeadh a hainm luaite i measc pháipéir phríobháideacha Lady Bromley.

"The brown file, Margaret."

Bhí creathadh ina lámha á shíneadh aici. D'oscail sí go paiteanta é, gan aon ghá di a bheith ag méiríntheacht mar go raibh an bhileog chruinn cheart aimsithe ar an bpointe boise aici. Bhí sí ag breathnú uirthi mar a bheadh breitheamh a bheadh ar tí breithiúnas báis nó beatha a thabhairt.

"Why don't you read it for yourself, dear, it's all yours now."

Bhí a súile ag scinneadh tríd ach gan fuadar a hintinne ag ligean di brí na n-abairtí a shú isteach.

Iomarca ann le meabhair cheart a bhaint as in aon úmadh amháin. Bhí a hainm priondáilte go soiléir ar pháipéar a bhreathnaigh fíoroifigiúil.

"All it needs is your signature, dear. I have already signed, as you can see. There is, of course, one stipulation in the small print. Clause A states that you will fend for my needs to the standards to which I have been accustomed. I will retain my own private room in this residence for as long as I live."

Bhí sé ina chiúnas eatarthu ansin mar a bheidís araon faoi chalm i súil na stoirme agus gan a fhios acu cén taobh a shéidfeadh an chéad siota eile as. Meaigí ag stánadh ar na páipéir ach gan í ag feiceáil tada.

"Why don't you take it to your room, dear, and read it fully at your leisure? Familiarise yourself with its contents before signing."

"Thank you, Lady Bromley. I'm ... I'm stunned. I must lie down and take a rest."

"Of course, my dear, how inconsiderate of me. Go and rest for a while."

Ní raibh a fhios ag Meaigí céard a chuir faoi ndeara di é a dhéanamh ach den chéad uair ina saol chuir sí a lámh timpeall Lady Bromley agus phóg sí a leiceann.

"Oh, oh, oh, my dear Margaret, what a lovely gesture. I knew in my heart and soul that I could trust you with my life."

Ba throm a hosna ag luí ar an leaba. Cáipéis a dtabharfadh mórchuid daoine a dhá súil uirthi chomh trom le breithiúnas báis ina leathláimh. Leag sí lena taobh ar an éadach leapan é. Bhí sí saibhir tar éis an lae ach an saibhreas i gcontúirt an t-aon ní a bhí ag saibhriú a saoil a bhaint di. B'fhurasta é a leigheas. Siúl amach agus an cháipéis a shíneadh ar ais aici.

"Sorry," a rá, *"I'm not in a fit condition to consider this offer at the present time. I have decided to move in with my husband until after the birth of my baby ..."* Ach ní raibh sé de mhuineál aici é a rá. Ní raibh sé de dhánaíocht ina nádúr. Déanta aici mar a dúradh léi ón gcéad lá ar chuir sí a cos thar dhoras an *Lodge*. Umhal dá máistreás chuile lá ariamh. Ach bhí a cuid dílseachta á strachailt idir dhá mháistir anois agus an tríú máistir tar éis sonc a thabhairt sna heasnacha di mar a bheadh sé ag meabhrú gurb é ba ghaire dá croí.

Bhí an dá dhoras oscailte ar aghaidh a chéile ag Réamonn. Leoithne bheag éadrom de ghaoth an tráthnóna ag fuirseadh go húr ar fud an tí. Na madraí ag rásáil timpeall an tí le teann ríméid as a saoirse. Sheas siad i mbéal an dorais corruair ag croitheadh a ndriobaill agus ag geonaíl féachaint an meallfaidís i dtreo an tsléibhe é. Ba leor súgán sneachta lena tharraingt in airde murach an cúram a bhí air, ach an téad a bheadh le hancaire loinge ní tharraingeodh amach as an teach é an tráthnóna seo nó go mbeadh chuile smál de dhusta na bliana glanta amach roimhe aige. Níor chuimhneach leis a chroí a chloisteáil ag bualadh le fada an lá nó gur chuir miontafann na madraí in iúl dó go raibh an carr taobh amuigh. Iad ag rásáil go ríméadach timpeall an chairr nó gur fhógair sé orthu. Bhí a fhios aige ar an bpointe boise nárbh é an dea-scéal a bhí scríofa ar aghaidh a mhná céile. An braon a bhí i mullach a chinn ag dul go dtí bonn a choise nuair a chonaic sé an chruit dóláis a bhí sí a iompar amach as an gcarr. Phléasc a hanbhá amach ina scréach i lár na sráide. Scréach a chothaigh tost i measc na bhfear nuair a chuaigh an macalla go goilliúnach ó chnoc go cnoc.

"Níl mé in ann, a Réamoinn. Níl sé de mhuineál agam é a rá léi."

Thug sé thar tairseach faoina sciatháin í. Níos mó deifre air á tabhairt ó chluasa na ndaoine ná a bhí air ag éisteacht lena héamh. Taghd feirge ag fiuchadh ina chliabhrach á cur ina suí síos cois na tine.

"Tabhair cúnamh dhom, a Réamoinn, ar son Dé tabhair cúnamh dhom!"

"Ssssh, déan suaimhneas anois, déarfaidh mise léi é."

170

"Ach ní féidir leat."

"Déarfaidh mise léi go bhfuil mo bhean is mo pháiste le codladh in aon leaba liom agus nach bhfuil *Lodge* ná *Lady* ag dul á strachailt uaim."

"Ach is liomsa an *Lodge* anois."

Bhain a cuid cainte an ghangaid as a ghlór, imní air gur seachmall a bhí á cur ag rámhaillí.

"Céard atá tú a rá ar chor ar bith?"

"Ní raibh a fhios agam tada ina thaobh ach oiread is a bhí a fhios ag mo mháthair atá curtha nó gur shín sí chugam na cáipéisí le síniú. Is linn an *Lodge* agus an talamh agus an carr, gach a bhfuil taobh istigh is taobh amuigh de dhoras má tá muid á iarraidh, ach go bhfuil sé d'iallach orainn aire a thabhairt di oíche agus lá fad is mhairfeas sí."

Mhothaigh sí a ghreim ag bogadh de réir mar a bhí a chroí ag cruachan in athuair.

"Ní raibh aon lá den ádh ar aon duine dár chónaigh sa *Lodge* sin riamh. Cuirfidh mise an ainspiorad sin ina háit."

"Ná déan, a Réamoinn, ní féidir liom fanacht anseo in éineacht leat. Ní chodlóinn nóiméad suaimhneach go brách aríst dá dtabharfainn droim láimhe anois di. Caithfidh mé a dhul ar ais, níl aon neart agam air, caithfidh mé a dhul ar ais chuici anocht."

Bhí a leathlámh mar chuingir faoina bráid aige go dtí an pointe sin. Leathlámh a mhothaigh sí ag sciorradh síos dá droim mar bheadh an mothú tar éis imeacht aisti.

"A Réamoinn, ar son Dé, a Réamoinn tabhair cúnamh dhom, tabhair cúnamh dhom féin is do do pháiste . . ."

Ach bhí sé ag dealú amach uaithi chomh dúr docht le dealbh

171

chloiche nó gur imigh sé as a hamharc siar sa seomra beag a bhí ar chúl na tine.

Lig sí a meáchan go croíbhriste anuas ar an gcathaoir, ró-lagbhríoch leis an gcarr a thiomáint ar ais nó go gcuirfeadh sí an t-ualach aníos dá hucht. Chaoin sí chuile dheoir dá raibh ag gabháil léi in aon racht fada dólásach amháin. Meáchan a croí ag brú na ndeor goirt a bhí ag scalladh a dhá súil ó dheoir go deoir fad is bhí deoir le silt. Go héagaoineach a d'éirigh sí ina seasamh, ag baint lán a súl as an gcisteanach bheag chompóirteach agus ag siúl go mall i dtreo na sráide. Thug sí sracfhéachaint nuair a chuala sí a choiscéim ag teacht ina diaidh, culaith bhreá éadaigh air. Bóna bán agus carbhat.

"Tabharfaidh mise cúnamh dhuit, a Mheaigí," a dúirt sé ina chogar agus é ag cur láimhe faoina hascaill.

'Dealg' an leasainm a bhí ag Colm Tom Mhóir ar an bhfear a bhí i gceannas air sa *Town Hall*, bhí sé ag cinneadh air dubh is donn cuimhneamh ar Mr Hawthorn nó gur thosaigh sé ag cuimhneamh ar dhealg ar dtús. Fearín beag buí feosaí a bhí amach go maith sna blianta ach a bhíodh chomh luaineach le beach ag faire ar Cholm. Bhíodh Seáinín Chualáin lúbtha ag gáire faoi Cholm nuair a thosnaíodh sé ag sciolladh air.

"Nár fheice Dia ina iothlainn an conús. Tá sé ag rith i mo dhiaidh mar a bheadh mada beag ann, ar ndóigh, níl gair agam a dhul ag scaoileadh cnaipe nach bhfuil sé ag teacht leis na sála agam."

"Fainic, a dheabhail, an ceann acu siúd a bheadh ann?"

"Céard?"

"*Nancy boy*, i ndiaidh fear a bhíonn siad in áit a bheith i ndiaidh ban."

"Hea? Is meas tú bhfuil a leithéid de dhuine ann."

"Ó, a sclíteach, tá an tír seo lán leo."

"Dar fia, sé a chuma atá air, an dealg bhradach."

"Coinnigh do dhroim le balla nuair a bheas sé ag caint leat ar chuma ar bith."

"Níl mé ag iarraidh labhairt leis an áibhirseoir, níl a fhios agam ó Dhia thuas na Glóire céard a bhíonn sé ag rá leath na gcuarta."

"Tá tú an-mholta aige, muis."

"Ó, an snagaí bradach, ní bheadh an dealg feothanáin féin chomh géar leis."

"Nach ag rá leat é a thógáil go réidh a bhíonn sé!"

"Sé an chaoi a dtosaímse ag rith, muis, nuair a fheicim ag teacht é. Thosaigh mé ag rith leis an *lawnmower* an lá cheana faitíos go gcaithfinn a bheith ag caint leis. Á, dhá bhfeicfeá ag breathnú i mo dhiaidh é, déarfainn go raibh sé ag ceapadh go raibh scail éicint orm is mé ag dul siar is aniar thairis i mo thoirneach."

"Tóg de réir do láimhe é. Ar ndóigh, tá tú ag déanamh a chúig oiread leis an reifíneach a bhí anseo romhat."

"Cuma liom sa deabhal fad is go bhfuil mé ag déanamh an rud ceart."

"Ar ndóigh, níl tú ag ól an chupáin tae fiú amháin, nár dhúirt sé liom é, nach dtugann tú aird ar bith air nuair a ghlaonn sé isteach ag cupán tae ort."

"Ó, a Chrois Chéasta orainn, cén chaoi a gcoinneoinnse caint leis na daoine uaisle sin?"

173

"Á, níl dochar ar bith i Hawthorn, an-fhear é, mura linn a bheith ag ealaín."

Maith nó olc a bhí an Dealg ní raibh Colm ag dul ag fágáil aon ábhar clamhsáin aige. An féar bearrtha faoi dhó chuile sheachtain aige nuair ba leor uair amháin, é ag imeacht ar a ghlúine ag tarraingt an bheagáin a bhí faoi bhun na gcrainnte nó gur oibrigh sé amach cé mba le haghaidh na giúirléidí ar fad a bhí sa stór mór a bhí dó féin aige. Sciúr sé chuile cheann acu laethanta fliucha. Chuir sé ola ansin orthu agus chroch sé go pointeáilte i ndiaidh a chéile ar an mballa iad. Fiú an *lawnmower*, chuir sé braon ola ar cheirt agus bhí sé á cuimilt nó go raibh sí ag breathnú nua glan as an bpíosa. Bhí téitheoir i gcoirnéal an stóir, áit a mbíodh a chuid éadaigh oibre tirim sácráilte chuile mhaidin. Ba bhreá an sólás é sin, bhí sé in ann éadach agus bróga glana a bheith air i gcónaí ag dul isteach sa Halla. Cathaoireacha a bhíodh le socrú aige agus an t-urlár le scuabadh, ach sciúr sé na leithris chomh maith agus ghlan sé na fuinneoga chuile sheachtain, ba chuma cén cuthach oibre a bhíodh air ach réabadh sé uilig nuair a d'fheiceadh sé an Dealg ag teacht ina threo.

"*Cor blimey, Colm, take it easy, we don't want you killing yourself.*"

"*Ah, tis alright.*"

"*Your work rate is excellent, far above the call of duty.*"

"*Tis alright.*"

Leagan air féin tuilleadh agus a bheith ag dealú uaidh ar fhaitíos go ndéanfadh sé iomarca teanntáis. Níor thosaigh sé ag fáil aon sásamh ceart air féin go ceann míosa. Aithne níos fearr curtha ar an gceantar aige. Bhíodh dhá lá saor aige de bharr go mbíodh sé ag obair deireanach corruair. Dhá lá a bhí deacair a chaitheamh. Níor fhág sé orlach den cheantar gan siúl, isteach i siopaí a bhíodh ag díol crua-earraí ab fhearr leis a dhul ag iarraidh meabhair a bhaint as na huirlisí éagsúla. B'fhearr leis é sin féin ná an lá a chaitheamh i dteach an lóistín. *Hello* agus *thanks* an t-aon dá fhocal a d'úsáid sé ar feadh coicíse. Bean tí a bhí thart ar chomhaois leis agus an-ghalánta ag breathnú, canúint láidir Shasanach uirthi ach gan í ag cur chuige ná uaidh ach a bhéile a leagan ar an mbord chuile thráthnóna. Dhá chailín bheaga ag teacht leis na sála aici. Iad scáfar ag breathnú air. Rite ar ais go dtí an chisteanach in éineacht lena Mama na chéad chúpla seachtain. Ba ghearr go bhfanaidís ag faeiléireacht i mbéal an dorais mar a bheadh dhá choinín bheaga i mbéal coinicéir.

"*Are you a giant?*"

"*Yes.*"

Iad rite ar ais aríst agus é ag éisteacht leo ag inseacht an iontais.

"*He is a giant, Mummy, he is a giant!*"

"*Now, now, don't be naughty. You must not be rude to our lodger.*"

Torann na gcoisíní ag cur ríméid air nuair a chloiseadh sé ag teacht ina rite reaite go dtí an doras in athuair iad.

"*Are you a giant?*"

"*Yes.*"

Ar ais arís go dtí a máthair le scéal chailleach an uafáis.

"*Now, now, that's it. No nicknames, you must apologize to the gentleman.*"

Ba mhó imní a bhí air féin ná ar na páistí nuair a chuala sé ag teacht ina dteannta í.

175

"Say 'Sorry'."

"Sorry, sorry."

"Ah, tis alright."

"Bedtime now, say nighty-night."

"Nighty-night."

"Goodbye."

Bhí iontas fós ina súile ag breathnú ina ndiaidh nuair a thug sí léi i ngreim láimhe iad. Ach bhí crústa na cúthalachta briste.

Ba ghearr go mbídís ag an doras roimhe, náire ar a máthair nuair a shuíodh duine acu ar chaon ghlúin leis chomh luath is bhíodh a bhéile ite aige.

"Will you talk like a giant again?"

"Alright. Listen now:

Gugailí gúg, mo cheaircín dhubh.

Suíonn sí síos is beireann sí ubh,

Ubh inné agus ubh inniu,

Gugailí gúg, mo cheaircín dhubh."

Ní bhíodh gíog astu ach iad ag breathnú siar ina bhéal go bhfeicfidís cé as a raibh an chaint ag teacht.

"Say it again."

"No, say it you now, Gugailí Gúg."

"Gigalli goo."

"No, Gugailí Gúg."

B'iomaí oíche a chuir siad ríméad ar a chroí ar feadh cúpla uair an chloig. Stop an mháthair ag gabháil a leithscéil de réir a chéile, Madeline a thug sí uirthi féin, ach gur choinnigh Colm ag tabhairt Ma'am uirthi ar fhaitíos go ndéanfadh sé puiteach de Mhadeline. Thuig sé go mbíodh sí ag obair in oifig píosa den lá. Thugadh sí mórchuid oibre abhaile léi agus ní bhíodh aon dé uirthi ach ag clóscríobh nó go mbíodh sé ina mheán oíche. Ní raibh dé ná deatach ar an athair ach go dtagadh fear óigeanta a raibh tarraingt bhacaíola i leathchois leis ag an doras cúpla oíche sa tseachtain. Fear ard feosaí a raibh gruaig fhada slíoctha isteach in aghaidh bhlaosc a chinn. Stopadh torann an chlóscríobháin ó thagadh sé sin isteach, Colm ag baint chainte as na páistí leasc a bheith ag éisteacht le torann na múitseála. Bhíodh sé deargtha amach agus beagán náire le léamh ar a aghaidh nuair a thagadh sí chun an bheirt a chur a chodladh.

"*Now, Mammy put you to bed,*" a dúirt sé an oíche seo nuair a chuala sé ag teacht í.

"*Colm . . . would you mind babysitting for me tonight? Jeff and I would like to go out for a while.*"

"*Alright.*"

"*I'll pay you, of course.*"

"*Ah Jays, no, I don't want anything.*"

"*Oh thank you. To bed now, kids.*"

"*No, no, Mummy, we want to listen to giant stories until you return.*"

"*No, no, that would be too late.*"

"*Arraah, tis alright, I will put them to bed after a while.*"

"*OK, then. Get ready for bed and you may stay up for one last story.*"

Bhí cion a chroí aige ar an mbeirt acu.

"*Is that your daddy?*" a dúirt sé nuair a fágadh astu féin iad.

"*Our daddy is dead.*"

"*Oh Japers, sorry.*"

"*Our daddy was killed in a car accident.*"

177

"Sorry." Bhí sé ina dheifir air ag iarraidh an scéal a athrú.

"I'll tell you a story in English tonight. There was a man long ago and long ago it was and if he was there at that time he wouldn't be there now, and if he was there now and that time he would have a new story or an old story to tell or maybe he would have no story . . ."

Bhí a fhios aige go mbainfeadh an Béarla deannach as tar éis seachtain a bheith caite aige á aistriú ina cheann. Mhothaigh sé go raibh an-fheabhas ag teacht ar a chuid Béarla ó thosaigh sé ag caint leis na páistí. Ghéill siad go múinte dó nuair a chríochnaigh sé an scéal is a dúirt sé leo go raibh sé in am codlata, póigín tugtha ag chaon duine acu dó agus gealladh bainte de scéilín eile a inseacht dóibh an oíche dár gcionn.

B'fhada go dtáinig an bheirt abhaile. An ciúnas ag cur néil air agus gan é cinnte an raibh sé de dhualgas air fanacht ina shuí nó go bhfillfeadh siad. Thug sé an leaba air féin nuair a smaoinigh sé go mb'fhearr dó a mbealach a fhágáil. Bhí an meán oíche caite go maith nuair a chuala sé glas an dorais á bhaint agus Jeff ag ardú a ghlóir go meisciúil mar a bheadh sé ag iarraidh a theacht aníos an staighre in éineacht léi. Ach deabhal fad a choise dá chomhairle féin a thug sí dó ach é a dhiúltú go stuama sul má dúirt sí *goodnight* agus a dhún sí amach an doras. Chuala sé ag éalú aníos ar bharr a cos í agus ag oscailt an dorais isteach i seomra a cuid páistí. D'inis an leithreas a scéal féin sul má rinne an teach suaimhneas faoi dheireadh.

Ba í féin agus Jeff a bhí ag rith trína cheann an mhaidin dár gcionn nó gur thosaigh sé ag obair. Gan oiread sin le déanamh ó thosaigh séasúr an fháis ag dul ar gcúl. Cúpla galún péinte a bhí ceannaithe aige agus é ag cur cóta ar sheomra na n-uirlisí de réir a láimhe, Amhrán na Trá Báine crochta suas aige i ngan fhios dó féin nuair a d'oscail Dealg an doras isteach. Ba bheag bídeach nár dhoirt sé an canna péint leis an ngeit a baineadh as.

"*Do we have another John McCormack here, I knocked three times!*"

"*Oh Jays, sorry.*"

"*I have more work for you if you're interested.*"

"*Jays, I am.*"

"*Come along then. I'll bring the car around.*"

"*The car?*"

"*Don't worry, it's only a short distance from here.*"

Dá mbeadh breith ar a aiféala aige ní bheadh sé tar éis géilleadh. É cinnte glan gur rud éicint a bhí le déanamh sa halla nó taobh amuigh nó gur chuala sé caint ar an gcarr. Chuir sé an bhruis agus an phéint ar chóir shábháilte sul má chaith sé de an feisteas oibre. Bhí sé buíoch go ndearna nuair a chonaic sé chomh glan is bhí a charr ag Dealg. Í chomh sleamhain lonrach is go mbeadh sé deacair ag míoltóg greim a bhaint amach uirthi. D'aithin sé chuile chor agus chuile chasadh dá dtug sé nó gur chas sé isteach lána caol a raibh geata ag a dheireadh.

"*This is a sewerage treatment plant, Colm. I want you to do the maintenance work for me.*"

"*Cut the grass, is it?*"

"*Everything. Daily wash down, monitor samples and keep records. It's a full-time job.*"

"*If I'm able to do it, sure.*"

"*I'll double your wages. You can easily cope with the two jobs.*"

"*Ah Jays. I have no brains for that, only rough work.*"

179

"It sounds complicated but you'll find it very simple in a few weeks time. But there are no short cuts, Colm, we have had several complaints from the local residents over foul smells and I bloody well agree with them. The sides of those tanks should be hosed down daily but you can see for yourself – bloody well caked, not washed for weeks. I gave the caretaker several warnings, told me to fuck off this morning and jacked. Left me high and dry. Try it for a month, please, and see how you get on."

"Will I start today?"

"If the washing down was started today it would get the residents off my back."

"Alright so, I'll get my other clothes and things above."

"Marvellous, I can drive you back here again."

"Ah no, I have a bicycle, sure."

"Independent, I like that. I know I can depend on you to do this job right. Take samples and get them lab-tested daily. I'll go through all that with you tomorrow."

"Alright."

Níor thuig sé an chuid sin den chaint ach ní raibh sé de mhisneach aige é a cheistiú ina thaobh. Ar an dá pháigh a smaoinigh sé agus ar an mbaile. A chuid liopaí ag fáisceadh ina chéile nuair a smaoinigh sé ar Bharrett. Páighe dhúbailte anois aige agus gan naoi mí iomlán caite i Sasana go fóill aige.

Bhí sé ar mhuin na muice dá bhfaigheadh sé é féin amuigh as carr Dhealg.

Sásta a bhí Réamonn nuair a d'fhiafraigh Barrett de an raibh cúpla uair an chloig le spáráil aige tar éis na hoibre. Leithscéal a bhíodh sé a iarraidh chuile thráthnóna le fanacht glan ar an *Lodge* nó go gcaithfeadh sé ceart críochnaithe é. Fanacht ag siobáil le rud éicint nó go mbíodh Lady Bromley imithe a chodladh, ach ba dheacair leithscéal a fháil i gcónaí. Bhí trí lá as a chéile caite ar a leaba aici agus deabhal mórán trua a bhí aige di murach a raibh sí ag cur d'imní ar Mheaigí. Meaigí bhocht chomh coinsiasach is go mbíodh sí i mbaol a basctha ar an staighre ó thosaigh sí ag teannadh lena ham, an dá mhí dheireanacha tar éis meáchan a toirte a mhéadú faoi thrí. Gan siúl an bhealaigh inti ach ar éigean nó go gcloisfeadh sí osna nó éagaoin ó Lady Bromley. Scíth bheag ag teastáil uaithi tar éis chuile dhá chéim den staighre ach í ag iompar a hualaigh suas is anuas chomh dílis is dá mba é turas na croise a bhí sí a dhéanamh. Bhíodh fonn ar Réamonn a theacht i gcabhair uirthi murach é a bheith curtha de gheis air féin aige fanacht glan ar Lady Bromley dá mbeadh a chailleadh den tsaol leis.

"Céard a cheapfá, a Réamoinn?"

"*Oh, Jaysus*, céard é seo?"

Ní mórán airde a bhí ar chomhrá Bharrett aige ó chas sé siar bóthar an Chlocháin. Clocha is gaineamh is bóithre is an chomhairle contae cíortha agus athchíortha nó gur stop sé an carr amach ar aghaidh coiléir a raibh meall mór de chlocha bleaistáilte as a chéile ann. Leoraí nua glan taobh istigh de gheata ann agus inneall eile a bhí feicthe sa leabhar aige.

"*Jaysus, loader* ab ea?"

"*Tractavator*, tá sí in ann cartadh amach leis an mbuicéad beag agus lódáil leis an mbuicéad mór tosaigh."

181

Chuir sí búir aisti nuair a chas Barrett an eochair. Dhá cheap á mbá féin sna clocha ag crochadh na rothaí móra den talamh nuair a bhrúigh sé ceann de na maidí stiúrtha. Ní fhéadfadh Réamonn é a chreidiúint nuair a d'ardaigh sé daigéad mór de chloch san aer agus chas sé anonn a muineál mór iarainn nó go raibh an chloch crochta os cionn bhosca an leoraí.

A liachtaí cloch mhór a bhog an seandream le gróití i gcaitheamh an tsaoil agus a rolláil siad suas ar shaileanna adhmaid nó gur chuir siad i mbarr ballaí iad le spreacadh a gcnámh. Bhí an chloch leagtha ar an talamh ag Barrett aríst agus é ag fógairt ar Réamonn triail a bhaint aisti.

"Níl aon scil agam inti, ar ndóigh."

"Beidh tú ag dul ina cleachtadh, gabh i leith uait." D'fhan sé ar an stiúir in éineacht leis. "Tarraing é seo, go réidh. Sin é, brúigh an ceann eile."

A leithéid de spreacadh is a mhothaigh sé idir a dhá láimh. Moghlaeirí móra millteacha strachlaithe amach aici. Bhí sé ina ruaille buaille aige ag iarraidh cloch a thógáil sa mbuicéad. Lámha agus cosa le n-oibriú in éineacht ach é fánach ag aineolaí iad a chomhordú.

"Tá mé ag iarraidh ort an dá lá seo ag teacht a chaitheamh anseo. Tabhair leat an leoraí mar níl mé ag iarraidh aon damáiste a dhéanamh don leoraí nua nó go mbeidh tú ábalta í a oibriú ceart."

"Cé leis an leoraí nua?"

"Tusa a bheas á tiomáint sin feasta."

"Hea?"

"Tá siad ag tosaí ar an mbóthar seo go dtí an Clochán maidin Dé Luain agus beidh siad ag iarraidh leoraí ag tarraingt ann go lánaimseartha. Beidh tú fhéin in ann í a líonadh leis seo."

Ba í an oíche a chuir amach as an gcoiléar iad, gan samhail acu ach dhá ghasúr ag plé le bréagáin. Réamonn faoi dhraíocht ag iarraidh a dhéanamh amach cén chaoi ar oibrigh chuile mhaide dá raibh ag stiúradh an *tractavator*. B'fhada leis go mbeadh cúpla uair codlata déanta aige nó go dtiocfadh sé ina héadan aríst.

"Ólfaidh muid deoch, a Réamoinn."

"Deabhal an miste liom, mar sin."

B'in í an deoch a bhfuair sé sásamh uirthi. Oiread eolais i dtaobh *hydraulics* pioctha as an leabhar aige is a choinnigh an bheirt acu i ngeoin chomhrá ar feadh cúpla uair an chloig. *Crusher* le theacht freisin, bhí Barrett a rá leis, nuair a bheadh a háit glanta agus fairsinge ar an suíomh.

Thosaigh a choinsias ag meabhrú do Réamonn go raibh sé thar am baile, fios aige go mbeadh Meaigí ar anchaoi, ag déanamh imní de bharr Lady Bromley a bheith ag coinneáil na leapan ó d'ordaigh an dochtúir di scíth a thabhairt dá croí fabhtach ar feadh cúpla lá.

Bhí oiread sceitimíní ar Bharrett is go bhfanfadh sé ag ól go maidin murach gur éirigh le Réamonn é a mhealladh leis ag am dúnta, é ag déanamh cnaipí faoin am ar chúlaigh sé an leoraí isteach sa tsáinn a bhí soir ó gheata an Lodge.

Fainic curtha ag Meaigí air gan an leoraí a thabhairt taobh istigh den gheata ar fhaitíos go mbeadh gob ar Lady Bromley dá ndéanfaí aon damáiste dá cuid bláthanna.

Ghreamaigh a chosa den talamh nuair a chuala agus a mhothaigh sé anáil fhuar neamhshaolta ag cur fuar nimhe ina chuid leicne. Smaoinigh sé gurbh iad na scéalta a chuala sé cois teallaigh ina ghasúr a bhí ag spochadh lena fho-choinsias. Ghéaraigh sé go fearúil ar a choiscéim ach cuireadh scéin an bhainbh dhóite arís ann nuair a mhothaigh sé coiscéim mhíleata ag coinneáil coc leis tríd an dorchadas. Chriothnaigh cnámh a dhroma leis an bhfaitíos nuair a chuala sé scread chráite Mheaigí ag líonradh an aeir. Ba bheag nár chuir sé an doras ó insí le teann uafáis, é ag tabhairt dhá chéim den staighre leis i chuile amhóg ag deifriú i dtreo an tseomra. Mhaolaigh an scéin ina dhá súil chomh luath is a chonaic sí é, a cuid pianta ina sruthán allais síos ar a cuid leicne i solas na gcoinnle, strus ag diúltú cead cainte di nó go raibh an arraing sin caite. Choinnigh sé greim go crua ar a láimh nó gur phlúch sí an scread le fáisceadh dá drad.

"Tá an páiste ag teacht, a Réamoinn," a deir sí go critheaglach.

"An bhfuil na pianta i bhfad ort?"

Le nod dá ceann a chuir sí in iúl go raibh.

"An dtiocfidh mé ar thóir banaltra?"

Bháigh sí a cuid ingne i rosta a láimhe á chosc.

"Ná fág liom fhéin mé, a Réamoinn, gabh isteach go dtí Lady Bromley ar dtús."

Le súil chorrach a dhiúltaigh sé nó gur scread sí.

"As ucht Dé, a Réamoinn, ná heitigh mé, bhí sí ag glaoch orm is gan mé in ann a dhul chomh fada léi."

In aghaidh a thola a ghéill sé nuair a thosaigh sí ag dul as a crann cumhachta ina himpí. Go mall réidh a d'oscail sé isteach an doras.

"*Are you alright, Lady Bromley?*" ráite ina chogar aige nuair a chonaic sé ina suí suas sa leaba í, cantal ag cur cuma an deabhail uirthi, a mheas sé.

"*My wife is . . . the baby is coming.*"

Bhí alltacht ina dhá súil ag breathnú air amhail is nach raibh sí á chreidiúnt.

"*Lady Bromley?*"

Baineadh geit as nuair ba léir dó nach raibh cor aisti. Go faiteach a leag sé méir ar a cuisle, uafás ina súile ag breathnú air, mheas sé. Thug sé coiscéim ar gcúl go sciobtha, ba é scéin an bháis a bhí i súile Lady Bromley agus í ag strompadh sa riocht ar éalaigh an t-anam aisti. D'imigh an mothú as ar ala na huaire. Mhothaigh sé gríos faitís ag briseadh amach trína chraiceann mar a bheadh biorannaí seaca dá aimsiú agus dá reo isteach go cnámh. Bhí gach ar chuala sé de scéalta sí ariamh ag séarsáil go scéiniúil trína intinn nó gur líon scread ó Mheaigí an t-aer ina thimpeall. Géibheann ina glór a theilg ina treo é. Chuir an dara scréach seabhrán ina chluais nuair a thóg sé idir a dhá láimh den leaba í.

Í á throid nuair a d'iompair sé síos an staighre í. Spreacadh nach raibh a fhios aige a bheith ag gabháil leis á thiomáint amach an doras. D'fhág sé an doras béal in airde ina dhiaidh, é ag rith go critheaglach amach tríd an dorchadas. D'fhulaing sé ar a ghlúin í fad is bhí sé ag oscailt dhoras an leoraí agus á brú de suas ar an suíochán.

"Tá an t-uisce briste!" ráite go gártha aici idir dhá scread. Saothar uirthi ag iarraidh bheith ag brú a páiste amach as a broinn agus isteach ar an saol.

Bhí sí ina bhaclainn aríst ag dul isteach doras cúil an tí. Fios aige cá raibh chuile mhír meacain sa dorchadas nó gur leag sé ar an leaba a bhí cóirithe don bheirt acu ó lá a bpósta í.

"Ná himigh uaim, a Réamoinn, ná himigh uaim, fan in éineacht liom!"

Greim an fhir bháite aici air nó go bhfuair sí ionú in athuair óna cuid pianta is go bhfuair sé seans an lampa a lasadh.

"Ná bíodh faitíos ort, a Mheaigí, déan suaimhneas anois. Fanfaidh mise anseo in éineacht leat."

De réir a chéile a d'éirigh leis foighid a chur inti, misneach a bhain fiántas an fhaitís dá gnúis.

Bháigh sí a cuid ingne ann chuile uair dár bhuail an phian í ach rinne sí suaimhneas ar an bpointe a bhfuair sí réidhe an achair. A dhá súil ag oscailt agus oiread na fríde d'aoibh an gháire ag briseadh amach trína héadan.

"Níl deifir ar bith anois air."

Le croitheadh dá ceann a d'fhreagair sí é. Níor chuir sí ina aghaidh nuair a d'imigh sé chun tine a fhadú. É buíoch anois go raibh cliabh clochmhóna agus cosamar adhmaid cois an teallaigh. Bhí síocháin le mothú sna lasóga a chaith a scáil go te teolaí ar fud an tí. D'fhiuch sé pota uisce, báisín agus tuáille faoi réir aige. Níor casadh i ngar ná i ngaobhar cás den chineál seo ariamh ina shaol é ach ní raibh aon drochmhisneach air. Bhí na céadta uan caorach tugtha isteach ar an saol aige. A mháthair rólag nuair a thagadh drochgheimhreadh. Gliondar croí i gcónaí air nuair a d'éiríodh leis mothú a chur iontu. Iad ó ghuais ó thosaídís ag diúl. Taobh amuigh den doras cúil a sciúr sé a dhá láimh le huisce bog agus gallúnach. Leisce a bheith ag cur imní ar Mheaigí. Tuairisc Lady Bromley curtha faoi dhó aici, imní air go raibh an fhírinne scríofa ar a chlár éadain. D'fhan sé lena taobh, ina shuí ar cholbha na leapan. Gan mórán fonn cainte uirthi ach eisean á misniú, á saighdeadh chun dóchais. Éadach fliuch aige ag tabhairt fuarú dá baithis. B'fhada leis faoi dheireadh a bhí sí in achar an anró.

Shíl sé cúpla uair an chloig roimhe sin go mbeadh an páiste beirthe ar shuíochán an leoraí aici. Imní ag cothú an drochmhisnigh agus an drochmhisneach ag tuar na hanachana. D'fháisc a greim ar a rosta chomh tobann is gur gheit sé. Bhí a dhá drad chomh fáiscthe ar a chéile gur phlúch sí a scread féin.

"An bhfuil sé ag teacht, a Mheaigí?"

Comhartha cinn a thug sí, an strus ag brú an allais amach trína clár éadain. Níor lig sé air féin nárbh í a cheird chuile lá den tseachtain í. Á misniú ar a mhíle dícheall.

"Brúigh, brúigh anois, a Mheaigí."

Ó shnaidhm go snaidhm nó gur bhrúigh sí cloigeann a linbh isteach ina dhá láimh. Dhá láimh a thug ar an saol go mín mánla é. An chéad scread ligthe ag an leanbh chomh luath is a bhí an scread deiridh as béal a mháthar. Corda a imleacáin gearrtha agus ceangailte go stuama aige sul má thug sé cead dá chroí líonadh le grá agus le gliondar.

"Tá mac againn, a Mheaigí," ar seisean go bródúil.

Bhí sí lagaithe tar éis a hiarrachta. Suaimhneas ag teacht ina hanáil de réir a chéile. Na súile mall marbhánta ag oscailt nó go bhfaca sí an chéad dé ar an naíonán. Ní raibh oiread brí inti is go raibh sí ábalta an chaint a fháil léi. Bosa ag tnúthán leis de réir mar a bhí Réamonn á chasadh i dtuáille. Dearmad déanta ar an bhfulaingt is ar an bpian nuair a shocraigh sé ina baclainn é. Drithlíní aoibhnis á bhíogadh chun nirt nuair a mhothaigh sí a chuid beol ag aimsiú a cíche.

Ba é Seáinín Chualáin a mhúin do Cholm Tom Mhóir leis an veain a thiomáint. Greim chomh crua ag Colm ar an rotha is dá mba dhá adharc tairbh a bheadh sé a cheansú.

"Coinnigh i lár an bhóthair í, a chomrádaí," a deir Seáinín go spraíúil ag bualadh boise sa droim air.

"A dheabhail, seachain an mbuailfinn faoi aon rud."

Bhí pian i dtaobh Sheáinín ag gáire faoi. "Cén chaoi a mbuailfeá nuair nach bhfuil aon rud ann le bualadh faoi."

Istigh i seanaeradróm nach raibh in úsáid ó chríochnaigh an cogadh a bhíodar. An rúidbhealach chomh fada fairsing is go bhféadfadh Colm a shúile a dhúnadh. Ach ní raibh baol air.

"Más fiú rud a dhéanamh is fiú é a dhéanamh ceart, a Sheáinín."

"Tá tú sách ceart. *Jaysus*, ar ndóigh, seo é an ceathrú Domhnach caite anseo againn, is gearr go mbeidh tú in ann *aeroplane* a thiomáint mura dtiocfaidh tú amach as an áit seo."

"Tá an veain an-mhór."

B'fhíor dó. Nuair a chuaigh sé á ceannacht níor fhág sé gann ná gortach é féin.

"Tá mé ag cur spiara trasna ina lár. Beidh na leaids in ann cupán tae a ól anseo chun tosaigh is beidh na *lawnmowers* thiar chun deiridh."

"*Ah, by Jay*, an té a cheannódh mar amadán thú bheadh sé ag fáil drochmhargaidh."

"M'anam gur féidir liom a bheith buíoch dhuitse, a Sheáinín, go mb'fhurasta breith ar thóin orm an lá ar casadh thusa liom. Agus Dealg. *By Jays*, caithfidh mé a rá gur an-fhear é Dealg."

"Tar éis an méid gráin a bhí agat air."

188

"Ní bheadh an *contract* seo agamsa ar chuma ar bith murach é."

"Is maith an aghaidh ort é."

"Shíl mé ar dtús nach raibh i gceist ach cúpla *lawn*, ar ndóigh, tá dhá mhíle acra i Sunbury Park léi féin."

"*Cripes*, a Choilm, caithfidh tú a bheith ag faire na háite sin chuile ré solais mura bhfuil leaids mhaithe agat."

"Tá agus togha, ar *subcontract* atá siad ag obair dom. Triúr leaids as Acaill a thug mé liom. Bhuel, tá an oiread díocais orthu, a Sheáinín, is gur beag nach bhfuil siad ag ithe an fhéir a chúnamh don *lawnmower*. 'Fliuch nó tirim é, leaids,' a deirimse, 'caithfear an job a dhéanamh ceart.' Chuaigh mé amach in éineacht leo an chéad lá. 'Má bhíonn sé chomh pointeáilte seo,' a deirimse, 'íocfar sibh is mura mbeidh ní íocfar'."

"M'anam go sílim nach bhfuil *flies* ar bith ort, a bhuachaill."

"A dheabhail, tá mé ag déanamh thar cionn ar fad, priondálann Madeline amach chuile rud dhom."

"Cé hí Madeline?"

"An *landlady*. Bíonn sí ag obair do *firm* mór éicint ach gur sa mbaile is mó a dhéanann sí a cuid oibre ó maraíodh a fear."

"Hea? Chuirfinn geall go bhfuil tú ag baint corrfháisceadh aisti!"

"Éirigh as, a scuit, is beag an baol orm. Scoth na *digs*, a Sheáinín. Tá billí is *quotations* is *tax* is chuile rud déanta aici dhom mar gheall go dtugaim aire don dá pháiste."

"Is mise ag ceapadh nach leádh im i do bhéal."

"*Oh, Jaysus*, mionnaím dhuit é, gur fada a bheadh sí ann sul má chuirfinnse aon araoid uirthi."

"Ní ag casadh ar ais aríst atá tú?"

"Uair amháin eile, triáilfidh mé ansin é."

"Cas amach an veain ar an mbóthar ceart, níl stró ar bith ort."

B'fhurasta caint a thabhairt do Cholm nuair a thug sé a aghaidh amach ar an mbóthar mór. A theanga amuigh aige agus í fáiscthe in aghaidh a liopa uachtair mar a bheadh sí á threorú.

"Deabhal aithne ort nach í an traein atá tú a thiomáint. Leag ort," a deir Seáinín.

Ach fear agus píce ní raibh ag dul ag brostú Choilm nó gur mhothaigh sé an misneach dá ghríosadh. Tháinig strainc mhór gháireach air nuair a tharraing sé isteach ar chúl charr Sheáinín taobh amuigh de theach an lóistín.

"An bhfuil tú ag dul do mo thabhairt isteach le *hello* a rá leis an *doll*?"

"Leag as, is ná déan bothae dhíom. *Jays*, nach ag iarraidh imeacht as an mbealach a bhím tráthnóna Dé Domhnaigh mar tá fear eile ag tarraingt léi. An ngabhfaidh tú ag ól deoch?"

"Ní bhacfaidh mé anocht leis, a Choilm. Oíche Dé Domhnaigh, a chomrádaí. Tá mé féin agus gearrchaile as an gCeathrú Rua ag déanamh boinn. Tá sí ag cur smacht orm."

"Bhí sé in am ag duine éicint thú a smachtú."

"Feicfidh mé aríst thú."

"Cúiteoidh mé ar chuma éicint leat é, a Sheáinín."

"Tá sé cúitithe cheana agat linn, a Choilm."

Níor bhac Colm le dhul isteach i dteach an lóistín. Siúl timpeall ar an veain a rinne sé ag dearcadh a nualoinnreach go práinneach. Bhí dúil i gcúpla pionta aige. As féin ar an gcúlráid a d'óladh sé deoch ó d'fhág sé comhluadar na gCualán. Go dtí an *Castle* san áit a mbíodh faisean ag na hÉireannaigh cruinneáil a théadh sé chuile oíche Dé Sathairn i dtús ama. Ag gabháil fhoinn chomh hard is a bhí ina cheann ina dteannta, nó go mbeireadh an t-ól ar chuid acu is go dtosaídís ag speireadh a chéile. Bhíodh Colm rite chomh luath is thosaíodh sáraíocht ar bith. Chonaic sé a dhóthain oíche ar thosaigh stólta agus boird á gcaitheamh nuair a réab dhá threibh acu ar a chéile. Bhí fuil ar smuit is malaí gearrtha nuair a tháinig na póilíní.

Trí phionta a d'ól sé san *Owl*, gan duine ná deoraí ag cur chuige ná uaidh ach é ag leagan amach obair na seachtaine ina intinn féin go sásta. Éirí le moch maidne agus an veain a thabhairt ar bóthar sul má bhuailfeadh deifir an dream a chodlaíodh amach é.

"*Good night and thank you,*" ráite go paiteanta aige ag dul amach an doras. Dhá mhála milseán ina phóca le haghaidh Sue agus Jenny. Bhídís ag tnúthán leis, ag guairdeall ina thimpeall. Fainic curtha ag an máthair orthu gan aon rud a iarraidh air. Iad ag cuimilt dá chuid éadaigh féachaint an gcloisfidís torann na málaí ina phóca. Cogar curtha ina chluais nuair a bhíodh droim na máthar iompaithe.

"*Have you sweets for us?*"

An dá éadan chomh tnúthánach is go meallfaidís an mhil ó na beacha. Suí ar a dhá ghlúin ansin nó go mbeadh a ndúil bainte as na milseáin acu.

Ní raibh siad roimhe ar chor ar bith. Curtha suas go dtí a

seomra, a mheas sé, rud a chiallaigh go raibh Jeff sa gcisteanach. Níor fhan sé le torann a choise ach an staighre a thabhairt air féin, dúil an deabhail i mblogam tae aige agus cead a choise ar fud an tí ach go raibh leisce air doras na cisteanaí a oscailt is gan a fhios cén staid a mbeadh an bheirt roimhe. Ar éigean a bhí doras an tseomra dúnta amach aige nuair a chuala sé na cailíní ag éalú ina gcosa boinn aníos an pasáiste. Cnag nach mbrisfeadh ubh chirce buailte ar an doras acu ar fhaitíos go gcloisfí thíos staighre iad. An doras á oscailt isteach sul má bhí an cnag séalaithe.

Méiríní go scáfar ar a mbéal acu ag meabhrú dó a bheith ciúin nó gur dhún Sue amach an doras. Deifir orthu ag suí ar a ghlúine nó gur thosaigh siad ag cogarnaíl go cráite ina chluasa.

"*Jeff beat Mummy.*"

"*Sssh! Ah, stop, good girleen.*"

"*But he did, Giant, Mummy was crying out loud.*" Scéal chailleach an uafáis ag an mbeirt.

"*Sssh, don't talk like that, Jeff is Mummy's boyfriend.*"

"*You must save our Mummy, Giant.*"

"*You must.*"

Ní ghlacfaidís na milseáin beag ná mór. Ach iad ag strachailt chába a sheaicéid ag iarraidh é a mhúscailt chun gnímh.

"*Where is Mummy now?*"

Ní raibh sé de dheis acu an cheist a fhreagairt nuair a chuir glór critheaglach ón gcisteanach ar an eolas é.

"*Get out of my house, Jeff, and stay out!*"

Chuir sé iontas ar Cholm go bhféadfadh oiread buile cuthaigh a bheith ar phearsa chomh mánla. Scread sí díreach ina dhiaidh sin mar a bheadh pian ghéar curtha uirthi agus scread an dá pháiste ag an nóiméad céanna, á bhfáisceadh féin isteach in aghaidh Choilm go faiteach.

Aire a thabhairt dá ghnó féin, b'in í an chomhairle a bhí a chiall is a réasún a chur air. Ní chreidfeadh sé go mbeadh dhá pháiste chomh beag in ann oiread brú a chur ar fhear chomh mór. A dtoil ní ba chumhachtaí ná a neart á stiúradh i dtreo an dorais agus síos an staighre. A ngreim láimhe chomh daingean is nach raibh a choinsias in ann iad a dhiúltú.

Bhí Jeff as a chiall de bharr óil.

"*Stay out of it!*" a bhagair sé.

Bhí sé ag tomhas dorna bheag chrua chnámhach le Colm amhail is dá mba ceapord a bheadh sé a bhagairt air.

"*Throw him out, Colm!*"

Bhí creathadh faitís i nglór Mhadeline ach bhí sí buailte go crua ar fhad a leicinn ag Jeff sul má bhí deis aici a hachainí a chríochnú.

Greim chúl cinn a rug Colm air. Fad a láimhe á choinneáil uaidh nuair ba mhó a rinne sé iarracht a bheith á phléatáil ar ais lena chuid dornaí. Leag sé uaidh taobh amuigh den doras é chomh héisealach le rud a mbeadh boladh bréan uaidh.

"*Bleeding thick fuckin' Irishman. Too fuckin' thick to do anything else but shovel shit.*"

Gan é a fhreagairt ar chor ar bith ach cead aige fuarú sa gcraiceann ar théigh sé ann. Bhí an doras beagnach dúnta aige nuair a chuala sé ag baint torainn as taobh an veain le cic é.

Ní ghoillfeadh sé leath chomh mór ar Cholm dá mba air féin a bheadh an chic buailte ach spréach sé chomh luath is a bhain Jeff torann as a veain.

Theith Jeff nuair a chonaic sé an colg a bhí ar Cholm ag

déanamh air. Ach bhí sé fánach aige na haobha a thabhairt ó na habhóga fada a bhí ag fiach air. Suas faoin tóin chomh maith in Éirinn is bhí sé in ann a bhuail Colm de chic é. Murar chroch sé de chothrom talún é ní raibh sé i bhfad uaidh mar bhí sé ag dul i ndiaidh a mhullaigh nó gur thit sé ar a bhéal is ar a chuid fiacla i gceapóg bláthanna.

"If you go near that van again, I'll make shit of you."

Níor bhreathnaigh Jeff ina dhiaidh nuair a fuair sé ar a chosa é féin. Colm ag cuimilt a bhoise de thaobh an veain. Oiread phus a bhróige de log fágtha de mharach uirthi. Fonn air leanacht de aríst agus log a fhágáil i gclár a bhaithise lena dhorn. Suas an staighre as an mbealach nó go maolódh a thaghd a bhí a aghaidh, ach bhí Madeline is an dá ghasúr sa halla. Greim coise beirthe ag chaon duine acu air.

"Thank you, Giant."

"Thank you, Colm," arsa Madeline i nglór traochta.

Leáigh a chroí ag breathnú ar an léasán dúghorm a bhí ag at timpeall a súl. Lorg méaracha i léas dearg eile a bhí ag leathnú ar fhad a leicinn. Léasracha nár thuill séimhe a héadain, mheas sé.

"Are you OK?"

"I'm OK, thanks to you." Shín Madeline amach a dhá láimh nó go ndearna sí fáinne timpeall a mhuiníl díobh, an dá pháiste á dtarraingt le chéile go ríméadach.

Mhothaigh sé míshuaimhneas sa mbealach a raibh sí ag stánadh gan staonadh isteach ina dhá shúil. Leisce air í a bhaint as greim nó go scaoilfeadh sí féin a cuingir lámh. *"Sorry"* ráite aige nuair a leag sí a leiceann isteach ar a ucht.

"Thank you for saving me, Colm, and for being so kind to my children."

D'fháisc an bheirt a ngreim ar a dhá chois mar a bheidís ag iarraidh a bheith á choinneáil di.

"*You will always look after us, won't you?*"

"*Yes.*"

Phóg sí chomh tobann é is nach raibh sé d'am aige cuimhneamh air féin, gan mórán cleachtaidh ar phógadh aige ach go raibh sé ag tarlú go nádúrtha. Bhain sé an anáil di le fáisceadh ach b'amhlaidh a phóg sí ní ba phaisiúnta é. Tá an deabhal déanta, a deir Colm Tom Mhóir ina intinn féin.

Bhí slaitín ina láimh aige agus é ag rith i dtreo dhá eala a bhí ag ligean an lae tharstu amach ar aghaidh fhuinneog an *Lodge*. Bhí mise aniar ina dhiaidh agus slat agam féin ach nach raibh oiread tapa ionam le hÉamonn. Meaigí agus mo mháthair taobh istigh ag cnagadh na fuinneoige, ag bagairt orainn ligean de na healaí, ach é chomh tairbheach céanna dóibh fógairt ar na crainnte stopadh ag croitheadh a gcuid géagán. D'éirigh le hÉamonn cúpla buille tréan dá shlat a thabhairt do na healaí sul má thugadar an loch amach go glórach orthu féin. Ba ghlóraí fós an bheirt mháthar a bhí tar éis rith amach as an *Lodge* agus iad ag béiceach orainn gan a dhul in aice na locha. Níor thuig mé cén fáth ar théigh mo mháthair an tóin agamsa ach gur ag láchínteacht le hÉamonn a bhí Meaigí.

"Níl sé de chroí ionam aon lámh a leagan air," a deir sí le mo Mhama.

"Ná bí dána anois, a Éamoinn, maith an buachaillín, ní maith le Dia thú a bheith ag bualadh na n-ealaí, sé a chiall fós é."

"Ní dhéanfadh slais ar an tóin dochar ar bith dhó, a

Mheaigí," a deireadh mo mháthair, ag iarraidh a bheith ag coinneáil an oilc as a glór agus é ag briseadh a croí nach raibh cead aici dath dearg a thabhairt ar a chuid másaí.

"Póigín do Mhamaí anois, a Éamoinn. Grá mo chroí mo mhaicín bán féin. Is féidir libh a bheith ag spraoi thuas ag doras an *Lodge*, ach níl aon chead agaibh a bheith ag rith i ndiaidh na n-ealaí mar tá an loch contúirteach."

"Óinseach í Meaigí sin," a dúirt mo mháthair nuair a bhí muid ag ithe suipéir an oíche sin.

"Á muise, an créatúr, níl sí láidir," a dúirt m'athair. "Níl a fhios agam an bean í a bhfuil sláinte mhaith ar bith aici."

"Ní stopann sí ach ag meigeallach i dtaobh Lady Bromley sin, ag ceapadh gur lig sí siléig inti."

"Ar ndóigh, ní raibh sí ag ceapadh go raibh sí ag dul ag maireachtáil go deo. Nach gcaithfeadh sí imeacht cosúil le chuile dhuine?"

"Mura gcuirfidh sí smacht ar Éamonn siúd is gearr go mbeidh maistín aici."

"An bhfuil iarracht ar bith oraibh a bheith críochnaithe sa *Lodge*?" a deir m'athair.

"Beidh beagán slachta curtha tráthnóna amárach againn air. Ar ndóigh, theastódh beirt nó triúr a bheith seasta ag obair timpeall an *Lodge* sin. Níor osclaíodh an doras cheana ann le cheithre bliana. Bhí a shliocht air, níorbh fhéidir é a shiúl ag téadracha damháin alla."

"Níor thug Réamonn aon lámh dhaoibh, chuirfinn geall."

"Deabhal lámh, muis."

"Tá sé mionnaithe aige gan aon chos a chur taobh istigh de gheata ann go brách aríst. Sin é a dúirt Meaigí."

"Thuas ar an bportach a fheicim chuile thráthnóna tar éis na hoibre é. *By cripes*, tá an-phortach móna bainte aige, leis an gceart a rá."

"Ó, níl sé ag ligean ceal i rud ar bith eile ach sa *Lodge*. B'fhearr leis a dhul suas ar an ngealach ag baint beart scoilb, a dúirt sí, ná sceacha atá ag fás ar chosán an *Lodge* a bhearradh."

"Ní milleán liom air é. Ní raibh aon ádh ariamh ar an áit sin, a deir siad. Fan aníos uilig as má fhéadann tú."

"Leisce an créatúr a eiteachtáil, ar ndóigh, mná rialta atá ag teacht ann ar feadh an tsamhraidh."

"Sin iad anois a bhfeileann an áit sin dhóibh!"

"Is gearr gur ag imeacht ó mhaith a bheadh an áit mura dtiocfadh duine éicint isteach ann."

"Tá Barrett ag déanamh slad ar na bradáin ar chuma ar bith."

"Óra, muise, an t-amhas, tá chuile rud cluifeáilte aige. Ar ndóigh, ní hé is measa ach an scubaid shalach de bhean atá aige."

"M'anam go bhfuil éirí in airde faoin gcailín sin."

"Tá Barrett chomh hamplach is go gceapann sé gur leis chuile rud a leagfas sé súil air."

"Ní chreidfinn é murach go bhfaca mé le mo dhá shúil féin iad, i lár an lae ghléigil. Suas le taobh na habhann i ngreim láimhe ina chéile an bheirt acu, an geaf go follasach i leathláimh ag Barrett agus Gugailí beag i ngreim aicise."

"Cé hé Gugailí beag, a Mhama?"

"Is cuma cé é féin, ná hoscail thusa do bhéal i dtaobh aon rud a chloisfeas tú taobh istigh de dhoras an tí seo, an gcloiseann tú mé? Seachain ar chraiceann do chluaise an mbeifeá ag aithris gach a bhfuil muide a rá eadrainn féin. I ngan fhios den saol is fearr a bheith ann, a mhaicín."

Ní raibh caint ar thada ar feadh trí seachtainí ach ar an gCéad Fhaoistin is ar an gCéad Chomaoineach. Níos mó scéine sna mná rialta ná a bhí ionainn féin. Dá mbeadh lúb ar bith ar lár sa réiteach bhí sé chomh dóigh don Chanónach tosaí ag sciolladh os comhair chuile dhuine.

Méaracha sínte amach díreach agus ár gcuid lámh le chéile go deabhóideach againn. Duine i ndiaidh duine ina líne dhíreach ag iarraidh maithiúnais ar an tSiúr Eithne. Cleachtadh i ndiaidh cleachtaidh, lá i ndiaidh lae nó go raibh mé ag rá na bpeacaí i mo chodladh. Bhí mé ag caint sa séipéal, bhí mé ag gáire sa séipéal, bhí mé ag eascainí agus ag inseacht bréag. Na peacaí céanna ina liodán ag chuile ghasúr.

Is ar éigean má d'aithin muid a chéile sna héadaí nua nuair a tháinig an lá. Culaith ghlas cheanneasna orm féin agus ar Éamonn ach bhí Dónall Bairéad ag sclugaíl go gaisciúil as culaith nua siopa agus carabhat a bheith air fhéin.

Ní raibh a dhath trua againn dó nuair a ghreamaigh an Chomaoineach dá charabad uachtair. Bhí puchán déanta dá chuid liopaí aige agus scéin ann nuair a dúirt muid leis go raibh an deabhal ag fadú na tine thíos in ifreann faoina dhéin.

"Oscail do bhéal go bhfeice mé cá bhfuil sé i bhfastó," a deir Éamonn.

B'éigean dúinn cromadh síos beagán le breathnú suas faoina charabad. Ar éigean Dé a bhí an Chomaoineach bainte as fastó lena chuid ingne ag Éamonn nuair a rug bean rialta i ngreim cluaise orainn.

"*What are you two up to?*"

Bhí nimh ina cogar agus cor curtha i mo chluais aici nó gur shíl mé go gcaithfinn scread a ligean, ach níor lig, ná Éamonn, tar éis ar chuir sí de phian orainn.

D'fhan muid as a bealach tar éis an Aifrinn ach níorbh í ba mheasa dúinn ach mo mháthair a d'áitigh muid dár gceistiú. Ba é Réamonn a tháinig i gcabhair orainn.

"Gabh i leith uaibh in éineacht liomsa sa leoraí an chuid eile den lá," a deir sé tar éis don eachtra meangadh gáire a chur air. B'in é dáiríre an uair ar mhothaigh mé go raibh Corp Chríost ag scairteadh istigh i mo chroí, drithlíní áthais do mo chur ag léimneach nuair a rith mé fhéin agus Éamonn go dtí Dónall Bairéad ag déanamh gaisce go raibh muid le bheith sa leoraí. Bhí sásamh breá againn á fhágáil ansin ag streilléireacht nuair a rith muid chun cinn ar Réamonn agus ar Mheaigí.

Trí chúrsa tugtha timpeall an leoraí againn ag déanamh iontais den spreacadh a bhí ina cuid iarainn. Mífhoighid orainn nuair a dúirt Réamonn linn a dhul isteach agus greim a ithe nó go mbeadh éadach athraithe aige.

"Caithfidh sibh rud éicint a ithe, nach bhfuil sibh ar céalacan ó mheán oíche?" a dúirt Meaigí.

Bhrúigh muid candaí siar lenár gcuid méaracha fad is bhí Meaigí ag líonadh mála ceapairí agus milseán le haghaidh an lae dúinn.

Bhí muid ag éirí ó thalamh le teann ríméid ag strapadóireacht isteach sa leoraí. *Brrrs, brrrsss,* ag an mbeirt againn ag aithris ar an inneall agus ag casadh lenár gcuid lámh mar a bheadh rotha stiúrtha an duine againn. Cith smugairlí ag imeacht in éineacht leis an *brrss,* is muid ag tiomáint síos an bóithrín nó go bhfaca muid Barrett ina sheasamh ag an gcrosbhóthar agus a lámh in airde aige, Dónall lena thaobh agus a chuid spéacláirí chomh mór le dhá chrúsca *jam.*

"Tá an leaid seo ag iarraidh a dhul in éineacht libh."

Níor fhan sé nó go raibh ceart go leor ráite ag Réamonn ach an doras a oscailt agus Dónall a chrochadh isteach in éineacht linn. Bhí deireadh leis an *brrrs* agus le chuile rud eile nó gur imigh an stuaic dínn. Gugailí ag iarraidh a fháil amach cé méid airgid a fuair chaon duine againn tar éis an Aifrinn, ach Éamonn ag tabhairt sonc dom a choinnigh mo bhéal dúnta.

"Ní maith libh Dónall, an maith?" a deir Réamonn nuair a scaoil sé amach ag an gcrosbhóthar é tráthnóna. Ba leor an breathnú míchéadfach a bhí muid a thabhairt ina dhiaidh. Leath dá raibh sa mála ite aige gan cead ar bith, é ráite seacht n-uaire aige go mba lena athair an leoraí agus an *tractavator* agus chuile rud eile. Ach dúirt mise leis gurb é athair Éamoinn an t-aon duine sa domhan a bhí in ann iad a oibriú agus go raibh sé ag dul ag múineadh domsa agus d'Éamonn cén chaoi lena n-oibriú freisin. Bhí Meaigí agus Réamonn ag gáire faoin mbeirt againn nuair a bhí muid ag ithe ár mbéile cosúil leis an *tractavator* ag líonadh na gcloch isteach sa leoraí.

Trí bliana a chaith Colm Tom Mhóir ag braiteoireacht sul má bhí sé de mhisneach aige suí sa suíochán ba ghaire don altóir ag fanacht le Madeline. Seáinín Chualáin lena thaobh chomh neamhimníoch is dá mba amuigh ag iascach ronnach a bheadh sé. Thug Colm súil eile i ndiaidh a chúil agus súil neirbhíseach ar an am go dlúth ina dhiaidh sin.

"Ní thiocfaidh sí ar chor ar bith, a Choilm."

"Éirigh as, maith an fear, is ná bí do mo chur in airc an chochaill."

"An bhfuil tú cinnte go bhfuil tú sa séipéal ceart?"

"Hea?"

"B'fhéidir gur Protastúnach í, go bhfuil muid sa séipéal mícheart."

"Ah, lig dhe, a Sheáinín. Nach bhfuil a dhóthain imní ar an deabhal bocht."

Joe Chualáin a bhí tar éis labhairt taobh thiar díobh, gan i dtaobh Choilm den séipéal ach na Cualáin agus Dealg. B'in iad a raibh de dhlúthchairde sa tír aige, thar Mhadeline agus an dá ghasúr. Madeline a bhí chomh séimh simplí leis féin nuair a chuir sé aithne uirthi, gan a leathdóthain urchóide inti a mheas sé. Ba í a chuir comhairle air an suíomh mór tógála a cheannacht, cearnóg iomlán i lár an bhaile nár fhág buama teach ina sheasamh ann le linn an chogaidh.

Ba é Dealg a thosaigh ag tuineadh ar dtús leis.

"*The price is right,*" a chuir sé de chomhairle air.

"*It would be a good investment. Just level off the site and build a wall around it for the time being.*"

Ba mhór an lán airgid é fiche míle punt sna caogaidí.

"*Go for it,*" a dúirt Madeline. "*I'll help you with the paperwork. Do you want me to organise a meeting with the bank manager?*"

"*The manager?*"

"*Yes, of course. It's time you made his acquaintance.*"

"*Alright so, but you have to be there, Madeline.*"

Ní fhéadfadh sé é a chreidiúint nuair a chroith bainisteoir an bhainc lámh leis. "*Mr Ridge,*" a dúirt sé, "*I'm delighted to make your acquaintance.*"

B'éigean dó cuimhneamh faoi dhó air féin sul má thuig sé gurb é féin Mr Ridge. Dá mbeadh a fhios ag an seanchúpla sa mbaile go raibh airgead tógtha ar iasacht sa mbanc aige ní bheadh le déanamh ach an uaigh a chartadh dóibh.

Rinne Colm mionchasacht ag glanadh a scornaigh go neirbhíseach cúpla babhta. Uaigneas á bhualadh nuair a smaoinigh sé ar an mbaile. Coinneal lasta ag a mháthair dó agus í ag iarraidh ar an Maighdean Mhuire chuile ádh a chur ar a maicín bán. Chuir Madeline cuireadh chucu lena ceart a thabhairt di ach bhí a fhios aige go maith go mb'fhearr leo a dhul a chodladh ina dtroscadh ná seachtain a chaitheamh i gcomhluadar aduain. A dhóthain mhór a bhí le déanamh aige aghaidh Mhadeline a thabhairt i dtaobh éicint eile.

"Let's honeymoon in Ireland, Colm," a dúirt sí. "Let's visit your Mum and Dad."

"Oh, Jays, no, some other time."

"But why? I would love to meet your Mum."

"Next year, maybe, there is rain and midges and everything there now."

Fios aige gur chuma le Madeline a dhul amach faoi sceach, ach bheadh na gasúir in éineacht leo agus bheidís sin ar thóir seomra folctha. B'in é an chéad mhaith eile a rinne sé, luach seomra folctha a chur abhaile.

Sháigh an sagart a shrón aniar as an sacraistí mar a bheadh bonn rud éicint faighte aige. Thosaigh an ceol ag an nóiméad céanna, uillinn tugtha ag Seáinín dó.

"Seas suas, a scuit, tite i do chodladh a bhí tú, ab ea?"

Dhírigh sé suas ina chulaith nua éadaigh, scoth an *serge*.

Tháinig beochan beag sa slua a bhí ar thaobh Mhadeline den séipéal, cosa á scríobadh den urlár, fad á bhaint as muiníl, piosarnaíl bheag chainte nuair a chonaic siad an bhrídeog i mbéal an dorais. Tháinig an sagart amach agus sheas sé i lár na haltóra. Aghaidh chuile dhuine sa séipéal ar an doras ach Colm ag stánadh ar an altóir. Thosaigh teannas ag cur creathadh ina chosa nó gur rug Seáinín greim láimhe go crua air.

"Ná bíodh imní ort, tá tú ag déanamh an rud ceart. Seo é an lá is fearr de do shaol," ráite ina chogar aige.

Ba ghearr le hinstealladh misnigh iad na cúpla focal, gan rian den mhagadh fanta ina éadan ach é bródúil seasmhach ag scaoileadh uaidh lámh a chomrádaí.

"Nár chaille mé choidhchin thú ach san áit a bhfaighidh mé aríst thú, a Sheáinín."

As corr a bhéil a labhair sé, gan am aige breathnú mar go raibh an chóisir buailte air. Gheal a chroí nuair a chonaic sé Sue agus Jenny ag treorú a máthar ina threo. Duine acu chaon taobh di, an feisteas bainise tar éis cailíní óga a dhéanamh díobh. Chaon duine acu chomh neamhurchóideach is nach raibh teannas na hócáide ag cur cúthalacht dá laghad orthu. Jenny a ghluais ar aghaidh.

"*We love you, Giant,*" a deir sí agus aoibhneas na hóige ag damhsa ina súile. Tháinig monabhar beag áthais is uaignis as croí na ndaoine nuair a rug Jenny ar a láimh, Sue i ngreim i láimh a máthar. Deas réidh a thugadar an dá láimh le chéile, lámh mhín mhánla Mhadeline i mbois mhór chineálta Choilm. An grá páirteach ag fíochán a gcuid méaracha ina chéile.

"*You're going to be our Dad now,*" a deir Sue, á phógadh go grámhar.

Níor iompair Éamonn a' tSeoige aon fhaitíos. Níor thuig sé céard is faitíos ann. Níorbh fhéidir é a chur dá chois. Chomh haclaí le cat ag siúl ar bharr na gclaíocha. Shílfinn aithris a dhéanamh air ach bhí a shliocht orm, ní raibh lá sa mbliain nach mbíodh an fhuil dhearg amach as cupán mo ghlúine.

Go drogallach a thug mé aghaidh ar scoil na mbuachaillí, ach níorbh amhlaidh d'Éamonn é. Bhí bís air ag iarraidh a bheith i measc na bhfear agus bhí sin sa mbunscoil ag an am, scafairí scafánta a bhí chomh crua téagartha le fir a mbeadh a mbiseach tugtha de bharr sclábhaíocht talún is farraige.

Chomh luath is a bhí an Chéad Chomaoineach thart agus muid in aois céille de réir an teagaisc chríostaí, bhí sé in am buachaillí a dheighilt ó na cailíní agus ó tharla go raibh bliain bhreise caite sna naíonáin ag Éamonn, ruaigeadh soir an bheirt againn i mbuil a chéile.

Beirt mhúinteoir a bhí i scoil na mbuachaillí: an Máistir Beag agus an Máistir Mór, cé gur mhó an fear é an Máistir Beag ach gurbh in é an teideal a bhí ag dul lena stádas ó tharla gurbh é a bhí i gceannas ar na gasúir bheaga.

Ní raibh a fhios ag an Máistir gur 'Broc' a bhí mar leasainm air agus mharódh sé muid dá mbeadh. B'in é féin an drochpheata nuair a bhuailfeadh fonn lasctha é. Maide coill ina leathláimh aige, é ag baint torainn as cois a threabhsair leis lena choinneáil meabhraithe dhúinn. Chuile ribe gruaige dá raibh fanta ar a mhullach chomh liath leis an mbroc ar ainmníodh ina dhiaidh é. Dá mhéid drogaill dá raibh roimh bhuille de mhaide agamsa b'fhearr liom é ná a dhrochmheas, faisean gránna a bhí aige tosaí ag frithmhagadh. Rannta beaga ar bharr a ghoib aige agus é ag déanamh a chos suas is anuas idir na suíocháin nuair is mó a bhíodh strus orainn le huimhríocht nó le haiste.

B'fhearr liom thíos go muineál i bpoll portaigh ná an náire a bhíodh orm, nuair a thosaíodh sé ag aithris ar an gcaoi a mbínn i ndiaidh an asail.

"*Gee-up, boy, gee-up, gee-up*, a scuit. Beir ar dhrioball air. Deabhal mórán leas a bhainfeas tusa as *sums*, péire maith bróga tairní amach as Tigh Jordan a theastós uaitse, nach ea?"

Ní bheadh sé chomh goilliúnach murach an straois mhagúil a bhíodh ar Dhónall Bairéad. Tá straois an amadáin ó Dhia is ón saol air, a deireadh Éamonn agus fonn air fuil a bhaint as a chuid polláirí. Bhíodh trua agamsa d'Éamonn nuair a thugadh an Broc aghaidh a theanga air chuile lá dá raibh aiste á scríobh.

"Scríobh néata soiléir, a ghasúir. Caithfidh sibh a bheith in ann an *dole* a shíniú."

Cailc aige agus é ag scríobh sampla ar an gclár dubh. Bhí an-lámh scríbhneoireachta ag an mBroc.

"Cén chaoi a bhfuil Éamonn Réamoinn ag déanamh nó ab é Éamonn Mheaigí é? Meas tú sa *Lodge* nó sa leoraí a bheas tú?"

Ní éistfeadh Éamonn leis murach an méid a bhí le cailleadh againn. Ba ag an mbeirt againn a bhí urlámhas ar na builíní agus ar an gcócó.

"Gearr na builíní is faigh an cócó faoi réir, an bheirt agaibh, ó tharla nach bhfuil sibh in ann tada eile a dhéanamh."

Ba mhór an onóir é seo i súile na ngasúr eile. Ní raibh tú i do bhuachaill mór ceart nó gur cuireadh ag gearradh na mbuilíní tú. Oiread ceannais againn ar na gasúir is a bhí ag an Máistir féin. Píosaí móra agus airde *jam* dearg orthu dúinn féin is do na gasúir mhóra eile a raibh ómós againn dóibh. An mullach agus an t-íochtar a ghearradh tanaí ar fhad an bhuilín agus daba mór *jam* a chur istigh ann sul má dhúblófá ar a chéile é. B'in é an píosa mór. An crústa deas friseáilte ag déanamh mionúis faoi do chuid fiacla. Bhíodh dhá thrian de phota *jam* ag dul ar na píosaí móra. Líochán na scine ar éigean a chuimilt de na píosaí eile ar fad. San eidhneán a bhí ag fás ar chúl an vearanda a bhíodh na píosaí móra i bhfolach, a spota féin ag chuile dhuine de réir a stádais. Ní ligfeadh faitíos do dhuine ar bith drannadh le píosa mór duine eile mura mbeadh sé ag tabhairt a ndúshláin. Corruair a tharlaíodh sé ach bhíodh sceitimíní ar chuile dhuine nuair a tharlaíodh. Ar an mbealach abhaile tráthnóna a thosaíodh an smutadh. Áit chúlráideach roghnaithe agus na gasúir uilig ina bhfáinne timpeall ar an mbeirt. Caitheamh díobh isteach go craiceann dá mbeadh an aimsir go breá agus breith isteach ar a chéile ar chor coraíochta. An chéad duine a chuirfeadh an duine eile faoi, nó an chéad duine a bhainfeadh fuil as an duine eile, b'in é an laoch agus ní bheadh níos mó sáraíochta ina thaobh. Ba é Éamonn a bhí ag seasamh domsa, faitíos ar chuile dhuine mo dhúshlán a thabhairt mar gheall go raibh Éamonn ar mo thaobh. Níor thuig mé cén fáth gur ghéill Éamonn do Dhónall Bairéad nuair a d'éiligh sé píosa mór. Clab mór fiacla nochtaithe go sásta aige nuair a socraíodh a mharc san eidhneán. Bhí a phíobán chomh mór is go sloigfeadh sé seilmide. Níor shloig, cé go raibh sé clúdaithe le *jam* againn an dara lá, bhí sé ag casadh an tseilmide anonn is anall ar a theanga sul má chaith sé amach é agus gach a raibh ina phutóga amach ina dhiaidh. Níor fhiafraigh sé aon phíosa mór as sin amach. Ní bhfuair sé aon mhuga den chócó tiubh ach oiread. Seacht bpunt meáchain a bhíodh i chuile mhála cócó. A lán sin go díreach a chaitheamh síos sa dabhach mór, nuair a thosaíodh sé ag fiuchadh. Cois bruise a bhí coinnithe glan a shá síos ann agus a bheith á mheascadh nó go mbeadh sé leáite. B'in é an chaoi cheart le cócó na scoile a dhéanamh. Builíní agus cócó De Valera a thugadh an Broc go drochmheasúil orthu. Ní mórán bia ná beatha a bhíodh fágtha sa dabhach nuair a bhíodh an barr tógtha againn de le muigíní sul má mheasctaí é. Bhí lán a mhuigín go béal le fáil ag chuile dhuine dá raibh ag fáil píosa mór. É chomh tiubh is gurbh fhéidir é a thógáil aníos as an muigín le do mhéir agus é a ithe mar sheacláid. Ní bhíodh fágtha ag na gasúir bheaga ach an dath ar an uisce bruite, mar a bheadh cuinneog bhláthaí tar éis an t-im a thógáil dá huachtar.

Smaoinigh Éamonn ar chleas eile, mar go mba dheise fós le n-ithe tirim é, mar a bheifeá ag ithe seacláid mheilte. Lán muga a thógáil as an mála chuile lá sul má chaithfeadh muid síos sa dabhach é. Crúscaí dhá phunt *jam* a níochán amach agus a thriomú agus an cócó tirim a chur i dtaisce iontu. Thuas sa ngarraí ar chúl na scoile a bhí siad i bhfolach againn istigh i dtom saileánaigh.

Suas leath bealaigh taobh an chnoic agus anuas ar chúl theach na scoile a d'éalaigh muid tráthnóna Dé hAoine, crúsca an duine i bhfolach faoinár ngeansaí againn nó gur mheas muid muid féin a bheith ar chóir shábháilte. Isteach i scailp ansin nó gur dhoirt muid amach lán boise an duine, chomh blasta is a d'fhéadfá a chur i do bhéal ach go raibh sé ag dul lenár n-anáil. Casacht ár mbualadh de bharr chomh tirim is a bhí sé. Theastaigh uisce le sásamh ceart a fháil air. Ba é Éamonn a smaoinigh ar thobar na mBreathnach. Choinnigh na Breathnaigh caoi ar an tobar, claí tógtha i bhfad amach uaidh ar fhaitíos go mbeadh beithígh ag ól as. Gan oiread agus unsa puitigh ina thimpeall ach é pábháilte go néata le clocha beaga. Ar ár mbolg a luigh muid, lán béil den chócó a thógáil dár mbois agus an dá phus a thomadh sa tobar nó go meascfadh muid le blogam uisce é. Blas aoibhinn na seacláide ag méadú ár ndúile ann. Ba ghearr gur baineadh geit asainn. Ar a chromada a rith Éamonn, lán a bhéil nach raibh fliuchta ar chor ar bith á choinneáil ó labhairt. Fuadar faoi ag tabhairt comhartha dom é a leanacht. Ba leor nod, gan tada cloiste agam ach gan ann ach go raibh na tomacha tugtha againn orainn féin nuair a tháinig seanbhean na mBreathnach thar an gcéim agus buicéad geal *enamel* ina leathláimh aici.

"Ó, a Dheaidín go deo agus go brách, céard a tharla anseo? Ó, a Mhaighdean Bheannaithe, féach an bhail atá curtha ar an mbraon uisce a bhí muid a chur inár mbéal. Nár fheice an té a rinne é coinleach an fhómhair! Tá daoine i ndiaidh an mhéid sin féin orainn. Soit i gcead a chomhluadair! Mallacht Dé agus na Maighdine ar an láimh a shalaigh an tobar!"

Bhí cineál faitís ormsa nuair a chuala mé ag eascainí í ach ba é buaic Éamoinn é.

"Sách maith atá sé ag an gcailleach sin, ní labhraíonn sí linne ar chor ar bith. Tá súil agam go bhfaighidh sí bás leis an tart."

Chuir muid folach maith ar na crúscaí de bharr nach mbeadh aon am againn a dhul ina n-éadan Dé Sathairn. Bhíodh Éamonn ag tabhairt cúnaimh dá dheaide chuile Shatharn.

"Tá sé in ann JCB a oibriú chomh paiteanta le haon fhear i gContae na Gaillimhe, bail ó Dhia air."

Réamonn féin a chuala mé á rá sin le Meaigí agus súile na beirte ag cur thar maoil le ríméad as. Ní raibh aon smid bhréige ann, bhíodh Réamonn ag tnúthán leis an Satharn. Bhí dhá leoraí ag Barrett ach go raibh duine de na tiománaithe nach raibh ag iarraidh oibriú Dé Sathairn. Bhíodh ceann líonta ag Éamonn fad is bhíodh Réamonn ag tabhairt an leoraí eile go ceann scríbe ó mhoch maidne nó go dtitfeadh an oíche. Bhíodh an leoraí lán aige agus í tiomáinte amach go dtí colbha an bhóthair mhóir. Í cúlaithe isteach agus tiomáinte amach aríst aige mura mbeadh an t-athair tagtha ar ais. Bhíodh a chosa ag corraí istigh faoin suíochán sa scoil. Leath dá intinn faoi dhualgas staidéir agus an leath eile ag tiomáint leoraithe agus JCB go nádúrtha.

Suas tigh Tom Mhóir a théadh an bheirt againn Dé Domhnaigh, gan sa teach ach an bheirt, Tom Mór agus Peige. Teach ceann tuí a bhí chomh te teolaí le nead dreoilín. Ba é an chéad teach ar an mbaile é a raibh raidió ann, Cossor. Bhíodh muid ann uair an chloig sul má thosaíodh Mícheál ó hEithir ag tráchtaireacht. An anáil imithe uainn le teann teannais dá mbeadh Gaillimh ag imirt.

"Cas síos é, cas síos é, a leana', nó pléascfaidh an *valve*," a deireadh Peige agus saothar uirthi nuair a chuireadh an lucht féachana búir astu. B'in fainic a bhí curtha aici orainn, duine againn a bheith i ngreim sa gcnaipe i gcónaí lena chasadh síos nuair a thosaíodh an gleo mór. Ní bheadh sé casta air chomh hard againn dá stopfadh Tom Mór ag caint nuair a bhíodh an cluiche ar siúl.

209

"Stop anois, a dheabhail, tá againn," a deireadh sé agus an-suim aige ann nuair a thosaíodh Mícheál ó hEithir.

"Bail ó Dhia oraibh go léir, a chairde, agus fáilte romhaibh go dtí Páirc an Chrócaigh. *Welcome to Croke Park on this fine sunny afternoon.*"

"Á, bail an deabhail istigh ort nár lean tú leis an nGaeilge. Cé a thuigfeas anois é?"

"*This strong Galway team pucking the sliotar around the Railway End. The great Seanie Duggan being tested in goal by brother Jimmy. Josie Gallagher from Gort, Hubart Gordan, the well-built Mickey Burke, all flexing their muscles for what promises to be a battle with the rebels, and listen to the roar of the crowd, as Cork are led on to the field by the great Christy Ring.*"

"Cas síos é, cas síos é, a deirim."

"Cé atá in éadan a chéile?"

"Gaillimh agus Corcaigh, a Tom."

"Hó, dream atá crua, ab iad na camáin atá acu?"

"Siad, siad, a Tom."

"Bainfidh siad na súile as a chéile leis na deabhail de chamáin chéanna, is mór an chontúirt iad."

"Shílfeá go ndúnfá do bhéal ar a chéile agus suaimhneas a thabhairt don dá ghasúr atá ag iarraidh éisteacht leis na camáin."

Ba naomh ceart í Peige Tom Mhóir, í ard cnámhach agus cúl liath gruaige uirthi a bhíodh cocáilte go pointeáilte ar a cúl. Bhíodh naprún i gcónaí uirthi. Ceann réchaite i gcaitheamh na seachtaine ach naprún glan seic os cionn an chóta dheirg Dé Domhnaigh. Seáilín bán faoina muineál agus péire bróg a raibh leathar bog dubh iontu cosúil le bróga arda na mban rialta. Bhíodh oiread dúile againn sa gcáca rísíní a bhíodh bácáilte aici is go mbíodh muid ag ithe stiallóg de as cúl ár nglaice. Gan aon spáráil aici air ach lán an phláta mhóir gearrtha amach os ár gcomhair.

"Seo dhaoibh anois is go ndéana sé maith agus sláinte dhaoibh."

"Cén chaoi a bhfuil siad ag déanamh?"

"Tá Corcaigh chun cinn, a Tom."

"Á, a dheartháirín, tá siad sin chun cinn, agus beidh siad chun cinn mar ní bhuailfeadh an deabhal aon lá ariamh iad."

"Shhhh! Éist go fóilleach."

"*A long ball falling around the middle of the field. Drawn on in the air by Josie Gallagher but blocked by Christy Ring. It's a line ball, a sideline ball for Galway. To be taken by Joe Salmon a lovely cutter of the ball. He runs, he cuts the ball. It's a long way out, curling, curling over the bar. An inspiring score . . .*"

"Cas síos é."

D'éirigh Tom de bharr nach raibh sé ag fáil aon fhreagra ar an gcorrcheist a bhí sé a chur.

"Ní chaithfeadh an deabhal an Domhnach," a deir sé agus é ag deargadh a phíopa le splanc as an ngríosach nuair a tháinig Seáinín an tSiúinéara ag an doras.

"Ó, a dheamhais, do chéad fáilte, a Sheáinín. Gabh isteach," a deir Peige, ag síneadh lámh fháilteach ina threo, ach ba léir nárbh é a bheannacht a bhí fonn ar Tom Mór a chur air.

"Bhí mé ag iarraidh súil a thabhairt ar an áit a bhfuil an *bathroom* le tógáil," a deir Seáinín. "Tá mé faoi réir le tosaí amárach, in ainm Dé."

211

"Slán an scéalaí," a deir Peige ag breathnú go hamhrasach i dtreo Tom a bhí tar éis an luaith a tholladh le smugairle.

"Amach leat in éineacht le Seáinín, a Tom, go bhfeice sibh an spota is fearr lena aghaidh," a deir sí nuair a thosaigh an teannas ag cuibhriú na cainte.

"Gabh amach thú féin anois ós tú atá ag iarraidh *bathroom*," a deir Tom go stuacach.

"Ná tosaigh ag dodaireacht anois mar gheall air, is é do mhac a d'ordaigh é a thógáil."

"Tógaigí libh é, níl mise á stopadh."

"Gabh amach in éineacht leis an bhfear, a deirim."

"Cén ghraithe atá amach agam is gan aon scil agam ann? Tóg i do rogha áit é, a Sheáinín, ach coinnigh amach go maith ón teach é."

"Ó, a Thiarna, nach mairg atá ag iarraidh a bheith ag cur maith ort. Tiocfaidh mé féin amach in éineacht leis."

Rinne Tom Mór cuid mhaith grúscáin faoina chuid fiacla nuair a d'imigh siad amach. Bhí sé ag caint leis féin agus ag ceartú lena leathláimh. Ach ní raibh aon aird againn air mar bhí Gaillimh ag déanamh thar cionn. Chas muid suas an fhuaim ar an raidió a dhath ar éigean nuair a d'imigh Peige amach. Níor bhac muid lena chasadh síos nuair a fuair Gaillimh cúl ach muid féin ag béiceach a chúnamh don raidió nó gur bhuail sí cnap ar an doras dúnta ón taobh amuigh.

"Cas síos an raidió nó pléascfaidh sibh an *valve*!" Deabhal mórán údair cheiliúrtha a fuair muid as sin amach. Cúilín i ndiaidh cúilín ag Corcaigh nó gur chroith Christy Ring an eangach. Bhí cúpla nóiméad fágtha nuair a d'imigh Seáinín, muid ag guibhe go bhfaigheadh Gaillimh trí chúl. Muide ag

samhlú bealaí lena scóráil dá bhféadfadh muid a dhul a
chúnamh dóibh. Ní raibh focal ar bith as Tom ná as Peige, mar
a bheadh beagán teannais eatarthu. B'in rud aduain.

Thuas ag an drisiúr a bhí sí ag putaráil le rud éicint nuair a
chríochnaigh an cluiche.

"Cé acu a thug an lá leo, a ghasúir?" Mar a bheadh sí ag
iarraidh carghas na cainte a bhriseadh.

"Corcaigh."

"Cén dochar, a leana', ná bíodh sé ag cur múisiam oraibh,
beidh lá eile agaibh. Íosfaidh sibh é seo anois sul má imíonn
sibh." Cáca úllaí a bhí déanta aici agus geampa mór an duine
leagtha againn.

"Go raibh míle maith agat, a Pheige."

"Ná habair é, a mhaicín. M'anam go bhfuil sibh fhéin go
maith dhúinn. An té atá go maith dhuit bí go maith dhó, a deir
siad."

"An bhfuil sibh ag iarraidh aon rud ón siopa an tseachtain
seo?"

"Níl, a leana'. Tá ár ndóthain de chuile rud againn anois go
dtí an tseachtain seo chugainn."

Bhí mé ag iarraidh a bheith ag smaoineamh ar rudaí le rá ó
tharla nach raibh duine ar bith eile ag labhairt.

"An bhfuil sibh ag tógáil leithris, a Pheige?"

"Céard é sin, a leana'?"

"Sin é an t-ainm atá ar *toilet* sa scoil."

"Tá, a leana', tá Seáinín ag tosaí maidin amárach, faoina
bheith slán."

"Uabhar, ní raibh a leithéid de rud ag teastáil uainn," a deir
Tom Mór leis an tine agus é ag tabhairt na luatha tríd an bpíopa.

213

"Ní mé a bhí á iarraidh, a Tom, ná cuir aon mhilleán orm."

"Níl mé ag cur milleán ar bith ort, ach gur cur amú airgid é."

"Tá trí cinn sa scoil agus ceann eile ag na múinteoirí."

"Sin iad a thosaigh an deabhlaíocht seo an chéad lá ariamh. Máistrí scoile agus sagairt atá róleisciúil le dhul amach ag scaoileadh cnaipe."

"Á, stop, is bíodh a dhath ar éigean caothúlachta ionat."

"Is fíor dhom é. Dá dtiocfadh an mada isteach agus cac i lár an tí, bheadh an bhróg faoin tóin faighte aige. Srón an chait brúite síos ann, an créatúr, is gan a fhios aige níos fearr. Is muide ansin ag dul ag íoc lán ladhair ar *toilet* tar éis a bhfuil de thomacha amach ó thuaidh ansin."

"Beidh muid in ann a dhul isteach ann as an doras ó thuaidh anseo. Sin é a dúirt Seáinín."

"Hea? Nár chónaí sé go gcuire sé i lár an urláir é!"

"Sin é anois a dúirt sé, ní raibh mise ag dul ag sáraíocht air."

"Ó, a Thiarna is a Mhic an domhain, ag dul ag déanamh preibí de mo dhoras ó thuaidh, tar éis go mbíodh cac na circe scuabtha den tsráid agam ar fhaitíos go dtabharfadh muid isteach ar ár gcosa é."

Thug muid comhrá dá chéile nó go raibh sé in am againn imeacht. An bheirt againn ag smaoineamh ar a dhul ag placadh cócó cé go raibh muid lán go smig mar a bhí muid.

"Ná corraígí dhá nóiméad, ar son Dé oraibh, go scríobha duine agaibh dhá líne dhom."

Bhí páipéar is peann faoi réir aici mar a bheadh sé réamhphleanáilte go maith ina hintinn. Ba é Éamonn a chuaigh ag scríobh. Faisean agamsa a theacht anuas an leathanach i ndiaidh mo mhullaigh mura mbeadh línte le mé a threorú.

'A Chara' scríofa in uachtar aige agus 'Mise le Meas' in íochtar sul má thosaigh sé ar an litir. B'in é an chaoi a dúirt an Máistir é.

"Céard atá tú ag iarraidh a rá?"

"Ar ndóigh, abair leis go bhfuil muid go maith is go bhfuil an aimsir go maith is . . . is fiafraigh dhe cén chaoi a bhfuil a bhean."

"Fan, fan nóiméad. Tá muid . . . ar–fad–go–maith."

"Ó, a dheamhais, a leana', i mBéarla. Ar ndóigh, níl Gaeilge ar bith i Sasana. Stróic amach í sin, a leana', is tosaigh aríst."

"Dear Sir."

" *Hello,* Colm, abair. Abair leis gur mise atá ag scríobh aige, is go bhfuil muid ar fad go maith is go bhfuil an aimsir go maith."

"Go réidh anois, nóiméad . . . seo é anois atá scríofa agam: *Dear Sir. Hello Colm. This is your mother writing. We are fine, the weather is fine.* Céard eile?"

"Cén chaoi a bhfuil a bhean, is abair leis go bhfuil an *toilet* ag tosaí ar maidin."

"Abair leis a theacht anall agus cúpla lá móna a bhaint, go bhfuil mo dhroim briste aici, sin é," a deir Tom Mór go gruamánta.

"Ar ndóigh, b'fhéidir nach bhfuil aon am aige, Tom."

"Mura bhfuil anois, beag an mhaith preibí a bheith ag an doras ó thuaidh is tú do do phréachadh ar an teallach cheal tine."

"Abair leis a theacht abhaile, mar sin, má tá aon chupla lá le spáráil aige."

"*How is your wife? Your daddy broke his back at the bog. Come home quick to cut the turf. The toilet is starting tomorrow. From Mammy and Daddy.*"

"Anois, a Pheige."

"Á, muise, go bhfága Dia do shaol is do shláinte agat, a leana, is ná raibh a fhad sin de luí bliana de anó ort, más é toil Dé é. Cuir uirthi an t-*address* anois. Sin é ansin scríofa aici féin é, an bhean bhocht. Ní bhuailfeadh an deabhal an scoil ina dhiaidh sin. Bhínn féin ag scríobh chuige nó gur phós an fear bocht. Deabhal a ligfeadh náire dhom ó shin mar níl aon mhaith liom ag *spell*áil."

D'fhág muid go buíoch beannachtach í agus a dóthain mhór ar a haire ag iarraidh Tom Mór a tharraingt i dtreo na nua-aoise.

Dá mbeadh áit ar bith eile le dhul againn ní bhacfadh muid leis an dá chrúsca cócó nó go mbeadh níos mó ocrais orainn, ach ní raibh. Síos chuig an *Lodge* ab fhearr linn a dhul, ag breathnú ar an gcarr breá a bhí fágtha ansin sa ngaráiste. Bhí a fhios ag Éamonn cá raibh an eochair ach níorbh fhéidir drannadh leis an áit Dé Domhnaigh mar go dtéadh Meaigí síos ó chois go cois go dtí an *Lodge* go lasadh sí coinneal le hanam Lady Bromley. As sin ní chorraíodh sí ach ag sníomh an phaidrín idir a cuid méaracha nó go mbeadh an deoir dheiridh den chéir suaite ag an mbuacais. Trasna na ngarranta a chuaigh muid i dtreo thobar na mBreathnach. Timpeall go hairdeallach i leathchiorcal ar fhaitíos go mbeadh fios ár ngraithí ag aon duine. Bhí beirt ag athrú tréad caorach trasna ar éadan an chnoic, iad chomh hard suas is nár léir dúinn cérbh iad féin. Las muid dhá bhuit feaig a bhí coigilte go

cúramach i bpíosa páipéir agus d'fhan muid ar ár gcromada nó
gur imigh an bheirt a bhí ar leiceann an tsléibhe as radharc.
D'éalaigh muid linn ó thom go tom ar ár gcromada nó gur
luigh muid ar bhruach an tobair chomh haireach le dhá mhada
caorach nó go raibh muid cinnte nár dhúisigh ár ngluaiseacht
aon amhras. Lán béil agus an dá chrúsca cócó a chur i
bhfolach aríst a bhí i gceist againn, ach nuair a fuair muid blas
na seacláide, níor leor ár ndóthain go díreach gan ár ndóthain
agus fuílleach a ithe. Ba ghearr go raibh an tobar chomh buí
le dabhach an chócó sa scoil. Sláimín ag titim amach as ár
mbéil chuile bhabhta dá sílfeadh muid deoch a ól.

Bhí mo chuid méaracha smeartha ag iarraidh na drithlíní
milse a bhí ag silt as corr mo bhéil a chasadh ar ais, gan a fhios
ag ceachtar againn an raibh aon duine ar dhroim an domhain
ach muid féin nó gur chuir seanbhean na mBreathnach scread
aisti. Bhí fás fuinseoige ina láimh agus marú duine d'oilbhéas
ina glór.

Rith lena anam an chéad smaoineamh is dual don té atá i
sáinn. Bhí an claí scuabtha againn agus muid á thabhairt faoi
na bonnacha nó gur bhain muid foscadh na dtomacha amach.
Bhí mionnaí móra chomh géar le meanaí ag teacht tríd an aer
inár ndiaidh.

"Mo sheacht míle mallacht amach ansin oraibh le bail a chur
ar an tobar! Ach níl sibh ag dul ag siúl ormsa, a phaca
bastardaí! Go mbrise an deamhan is an deabhal bhur gcosa is
bhur gcuid lámh, ach, ar ndóigh, is é an tógáil atá sibh a fháil
é. B'fhéidir nach bhfuil mise in ann coinneáil libh ach
coinneoidh an dlí libh, feicfidh sibh féin!"

B'in í an abairt a chroith muid. Bhí an deabhal déanta dá

dtarraingeodh sí gardaí chuig an teach againn. Suas taobh an chnoic a thug muid ár n-aghaidh. Nigh muid an cócó dár n-éadan i sruthlán sléibhe a bhí chomh glan gléigeal le tobar na mBreathnach. Muid ag cásamh ár gcuid díchéille nach go dtí ceann de na sruthláin seo a chuaigh muid ó thús. Iad chomh fairsing le sprémhóin ach a cháil tar éis muid a mhaíomh i dtreo fíoruisce thobar na mBreathnach. D'imigh an chaint uilig uainn. Bhí ár súile leathnaithe ag breathnú síos fúinn ar thigh na mBreathnach. Dá dtiocfadh an carr amach an geata, ba ag iarraidh na ngardaí a bhí siad ag dul. Dá dtiocfadh sí féin amach ba suas chuig an teach s'againne a bhí a haghaidh. Bhí mo chnaipe déanta dá dtéadh sí chuig an teach. Ba bhreá an rud lascadh maith a fháil agus a bheith réidh leis ach ní chloisfinn a dheireadh go brách sa mbaile. Bheadh gróigeadh móna curtha de phíonós orm chuile Shatharn, nuair ba mhó a bhí mé ag impí imeacht sa leoraí in éineacht le Réamonn. Bhí mé ag rá paidreacha faoi m'anáil.

D'fhan muid ag faire chúns ba léir dúinn an bóthar. Corrsmólach a théadh tharainn de sciotán ag baint geite asainn. Scaip muid ar an mbealach abhaile, chaon duine againn ag déanamh ar a bhráite féin go himníoch. Níor cuireadh agam ná uaim thar iarraidh cá raibh mé.

"Thuas tigh Tom Mhóir. Tá siad ag déanamh *bathroom*."

Ba leor sin chun a n-aird a thógáil díom. Bhí seomra folctha Tom Mhóir ina ábhar biadáin nó go raibh sé ina dheireadh oíche.

Ní raibh athrú ar bith le tabhairt faoi deara ar dhreach Dhónaill Bhairéad ag an scoil an lá dár gcionn ach go raibh sé deacair a shúile a léamh ar chúl na laindéar de spéacláirí a bhí air.

Shíl muid go raibh ár gcnaipe déanta nuair a dúirt sé le hÉamonn go raibh cogar aige dó.

"Tá mise agus Deaide agus Mama le dhul ar saoire go dtí an Spáinn," a dúirt sé agus é ag cur coranna ann féin le teann gaisce. Chuirfeadh a chuid glaomaireachta lán a dtóna d'olc orainn ag am ar bith eile ach ba é an nuaíocht ab fhearr a d'fhéadfadh sé a thabhairt dúinn é ag an tráth sin. Gan fanta ach leathuair nó go mbeadh saoirse ag an mbeirt againn ag gearradh builíní.

'*A day at the bog*' scríofa go néata ar an gclár dubh ag an Máistir agus é féin síos is aníos idir na suíocháin.

Bhí muid ar ár mine géire ag iarraidh a bheith ag déanamh abairtí as na cúpla focal Béarla a bhí againn.

"Óra, céard seo? Ní bheidh peann ar bith ag teastáil ó Éamonn. Tá an oiread gréise istigh faoina chuid ingne is a scríobhfadh dhá aiste. Acastóir an leoraí ar fad istigh faoina chuid ingne. Éistigí leis an mBéarla atá ag Éamonn tar éis go raibh a mhama ag obair sa *Lodge*."

Bhí straois mhagúil ar an Máistir ag crochadh chóipleabhar Éamoinn agus á léamh os comhair an ranga.

"*A day at the bog. One day we were putting the cow to the bog because my Daddy said it was time to cut the turf. By dad,* Éamonn agus Réamonn ag seoladh na mbeithíoch le dhá *phutter . . .?*" Thosaigh sé ag ligean air féin gur ag imirt gailf a bhí sé. "Huird amach, huird."

Thug mé comhartha d'Éamonn a bheith foighdeach nuair a chonaic mé ag at é, fios agam nach raibh aon smacht aige ar an taghd. Tharla sé chomh tobann is gur baineadh an anáil ar fad dínn. Seanbhean na mBreathnach a shiúil isteach an doras agus díoltas ina dhá súil. Caol díreach ar Éamonn a rinne sí. Curlaí catacha a chuid gruaige á treorú nó gur thosaigh sí á lascadh le dornaí anuas ar an mullach.

"Cuirfidh mise faoi ndeara dhuit nach mbeidh tú ag cac sa tobar a bhfuil muid ag fáil uisce an tae ann!"

Bhí sruth pislíní léi agus an cipín caillte ar fad aici.

"Cuirfidh mise múnadh ort mura bhfuil aon mhúnadh á chur sa mbaile ort, a reifínigh, ach cá bhfágfá é? Ba dhual athar dhuit a bheith bradach. Cá bhfuil an reifíneach eile?" Chaoch sí a raibh ina timpeall le sruth smugairlí. Mant a bhí i lár a béil ag breathnú orm nuair a mhothaigh mé mo chroí ag stopadh.

"Anois, anois, anois, céard atá ag tarlú anseo?"

Níor chorraigh an Broc go deo nó go raibh griosáil faighte ag Éamonn.

"Fág mo bhealach anois, a Mháistir. Cuirfidh mise múnadh ar an dá mhaistín seo."

Dhá chibhear a bhí tugtha aici dom sul má bhac sé í.

"Go réidh anois, go réidh, ní féidir leat a theacht isteach sa scoil mar sin ag bualadh daoine."

"Ní thiocfainn murach go bhfuil éagóir á déanamh."

"Foighid anois, nóiméad, céard a rinne siad as an mbealach?"

"Cnaipe a scaoileadh sa tobar a bhfuil muid ag ól uisce as, a Mháistir, i gcead an chomhluadair."

Ba léir go raibh sé ag baint oiread áithrid spraoi as an eachtra go dtí an pointe sin. Dhearg a ghrua ag breathnú anuas orainn.

"Seasaigí suas, an bheirt agaibh, an bhfuil sé fíor?"

Bhí béal Éamoinn chomh dúnta is gur ar éigean a bhí liopa ar bith le n-aithneachtáil air.

"Níl, a Mháistir." Gheit an freagra amach asam.

"Óra, go mba seacht míle measa a bheas tú anocht is amárach, a bhréagadóir shalach."

Bhí sí ag gabháil orm lena dhá dorna agus mo dhá láimh os cionn mo chloiginn agam ag iarraidh mé féin a chosaint.

"Ní taobh le babhta amháin a rinne sibh é. Nach bhfaca mé an bhail a chuir sibh ar an tobar san oíche Dé hAoine agus nár rug mé oraibh á dhéanamh tráthnóna aréir."

Níor mharaigh an deifir an Máistir ag déanamh fóirithint orm.

"Inis an fhírinne thusa."

"Cócó a bhí ann, a Mháistir."

"Ní cócó a bhí ann ach cac, nach bhfaca mé a dhath ar an tobar."

"Ní hea, a Mháistir. Mionnaím é. Cócó a bhí ann."

"Cócó?"

"Sea, a Mháistir."

"Cá bhfuair sibh an cócó?"

" . . . Sa mbaile, a Mháistir."

"Sa mbaile? Bhuel anois, is fearr dhom fios a chur ar do mhuintir go bhfeice muid cén fáth go gcaitheann sibh bhur gcuid cócó a ghoid amach as an teach lena ithe."

Chonaic mé deireadh an domhain, an spéir ag titim, an

ghrian ag múchadh, mé ag rith tríd an dorchadas, nó gur thit mé i dtobar na mBreathnach. An t-uisce ag dul siar i mo bhéal agus blas an chócó air.

"As an scoil a thóg muid é, a Mháistir."

"As an scoil a ghoid sibh é?"

"Sea, a Mháistir."

"Cé méid dhe a ghoid sibh?"

"Rud beag, lán cupáin."

"Tá sibh á ghoid chuile lá le bliain, nár dhúirt Dónall é."

Dhírigh chuile shúil sa rang ar Dhónall Bairéad. Pluca a bhí dearg ó nádúr ag éirí maoldearg anois.

"Bhuel, a Dhónaill, an bhfuil sé sin fíor?"

Chas Dónall a chuid laindéar go faiteach i dtreo Éamoinn sul má d'fhreagair sé go stadach.

"Níl a fhios agam, a Mháistir."

Bhain seanbhean na mBreathnach croitheadh aisti féin sul má labhair sí go ropánta.

"Tá a fhios agat go maith. Nach bhfuil na builíní is an *jam* is chuile rud goidte acu, abair amach é is ná lig dhóibh a bheith ag siúl ort."

Chaolaigh súile an Mháistir mar a tharlaíodh nuair a bhuailfeadh fearg é.

Leag sé lámh ar ghualainn Dhónaill mar chúltaca dó.

"Abair amach é, a Dhónaill, ná bíodh faitíos ort."

"Bíonn píosaí móra ann do na buachaillí móra, a Mháistir."

"Píosaí móra?"

"Cuirtear an *jam* ar fad ar na píosaí móra is ní bhíonn tada fágtha le haghaidh na bpíosaí eile."

"Níl ag dul i bpota an chócó ach oiread is a thugann dath ar an uisce. Nach bhfuil sé goidte agus sloigthe acu sin?" a scread an tseanbhean trí sprus smugairlí.

Bhí a fhios agam go raibh sé coipthe nuair a chuaigh sé ar thóir an mhaide mhóir. Bhí sé le n-aithneachtáil ar an stad beag a bhí ina ghlór ag treorú sheanbhean na mBreathnach amach an doras. Ailt a láimhe deise gealta le cruas a ghreama ar an maide agus é á tharraingt trína láimh chlé mar a bheadh gréasaí ag cur céarach ar ruóg.

"Aníos anseo an bheirt agaibh!"

Shiúil Éamonn go neamheaglach ina threo.

"Cuir amach do lámh," a deir sé trí fhiacla a bhí fáiscthe ina chéile ag ruibh oilc.

Shín Éamonn a leathlámh amach go dúshlánach. Las lóchrann feirge i súile an Mháistir agus é ag lascadh go nimheanta lena mhaide. Bhí feire cúir ag cruinneáil i gcorr a bhéil le teann cuthaigh, ach oiread agus fabhraí a shúl níor chorraigh Éamonn ach é ag dearcadh go fíochmhar isteach i súile an Mháistir.

"An lámh eile."

Ba é an cás céanna é ach gur ar Dhónall Bairéad a bhí na súile leagtha ag Éamonn nó go raibh an buille deiridh faighte aige.

"Cuir amach do lámh, thusa."

Bhí dearmad déanta agam ribe de mo chuid gruaige a chur trasna mo bhoise. Bhí na gasúir ag rá i gcónaí go mbrisfeadh sin an maide.

Bhain an chéad bhuille scread asam, an dara buille cnead agus an tríú buille deoir, sul má bhain racht oilc an phian as na buillí.

"Seasaigí le balla, tá deireadh ag an mbeirt agaibhse le

builíní agus le cócó. Dónall Bairéad agus Pádhraig ó Conghaile, amach libh ina n-áit."

Bhí mo shrón chomh gar don bhalla is go raibh mé in ann na goiríní a bhí ar an bpláistéireacht a mhothú. Bhí mé ag faire mo scáile ag athrú go mall ar an mballa de réir mar a bhí an ghrian ag dul siar ó dheas. Mé ag comhaireamh cén fhad a thógfadh sé ar an scáile a dhul ó ghoirín go goirín sa bpláistéireacht. A bhéal dúnta ag Éamonn agus é ag tarraingt sruthnán láidir anála trína pholláirí.

"Am lóin," a d'fhógair an Broc, nuair a mheabhraigh an clog meán an lae. Dearmad déanta aige nach ndeachaigh muid amach ariamh gan Teachtaireacht an Aingil a rá.

Sciob sceab ag na gasúir bheaga ag tógáil a stiallóige den bhuilín nó go dtáinig na buachaillí móra amach. Bhí an Broc amach ina ndiaidh agus an maide fós aige, mar a bheadh sé ag súil le píosa smuta. Chuile dhuine againn ag tuar trioblóide do Dhónall Bairéad nuair a chuir Éamonn cogar nimheanta ina chluais. "Cuimhnigh ar céard a tharlaíonn do spiadóir," a deir sé ag siúl thairis gan stiallóg aráin ar bith a thógáil. Rinne an chuid eile againn aithris air, an ghráin shaolach againn ar dhuine ar bith a bheadh cabach. Níor bhreathnaigh muid díreach ar an lón cé go raibh glogar inár mbolg leis an ocras. Dhírigh muid ár gcuid guaillí ina líne fhada mar chúltaca dár gcinnire. Bhí meanmna laochrais ag rith trí mo cheann agus mé ag smaoineamh ar Tharlach Mac Suibhne, a fuair bás ar stailc ocrais. Shiúil an Máistir tharainn ár ndearcadh go grinn sul má chas sé ar a sháil mar a bheadh rud éicint a rá leis gurbh fhearr ligean don scéal fuarú.

Níor thuig Colm Tom Mhóir an difríocht atá idir a bheith beo agus ag maireachtáil nó gur phós sé. B'fhada leis go mbeadh sé sa mbaile tar éis an lae. Trí phóg ag fanacht leis taobh istigh den doras. Sue agus Jenny beagnach críochnaithe sa mbunscoil ach iad chomh lách sibhialta simplí le beirt pháiste go fóill. Gan aon ainm tugtha acu air ach *Dad* ón lá ar phós sé. Ba é an tógáil a bhí siad a fháil ó Mhadeline é. Bhí an tionchar céanna aici air féin. Deacrachtaí beaga agus móra a choinneodh ina dhúiseacht é roimhe seo cíortha amach acu cois an teallaigh agus bealach sách simplí aimsithe go minic acu chun déileáil leo. Phógadh sí go grámhar é nuair a d'fheiceadh sí an suaimhneas intinne ag baint roic na himní as a éadan. Dhá lá sa tseachtain a bhíodh sé ag taisteal i bhfad ó bhaile, conradh mór breise a bhí idir lámha aige i nGillingham. Ba é Dealg a chuir an obair ina bhealach, lá dá dtáinig sé agus fear a bhí oifigiúil ag breathnú ina theannta.

Beirt leaids aclaí a chuir sé i gceannas i nGillingham. Beirt a bhí sé in ann a thrust ach níor shásaigh sin é nó go mbuaileadh sé cnag ar dhoras an bhainisteora. Barr na háite ní fhágadh sé gan déanamh cinnte dá ghraithí fiú má bhí céad míle amach roimhe. Bhí baile aige le dhul go dtí é. Níorbh é fearacht mórchuid Éireannach a bhí ag íoc lán ladhair ar oiread spáis is go sínfeadh siad a ndroim ann ar éigean. Gan de dhinnéar ag a bhformhór ach tine bheag a dhéanamh as seanphíosaí adhmaid i lár suímh thógála go minic, an tsluasaid a níochán agus geampa mairteola a róstadh uirthi os cionn na tine. Chonaic sé lena dhá shúil féin iad ag placadh na feola den tsluasaid agus an fhuil dhearg ag rith amach aisti. Níorbh iontas ar bith gurbh é teach an óil a bhí mar bhaile ag go leor acu.

Smaoinigh sé ar an éadach glan a bheadh iarnáilte aeráilte ag Madeline faoina choinne nuair a thabharfadh sé folcadh maith dó féin sul má shuigh sé síos ag an suipéar. Béile éagsúil chuile thráthnóna den tseachtain. Anlann nár bhlais sé a leithéid ariamh roimhe go minic, ach go mbíodh blas meala ar rud ar bith a leagfadh Madeline a lámh air. Gheit a chroí le teann ceana uirthi, a intinn ag ruatharach ar thóir seifte a chúiteodh a saothar léi. Las a ghrua le ríméad ag smaoineamh ar an ngliondar a bheadh orthu dá ndéarfadh sé leo go raibh siad ag dul go Brighton nó go Blackpool ar saoire ar feadh sheachtain na Cásca. Gan fios a bheith acu ar thada go dtí an nóiméad deiridh. Nó b'fhéidir gan tada a rá le Sue ná le Jenny ach é bheith eagraithe aige féin agus ag Madeline i ngan fhios dóibh. Fad is bheifeá ag rá in Ainm an Athar ní thógfadh sé ar Mhadeline ag socrú rudaí. Eisean leath na hoíche ag smaoineamh ar na rudaí cearta le rá, ach gan ar Mhadeline ach an fón a thógáil ina láimh agus bhíodh chuile rud ina cheart taobh istigh de chúpla nóiméad, agus *by dad,* má bhí argóint le déanamh b'in í féin an cailín a bhí in ann an chaint a scoilteadh. A teanga ar a comhairle féin aici agus a pointe déanta go ciallmhar dearfach. B'in í nach mbeadh i bhfad ag socrú seachtaine saoire. Níor mhiste leis dá gcosnódh sé na céadta punt – ba mhaith an aghaidh orthu é.

B'éigean dó ionú beag a thabhairt dó féin sa veain chun a chuid sceitimíní a chur faoi cheilt sul má thug sé a aghaidh isteach.

"Hello."

Tháinig an triúr faoina dhéin mar ab iondúil leo ach mhothaigh sé ar an toirt nárbh aon dea-scéal a bhí le ríomh acu. Sue agus Jenny, a bhíodh rite chuige roimh a máthair, seasta siar ag piocadh a gcuid méaracha go neirbhíseach. Súile Mhadeline bog dearg mar a bheadh sí tar éis a bheith ag caoineadh.

"*Oh, my poor Colm,*" a deir sí ag cur a dhá láimh timpeall a mhuiníl.

"*What's wrong, Madeline?*"

"*It's your Dad.*"

"*Ha . . . Where is he?*"

"*In hospital, I suppose. There has been a bad accident.*"

"*Oh, Jesus! What happened to him?*"

"*He broke his back.*"

Tháinig fuarallas amach ar fhad a dhroma. D'fhulaing sé a mheáchan ar shlinneán na cathaoireach nó gur lig sé anuas go réidh é féin nuair a thosaigh an mothú ag imeacht as a chosa.

Chuaigh an tríonóid ar a nglúine ina thimpeall ag déanamh trua dó, greim láimhe ag Sue agus ag Jenny air ach gan focal astu. Bos Mhadeline chomh mín le síoda ag slíocadh anuas a leicinn.

"*You must go home, Colm.*"

"*Ha? Jesus, but what happened to him?*"

"*I don't know. That's the letter from your Mum. It says he broke his back.*"

"*You must go home immediately, Dad.*"

"*Ah, Jays, no.*"

"*But they need you. I'll look after the business while you're away. Don't worry, everything will be fine.*"

"*Yes, we'll help you, Mummy. You don't have to worry about anything, Dad.*"

"No, no, no, I'm not going home. I'm going up to bed for a while until I think for myself, right."

"But what about your supper?"

"I'm not hungry." Dhún sé amach an doras go réidh ina dhiaidh agus thug sé aghaidh go dúbhrónach ar a leaba.

Na bróga a sciorradh de gan scaoileadh ar bith a rinne sé agus luí ar chaol a dhroma ar an leaba, leaba a bhí cóirithe go compóirteach ach gur shamhlaigh sé gur mó suaimhneas intinne a bheadh aige ar leaba a bháis. Pé ar bith sa deabhal cén chaoi ar bhris sé a dhroim. Dúrúch oibre, ar ndóigh, mar a bhí ariamh air. Gan a fhios aige le gail den phíopa a chaitheamh gan a bheith ag fuirseadh le rud éicint. Amach a chaití leath na bhfataí a bhíodh curtha aige, meall mór de bhaslóga á bhfíochán ina chéile i ndeireadh an tséasúir nuair a chinneadh orthu iad a ídiú. Ba é an cás céanna é, chaithfí an méid céanna a rómhar an bhliain dár gcionn tar éis ar chuir sé de chomhairle air. *"Stop the hard work,"* ráite i chuile litir. B'in é an rud deiridh a deireadh sé le Madeline a rá sa litir. Deabhal stopadh ina dhiaidh sin nó gur bhris sé a dhroim ag réabadh, murab é carr an asail a d'iontaigh air ag dul ar an bportach. Gan aon mhaith aige ann ach oiread le rud mura mbeadh an t-asal ag pramsáil de bharr coirce, ag grágaíl istigh faoin gcarr agus trálach i do chuid lámha ag iarraidh an béal a bhaint de. Seans gurbh é a bhris a dhroim faoi dheireadh. Réabadh i ndiaidh bastaird d'asal. Dá mbeadh fón acu, go bhféadfadh sé labhairt leo ach cén chaoi a mbeadh nuair a bhí chuile scloigín briste acu ar na pollaí a bhí ag tabhairt fóin chomh fada leis an *Lodge*. Chuimhnigh sé ar Bharrett is ar an lá ar fhág sé faoi dheifir. Ní raibh aon ghnó abhaile aige agus

228

b'in sin. Bhí sé chomh maith dó an scéal a mhíniú do Mhadeline.

A cuid liopaí a fháisceadh le chéile go truamhéalach a rinne sí nuair a shiúil sé isteach aici. Chuir sí a dhá láimh ina thimpeall go muirneach gan focal a rá.

"There is something I have to tell you, Madeline."

Mhothaigh sé ag déanamh deilbhe ina ghabháil í.

"I cannot go home because something happened."

"Oh, no!" a deir sí ag scaoileadh a greama air agus ag iompú isteach ar an tine.

"Barrett."

Bhí sí ag cogaint ionga a hordóige agus ag éisteacht leis. Cruit bheag tagtha uirthi mar a bheadh meáchan na croise céasta tar éis dronn a chur ina slinneáin.

"Who is Barrett?"

"The ganger for the county council. He beat me the day before I left but I beat him too. I think I broke his bones."

Bhí sí ag casadh ar ais ina threo amhail is dá mba é an chaoi a raibh a choir ag cur áthais uirthi.

"And I broke the window in the county council lorry as well."

"He must have deserved it, Colm, or you wouldn't have done it. I know you."

"The guards might be after me if I go home."

"Not even the guards will get you from me. I'll go with you."

"Ha? Ah . . . Jays, no, Madeline, you can't."

"But why, I want to help you."

"No, Madeline. Some other time."

"But they need you now. I'll be very nice to your Mum."

"But, ah Jays, they're only starting the toilet."

"Not to worry, millions of people don't have running water or a toilet but they manage pretty well. Don't worry."

"What harm, but I was thinking of bringing you all on holidays to Blackpool or someplace." Thosaigh sé ag caoineadh dá bhuíochas, deora móra millteacha ag rith anuas ar a leiceann.

"Ah, Colm, you're a saint. Let's go to Ireland instead. I'll make all the arrangements."

Coicís a mhair an stailc ocrais. Pianta síoraí ifrinn ag déanamh níos mó céille dúinn, ag éisteacht leis an mBroc ag múineadh teagasc críostaí ar feadh an lae chuile lá. Ní bhíodh tada eile á mhúineadh ar feadh sé seachtainí ach teagasc críostaí. Níor mhiste leis an mBroc mura mbeadh focal ina bpluic ag fágáil na scoile ach toradh maith a bheith ar an scrúdú sin. An Canónach a shásamh, b'in í an chloch ba mhó ar phaidrín an mhúinteora.

Bheadh mí mhór fhada eile den teagasc críostaí romhainn tar éis na Cásca, ach ba é an t-éan inár láimh a bhí muid a cheiliúradh ag dul abhaile an tráthnóna sin. Carr Bharrett chugainn aniar agus Dónall go gaisciúil ag crochadh láimhe orainn istigh ann. Banlámh dár dteanga a chuir an bheirt againn amach faoi. É chomh postúil ag dul suas go dtí an Broc ag an gclár dubh ag iarraidh cead a dhul abhaile luath mar go raibh sé ag dul go dtí an Spáinn in éineacht lena dheaide is lena mhamaí.

D'fhiafraigh muid ar Dhia a bheith coinsiasach agus an bád a mbeidís air a chur go tóin poill.

Sheas muid i leataobh fad is bhí leoraí mór trom ag dul tharainn, bhí an bóthar ag creathadh faoinár gcosa de bharr an mheáchain de bhlocanna a bhí uirthi. Gan í ach ag snámh go mall in aghaidh an aird. Rith muid ina diaidh agus d'éirigh leis an mbeirt againn áit ár gcos a dhéanamh ar an rotha breise a bhí crochta faoina deireadh agus greim a fháil ar an mbosca. Na gasúir eile ar fad ag teacht ag rith ina diaidh. Choinnigh muid ár ngreim go deo nó gur chas sí soir ag tigh Tom Mhóir. Ní i bhfad a chuaigh sí mar go ndeachaigh an rotha deiridh síos go hacastóir agus go ndearna sí staic i lár an bhóthair. Léim muid anuas go gasta ar fhaitíos gurbh é meáchan na beirte againn a bhí tar éis í a chur á bá. Tháinig Tom Mór anoir go spágach agus Peige ina searrach i ndiaidh gearráin ag teacht ina dhiaidh.

"Hó, hó; hó! Ná gabh níos faide!" á fhógairt aige agus a leathlámh crochta ag bacadh an leoraí.

"Á, i dtigh deabhail é mar scéal, nach mbeadh a fhios ag dall gan súil nach in araíocht leoraí blocanna a iompar atá an bóthar sin, is gan ann ach slám gainimh caite ar an scraith."

"Níl dochar ann, a Tom, níl aon duine gortaithe," a deir Peige ag iarraidh a bheith ag cur foighde ann.

"Bhí a fhios agam nach ar mhaithe le mo shláinte a tosaíodh ar an deabhal de *toilet* seo."

"Foighid anois, a Tom!"

Chruinnigh an baile uilig ag sá léi ach bhí sé fánach acu.

Folmhaíodh amach í ó bhloc go bloc nó go raibh cruach bhlocanna soir i leataobh an bhóthair.

231

Leathnaigh cáir gháire ar éadan fhear an leoraí nuair a
d'éirigh leo í a thabhairt ar bruach le maidí is le clocha. B'in é
an fear a bhí buíoch ag dealú leis as an gcontúirt.

"Ach céard a dhéanfas muid anois?" a deir Peige go
himníoch.

"Iad a fhágáil sa deabhal ansin agus a seacht míle mallacht
a chur orthu," a deir Tom Mór.

"Ara, is gearr a bheas an dá leaid seo á n-athrú soir leis an
gcairrín asail," a deir mo dheaide.

"Mo choinsias, muis, ní chaillfidh siad aon cheo leis," a deir
Peige.

B'in é a raibh de thús is de dheireadh ar an scéal. Scór
blocanna a bhí muid a chur ar urlár chairrín an asail, an bosca
bainte de ar fad againn agus asal Tom Mhóir ag bá na gcrúite
tosaí i ngaineamh an bhóthair nó gur leag muid ó cheann go
ceann faoi chosa Sheáinín an tSiúinéara iad. Dhá pháipéar
puint curtha síos inár bpócaí ag Peige sul má thosaigh muid
chor ar bith. An bheirt againn inár seasamh ar urlár an
chairrín ag dul ar ais siar agus an t-asal sna feiriglinnte. Coirce
na bliana á chur ag pramsáil. Bhí Éamonn in ann fanacht ina
sheasamh ar leathchois an bealach ar fad. Rothaí ruibéir a bhí
ar an gcairrín agus ceann acu chomh gar de cholbha an
bhóthair is go raibh leath an rotha ag dul amach thar a chorr.
An t-asal sna cosa in airde, ár gcosa féin nite dá dtéadh muid
thar bruach ach muid i bhfiántas aoibhnis ag na sceitimíní a
bhí an dúshlán a chur orainn.

"Sin é an stuif anois aige," a deir Tom Mór nuair a chonaic

sé an t-asal snáfa ag allas. "Bainigí saghdar as an deabhal. Bhí sé sin ag tabhairt mo dhúshláin."

Chomhair muid aríst eile gach a raibh fágtha. Trí scór.

"Cuirfidh muid deich gcinn fhichead air agus beidh siad bailithe de dhá aistear againn," a deir Éamonn.

Bhí an t-asal á shníomh féin in aghaidh na tairneála ach é ag cinneadh air an cairrín a chorraí. Chuaigh an bheirt againn taobh thiar de le dhul ag sá leis nuair a chonaic muid an veain ag déanamh aníos orainn. Veain mhór mhillteach. Bhí daoine ina seasamh ar chnocáin mar nach raibh aon chleachtadh ar aon veain thar an veain a thagadh leis an leasú chuile earrach. Fear mór millteach a bhí ag tiomáint agus bean álainn lena thaobh. Bhreathnaigh sé an-ghrinn orainn. Imní an tsaoil ag coinneáil a éadain gruama nuair a chuaigh sé soir tharainn. Chuir muid an t-asal is an cairrín dínn amach le teann deifre soir i ndiaidh na nuaíochta. Peige a bhí ag dul anoir as garraí na gcearc agus buicéad ina láimh, tar éis seasamh i lár an chosáin roimhe agus an buicéad crochta aici.

"Stop . . . Stop . . . Stop, a deirim. *No place to turn here.*" Ach ba bheag bídeach nár tháinig meirfean uirthi nuair a stop sé. Scaoil sí uaithi an buicéad ag breathnú isteach tríd an ngloine orthu.

"Ó, a dheaidín go deo is go brách, cé as ar éirigh sibh?"

A lámha a chur ina timpeall a rinne sé. Oiread spreactha ann is a bhrisfeadh a cnámha dá ligfeadh sé don méid ceana a bhí aige uirthi í a fháisceadh isteach lena chroí chomh láidir is a theastaigh uaidh. Meacan an ghoil ina ghlór nuair a sheas Madeline lena thaobh.

"Seo í mo bhean, a Mhama, Madeline."

233

"Ó, a Dheaidín."

Bhí sí ag glanadh a lámh i mbinn a naprúin go deifreach, ach níor fhan Madeline léi ach í a fháisceadh isteach léi mar a rinne a mac.

"I'm delighted to meet you, Mum," a deir sí isteach ina cluais agus nádúr na hócáide ag briseadh a glóir.

"Á, muise, *welcome*, a leana,' agus céad míle *welcome* go dtí an baile seo!"

"Cén chaoi a bhfuil sé, a Mhama?"

"Cé hé?"

"Deaide."

"Tá stró air go deimhin. Ag coinneáil siar an fhir cheirde lena chuid scéalta. Tom? Tom?"

Thiar ag corr na binne a bhí sé ag breathnú go fiosrach amach ó speic a chaipín. An veain idir é féin agus gach a raibh ag tarlú nó gur glaodh air. Colm agus Madeline ag breathnú le hiontas ar a chéile nuair a shiúil sé chucu aniar chomh stáidiúil le John Wayne.

"Óra, a dheabhail, a Choilm, a mhac, ní chuimhnóinn de dhaoine an tsaoil ort. Ab í seo do bhean?"

"Madeline, this is my Dad."

"Pleased to meet you, Dad."

"*Oh, by dad*, tá agus *lady* cheart pé ar bith cár éirigh sí leat."

"Cén chaoi a bhfuil do dhroim?"

"Mo dhroim?"

"Bhí sibh ag rá sa litir go raibh do dhroim briste."

"Ar ndóigh, an deabhal de phortach sin thuas, bíonn sé ag rá go bhfuil a dhroim briste aige."

Níor thuig Madeline focal ach bhí gach a raibh ag tarlú

chomh soiléir di is dá mba i mBéarla a bheidís ag caint. Lámh curtha timpeall ar Cholm aici agus é casta i leataobh chomh luath is a chonaic sí an taghd ag lasadh ina ghrua.

"*All's well that ends well, Colm. Look on the bright side.*"

Bhreathnaigh siad isteach i súile a chéile ar feadh ala an chloig, sul má phléasc chaon duine acu amach ag gáire. Ní raibh focal asainne ach muid inár dhá staic ag breathnú orthu. Is muid ba thúisce a chonaic doras deiridh an veain á oscailt agus beirt chailíní a bhí thart ar comhaois linn ag teacht amach aisti. Iad galánta ceart ag breathnú. Ní raibh muid in ann ár dhá shúil a thógáil díobh ach go raibh mé ag iarraidh an cairrín a choinneáil idir mé féin is iad féin i ngeall ar an stróiceadh a bhí curtha ag ceann de na blocanna ar mo threabhsar. Thóg muid ár n-am ag caitheamh amach na mblocanna, ag éisteacht leis an gcaint. Canúint aisteach orthu.

"*We were so comfy lying on the beds that the road rocked us to sleep.*"

Ba ghearr le cearc ghoir í Peige á gcasadh roimpi isteach sa teach. Fágadh ansin an bheirt againn, inár staic le teann fiosrachta. Rinne muid dhá aistear don chuid eile de na blocanna ach ní raibh muid tada ní ba mheabhraí dá bharr, cés moite den ghleo is den gháire a chuala muid tríd an doras corruair. Ag baint an chairrín den asal a bhí muid nuair b'eo amach iad chomh glórach le daoine a bheadh ag teacht amach as teach ósta ag am dúnta. Thug Dia dom go raibh an stróiceadh a bhí ar mo threabhsar tugtha ina chéile agam le deilgní draighin. Na lámha nite go maith ag an mbeirt againn agus mo chuid gruaige slíoctha siar as mo shúile agamsa le braon uisce as an sruthán. Dusta na mblocanna buailte amach as éadach a chéile againn thiar ag ceann an bhóthair ar fhaitíos na bhfaitíos go ndéarfaidís *hello* linn. Díreach inár dtreo a tháinig an chóisir, siar ar chúl an tí nó go bhfeicfidís an obair. Ar Tom Mór a bhí an cúram uilig, gan aithne air nárbh é féin bun agus barr a raibh déanta.

"'Anseo anois, a Choilm,' a dúirt Seáinín liom, 'a bheas mé ag slupáil sa m*bath*.'"

Lig muid cead dóibh a scairt gháire a chríochnú sul má d'fhiafraigh Éamonn cá scaoilfí an t-asal ar féarach.

"Scaoil isteach sa mbarr garbh thuas é, grá mo chroí thú. An aithníonn tú iad seo, a Choilm?"

"*By Jay*, ní aithníonn."

"Ó t'anam ón deabhal agat é, ba cheart go n-aithneofá an mullachán catach seo as na daoine, mac Réamoinn Seoige."

"*Jaysus*, mac Réamoinn agus Mheaigí. Céard atá do dheaide a dhéanamh?"

"Ag tiomáint leoraí do Bharrett."

Bhain sin stangadh as.

"Tá Barrett beo i gcónaí, an bastard?"

"Tá sé imithe go dtí an Spáinn ar saoire."

"Nár ba ghaire ná sin do láthair é!"

"Ná téigí abhaile anois gan a dhul isteach chuig braon tae. Is beag nach raibh dearmad déanta agam oraibh le chuile bhadaráil,"a deir Peige.

"*They're putting up the ass now, Mad-lean.*"

"*Can we go with them, Mum?*"

"*OK, but be careful, you know the rules.*"

"*Can I hold the donkey?*"

"*Alright.*"

Thosaigh an bheirt ag sianaíl nuair a luigh an t-asal sa gcarnán gainimh á únfairt féin. Iad ag damhsa as a bhealach is ag screadach chuile bhabhta dá dtéadh sé anonn is anall. Shíl mé nach dtiocfadh anáil ar bith do Cholm ag gáire.

"*Why did he do that?*"

"*Kinda to scratch himself.*"

"*Oh, how clever. I'm Sue, by the way, this is Jenny.*"

Shílfeá gur glas a bhí curtha ag an gcúthalacht ar theanga na beirte againn, gan focal asainn ach de réir mar a chuir siad ceist orainn. Scread Jenny agus scaoil sí uaithi an t-asal nuair a shéid sé sruthnán trína pholláirí.

"*Will he bite me?*"

"*No.*"

"*What's your name?*"

"*Josie.*"

"*And you?*"

"*Éamonn.*"

"*Wow, look at all the lakes and the mountains, it's beautiful. You're so lucky to live here.*"

Bhí sé ag cinneadh orainn cuimhneamh ar thada le rá ach ag breathnú orthu. Bhí siad chomh deas ag breathnú agus chomh cainteach agus bhí boladh *powder* orthu.

"Níl tú ag dul ag caitheamh do threabhsair nua ag dul ar an bportach."

"Ach tá an ceann eile stróicthe."

"Cén dochar, déanfaidh sé ar an bportach thú. Nach ligfidh sé aer breá isteach chuig do cheathrú."

"Níl mé ag dul á chur orm mar gheall go bhfuil sé stróicthe."

"Sín agam é, mar sin, is cuirfidh mé greim ann."

"Ach ní shalóidh mé é seo, a Mhama. Tabharfaidh mé aire dhó."

"Ní chuirfidh tú ort é lena shalú. Bain dhíot anois é. Beidh greim curtha anseo agamsa fad is bheifeá ag bualadh do dhá bhois ar a chéile."

"Á, déan ceart é, a Mhama, nó níl mé ag dul á chur orm."

"Tá sé sách ceart, deabhal a leathoiread deisiú a bheadh ort ag dul chuig Aifreann Dé."

B'in é an uair ar shiúil Éamonn isteach. Léine ghlan ghorm air agus an bóna oscailte amach síos ar fhad dhá chnaipe. Ní raibh aon pholl ar a threabhsar ach oiread ach paiste amháin nach raibh le tabhairt faoi deara mar gheall go raibh inneall fuála ag máthair Éamoinn.

"Óra, b'annamh leatsa gan a bheith ag tabhairt cúnaimh do do dheaide Dé Sathairn?"

"Ach beidh muid ag fáil páighe inniu ó Cholm Tom Mhóir."

"Ó, beidh sibh in bhur *millionaires* tráthnóna, más fíor dhó seo é."

"Thug sé abhaile lán an veain de rudaí as Sasana."

"Thug sé abhaile dhá leaba dhúbailte agus éadach nua is tuáillí is chuile rud."

"Go saolaí Dia é, an créatúr. Bhí sé de mhianach ann a bheith fadbhreathnaitheach. Seo anois, cuir ort é seo. Is fearr dhom cúpla stiallóg aráin a chur i mála dhuit."

"Níl aon chall leis, a dúirt siad. Beidh *picnic* ar an bportach acu."

"Céard é *picnic*?"

"Níl a fhios againn ach sin é a dúirt siad."

"*By dad*, bainfidh siad Tom Mór agus Peige as a gcleachtadh."

Mhaolaigh muid amach i mbogshodar nuair a chonaic muid Colm ar an bportach romhainn. Portach mór fada scraite aige agus gan é a naoi a chlog ar maidin fós.

"Cén sórt ama é seo le bheith ag teacht ag obair?" a deir sé go gealgháireach. "*Jays*, bíonn lá oibre déanta agamsa an tráth seo de mhaidin thall i Sasana. Caithfidh muid dhá bharr a chur ar an mbruach anois, a leaids."

Ar éigean a bhí gá dhúinn coiscéim ar bith a shiúl. Fód i ndiaidh fóid ag sleamhnú den sleán agus ag titim i bhfoisceacht leathorlaigh den áit ar thit an fód roimhe sin, muid gach re fód leis an dá phíce á scaradh níos faide amach as an mbealach. Níor bhreathnaigh sé osna ná anró a bheith air ach a shleán ag alpadh an phortaigh ina rithim sheasta shíoraí. D'fheicfeadh sé an fód a bhrisfeadh muid cé go gceapfá nach raibh sé ag breathnú ar chor ar bith.

"Go bhfóire Mac Dé ar an mbeirt agaibh nuair a thiocfas Tom Mór aníos má fheiceann sé aon fhód briste," a deireadh sé go spraíúil.

Chuala muid a ghlór sul má chonaic muid é. "*Come on now,*" aige i ngreim sa mbéalbhach agus an bheirt chailín go spéiriúil istigh sa gcairrín asail.

"*Hi, Dad,*" acu, sul má bhí siad i bhfoisceacht go mbeannaí Dia de. B'in é an chéad díriú a rinne sé ar a dhroim.

"*Hurry on, girls,*" a dúirt sé agus a dhá shúil lán le diabhlaíocht. "*Hurry up, there's work for doing here.*"

"Déanfaidh sí bainis an tSlíotháin Mhóir," a deir Tom ag tógáil málaí is potaí amach as an gcairrín asail.

239

"*Can we do that?*" Bhí siad rite chomh fada linn ar an bpointe.

"Sín chuici an píce go bhfeice muid," a deir Colm ag caochadh súile orainne.

"*Good girl, Jenny.*"

Ní raibh sí ach casta leis an bhfód nuair a bhuail sé aniar sna sála í le fóidín beag bog a bhí sé tar éis a chaitheamh den sleán.

"*Ah, Dad!*"

"*Too slow, Jenny, too slow.*"

"*You did that on purpose,*" a dúirt sí go gealgháireach ag rith ina threo agus ag tabhairt póg dó.

Bhreathnaigh mé i dtreo Éamoinn agus mé ag smaoineamh nach dtabharfainn póg do mo Mhama ná do mo Dheaide os comhair chuile dhuine dá dtabharfadh sé ó dhoras an bháis iad.

"Mo choinsias, tá an-chladach móna bainte agaibh ach go bhfuil sibh ag briseadh corrfhód."

"Cén dochar, dófaidh sí briste fhéin. Déan tine anois, a Dheaide."

"M'anam nach ea ach go ndéanfaidh na gearrchailí an tine is go dtosóidh mise ar an dara barr. Gabh i leith uait is coinneoidh tú fód amach uaimse, duine agaibh."

"*Hi, Sue and Jenny, gather some firewood and some dry turf, you must make a fire.*"

"*Oh, yes. Where, Dad?*"

"*Back there where we started near the lake.*"

Bhí sé ag cinneadh orm mo shúile a thógáil den bheirt acu ach nach raibh mé ag iarraidh go bhfeicfeadh Tom Mór ag breathnú orthu mé. Jenny ní b'airde ná Sue. Bríste galánta uirthi nach raibh ag dul síos thar a glúine. Iad greamaithe isteach ar fad dá craiceann. Léine nach raibh bóna ar bith uirthi. Ní raibh an léine ag dul síos baileach go dtína bríste. Ní raibh stoca ar bith uirthi ach péire *sandals*. *Sandals* a bhí ar Sue freisin agus cineál *overalls* a raibh na cosa gearrtha ón nglúin díobh. Gruaig fhionn uirthi a bhí ag dul síos chomh fada lena guaillí. Bhí gruaig Jenny i bhfad ní b'fhaide agus i bhfad ní ba ghile mar a bheadh an garraí arbhair nuair a bhíodh sé in am a bhainte.

"Á, a dheabhail, fógair uirthi nach féidir léi an tine a lasadh sa bhfraoch! Lasfaidh siad an criathrach. Fógair orthu."

"Hi, you can't do the fire there or the bog will go on fire."

"Oh, where do we light it then?"

"Down there on the big rock."

Bhí Peige agus Madeline chugainn aníos. Gan tada le cloisteáil ó Pheige ach "*yes*, a leana', *yes*, a leana'."

"Gabh siar agus las an tine in éineacht leo nó ní fhágfaidh siad cipín sa mbosca," a deir Tom Mór go mífhoighdeach.

Glaic fhiataíola a bhailigh mé agus a bhrúigh mé isteach faoi na sliseoga giúsaí. Bhí sí ina caor lasrach de léim. An leoithne ghaoithe ag séideadh na lasrach trí na caoráin. Ba leasc liom filleadh ar Tom Mór nó gur chuir sé gráig i mo dhiaidh.

"A Thiarna, a liachtaí lá a chaith mé ar an bportach seo agus gan agam ach canda aráin agus buidéal tae fuar," a deir sé. "Breathnaigh thiar, citeal agus *pan* agus torann ag sú rósta."

Ní raibh mé féin ná Éamonn ag ligean tada orainn féin ach bhí muid ag guairdeall timpeall nó gur éirigh linn suí lena dtaobh ag an mbéile. Sue díreach le mo thaobhsa. Bhí sé aisteach a bheith ag fáil boladh *powder* ar an bportach ach nuair a shín sí agam pláta mór uibheacha rósta agus *rashers* b'fhacthas dom gurbh é an boladh ab fhearr dá bhfuair mé ariamh é.

"What beautiful beautiful scenery," a dúirt Madeline a bhí chomh ciúin séimh. Í cosúil leis an Maighdean Mhuire ag breathnú.

"Can we come over here for the summer holidays, Mum?" a deir Sue.

"Let's enjoy this week first, dear."

"Oh, but Mum, I love this place. I could help Grandma. Can I come for the summer, Grandma?"

"You can, a leana', pé ar bith cé a choinneos Béarla leat."

"Now, now, that's up to Dad."

"Can I, Dad?"

"Sure you might settle down here altogether. Marry a sheep farmer, two lovely lads there now for ye. What do you think, Mum?"

Thosaigh siad ar fad ag gáire agus mise chomh dearg le splanc.

Ba é Dónall Bairéad an t-aon ghasúr sa bparóiste a bhí ag tnúthán le filleadh ar an scoil tar éis scíth na Cásca. Bhí sé ina shuí go sócúlach i ndeireadh an chairr agus bronntanas dá Mháistir mar a bheadh seoid ina dhá láimh. Greim láimhe ag a athair is ag a mháthair ar a chéile tar éis seachtain iontach a chaitheamh sa Spáinn. Bhí sé ina ardtráthnóna Dé Domhnaigh nuair a thug siad aghaidh an chairr ar na harda.

"Céard a déarfas mé leis an Máistir, a Mhama, nuair a thabharfas mé dhó an bronntanas?"

"Abair, 'Seo bronntanas a thug mé abhaile as an Spáinn chugat.' Fan go mbeidh na gasúir eile ar fad istigh ar maidin sa gcaoi go mbeidh a fhios acu uilig go raibh muid sa Spáinn."

"*I wonder are we overdoing it giving him two hundred cigarettes?*"

"*Not at all, Willie,* cuirfidh sé de mhaith ar oideachas Dhónaill é."

"Is dócha."

"Faraor nach ag imeacht aríst atá muid in ionad a bheith ag teacht abhaile. Imeoidh muid aríst sa samhradh, a Willie."

"Cinnte, Eileen."

Ba ag an nóiméad ceannann céanna a bhí Colm Tom Mhóir agus a chomhluadar ag fágáil slán go huaigneach ag a athair agus ag a mháthair. Lean an dá mhada den veain chomh fada leis na leacracha, iad ag tafann in ard a gcinn mar a bheidís ag iarraidh air fanacht sa mbaile. Rug Madeline i ngreim láimhe air.

"*Don't cry, Colm, we'll be back in the summertime,*" ar sise go mánla.

Tharraing Barrett an carr isteach i leataobh chun an veain a scaoileadh thairis.

Ag an soicind céanna a d'aithin siad féin a chéile. A ndreach ag cruachan le gráin ar a chéile, a súile i bhfastó ina chéile ag casadh timpeall ina gceann nó go raibh an veain imithe síos thar an gcarr.

"*Jesus*, a Willie. An bhfaca tú é sin? Colm Tom Mhóir."

"*Ugly fucking bastard.* Bhí bean in éineacht leis freisin."

"Óra, tincéir éicint. Cé eile a thiocfadh in éineacht leis, an t-amadán?"

"Meas tú an bhfuil sé i bhfad sa mbaile."

243

"Bíodh foighid anois agat, beidh a fhios ag mo Mhama chuile rud."

Níor labhair siad focal eile ach iad araon ag tuar a aimhleasa do Cholm Tom Mhóir i ndomhan binbeach a n-intinne. Bhí a gceann cúrsa beagnach sroichte acu nuair a dúirt Barrett, "*Oh shite*" trína chuid fiacla, chomh tobann is nach raibh an carr a bhí páirceáilte taobh amuigh den teach tugtha faoi deara ag Eileen nó gur ghreamaigh Barrett an carr den bhóthar le brú de na coscáin.

"Cén carr é seo, a Willie?"

Bhí sé stoptha agus é ag fáil faoi réir lena gcarr féin a chur i ndiaidh a cúil ach bhí beirt tar éis a theacht amach as an gcarr eile agus iad ag siúl ina threo.

"*Who are they, Willie, do you know them?*"

Bhí sé ag athrú dathanna mar bheadh sé ar tí pléascadh nuair a shiúil an cúpla díreach chomh fada leis mar a bheadh racht feirge á ndeifriú.

Ba í an bhean a labhair. Bean shlachtmhar óigeanta a raibh stuaim agus stodam ina glór.

"*We've been waiting all day for ye.*"

"*Fuck off and don't be annoying me, Cathy.*"

"*What about the trouble you're causing us?*"

"*Fuck off you, Jimmy, this is none of your business.*"

"*That's what you think. You've neglected your responsibilities to my sister for too long, Willie Barrett.*"

"*Don't believe a word they say, Eileen.*"

"*How dare you call us liars, for a man who would tell lies through his nose to save his arse.*"

"*What's all this, Willie?*"

244

"*Don't believe them, Eileen.*"

"*I'll bet you he hasn't told you about his illegitimate daughter.*"

"*What?*"

"*Don't believe her lies, Eileen.*"

"*We have the evidence with us to prove it.*"

Bhí sí ag siúl go dána nó gur oscail sí doras cúil an chairr is gur tharraing sí cailín óg amach i ngreim láimhe.

"*Come out here . . . come on, Connie. Come here and meet your Daddy.*"

Baineadh stangadh as Eileen nuair a chonaic sí an ghirseach. Stumpa láidir gruamánta thart ar comhaois le Dónall, pictiúr Bharrett mar a chaithfeadh sé amach as a bhéal í.

Bhí cuma an mhaistín ar an ngirseach ag breathnú ó dhuine go duine orthu. Lig sí dá súile dearcadh ar Bharrett ó mhullach a chinn go dtí bonn a choise sul má chas sí uaidh gan oiread is unsa nádúir ag athrú dreach a héadain.

"*That's your father. You can stay here with him since you're not happy with us.*"

Bhí seanbhean na mBreathnach tar éis a theacht i láthair agus fuip inti.

"*She's not staying here and neither is her father. I have suffered enough without this scandal,*" a dúirt sí agus colg á cur ag damhsa le teann feirge.

"*We all suffered, Ma'am, tis no joke rearing that child on my own. He didn't even reply to my letters begging him for assistance.*"

Bhí Dónall tar éis a theacht amach as an gcarr agus a liopa íochtair ag creathadh le teann faitís.

"Make up your mind now, Willie, either mind her yourself or pay me to mind her for you. You've had the best of both worlds long enough."

Thóg Eileen a cuid málaí amach as an gcarr go borb, shín sí ceann acu chuig Dónall agus threoraigh go dtí doras an tí é le síneadh de ghob a méire. Rinne Barrett iarracht an triúr a ruaigeadh den tsráid le sinneán fíochmhar mallachtaí ach bhí siad ag seasamh talún ina choinne.

Bhrúigh seanbhean na mBreathnach Eileen isteach roimpi ach bhí an doras boltáilte aici nuair a tháinig Barrett.

"Oscail an doras, a Eileen," a bhéic sé ach ba í an tseanbhean a d'fhreagair.

"Ní osclófar aon doras, seo é mo theachsa. Náirigh sibh uair amháin mé ach, mo choinsias, níl sibh ag dul á dhéanamh aríst. Scuab anois, a scaibhtéara. Anois, a Eileen, déan suas t'intinn, bí istigh nó bí amuigh, ach tá an oíche dheireanach codalta aige sin sa teach seo."

B'fhada gur thit aon néal ar Dhónall an oíche sin. Dúiseacht de phreab chuile uair dár chuir an tuirse suan air. Bhí a fhios aige nach raibh a mháthair ag déanamh aon suaimhneas, ionfairt ag baint macalla as an gciúnas, ag iompú agus ag síoriompú go míchompóirteach sa dorchadas. Casacht bheag thirim ag meabhrú shíorairdeall a sheanmháthar dó. Thosaigh a chroí ag bualadh go mear le teann teannais nuair a chuala sé torann cairr ag tuar trioblóide i gciúnas na hoíche. Torann a d'aithin sé sul má bhí sé i bhfoisceacht míle den teach. Lóchrann a cuid soilse ag líochán na spéire de réir mar a tháinig sí timpeall na gcoirnéal nó gur scairt siad díreach isteach trí na cuirtíní sul má mhúch siad. Chuala sé an t-inneall ag déanamh suaimhnis agus doras an chairr á dhúnadh ach níor chuala sé aon torann eile nó gur thosaigh an cnagadh ar an bhfuinneog.

"A Eileen? A Eileen, oscail . . . oscail an doras."

Bhí sé ar meisce. D'aithin sé lán béil na bhfocal as an leathnú cainte a chuireadh an t-ól air chuile oíche le seachtain roimhe sin, nuair a bhíodh arraingeacha gáire ar an triúr acu ag baint sásaimh as sócúl na Spáinne. Mheabhródh sé dá mháthair go raibh sé ag bualadh na fuinneoige ach bhí a fhios aige ón torann a bhain sí as an leaba nóiméad roimhe sin go raibh sí féin ina dúiseacht. Ní raibh dabht ar bith nach raibh a sheanmháthair ina dúiseacht. Bhí a cuid siosctha le cloisteáil chomh soiléir le sciatháin foiche a bheadh ar thob ga a chur ionat.

"Fanfaidh tú amuigh anois, a phocaide mhóir," ráite go holc faoina hanáil aici.

Níor tharraing sé anáil ar bith nuair a chuala sé a choiscéim ag dul timpeall an tí, ag teacht i dtreo fhuinneog a sheomra féin. Céard a dhéanfadh sé dá gcnagfadh sé ar an bhfuinneog? Níor chnag . . . Sciorr sé amach as a leaba agus d'éalaigh sé chomh ciúin leis an gcat nó gur chroch sé corr an chuirtín. Níor léir dó tada ach dorchadas nó gur chuir sé air a chuid spéacláirí agus níor léir dó mórán an uair sin féin ach sunda ag siúl go meisciúil tríd an oíche nó go ndeachaigh sé as amharc isteach i seid an fhéir. Bhí sé imithe ar maidin, an carr imithe freisin i ngan fhios dó. Bhí oiread céanna siobála ar fud an tí le haon mhaidin eile. An bheirt bhan i mbun a ngraithe ach gan focal as ceachtar acu. Ba é Dónall a bhris an céalacan cainte.

"Níl mé ag iarraidh a dhul chuig an scoil inniu, a Mhama."

Cúpla cineál doichill ag cur meacan an ghoil ina ghlór.

"Anois, a Dhónaill, tiocfaidh tú soir chuig an scoil cosúil le chuile lá eile."

"Ach tá Deaide imithe." Phléasc an taoisc chaoineacháin trína ghlór dá bhuíochas.

"Ssssh, tiocfaidh tú soir chuig an scoil anois agus ní ligfidh tú tada ort féin le duine ar bith. Níl muid ag iarraidh chuile ghaotaire ar an mbaile a bheith ag gáire fúinn."

I gcogar a bhí sí ag labhairt leis. Í ag cur mála na scoile aniar ar a dhroim ag an am céanna agus ag glanadh na ndeor le naipcín a bhrúigh sí síos ina phóca nuair a bhí a graithe críochnaithe aici.

"Céard a déarfas tú leis an Máistir anois?"

"Seo bronntanas a thug mé abhaile as an Spáinn chugat."

"Maith an buachaill, a Dhónaill."

Níor fhág sé slán ar bith ag a sheanmháthair mar a dhéanfadh sé chuile mhaidin eile. Bhí crústa cantail ar a héadan nach ligfeadh faitíos dó a phógadh. D'imigh sé amach an doras cúil agus cnoc ar a chroí.

Isteach faoi shúil an droichid i bhfolach a chuaigh Éamonn agus mé féin nuair a chonaic muid Dónall Bairéad chugainn aníos agus a mhála ar a dhroim. Ba leor a raibh de ghráin againn a dhul ar ais chuig an scoil gan glaomaireacht Dhónaill Bhairéid i dtaobh a thurais go dtí an Spáinn a bheith de bhreithiúnas aithrí orainn freisin. Fios ag chaon duine againn nárbh fhiú trumpa gan teanga a chuid dó gréine le hais na seachtaine a bhí againne thuas tigh Tom Mhóir. Sue agus Jenny ag imeacht i chuile áit in éineacht linn nuair a scaip an cleachtadh an chúthalacht. An dá mhada s'againne á gcur ar a stártha ar fad nuair a chonaic siad ag seoladh na gcaorach amach thar bharr an chnoic iad, ag iarraidh a bheith ag aithris ar an bhfead a bhí á dtreorú againn ach na madraí dílis don treoir a raibh cleachtadh acu air. Chuir an *Lodge* faoi dhraíocht ar fad iad. Máthair Éamoinn ag cur na múrtha fáilte romhainn nuair a bhuail muid an doras tráthnóna an tSathairn dheiridh. Bhí sí tanaí tuirseach ag breathnú.

"Is é Dia a chas thart sibh," a deir sí. "Iompróidh sibh na héadaí seo go dtí na seomraí codlata dhom."

Ualach braillíní is pluideanna a bhí nite agus iarnáilte aici ar ár mbacáin againn ag dul suas staighre. B'éigean do Mheaigí scíth a ligean i mbarr an staighre sul má thug sí ó sheomra go seomra muid agus gan puth dá hanáil aici. Chuile orlach den *Lodge* chomh cóirithe le pálás ag Meaigí faoi chomhair na mban rialta a bheadh ag teacht ar saoire ann i dtús na Bealtaine. Clochair éagsúla d'Ord na Trócaire ag déanamh uainíocht ar a chéile as sin go dtí deireadh an tsamhraidh. Jenny ag breathnú beag bídeach sa gcathaoir mhór mhillteach leathair a bhí ag breathnú amach ar an loch as an leabharlann. Sé cinn d'ealaí ag snámh amach ar aghaidh na fuinneoige ag tógáil amharc Sue de chuile rud eile. Fiú nuair a thug Meaigí an tae dóibh d'fhiafraigh sí cead é a ól faoi bhun na fuinneoige.

"*You're both welcome to walk around here any time you're visiting,*" a dúirt Meaigí leo nuair a d'fhág siad slán aici.

"*I cannot understand how you could own a place like this and not live there,*" a deir Jenny nuair a chuaigh muid amach.

"*Wow, it's huge and beautiful.*"

Ar na healaí a bhí a n-aird an chuid eile den tráthnóna. Iad faoi gheasa ag maorgacht na n-éan.

"Time to gather your things, girls," a deir Madeline i lár an lae Dé Domhnaigh.

"Aw, Mum, can we say goodbye to the swans by the Lodge before we go?"

"OK, but hurry up."

Thug mé féin agus Éamonn síos ar *chrossbar* an dá *bhicycle* iad. Iad ag screadach nuair a bhí an ghaoth ag ardú a gcuid éadaigh de bharr an mhéid siúil a bhí againn ag dul le fána. Na healaí ag snámh ina dtreo chomh luath is a chuala siad a nglór.

"They recognise us," a deir Sue. *"They're saying goodbye."*

Lán a bpócaí de phíosaí aráin acu agus na healaí ag umhlú go sásta de réir mar a bhí siad ag líonadh a n-iogáin.

"Bye-bye, swans, we'll come back to visit you in the summer."

Bhí an ócáid chomh corraitheach dóibh is gur thosaigh Jenny ag caoineadh.

"And thank you too," a deir sí liomsa ag tabhairt póigín beag bídeach dom. Chas sí thart ansin agus chuir sí a cuid lámh timpeall ar Éamonn. Níl a fhios agam céard a dúirt sí leis mar go dtáinig Sue chugamsa is gur chuir sí a dhá láimh i mo thimpeall.

"This has been the best week of my life," a deir sí. *"Can we be friends again when we visit in the summer?"*

"Yes," a dúirt mise, gan súil ar bith agam leis nuair a thug sí póg dom. Níor dhiúltaigh mé cé go raibh cúthalacht do mo choisceadh nó go bhfaca mé Éamonn agus Jenny ag pógadh a chéile gan náire ar bith. Go dtí lá mo bháis ní dhéanfaidh mé dearmad ar an lá sin nuair a bhlais mé de mo chéad phóg in aois mo thrí bliana déag. Bhí sé blianta fada ina dhiaidh sul má

smaoinigh mé go raibh míobhán an earraigh ag cur bachlóga úra ag borradh i gcúlráid na gcrainnte, greim neamhurchóideach láimhe againn ar a chéile, ár gcroí thar maoil le sonas, nó gur shiúil muid i dtreo an tsolais a bhí breac ag breithiúnas daoine.

Ba é Éamonn a smaoinigh go gcoinneodh muid an t-airgead a thug Colm Tom Mhóir dhúinn. Deich bpunt an duine a thug sé dúinn tar éis na seachtaine agus dúirt sé dá mbeadh muid ag iarraidh obair shamhraidh faoi cheann cúpla bliain go mbeadh dalladh oibre aige féin i Sasana dúinn. Bhí dhá phunt an duine tugtha ag Peige dúinn roimhe sin as ucht na mblocanna a thabhairt isteach ach bhí sé sin tugtha do mo mháthair agamsa. Gheall chaon duine againn nach n-inseodh muid d'aon duine eile cá raibh an t-airgead i bhfolach againn. Istigh faoi shúil an droichid a chuir muid é. Cloch a bhaint amach as giall an bhalla agus an t-airgead a chur síos i gcrúsca *jam* taobh istigh di. Ní bheadh a fhios ag aon duine beo go raibh sé ann nuair a bhí an chloch curtha ar ais againn. Bheadh sé an-áisiúil le súil a thabhairt air ar an mbealach chun na scoile chuile lá.

D'fhan muid chomh socair le lon dubh a bheadh ar gor nó gur chuala muid Dónall Bairéad ag scrábáil soir os ár gcionn. Thóg muid amach an chloch ansin, gan focal ag ceachtar againn ach comharthaí súl. Tháinig meangadh gáire ar chaon duine againn. Bhí an t-airgead sábháilte, díreach mar a d'fhág muid sa gcrúsca an tráthnóna roimh ré é. Chuir muid an chloch ar ais aríst gan oiread is an caonach a bhriseadh di ar eagla go gcasfaí aon duine eile faoin tsúil. Ba mise a thug na bradáin faoi deara. Solas na gréine a bhí tar éis scairteadh isteach faoin droichead mar a bheadh lóchrann ó laindéar. A ndrioball a chonaic mé ag sníomh anonn is anall san uisce.

Péire acu taobh le taobh chomh socair le hurlár na habhann. Uillinn a bhuail mé ar Éamonn. Ba linne iad tráthnóna. Thug an méid sin misneach dúinn ag tabhairt aghaidhe ar phríosún na scoile. Bheadh fáilte abhaile romhainn dá mbeadh bradán an duine ag teacht againn. B'in ceird amháin a bhí múinte d'fhormhór ghasúir an tsléibhe. Bhí a fhios againn le geaf a chur i bhfolach agus bhí a fhios againn lena chur sa ngeolbhach ag bradán dá bhfaigheadh muid an deis. Thosaigh an chaint ag tanaíochan agus an ghruaim ag daingniú in éadan Éamoinn de réir mar a bhí muid ag teannadh leis an scoil. Bhí a fhios agam go raibh smaoineamh mór éicint tar éis geit a bhaint as nuair a rug sé ar uillinn orm go tobann.

"Díolfaidh muid iad," a deir sé.

"Céard?"

"Na bradáin, ar an gCaiseal. Ceannóidh muid carr dara láimhe le haghaidh an tsamhraidh."

Diúltach a bheadh mo fhreagra murach go raibh cloiste againn i dtaobh ógánaigh eile a dhíol leoraí feamainne is a cheannaigh seancharr d'fhonn a bheith ag baint rampúch aisti ar an iargúltacht.

Thóg sé tamall ar an bpictiúr glanadh i m'intinn ach chomh luath is a ghlan bhí a fhios agam cén fáth go raibh pictiúr an bhradáin ar an bpíosa dhá scilling.

Bhí muid féin agus an Broc ar aon chéim isteach sa scoil. Cochall mór olna casta timpeall a mhuiníl agus cóta mór mar a bhíodh i lár an gheimhridh. Ní bhainfeadh sé de iad sin nó go mbíodh muid ag cur allais ag teas na tine. Sprae a chur orainn an chéad mhaith a rinne sé. B'in an chéad rud chuile mhaidin. Canna a raibh cos fada as ar nós teannaire rothair, uisce agus *Dettol* a chuireadh sé sa gcanna, é á shéideadh amach orainn nó go mbíodh muid beagnach plúchta ag an mboladh. Bhíodh an cochall suas ar a bhéal aige féin. Frídíní galair a bhíodh sé a mharú má b'fhíor dó féin. Gan a fhios againne ó Dhia anuas céard é an frídín galair. Bhí a fhios againn go raibh rud éicint ag beophianadh Dhónaill, é ar nós circe a mbeadh ubh le béal tóna aici nó go raibh an Broc críochnaithe leis an spraeáil. D'fhan sé nó gur shuigh sé ag a bhinse sul má shiúil sé suas chuige.

"Seo bronntanas a thug mé ar ais as an Spáinn chugat, a Mháistir."

"Go raibh míle maith agat, a Dhónaill. Céard atá ann?"

"Dhá chéad toitín, a Mháistir."

Bhreathnaigh muid uilig ar a chéile, an Broc ag fáil dhá chéad toitín agus gan againne ach ag iarraidh a bheith ag diúl gail as buit a d'fhaigheadh muid ar an mbóthar tar éis go mbídís leathnaithe ag bróg duine éicint.

"Beidh muid ag dul anonn go dtí an Spáinn aríst sa samhradh ar feadh coicíse."

"An bhfeiceann sibh sin? Muintir Chonamara ag rith ó na clocha agus fear an Achréidh ag baint airgid astu! Go raibh míle maith agat, a Dhónaill!"

Bhí sé ag cur fonn múisce orainn, fonn orainn breith air agus an mhúisc a chaitheamh amach ina mhullach dá bhféadfadh muid. Phléasc mé ag gáire de mo bhuíochas nuair a chonaic mé an rud a scríobh Éamonn ar phíosa páipéir.

An Broc ag cur sprae amach ar maidin Dé Luain
Agus Gugailí Barrett ag líochán a thóin.

Chuir mise sciatháin ar an bpíosa páipéir chun é a sheoladh tríd an aer chomh fada le binse Dhónaill. Thóg mé m'am nó go bhfuair mé an Broc iompaithe isteach ar an gclár dubh agus é ag scríobh cheannteidil na bhfáthscéalta. Suas i dtreo na síleála a chaith mé é sa gcaoi nach mbeadh a fhios ag Gugailí cén treo a dtáinig sé as. Stop mo chroí ar scáth ar fhan ag bualadh dó nuair a chas an píosa páipéir san aer mar a chasfadh fáinleog ar leathsciathán. Níor chónaigh sé go deo nó gur thit sé ar bhinse an mhúinteora. Bhí a aghaidh leis an gclár dubh go fóill aige agus é ag caint ar na plánna, idir mo bheo is mo mharbh a d'éalaigh mé suas ar bharr na gcos.

"An bhfuil a fhios ag duine ar bith agaibh cén chiall atá le plánna?"

Chas sé timpeall sul má bhí deis agam mo phíosa páipéir a sciobadh.

"Céard atá uait?"

"Tada, a Mháistir."

"Tada? Cén fáth go bhfuil tú amuigh as do shuíochán?"

"Níl a fhios . . . bhí mé ag iarraidh cead a dhul amach?"

"*By dad*, nach maith luath ar maidin atá fonn rith ort!"

Bhí sé feicthe aige.

"Ní aníos ina dhiaidh seo a tháinig tú, an ea?"

"Sea . . . ní hea, a Mháistir."

D'athraigh a dhreach nuair a léigh sé é. "Céard é seo?"

"Níl a fhios agam, a Mháistir."

"Léigh amach é."

"Níl mé in ann, a Mháistir."

Bhain sé torann as mo leiceann le clabhta, buille chomh crua, chomh tobann is gur scread mé. Búir a chuir sé as.

"Léigh é!"

"An Broc ag cur sprae amach ar maidin Dé Luain, agus Gugailí Barrett ag líochán a thóin."

Bhí a dhorna dúnta aige nuair a tharraing sé aríst orm. Bhí mo dhá láimh os cionn mo chloiginn agam ag iarraidh mé féin a chosaint nuair a bhuail sé isteach ar an mbolg mé. Thit mé ar mo dhá ghlúin leis an bpian ach bhí greim gruaige aige orm agus é do mo tharraingt i mo sheasamh aríst.

"An tusa a scríobh é seo?"

"Ní mé, a Mháistir."

"Cé a scríobh é?" Bhí a ghlór chomh fíochmhar is go raibh a fhios agam go raibh deireadh linn.

"Níl a fhios agam, a Mháistir."

Ag tosaí ag rá 'Ó mo Dhia' faoi m'anáil a bhí mé nuair a bháigh sé a dhorna i mo bholg in athuair. Thit mé uilig an babhta sin, mé ag iarraidh a bheith ag caitheamh aníos leis an bpian ach é ag cinneadh orm.

"Mise a scríobh é, a Mháistir."

Chuaigh sé ag iarraidh an mhaide mhóir chomh luath is a labhair Éamonn.

"Gabh aníos anseo."

Ní raibh aon ghá dó é a rá mar bhí sé ag déanamh a bhealaigh aníos chomh luath is a labhair sé.

Alltacht ar na gasúir eile uilig ag breathnú orainn.

"Cé hé an Broc?"

Níor oscail Éamonn a bhéal.

"Cé hé Gugailí Barrett?"

Chas an rang i dtreo Dhónaill ar an bpointe.

"Dónall Bairéad? An mbíonn siad ag tabhairt 'Gugailí' mar leasainm ortsa?"

"Bíonn, a Mháistir, agus 'súile mangach'."

"Cé a bhíonn á ghlaoch ort?"

"Iadsan, a Mháistir, agus na buachaillí móra."

"Cé air a mbíonn siad ag glaoch an Broc?"

"Ortsa, a Mháistir."

Ba mise a thosaigh sé a ghreadadh ar dtús, deich lasc den mhaide mór ar chaon láimh nó go raibh an phian ag creathadh bharr mo mhéaracha mar a bheadh codladh driúilic iontu. Bhí a lámh sínte amach ag Éamonn agus a chuid guaillí chomh díreach, chomh dúslánach le fear a bheadh ag rá, 'Déan do dhícheall ach ní bhainfidh tú aon deoir ghoirt asamsa.' Bhí cúr leis á lascadh, deich gcinn tugtha aniar ón ngualainn ar an láimh chlé aige dó agus naoi gcinn ar an láimh dheas nuair a réab sé ar nós duine a bheadh ag imeacht as a mheabhair. Thosaigh ag lascadh na beirte againn leis an maide agus é ag sianaíl – ar an gcloigeann, ar na cosa, ar na guaillí, áit ar bith ar thit an buille orainn nó go raibh muid tiomáinte roimhe síos go dtí an balla cúil aige.

"Seasaigí ansin anois nó go ndeire mise libh suí."

Slócht oilbhéasa ag déanamh a chuid cainte dothuigthe. Ciúnas fada a bhí ann ansin, ciúnas chomh ciúin is go raibh an ciúnas féin le cloisteáil. Faitíos ar aon duine a scornach a ghlanadh ná puth casachta a dhéanamh nó gur thóg sé a dhá láimh dá cheann is gur imigh sé amach chuig seomra na múinteoirí. Níor labhair aon duine an uair sin féin ach Éamonn.

"Tá an buille deiridh buailte ag an focar ormsa," a deir sé agus é fós ag fiuchadh tar éis na druimeála.

De ghlór íseal a d'inis an Broc i dtaobh na bplánna a chuir

Dia anuas ar an gcine daonna mar gheall go raibh siad ag tabhairt a dhúshláin. Stop sé go tobann i lár an scéil, é ag breathnú go míshásta amach sa bhfuinneog.

"Suigh síos, an bheirt agaibh, tá an Canónach ag teacht isteach."

Chonaic mé Éamonn ag feistiú píosa de spriong cloig agus ag meilt daba páipéir ina bhéal. D'imigh an deabhal air má bhí sé de mhisneach aige é a thabhairt ar an gcluais do Ghugailí agus dáir theagaisc chríostaí ar an gCanónach. Bhainfeadh Éamonn an tsúil as míoltóg le píosa de sprionga cloig. Ní raibh trioblóid ar bith aige burla páipéir cangailte a chur siar le teannnadh i gcluais duine éicint nuair a bhíodh aire an Mháistir dírithe i dtreo éicint eile.

"Céard iad na seacht gcinn de pheacaí marfacha?"

Bhí m'aird chomh mór ar Éamonn ag socrú an bhaoite ar bharr an sprionga is gur bheag nár shéalaigh mé nuair a chonaic mé méir an Chanónaigh dírithe orm.

"Sea, tusa."

" . . . Aigne, tuigse, comhairle, neart, fios, cráifeacht agus eagla an Tiarna."

Bhí a fhios agam go raibh an chuid mhícheart roghnaithe agam sul má bhí a leath ráite ach bhí an oiread teannaidh leo ag teacht amach as mo bhéal is nach stopfadh éadan aille iad.

"Sin iad seacht dtíolacthaí an Spioraid Naoimh. Céard iad na seacht gcinn de pheacaí marfacha?"

Bhí barr briste an sprionga ligthe aníos os cionn bhileog an tsuíocháin ag Éamonn agus é á tharraingt siar le hionga a ordóige mar a bheadh sé ag tarraingt casúr gunna.

Isteach díreach ar chlár na baithise a bhuail sé an Canónach.

Spleatar mór bog páipéir ag greamú dá bhaithis. Shúigh chuile dhuine sa rang a n-anáil isteach ag an am céanna. An Canónach fágtha mar a bheadh sé gan aithne gan urlabhra ar feadh cúpla soicind. Chroch sé a lámh mar a bheadh sé ag súil le sruthán fola as a bhaithis. Tháinig dreach borb éisealach ar a éadan nuair a chonaic sé daba greamaithe dá mhéaracha. Las taghd drochmhúinte ina dhá shúil. Gan a fhios ag an mBroc céard ab fhearr dó a dhéanamh.

"Tá brón orm, a Chanónaigh, gabh amach go nífidh muid é."

Bhreathnaigh sé idir an dá shúil ar Éamonn sul má thionlaic sé an Canónach amach, é ag creathadh' le teann oilc. Díoltas ina dhá shúil. "Déileálfaidh mise leatsa," a deir sé ag imeacht. Na focla chomh bruite le gail ag teacht amach as a bhéal.

Níor tharraing duine ar bith anáil shócúlach ach chuile dhuine ag díriú airde ar Éamonn. Cáir mhór gháire ag leathnú amach ar a éadan mar a bheadh olc na maidne ar fad teilgthe sa daba a bhain torann as baithis an Chanónaigh. Leáigh an teannas as chuile éadan dá raibh ina thimpeall. Laoch ina measc. Chuaigh muid chun réalaíochta aríst nuair a chuala muid glór borb an Chanónaigh ag imeacht. An Broc faoi shíorléigear aige. Chuile abairt ag pléascadh mar a bheadh urchar gunna mhóir nó gur dhún sé an doras amach ina dhiaidh. Chrom chuile dhuine ag scríobadh pinn luaidhe in aghaidh páipéir agus muid ag comhaireamh chuile choiscéim nó gur sheas an Broc ag a bhinse. Bhain sé de a sheaicéad go mall réidh agus chrap sé suas a chuid muinchillí sul má rug sé ar an maide mór.

"Aníos anseo, a Éamoinn."

Ní raibh aithne ar Éamonn nach suas ag glacadh na chéad duaise as comórtas éicint a bhí sé ag dul. Thug sé súil bheag ábhailleach ar ais sul má chuir sé amach a láimh. Thóg Broc marc ar bharr a chuid méaracha sul má scaoil sé an maide air le luas lasrach, ach dá thréine dá raibh a iarraidh bhí greim beirthe ag Éamonn ar ghob a mhaide. Rinne an Broc tréaniarracht an maide a tharraingt uaidh, é ag dul le cuthach agus le báiní de réir mar a bhí ag cinneadh air. Scaoil sé uaidh an maide de spadhar agus thosaigh sé ag gabháil de dhornaí ar Éamonn ag iarraidh é a chriogadh le chuile bhuille. Straois gháire a bhí ar Éamonn, é chomh haclaí le heascann amach ar a aghaidh ag casadh agus ag lúbadh ó chuile bhuille. Fáisceadh isteach faoin mBroc de ruathar a rinne sé, ruathar chomh tobann is go raibh an Broc ar a thóin ar an urlár sul má bhí a fhios aige céard a bhuail é. D'éirigh muid ar fad inár seasamh, béic ag réabadh amach as chuile dhuine againn, ag saighdeadh le hÉamonn chomh friochanta is dá mba ag maíomh as foireann pheile an chontae a bheadh muid. Bhí an Broc faoi ar an urlár aige, é ina shuí ar a bholg agus é ar a mhíle dícheall ag iarraidh a bheith ag ceansú a dhá láimh. Bhí sé tarlaithe le hiompú ár súl. An Broc, a bhí ag breathnú támáilte, tar éis Éamonn a chur de le hoibriú agus le spreacadh. É curtha ar a bhéal faoi ar an urlár agus an Broc ag cur fuineadh i leathláimh leis. Éamonn ag iarraidh é a bhaint as greim chomh fíochmhar is a cheadaigh a neart féin dó ach gan an spreacadh ina chnámha. Chomh luath is a fuair an Broc greim chúl cinn lena chiotóg air bhí sé fánach aige casadh. Shuigh an rang síos chomh marbhánta le heangach a mbeadh peil na namhad tar éis croitheadh a bhaint aisti. Le teann faitís a d'éirigh mé de phreab. Bhí sé ag brú Éamoinn amach roimhe an doras nuair a chuaigh mé de léim ar a dhroim. D'fháisc mé mo dhá láimh timpeall a mhuiníl agus mo dhá chois timpeall a bhoilg. Bhí mo chroí stoptha le faitíos nó gur éirigh an rang ina seasamh aríst ag saighdeadh leis an mbeirt againn. Choinnigh sé greim cinn ar Éamonn ag dul síos tríd an halla nó gur éirigh le hÉamonn cor a chur ina mhéir nuair a fuair sé a dhá láimh saor. A mhéir a iompú siar a rinne sé, siar chomh fada is gur scread an Broc leis an bpian. Níor fhan muid leis an dara scread ach rith chomh maith is a bhí cos orainn suas trasna na ngarranta.

Duine ná deoraí ní raibh roimh Réamonn tar éis filleadh abhaile óna chuid oibre. Gan dé ar an teallach ná boladh blasta an tsuipéir le fáil ar fud an tí mar ab iondúil.

"Foc an *Lodge*," a deir sé os íseal agus é ag cartadh luaith na tine ag tóraíocht cnádú beag a chuirfeadh anam ar ais sa teallach. Cúpla smeachóid nach raibh aithinne ag gabháil leo. Chaith sé an t-iomlán i mbuicéad na luatha agus thosaigh sé as an nua le glaic chipíní. Ní raibh aon olc aige do Mheaigí. Ach bhí an *Lodge* ag rialú a saoil. Gan í in ann labhairt ar rud ar bith eile ach ar an méid oibre a bhí le déanamh aici sul má thiocfadh na mná rialta. Chuile thráthnóna á mealladh ar feadh leathuaire le cois nó go mbíodh sé dubh dorcha sul má thagadh sí abhaile go leithscéalach is a thosaíodh sí ag gléasadh an tsuipéir. Ligfeadh an teacht isteach fairsinge ar a lámha, ach ní thiocfaidís a chodladh ina dtroscadh dá fhuireasa, a smaoinigh sé, tuairim nár roinn sé le Meaigí mar nár mhaith leis beagán a dhéanamh de na mianta a bhí ag sú a cuid allais. Chuala sé chuige an trup nuair a bhí sé ag deisiú caoráin thirime timpeall ar an gcaor lasrach a bhí déanta ag na cipíní. D'fhágadh sé tús cainte aici nó go mbeadh gach a raibh déanta agus gach a raibh le déanamh curtha aníos dá hucht. Chas sé thart nuair nár labhair sí.

"Ó, sibhse atá ann, cá raibh sibh?"

"Áit ar bith, cá bhfuil Mama?"

"Thíos ag an *Lodge* go fóill, is dóigh. An bhfuil boladh éisc oraibh?"

B'in é an uair ar chroch Éamonn an bradán a bhí taobh thiar dá thóin, gan é unsa as deich bpunt meáchain.

"Á muise, nár mhúchtar is nár bháitear na hiascairí!" Bhí sé tógtha as láimh Éamoinn aige chomh hamplach le páiste ag breith ar bhréagán. "Níor theastaigh sé ariamh níos géire. Croch síos an bácús mór agus cuimil rud beag ime dá thóin. Tabharfaidh tusa a leath seo abhaile," a deir sé liomsa, "agus róstfaidh muid an leath eile."

Bhí an tsráid amach tugtha aige air féin agus an scian ghéar ina leathláimh. Níor oscail muid ár mbéal faoin dá bhradán eile, ná faoin bpunt breise a bhí curtha sa gcrúsca againn tar éis an tráthnóna. Níor thug sé faoi deara nach raibh aon mhála scoile ag teacht againn. Ní thabharfadh, ná dá mbeadh dhá thrunc as Meiriceá ar ár ndroim, ó chonaic sé an bradán. Bhí sé chugainn arís gan mórán moille agus ciseog a raibh an t-uisce ag silt aisti idir a dhá láimh aige. Leath an bhradáin nite glanta sa sruthán agus é gearrtha ina gheampaí orlach ar tiús aige.

Déarfainn leis mo leathsa a choinneáil freisin murach go

raibh mé ag brath air le mé a thabhairt slán thar tairseach sa mbaile. Chúig leagan de bhréag ag dul trí mo cheann ach é ina dhrochmhisneach orm mar sin féin. Dá mbeadh rírá na scoile sroichte abhaile romham bheidís do mo chardáil nó go ndéanfaidís píosaí beaga díom. Iomarca faid ar theanga cailíní. Dá mbeadh luaidreán ar bith cloiste ag mo chuid deirfiúracha bheadh pian ina mbolg nó go mbeadh scéal an ghamhna bhuí déanta de.

"Suigh síos ansin go fóilleach, go n-íosfaidh tú geampa dhe, ní thógfaidh sé i bhfad."

Bhí súilíní ag fiuchadh timpeall ar chuile phíosa de réir mar a leag sé ar thóin an bhácúis iad. An boladh ag cur blas ar an aer.

"Cuirfidh muid síos an píosa seo do Mhama. Beidh sí isteach nóiméad ar bith anois. Gearr an cáca thusa, maith an fear."

Bhí an scian chomh géar is go mbearrfadh sí duine. Stiallóga móra fada a ghearr mé agus scoilt mé ina lár iad nó go raibh cruach curtha ar an bpláta agam. Trí mhuigín leamhnachta a leag sé anuas. Muid ag líochán ar ár gcuid méaracha mar a rinne Fionn Mac Cumhail tar éis blaiseadh don bhradán feasa.

"Á, muise, beidh a béile ó mhaith, an créatúr. Rith síos, a Éamoinn, agus abair léi go bhfuil a dóthain déanta inniu aici."

"Gabh i leith uait," a deir Éamonn.

Ní raibh an dara cuireadh ag teastáil uaim, rud ar bith chun an turas abhaile a mhoilliú.

"Ba cheart don bheirt agaibh cúnamh a thabhairt di ar feadh cúpla lá. Tá sé ina imní anois uirthi nach mbeidh an áit faoi réir ó fheiceann sí ag tarraingt leis an am é."

262

Shílfeá gurbh é Dia a bhí á rá leis. An-leithscéal go deo. Bailiú liom ar maidin, mar ó Dhia gur ag an scoil a bhí mé ag dul agus an lá a chaitheamh in éineacht le hÉamonn sa *Lodge*.

Bhí an áit chomh dorcha le liombó nó gur las Éamonn solas.

"A Mhama?" a d'fhógair sé trí bhabhta ach gan é ag fáil aon fhreagra ach sioscadh na gaoithe as an simléar.

Thosaigh muid á tóraíocht ó sheomra go seomra, ag ceapadh gur néal a thit uirthi fad is bhí sí ag ligean an láin as a droim. I seomra Lady Bromley a fuair muid í. Sínte siar i lár an urláir agus binn den bhraillín a bhí sí a chur ar an leaba ina láimh. Níor aithin muid nach ina codladh a bhí sí nó go bhfaca muid dath an bháis ar a héadan.

Ariamh roimhe ná ó shin, ní cuimhneach liom aon tsochraid a ghoill chomh mór orm. Réamonn agus Éamonn ina seasamh ar bhruach na huaighe chomh balbh leis na clocha cinn a bhí ina dtimpeall. Saighead an bháis tar éis a dhul go tobann trína gcroí. Daoine ag cásamh a mbris leo ach a gcroí chomh brúite briste is nár mhothaigh siad tada, tada ach iad ina seasamh ansin mar a bheidís faoi gheasa. Gan deoir óna ngrua a ligfeadh an sileadh as pian a ndóláis ach tocht na tragóide téaltaithe ar a gcliabhrach.

Thit an drioll ar an dreall ag Éamonn chomh luath is a chonaic sé an corp, mar a bheadh sí tar éis an fuinneamh a thug sé as a broinn á shú ar ais uaidh.

Ba mise a chuaigh de rite reaite ar ais ag iarraidh Réamoinn.

"Céard?" B'in é an méid a dúirt sé agus fuinneamh fiántais á theilgean i dtreo an *Lodge*, ach nuair a chonaic sé a corp, nuair a chreid sé go raibh an fhírinne agam, níor fhan brí ar bith ann. Abhaile a chuaigh mé ag iarraidh cabhrach.

"Tá Meaigí básaithe!" a scread mé ag teacht faoin doras. Dearmad déanta agam ar chuile uafás eile dá raibh gaibhte tríd agam ó mhoch maidne. Bhí siad i mo theannta ar an bpointe. A ngraithe féin ligthe i ndearmad acu chun fóirithint ar a gcomharsa. Dochtúir is sagart aimsithe chomh scafánta is a d'fhéad siad.

Ba í mo mháthair a mhúch na soilse agus a chuir glas ar dhoras an *Lodge* nuair a chroch siad leo san otharcharr í. Réamonn ina sheasamh i lár na sráide ag breathnú ar na soilse ag imeacht uaidh tríd an dorchadas. Gan a fhios aige cén fáth gur chuir mo mháthair eochair an *Lodge* ina phóca.

Massive heart attack a bhí mar bhreith ag coiste an chróinéara. Difríocht dá laghad ní dhearna an t-eolas d'Éamonn. Ní raibh an tiocair bháis chun í a thógáil ó na mairbh.

Comhairle curtha sa mbaile ormsa fanacht i gcomhluadar Éamoinn nuair a thug siad faoi deara nach raibh a fhios aige an beo nó marbh a bhí sé. Ba mé a thug an nod dó a dhul suas ag Comaoineach. An pobal ag fanacht nó go mbeadh líon tí an mharbháin riartha sul má d'ofrálfaidís féin sacraimint Chorp Chríost dá hanam. Dhóbair mé a dhul suas ina theannta ach staon mé ag aithris ar chuile dhuine eile a bhí ag fágáil nóiméad chomh sollúnta ag teaghlach na marbh amháin. Creathadh beag do mo bhualadh nuair a chonaic mé an Canónach ag coipeadh go dúr drochmhúinte.

"Corp Chríost," a deir sé ag leagan na Comaoineach ar theanga Réamoinn. Chuir Éamonn amach a theanga go marbhánta ach shiúil sé thairis amhail is dá mba é a bhí tar éis an Slánaitheoir a chéasadh. Bhí oiread alltachta ar an bpobal is nár chorraigh siad nó gur chuir an Canónach agall síos ina ndiaidh.

"Tar aníos má tá sibh ag iarraidh Comaoineach."

D'fhan muid as a bhealach sa reilig. Oiread de dhoilíos croí ar Éamonn ag breathnú ar an dóib ag sloigeadh chorp a mháthar is nach raibh a fhios aige an ann nó as a bhí an Canónach, fiú nuair a chríochnaigh na fir ag clúdach, nuair a leag siad na sluaistí i bhfoirm croise os cionn na huaighe, nuair a dúirt siad na cúpla paidir dheiridh go ciúin lena hanam, níor chorraigh sé. Fiú amháin nuair a scaip na daoine d'fhan an bheirt ansin ag stánadh ar scraith na huaighe mar a bheidís ag súil go raibh sí chun an chréafóg a bhrú aníos di chuile phointe. Bhí mé ar anchaoi murach Barrett, gan a fhios agam cé a b'fhearr dom iad a bhrostú nó fanacht go mbeadh a marana déanta acu. Ba é Barrett a tháinig i gcabhair orm. Bhí sé tugtha faoi deara agam i bhfad roimhe sin, as féin ar chúl lucht na sochraide. Shiúil sé trasna ó chois go cois nó gur chuir sé lámh thrócaireach ar ghualainn Réamoinn.

"Beannacht Dé lena hanam, a Réamoinn," a dúirt sé. "Is mór an buille é do bhean a chailleadh. Gabh i leith uait go n-óla an bheirt againn deoch, níl tada eile atá tú in ann a dhéanamh di anois."

Ba í an tseachtain ba lú ar roinn mé caint le hÉamonn í ó tháinig an chéad fhocal don bheirt againn. Nod dá cheann a thugadh sé mar fhreagra ar mo chuid ceisteanna. An croí curtha trasna ionam cúpla babhta nuair a scread sé go trodach i dtreo Dé ag iarraidh míniú ar an míthrócaire.

Dé ná deatach ní fhaca muid ar Réamonn, ná an teach níor thaobhaigh sé agus muid ag tosaí isteach sa tríú seachtain. Bhí Éamonn ag suaimhniú beagán agus é ag fáil tuirseach ag sciolladh ar Dhia de bharr nach raibh sé á fhreagairt ar ais.

Bheadh ceisteanna le freagairt sa mbaile agam murach gur thoiligh na buachaillí móra na málaí scoile a fhuadach amach as an scoil dúinn.

Níor dhiúltaigh Éamonn do m'achainí aon tráthnóna nuair a d'fháisceadh muid ar ár ndroim iad is a ligeadh muid orainn féin gur díreach abhaile ón scoil go dtí an teach s'againne a bhí muid tar éis a theacht. Béile mór faoi réir ag mo mháthair agus í ag briseadh a croí le trua nuair ba léir di nach raibh Réamonn ag tógáil ceann ar bith as an ól. Mheas mé go raibh an chluain curtha ar mo chuid deirfiúracha freisin againn nuair a chuireadh muid orainn na málaí is thugadh muid aghaidh ar an scoil ina dteannta ach thosaíodh muid ag moilleadóireacht in aon turas nó go bhfaigheadh muid seans éalú isteach faoin droichead nó go mbíodh na scoláirí eile craptha leo as an mbealach, aicearra an chait tríd an ngríosach a dhéanamh ansin i bhfoscadh na dtomacha nó go n-éalaíodh muid isteach an doras cúil tigh Éamoinn.

Ní raibh ann ach go raibh dhá feaig deargtha againn an mhaidin seo nuair a chuala muid an carr ag stopadh taobh amuigh agus glórtha anaithnid ag líonadh an aeir. Mhúch muid go sciobtha nuair a buaileadh an doras. Baineadh stangadh as chaon duine againn nuair a chonaic muid bean rialta a bhí chomh spéiriúil ag meanmnaí saoire is go raibh sí ag éirí ó thalamh.

"*Is this Joyce's?*" a deir sí.

Thug chaon duine againn nod dearfach.

"*We want the key to the Lodge please. Is your mother here?*"

"*Meaigí is dead,*" a deirimse.

Ba bheag nach raibh corp eile i mbéal an dorais leis an toraic a baineadh aisti.

"*Oh, my God!*"

Ní raibh a fhios aici ansin céard ab fhearr di a rá nó a dhéanamh. An dá chomhairle á déanamh míchompóirteach i mbéal an dorais.

"*I must tell the other sisters.*"

"Céard a dhéanfas muid, a Éamoinn?"

"Níl a fhios agam."

"*Jays,* caithfidh muid iad a ligean isteach ann."

Shiúil sé go dtí corr an drisiúir agus é ag crochadh a láimhe le breith ar an eochair den phionna.

"Níl an eochair anseo."

Las an pictiúr i gcúl m'intinne.

"Chuir mo Mhama an eochair síos i bpóca do Dheaide."

"*Oh, Jaysus,* tá sí imithe aige, mar sin."

B'in é an soicind ar tháinig sí chuig an doras in athuair. A deilbh mar a bhí an chéad bhabhta ach í chomh marbhánta le peil a mbeadh an ghaoth imithe aisti.

"*Could we have the key, please? We can look after ourselves.*"

"*The key is not here but we might be able to get it.*"

"*Oh?*"

"*My father has it down in Cashel, I think. Wait at the Lodge for us.*"

267

Bhí muid ag dul amach thairsti agus muid ag caint. Níor smaoinigh muid fiú amháin glas a chur ar an doras ach a dhul de léim ar an dá rothar agus púir ghainimh a ardú den bhóthar le teann siúil.

Ascaill suíocháin a bhí á choinneáil suas. A cholainn sactha isteach eatarthu agus a smig ligthe anuas ar a chliabhrach. Féasóg coicíse gréiseáilte ag cúr leanna thart timpeall a bhéil. Boladh na siléige ag éirí as a chuid éadaigh.

"A Dheaide? A Dheaide, dúisigh suas!"

Trína ghealacáin a bhreathnaigh sé orainn ag ardú a chinn go mall meisciúil. Aoibh an gháire ag athrú a dhreacha nuair a labhair Éamonn.

"Caithfidh tú a dhul abhaile, a Dheaide."

Go hamscaí a rug sé i ngreim láimhe air.

"Anseo, anseo, a Éamoinn, sa gcoirnéal seo a chas sí orm an chéad lá ariamh. Meaigí, a Éamoinn, do Mhama."

"Tá na mná rialta tagtha, a Dheaide, caithfidh muid a dhul abhaile."

"Anseo a bhí mé agus mo dhóthain ólta agam nuair a tháinig sí i gcabhair orm."

"Cá bhfuil eochracha an *Lodge*, a Dheaide?"

"Mallacht Dé ar an *Lodge*."

"A Dheaide, tá na mná rialta ag fanacht linn."

"Ba é an *Lodge* an t-aon chnámh spairne a tháinig eadrainn. Sé an *Lodge* a mharaigh mo Mheaigí."

"An bhfuil an eochair i do phóca, a Dheaide?"

"Shíl mé aréir go bhfaca mé ansin í ach ní labhródh sí liom.

Murar ag brionglóidí a bhí mé." Níor chuir sé suim dá laghad muid a bheith ag tóraíocht ina phócaí.

D'ardaigh mo chroí nuair a chroch Éamonn na heochracha os mo chomhair. Thuig chaon duine againn dearcadh a chéile.

An leisce a bhí orainn imeacht uaidh ár sáinniú mar a bheadh muid idir dhá thine Bhealtaine. Tháinig cabhair as ceard nach raibh aon tsúil againn leis. Isteach trí dhoras na sráide a tháinig Barrett agus gan mórán cineáltais ná trócaire sa teachtaireacht a bhí aige.

"*Ah, fuck this, Réamonn!* Sin é é anois, tá mise réidh leat. Níl mise ag cur suas leis an *fuckin'* obair seo níos faide."

"Amárach, a Willie, beidh mé ceart go leor amárach."

"Amárach *shite*, sin é an port a bhí inné agat agus an lá roimhe agus an lá roimhe sin. Ní féidir liomsa cur suas leis seo. Leoraí ina sheasamh thiar sa *fuckin'* coiléar agus clocha ag teastáil go géar ar bhóthar an Chlocháin. Tá mise réidh leat anois. Is beag an mhaith domsa duine ar bith nach bhfuil le *fuckin'* trust." Bhí sé ar a bhealach amach arís nuair a labhair Éamonn.

"Tiocfaidh mise ina áit go ceann cúpla lá."

Chas sé ar ais agus é ag meáchan na tairisceana ina intinn.

"Ní féidir leat, tá tú ró-óg le dhul ag tiomáint."

"Ach is féidir liom an dá leoraí a choinneáil líonta. Beidh ceann líonta roimh an tiománaí i gcónaí agam. Beidh sé chomh sciobtha céanna."

"*Jaysus*, tá mé fágtha i sáinn ceart. An bhfuil tú sásta tosaí anois?"

"Tá, má thugann tusa mo Dheaide abhaile as seo."

"Teara uait, mar sin. Beidh mé ar ais faoi cheann leathuaire, a Réamoinn. *Right*?"

269

Chroch Réamonn a lámh go meisciúil gan a fhios aige cé dó a bhí sé ag géilleadh. D'fhanfainn ina chomhluadar nó go dtiocfadh Barrett faoina dhéin murach gur chuir Éamonn cúram eochair an *Lodge* orm.

Bhí bealadh sna hioscaidí agam ag dul in aghaidh na n-ard, misneach úrnua ag cur spreacadh sna cosa agam agus mé beag beann ar dhúshlán na gcnoc. Isteach geata an *Lodge* chomh fuinniúil le lon dubh ag dul trí choill in aimsir sheaca. Mura raibh fáilte romham ní mba lá go maidin é. Ba léir go raibh sé ina imní orthu.

"*What happened to poor Maggie?*"

"*Massive heart attack.*"

Bhí mé chomh bródúil le rí go raibh mé in ann na cúpla focal a chur i ndiaidh a chéile gan stad gan stodam. Thug sin tuilleadh misnigh dom ag déanamh ar theach Réamoinn. Chaithfeadh an teach a bheith te teolaí roimhe. Mholfainn dó é féin a bhearradh agus a dhul a chodladh.

Níl a fhios agam an fada gearr a bhí sí ag fanacht liom ach gheit mé nuair a chonaic mé romham ag binn an tí í. A héadan fáilí fiosrach nuair a bhí mé ag déanamh uirthi.

"Bhí orm a dhul síos don Chaiseal ag iarraidh eochair an *Lodge* le haghaidh na *nuns*, a Mhama. Tá Réamonn ag teacht abhaile anois is tá mé . . . Ow!"

Isteach ar pholl na cluaise a bhí sí tar éis leadóg a thabhairt dom, leadóg a mheabhraigh smacht agus lámh láidir.

"Gabh amach anseo romham, a scabhaitéara, gabh amach!"

Chuir sí dhá choiscéim suas an bóthar mé le cibhear eile.

"Ach ní dhearna mé tada, a Mhama."

Ar chuing mo mhuiníl a rug sí nuair a shíl mé casadh ar ais

agus cur ar mo shon féin. Bhí mé coinnithe fad a láimhe amach uaithi aici agus í ag baint croitheadh fíochmhar asam le chuile abairt.

"Ach ní dhearna mise tada."

"Lig do do chuid strealladh bréag liomsa, ní amach faoi chearc a ligeadh mise ar chor ar bith le go gceapfá gur féidir leat nead a dhéanamh i mo chluais. An bhfuil tú ag ceapadh nach bhfuil smacht ar bith ort, an bhfuil? An bhfuil? Gur féidir leat a bheith ag imeacht gan aon cheannas ceann ag déanamh scrios ar sheandaoine."

"Ach ní dhearna mé tada."

"Ná bí ag cur do chuid bréag siar i mo bhéal. Nár chaith sibh cac síos i dtobar na mBreathnach?"

"Níor chaith, a Mhama, cócó."

"Nár ionsaigh sí istigh sa siopa mé os comhair chuile dhuine, go raibh mé i gcruth an tsagairt le teann náire. Mura beag a cheapfadh dhaoibh é, dhá cheolán ag ionsaí an mhúinteora. Ach dá ligfinnse anuas t'athair bheadh sé ag gabháil de mhaide ort nó go mbeadh léasracha amach thrí do chraiceann. Gabhfaidh tú soir chuig an scoil anois agus fanfaidh tú thoir ann nó go mbeidh béasa agus foghlaim ort, thar a bheith ag imeacht i do scabhaitéara ag déanamh scrios ar fud an bhaile."

Chuaigh an méid eile dá ráig sciolladóireachta thar mo chluasa. An ghráin shaolach do mo chur ag creathadh i mo chraiceann nuair a d'oscail sí an doras is thairg sí mar íobairt don Bhroc mé os comhair an ranga. Ní raibh sé do m'iarraidh. Oiread de ghráin ina shúile ag breathnú orm is dá mba é an deabhal a bhí tar éis mé a chaitheamh mar mhúisc as a phutóga.

271

"Buail é, a Mháistir, buail amach as é!"

"Buailigí féin é."

"Ach teastaíonn smacht uaidh."

"Is libhse smacht a chur air, sibhse a thuismitheoirí."

"Níl aon áit dár bhain dreancaid greim as duine riamh nach gcuirfidh mise léas air má chloisim go ndearna sé aon bhlas eile as an mbealach, a Mháistir. An gcloiseann tú anois mé, a chloigneacháin?"

Ina diaidh a d'fhág sí mé amhail is dá mba cat bradach mé a bhí tugtha píosa ó bhaile i mála le leisce é a bhá. Bhí cor éicint sa dlí a choisc an Broc mé a ruaigeadh abhaile aríst in éineacht léi. Síos i suíochán ar chúl an ranga asam féin a threoraigh sé le gob a mhaide mé. É chomh héisealach ag breathnú orm is dá mba lobhar a bheadh sé a sheoladh roimhe.

"Suigh ansin agus fan ansin nó go mbeidh féasóg síos go glúine ort má thograíonn tú, ach tá an ceacht deiridh múinte agamsa dhuit."

Ar ais ón siopa a bhí Eileen ag teacht nuair a chuala sí torann an chairr ag teacht ina diaidh. Géarú ar a coiscéim a rinne sí nuair a stop sé lena taobh. Réamonn leathchaillte sa suíochán tosaigh agus Barrett ag tabhairt comhartha di a dhul isteach sa suíochán cúil. Chaith sí saighead as corr a súl a thug le fios dó nach raibh a chuid bladair bhréige ag dul á mealladh.

"Fulaing anois," a dúirt sí faoina hanáil nuair a chonaic sí an crá a chuir a diúltú ina dhá shúil. Múisiam ag géarú a ghoile agus é ag tiomáint leis.

"Dúisigh, a Réamoinn."

"Ha?"

"Dúisigh, tá tú sa mbaile."

"*Oh, Jays,* beidh mé ceart amárach."

"Caithfidh tú do dhóthain a chodladh. *Come on,* cuir fút na cosa."

Corrach go maith a bhí siad faoi, chomh corrach is go raibh sé chomh dóigh dó a dhul i ndiaidh a mhullaigh murach an bharróg a choinnigh Barrett air nó gur shín sé siar ar an leaba é.

"Amárach, a Willie. Beidh mé ceart amárach."

"Tit i do chodladh anois."

Bhí an múisiam tar éis fonn peataireachta a bhaint de. É leath bealaigh chun na sráide aríst sul má chas an smaoineamh ar ais é.

"A Réamoinn?"

"Amárach, a Willie, beidh chuile rud ceart amárach."

"A Réamoinn, an mbeidh tú sásta an *Lodge* a ligean ar cíos liom?"

"Foc an *Lodge,* foc an áit sin!"

Strachail sé chuige binn na pluide agus é ag cur a chloiginn i bhfolach ón ábhar goilliúnach.

"Is fearr fanacht nó go mbeidh tú ar do chéill," a ghéill Barrett á fhágáil ag únfairt san éadach leapan.

Seachrán an óil á chur ag bobáil chodlata nuair a fágadh ina aonar ar an gciúnas é. Idir é agus léas shamhlaigh sé í, gan ann ach an dé ar éigean i gcarr a bhí bun os cionn, ach gur mhothaigh sé cabhair ina cuideachta. Cuideachta a mbíodh sé ag tnúthán léi chuile thráthnóna nuair a bhí lúth a chuid géag ag brath ar mhaidí croise. Ag fanacht go foighdeach nó go bhfógraíodh an dá ghadhar an dea-scéal. Laiste an dorais á bhaint agus a colainn chaol phéacach ag teacht tríd. A glór chomh séimh is go gcuirfeadh sí dallamullóg ar a chuid pianta. Lámha míne mánla ag cur ceirín lena lot agus a grá ag cneasú a chneá. 'Pósfaidh,' a dúirt sí agus a chroí ina bhéal nó gur chuir sí a croí lena ucht agus iad ar aon anáil ag tabhairt póg na beatha dá chéile. Chonaic sé go soiléir anois í, gach orlach dá colainn chaol dhea-mhúnlaithe á fáisceadh féin isteach ina ascaill nó go raibh siad greamaithe in aghaidh a chéile, ag siúl go haireach trí dhumhchanna gainimh Fhánóir nó gur bhlais siad den nádúr ar an gcúlráid. Chroch sé a lámh dheas ina bhrionglóid ag iarraidh an aisling a athbheochan lena ais ach ba cholainn gan chnámh a bhí san ascaill phluideanna a raibh sé fágtha taobh leo.

Ghoin a aire é, laiste an dorais ag múscailt drioganna dóchais ach an fhírinne shearbh mar a bheadh dealg idir codladh agus dúiseacht.

"An tusa atá ansin, a Éamoinn?"

Fuaim ná freagra ní bhfuair sé ar feadh cúpla soicind nó gur bhain bacáin éagaoin as insí is gur mheabhraigh torann an laiste nár uaidh féin a bhí an doras ag dúnadh.

"Cé atá ansin?"

Guth stuama staidéarach a d'fhreagair gan chás, gan náire é.

"Mise, a Réamoinn, Eileen."

Chaith sé ala ag tabhairt breithe ar a bhreithiúnas ar fhaitíos gurbh iad haras an óil a bhí ag cur seachráin air, ach nuair a d'oscail sí doras an tseomra agus nuair a d'athraigh boladh an aeir, bhí a fhios aige go dearfa nár mba thaise óna chuid samhlaíochta a bhí os a chomhair.

Bhí a intinn ina cíor thuathail, tréith thaghdach á mhaíomh chun í a ruaigeadh as an seomra le stropa eascainí ach tréith shibhialta ag meabhrú dó gur bhinn béal ina thost.

"Níor mhaith liom faoi bhás Mheaigí, a Réamoinn, bhí an oiread trua agam dhuit ag an am is nach ligfeadh mo chroí dhom í a chásamh leat."

Gíog ná míog, cor ná car níor chuir sé as nó gur theagmhaigh ainm Mheaigí leis an mbiorán suain. Chas sé go mall i dtreo Eileen nó gur fhéach sé go dochreidte idir an dá shúil uirthi. Focal níor tháinig as a bhéal ach é ag bordáil leis go mall amach an doras agus le fána i dtreo an Chaisil de shiúl a chos. Ba shócúlaí de philiúr í bileog an chuntair le néal a ligean thairis nuair a bheadh doilíos an tsaoil báite le foracan óil.

Bhí an-tionchar ag an aimsir ar an gcuid eile de mo chuid laethanta scolaíochta. Dá mbeadh an lá fuar feannta shantóinn foscadh an tseomra ranga. Ní raibh aon doicheall agam roimhe anois ó tharla nach raibh an Broc ag cur aon araoid orm. D'fhéadfainn a dhul ag comhaireamh na míoltóg ar an tsíleáil chuile lá den tseachtain ach ba é an dá mhar a chéile ag an mBroc é. Bhínn ag cur suas mo láimhe ar dtús ar nós chuile ghasúr eile ag iarraidh cead a dhul chuig an leithreas ach dá gcoinneoinn mo chrúb in airde nó go dtosódh géagáin ag fás uirthi ba é an cás céanna é. Bhí neamhshuim iomlán déanta aige díom. Cés moite de na cuarta a thugadh na sagairt nó an cigire ar an scoil. Ní ligeadh sé air go raibh dícheann á dhéanamh orm fad is bhíodar sin i láthair ach chomh luath is a d'imídís bhí an cat crochta aríst romham. Ní chuireadh sé chugam ná uaim nuair a shiúlainn amach as mo chonlán féin le cúpla gail a bhaint as na buiteanna feaigs a bhí i bhfolach i gcrúsca thuas sa ngarraí agam. Ní osclóinn mála ar bith murach chomh deacair is a bhí sé an lá a chaitheamh. Iontas a bhí mé a chur orm féin nuair a scríobhainn aiste. Cumas nár eol dom ag tál go suaimhneach as m'intinn nuair a mhaolaigh scáth an mhaide mhóir. Ba é mo dhúshlán féin a bhí le tabhairt anois agam. Bród do mo ghríosadh le bheith chun cinn ar na gasúir eile cé nár ghlac an Broc le mo pháirt sa gcomórtas. Ach an focal níor tháinig as a bhéal nach raibh i bhfastó ar dhuán m'intinne agus curtha i stóras le haghaidh lá ab fhaide anonn.

Níor thuig Éamonn beirthe ná beo cén chaoi a bhféadfainn a rá nach raibh aon drogall orm roimh an scoil.

"B'fhearr liom a dhul trasna trí ghríosach dhearg ifrinn i mo bhonnacha ná seasamh thoir aríst ann."

Bhí tuirsiú a láimhe d'obair aige ó Bharrett ach gan pingin rua páighe. In ainm a athar a bhí sé ag obair agus bhí sé de chiméar ar an athair go raibh páighe Éamoinn ólta aige sul má híocadh ar chor ar bith é. Ach ní raibh Éamonn ag clamhsán. Dá n-ólfadh a athair an bunsop den teach ní raibh sé ag dul á lochtú.

"Ní beag dhó an buille atá buailte ag an saol air, is gan mise a bheith á chrá," a dúirt sé liomsa. Ach níor fhág sin ar phócaí folmha é. Bhí an dara crúsca lán go béal le páipéir phuint againn sul má dhún an scoil le haghaidh an tsamhraidh. Bradáin ina snáth mara ag dul suas in aghaidh an tsrutha agus mise ag baint cinn astu leis an ngeaf chomh tréan is a bhí Éamonn in ann iad a tharraingt go dtí na hóstáin. Isteach faoin

276

droichead a sciorrainn chomh hairdeallach leis an mada rua
nuair a bhíodh an lá in araíocht. Mo mhála scoile a chur i
bhfolach i dtom saileánach agus tosaí ag déanamh slad ar
bhradáin. Ó cheann go ceann a bhíodh sé á ndíol ar dtús nó
gur chuir óstóir in iúl dó go gceannódh sé lán bosca sa ló uainn
dá mbeadh muid ábalta iad a sholáthar. Punt an ceann ar na
bradáin mhóra nó punt ar dhá bhradán bheaga. Bhíodh an
bosca líonta agam chuile thráthnóna dá dtéinn ag mitseáil ach
bhí a fhios agam go mbuailfí tuí shrathair orm sa mbaile dá
ligfeadh aon duine an cat as an mála. Ní raibh Éamonn ag fáil
meabhair ar bith mé a bheith ag dul corrlá ar scoil ó tharla go
raibh na cheithre bliana déag caite agam agus dalladh airgid le
déanamh ar bhradáin. Bhí mo chiall féin agamsa ag glacadh
leis an taobh ab fhearr de dhrochmhargadh nuair a shíl mo
thuismitheoirí mé a ruaigeadh siar chuig an gceardscoil.
Dhiúltaigh mé as cosa i dtaca agus mé ag impí bog agus crua
orthu mé a ligean ag saothrú cúpla punt. "Beidh an saol sách
fada agat le bheith ag sclábhaíocht," a deir sí, "ach deabhal
fad do choise a fhágfas an scoil nó go mbeidh tú sé bliana
déag."

Baineadh mé féin agus Éamonn as ár gcleachtadh nuair a stop
na bradáin ag rith. Saint dár gcur le cuthach, cé gur mó airgid
a bhí i dtaisce againn ná ag formhór mhuintir an bhaile. Mar
bharr ar an mí-ádh, fuair Éamonn litir bhrónach ó Jenny, ag
gol agus ag gíoscán fiacla mar nach mbeidís ag triall ar Éirinn
ar chor ar bith de bharr go raibh Dad róchruógach an tráth sin
bliana. Faoi Nollaig a dúirt sí, b'fhéidir.

"Cailleadh b'fhéidir agus báthadh dóbair," a deir Éamonn go míchéadfach.

Níorbh é ba mhó a bhí ag goilliúint ormsa ach an aimsir a bhí ag ithe na laethanta nó gur cuireadh an mála chun na scoile aríst orm.

Dónall Bairéad a bhí faoi léigear an chéad lá agus ní raibh mé ina dhiaidh air mar gurbh é an cac a chaith sé i dtús bliana a bhí á chaitheamh ar ais leis.

Na gasúir mhóra ag meabhrú scaradh a chuid tuismitheoirí go míthrócaireach dó.

"An raibh saoire deas sa Spáinn agat in éineacht le Deaide agus le Mama, a Ghugailí?"

Gan aon bhlas scrupaill ag baint leo ach oiread leis na Giúdaigh a thiomáin na tairní trí dhá láimh Íosa Críost. Ach ba é Dónall an t-aon duine a chuir suas a lámh nuair a d'fhiafraigh an Broc an raibh aon duine againn ag iarraidh scrúdú an *Phreparatory* a dhéanamh. Gan a fhios ag a bhformhór céard é féin agus dá mbeadh a fhios fhéin go mba bhfearr linn seacht bhfeá i bhfarraige ná labhairt ar scrúduithe linn. Cúrsa speisialta oideachais a bhí ar fáil tríd an bpost a mhol an Broc dó.

Níorbh é a bheannacht a chuir Éamonn air, nuair a d'inis mé dó go raibh Dónall Gugailí Bairéad ag iarraidh scrúdú a dhéanamh le dhul isteach i gcoláiste ullmhúcháin.

"Ná raibh an séan ar an mbastard, murar faoi atá an t-éirí in airde. Cén ghraithe atá ina mhúinteoir aige sin agus é chomh caoch le *bat?*"

Ghiorraigh an sciolladh an Domhnach dúinn. Clagarnach bháistí dár sáinniú istigh tigh Éamoinn, chomh héifeachtach is dá mbeadh glas agus slabhra ar an doras.

"B'fhéidir gur ag mo Dheaide atá an ceart."

"Tuige?"

"Ní bhíonn a fhios aige an maith ná dona atá an aimsir, nuair atá a dhóthain ólta aige."

"Tá sé féin agus Barrett ag baint an-cheart dá chéile."

"*Jays*, tá Barrett go maith dhó. Ní bhíonn aon imní orm mar tá a fhios agam go dtabharfaidh sé abhaile é."

"Tá mise ag ceapadh gurb é a bhfuil uaidh Bharrett é. Caint ar leoraithe agus ar innealra a bhíonn an bheirt cois an chuntair nó go mbaineann an t-ól an chaint de mo Dheaide."

Sháigh mé mo cheann amach thar ghiall an dorais go bhfeicfinn an raibh cosúlacht aiteall ar bith i mbun na spéire. Bundún báistí a bhí lonnaithe san áit a raibh mé ag súil le gealacán agus stolladh láidir gaoithe aniar á spré le teannadh ar leicne na mbeann. Gan le feiceáil den chnoc ach stríocaí geala a bhí mar chúr ar na srutháin ag teacht le fána. Fuarlach ag oscailt trinse síos trí lár na sráide, carnáin de chlocha beaga agus gaineamh cartaithe síos go leic amhail is dá mbeadh an díle ar thob díog ollmhór a oscailt inár dtimpeall.

"Ní ligfeadh sé luch as poll ná deabhal as ifreann," a deirimse ag tabhairt m'aghaidhe ar an lasóg a bhí ag coinneáil misnigh leis an teallach.

"Nach é dícheall an deabhail a bheith ag cnádadh mar seo chuile Dhomhnach go dtí Lá 'le Bríde seo chugainn. Ghiorródh turas don Chaiseal an lá dá mbeadh sé in araíocht."

Las smaoineamh súile Éamoinn chomh follasach leis an ngrian ag éirí maidin sheaca.

"Tiocfaidh muid don Chaiseal anocht," a deir sé.

"Cén chaoi?"

"Tá a fhios agamsa cá bhfuil carr ag déanamh meirge, pé ar bith cén fáth nár smaoinigh mé roimhe seo air. Carr an *Lodge*."

"*Jaysus,* meas tú?"

"Nach linn féin anois í."

"Ach céard faoi do Dheaide?"

"Ní bheidh a fhios aige tada. Tabharfaidh muid linn í nuair a thitfeas an oíche is beidh sí ar ais san áit chéanna ar maidin."

"Is an bhfuil an eochair agat?"

"Mura bhfuil ní bheidh mé i bhfad á tosaí."

Bhí a fhios agam nach mbeadh. Bhí sé feicthe agam le mo dhá shúil féin ag tosaí inneall JCB le píosa dhá scilling, an píosa airgid a fháisceadh idir dhá bholta éicint agus thosaigh an t-inneall ag grúsacht ar an toirt. Ní raibh beilt ná bolta sa leoraí nach raibh a fhios aige cé mba le haghaidh iad. Bhí sé ag cinneadh orainn aon suaimhneas a dhéanamh le fonn a dhul ag triall ar an *Lodge* cé go raibh a fhios againn araon gurbh fhearr fanacht le titim na hoíche. Torann cairr a thug chun ciúnais muid. Barrett mar mhaide croise ag Réamonn agus a ndóthain go binn ólta ag chaon duine acu. Níor bhreathnaigh sé gur ghoill an bháisteach orthu. Chuile bhraon ag leathnú ina spotaí móra fliucha ar chliabhrach Bharrett ach gan feanc bainte as.

Bhí an chaint leathnaithe i mbéal Réamoinn mar ab iondúil leis. "Nár laga Dia tú, a Willie. Cúiteoidh mé leat é."

"Codail píosa anois is beidh tú go breá ar maidin."

"Ólfaidh tú braon tae, a Willie. A Éamoinn, cuir síos an citeal, maith an fear."

"*No, no, no,* tá mise ceart. Coinnigh greim ar an drisiúr anois. Cuirfidh na leaids a chodladh tú. *Right,* leaids."

280

"Gabh i leith uait, a Dheaide."

"Slán, a Willie. Cúiteoidh mé leat é."

"Suigh síos ansin go fóilleach, a Dheaide."

"Chuaigh mé féin agus Willie ag ól cúpla deoch."

"An ólfaidh tú tae?"

"*By Jays*, ólfaidh mé tae, a Éamoinn. D'ól. D'ól mé féin agus Willie cúpla deoch. Deabhal ar airigh muid an lá ag imeacht. An-fhear é Willie."

Bhí sé ag tabhairt bosóga meisciúla ar an droim dom mar a bheadh sé ag iarraidh brí an scéil a bhualadh isteach ionam.

"Is fearr dhomsa a dhul abhaile ar chuma ar bith," a deirimse go leithscéalach. Thug mé comhartha d'Éamonn go bhfeicfinn faoi cheann dhá uair an chloig é. D'aontaigh sé le caochadh dá shúil.

Bhí mé ag caitheamh na sruthlán de thruslóga ar an mbealach abhaile. Oiread céanna teannaidh leis an mbáisteach ach gan suim soip anois agam inti ó bhí m'intinn gafa ag eachtraí a bhí á bhfeiceáil dom. Ba ghearr orm móin na hoíche a thabhairt isteach sa mbaile. Dúnadh ar na cearca. Na madraí a cheangal. Luain orm ag freastal ar shiobáil an tráthnóna ar fhaitíos na bhfaitíos go gcuirfí faoi bhéal cléibh mé. Réchúiseach go maith a dúirt mé go dtiocfainn suas tigh Tom Mhóir ar cuairt mura raibh aon cheo eile le déanamh. Bheadh torthaí na gcluichí ar an raidió a dúirt mé ag cur téagair i m'achainí. Níor bacadh mé ná níor tugadh aon suntas dom mar gur buataisí agus feisteas an chnoic a chuir mé orm ag imeacht. Mé chomh haireach le cearc a bheadh ag breith amuigh ag dul siar ó dheas den teach ar mo chromada nó gur thug mé liom an t-éadach agus na bróga a bhí curtha amach tríd an bhfuinneog agam. Níor thug mé faoi deara an fliuch nó tirim a bhí mé lena raibh de sceitimíní do mo ghríosadh. Thiocfainn tríd an mbruíon as cosa i dtaca ag an nóiméad sin, ní áirím géilleadh do bhraonacha báistí. Dá mhéid furú dá raibh orm bhí a dhá oiread ar mo leathbhádóir. É ag déanamh cnaipí nó go mbeadh carr faoina thóin agus muid ag imeacht i ndiaidh ár gcinn romhainn. Ní fheicfeá do mhéir i nduifean na gcrainnte is muid ag éalú isteach trí gheata an *Lodge*. Fios againn nár ghá a bheith ag éalú ó éinne mar nach raibh aon chónaí ann le n-éalú uaidh. Ach an scáth sin a choinníonn an gadaí ar aireachas dár mbeophianadh sa dorchadas. Bhí codladh driúilic i mo láimh ag lasadh cipíní dó fad is bhí sé ag tabhairt laiste an gharáiste as a lúdracha le ladhair casúir. D'oscail muid amach an dá dhoras is chuir muid dhá chloch mar thaca in aghaidh na gaoithe leo. Ní raibh an seoide ag tabhairt an dara ionú do lasair na gcipíní agus bís ar Éamonn ag iarraidh a bheith ag oscailt dhoras a chairr. "Las péire le chéile agus tabhair foscadh le do bhois dhóibh," a deir sé go mífhoighdeach nuair a bhain lóchrann solais an t-amharc as súile chaon duine againn. Cailleadh mé ar scáth ar fhan beo díom leis an bhfaitíos. Chuile scéal dár chuala mé i dtaobh thaibhse an *Lodge* á n-athfhoilsiú go sceonmhar i m'intinn. Dhoirt an solas ó dhuine go duine againn mar a bheadh sé ag coinnleoireacht sul má thabharfaí marú an éin orainn. Chonaic mé conablach mór fir ag líonadh dhoras an gharáiste nuair a scairt an lóchrann ar Éamonn. Conablach a labhair go bagrach chomh luath is ba léir dó cé muid féin agus cén chruóg a chas an bealach muid. Faoiseamh a thug sé domsa glór Bharrett a chloisteáil in ionad glór taibhse ach níorbh amhlaidh d'Éamonn. Ionga ná orlach níor ghéill sé ach buile air ag cosaint a chuid cearta.

"Céard atá an bheirt agaibhse a dhéanamh anseo?"

"Is linn fhéin an áit seo. Ní bhaineann sé dhuit."

"Téigí abhaile go beo anois, an bheirt agaibh, mura bhfuil sibh ag iarraidh mórchuid trioblóide."

"Téigh thusa abhaile, níl cead ar bith agatsa a bheith istigh anseo."

"Lig de do chuid ropaireachta anois, a Éamoinn, nó beidh aiféala ort."

"Níl baint ar bith agatsa don áit seo."

"Ní raibh go dtí inniu ach tá anois. Tá an áit tógtha ar cíos agam ó t'athair."

"Hea?"

"Is mise atá i gceannas na háite seo anois agus mura bhfuil an bheirt agaibhse ag iarraidh na gardaí a bheith ar bhur dtóir beidh siúl abhaile agaibh anois díreach."

Ní raibh aon ghá dó an dara hagús a chur ann mar go raibh mise ag sleamhnú amach thairis ach bhí Éamonn ag seasamh talún.

"Ní bheidh tú i bhfad istigh anseo nuair a labhróidh mise le mo Dheaide."

"Gabh amach anois, a Éamoinn, is ná tarraing ort mé."

"Ní thiocfaidh mé amach gan an carr seo. Is linne an carr seo."

"Gabh i leith uait, a Éamoinn," a deirimse go critheaglach. Fios agam go raibh an casúr ladhrach fós ina láimh agus go raibh sé sách spréachta lena úsáid dá mbainfeadh Barrett mórán eile achrainn as.

"Má tá tú ag iarraidh obair a bheith ar maidin agat, a Éamoinn, imeoidh tú anois agus imeoidh tú go múinte. Gheall mise do t'athair go dtabharfainn aire don áit seo agus sin é go díreach atá i gceist agam a dhéanamh."

"Gabh i leith uait, a Éamoinn."

Ghéill sé do m'achainí nuair a rug mé i ngreim uillinne air. Bhí creathadh ina láimh leis an bhfiuchadh fola a bhí fonn díoltais a chur air. Chúlaigh muid chun cinn i dtreo an gheata, mo chosa ag rith uaimse agus Éamonn in aghaidh a chos. Abhóga móra troma Bharrett leis na sála againn mar a bheadh sé ag ruaigeadh dhá chaora bhradach amach dá shráid. Níor labhair ceachtar againn nó gur bhain meáchan an gheata mhóir torann as an bpiléar téagartha cloiche.

"Bastard," a deir sé faoina anáil. "Bainfidh mise díoltas den bhastard sin. Ní bheidh sé istigh sa *Lodge* sin i bhfad eile. Fuair mo mháthair bás ar son an *Lodge* sin agus déanfaidh mise cinnte nach é an focain rógaire sin atá ag dul ag baint sásaimh as."

Bhí Éamonn amuigh as a leaba chomh luath is a bhuail an clog an séú buille an mhaidin dár gcionn. Chuile bhuille dár bhuail sé i gcaitheamh na hoíche cloiste aige. A intinn chomh corraitheach tar éis eachtraí an *Lodge* is go raibh sé ag tuineadh le breacadh lae chun an scéal a phlé lena athair. A chuid argóna oibrithe amach agus curtha de ghlanmheabhair aige. Mórtas croí ag tabhairt réidhe an achair dó nuair a shamhlaíodh sé a athair agus é féin ag siúl gualainn ar ghualainn go dtí doras an *Lodge* chun an bóthar amach a thabhairt do Bharrett. Ach bhí Réamonn chomh tinn de bharr phóit an Domhnaigh is nár lig a chroí dó aon cheist a chur air. B'fhearr fanacht go mbeadh sé ar a chéill agus briathar a bhéil ag meabhrú díchéille dó. Ní thabharfadh sé de shásamh do Bharrett go mbeadh sé mall ag a chuid oibre agus ní raibh, mar go raibh an rothar ag sníomh faoina mheáchan ag dul timpeall coirnéil nó go raibh púir dheataigh as an JCB agus an chéad leoraí líonta aige deich nóiméad roimh an am. Ar an JCB a d'ídigh sé an ghráin dhearg a bhí aige ar Bharrett. É chomh hoilte á láimhseáil is go raibh sé ábalta í a chasadh ina fad féin. Leathrotha a ghreamú den talamh le coscán agus í a thabhairt timpeall le teannadh mar a bheadh sé féin agus an JCB ag damhsa chaidhp an chúil aird. Titim an bhuicéid mhóir tomhaiste go dtí an t-orlach aige nuair a thugadh sé fogha faoin gcarnán. É ag dul i ndiaidh a chúil le teannadh aríst de réir mar a bhíodh an buicéad ag ardú a láin, agus gan an dara horlach idir é féin agus an bosca nuair a d'fholmhaigh sé na clocha isteach sa leoraí. Triúr tiománaí a bhí ag tarraingt uaidh, gan é d'ionú acu a ngail a chaitheamh faoi shásamh leis an teannadh a bhíodh leis ag líonadh. Gan iad ábalta a súile a thógáil den bhealach máistriúil a raibh sé ag láimhseáil an JCB.

Bhí sé i ndáil a bheith in am lóin agus é ag casadh timpeall le lán an bhuicéid nuair a chonaic sé chuige carr an *Lodge* agus Barrett chomh buacach le Tiarna ina shuí taobh thiar den rotha. Ruathar a thabhairt faoi féin agus faoin gcarr leis an JCB a mheabhraigh an chéad taghd dó. Taghd a d'éag chomh sciobtha is a d'aibigh sí nuair a chonaic sé a athair sa suíochán ba ghaire do Bharrett agus fleasc fuisce ina leathláimh mar a bheadh sé ag ceiliúradh leigheas na póite. Churchill a mheabhraigh Barrett dó, dúshlán ag spléachadh ina shúile agus *cigar* mór, a raibh gail an tsonais ag éirí as, ag cur cor cam ina bhéal. Foighid, foighid a d'fhógair cuid éicint dá phearsantacht, scaoil rópa leis, foighid, ach nárbh í an fhoighid an t-earra ab fhairsinge i gcroí na hóige.

Ba í Eileen an chéad chuairteoir a tháinig chomh fada le Barrett sa *Lodge*. Dónall mar sciath chosanta aici ar fhaitíos go smaoineodh Barrett tosaí ag caitheamh piléir dhiúltacha léi. Chuile chor cainte agus luascadh colainne réamhbheartaithe aici ó tháinig Dónall abhaile ón scoil agus scéal chailleach an uafáis aige.

"Tá Deaide ina chónaí sa *Lodge*."

Nuacht a bhain srannán drochmheasúil as srón na seanmhná ach a chuir a hintinn sise i riocht na samhlaíochta.

"Thug sé marcaíocht dhomsa i gcarr an *Lodge* mar bhí Réamonn ar meisce agus d'fhág an bheirt againn sa mbaile é. Dúirt Deaide liomsa a dhul síos ar cuairt chuige."

"Tiocfaidh an bheirt againn síos ar cuairt chuige," a deir sí go hamplach, saint agus mínáire ag ídiú a cuid feirge.

Chuir a póg aoibhneas i gcroí a bhí scólta ó scoilt cúrsaí an tsaoil a chuid tuismitheoirí ó chéile. Ar bhun a cúig déag a chuir sé a chuid obair baile.

Ó orlach go horlach a chóirigh sí í féin i gcomhair na hócáide. Púdar san áit ar fheil púdar. An sciorta ba théisiúla dá raibh ina seilbh a d'fhág mórchuid dá ceathrúna nochtaithe. Cóta mór fada a chuir a feisteas i bhfolach ón tseanbhean agus ó mhuintir an bhaile nó go raibh doras an *Lodge* dúnta amach ina diaidh.

D'fhág sí tús cainte ag Dónall. Oiread ceana aige ar a athair is nach mbeadh sé i bhfad ag bleán an stodaim as a chroí. D'oscail sí cnaipí a cóta go discréideach ach níor bhain sí di é. Bhí a súil chomh meabhrach le súil cait i ndiaidh luiche, ag faire lena deis a thapú chomh luath is a bheadh a sháith den ghrá ag Dónall. Níor fhan sí le haon chuireadh ach í féin a chasadh go téisiúil timpeall ar Bharrett chomh luath is a scaoil sé a bharróg de Dhónall.

Rinne sí cinnte gur chuimil sí logán a colainne in ionad nach raibh i bhfad á ghríosadh. Níor ghá di mórán ceilt a dhéanamh ar a cuid scéiméireachta mar gur shloig sé an baoite ar an bpointe agus gur phóg sé isteach lena ucht go crua í.

"Bhí Dónall ag iarraidh a theacht ar cuairt chuig a Dheaide, nach raibh, a Dhónaill?"

"Bhí, a Dheaide."

"Agus bhí mise ag iarraidh a bheith in éineacht leat aríst, a Willie."

"Cén fáth nach féidir libh fanacht go maidin?"

Ba leor an nod.

"Ach níl mo mhála scoile agam le haghaidh na maidne."

"Ná bíodh imní ort, a leana', gheobhaidh Mama do mhála agus chuile rud eile dhuit. Ar mhaith leat fanacht anseo uilig in éineacht le do Dheaide?"

"Ach ba mhaith liom go mbeadh an bheirt agaibh ann."

"Fanfaidh mise anseo freisin in éineacht leis an mbeirt agaibh . . . bhuel, má tá do Dheaide sásta."

Tairiscint ní b'fhearr ní fhéadfadh Barrett a shamhlú, an t-achar uaigneach aimsire a bhí caite i dtuilleamaí a chomhluadair féin aige tar éis cinntiú nach mbeadh sé i dteideal aon teastas cócaireachta.

"Sin é atá mise a iarraidh má tá tusa sásta."

"Ó tá, a Willie, bhí mo chroí briste ag cuimhneamh ort chuile lá. Tá an áit seo go hálainn. Tosóidh muid as an nua, Willie. Beidh muid ar nós *lord* agus *lady*."

"An bhfuil tú ag éisteacht liom, a Dheaide?"

"Tá, a Éamoinn, tá. Ná bí ag gleo, maith an buachaill, níl mo chloigeann go maith."

"Níl mé ag gleo ar chor ar bith ach ba le Mama an *Lodge*, agus níl mise ag iarraidh go mbeidh Barrett sin istigh ann."

"Ach ní raibh aon áit ag an deabhal bocht. Chaith siad amach é."

"Ná bíodh sé sin ag déanamh nead i do chluais. Tá dalladh airgid aige le teach a thógáil."

"Ní hé is measa, muis, tá sé an-ghnaíúil."

"Caithfidh sé a dhul amach as an *Lodge* agus sin sin."

"Ní bheidh sé ann ach go dtí tús an tsamhraidh. Tá sé íoctha go dtí sin aige."

"Caithfidh sé a bheith amuigh as mí roimhe sin. Níor mhór dhúinn mí lena ghlanadh roimh na mná rialta."

"Ceart go leor, a Éamoinn, ceart go leor."

"Agus níl baint ar bith aige a bheith ag tiomáint an chairr sin. Is linne í sin."

"Ní raibh sí ach ag déanamh meirge."

"Tá sé níos córa dhúinn fhéin í a úsáid ná dhósan. Mise báite go craiceann ag dul ag obair agus é sin ag strealladh magadh fúm ag imeacht i mo charr."

"Carr daoine uaisle í sin. Is fada óna leithéid a tógadh muid, a mhac."

"Tá muid fhéin chomh huasal leis an seanchollach sin."

"Lig dhom, a Éamoinn, ar son Dé, tá mo chloigeann á scoilteadh inniu."

Ní mórán dea-ghiúmair a bhí ar Éamonn ag aithris an chomhrá dom nuair a chas muid dá chéile an tráthnóna sin, agus ní raibh a leathoiread air nuair a rinne mise aithris ar ghlaomaireacht Ghugailí sa scoil an lá sin.

"Tá mise i mo chónaí i *Lodge* anois in éineacht le mo Dheaide agus le mo Mhamaí."

"An focain bastairdín, ní bheidh sé i bhfad ina chónaí ann."

"Tá carr mór millteach againn, agus dúirt mo Mhamaí go mbeidh daoine ag obair dhúinn sa teach."

"Nár chuire Dia an t-ádh ar a dhá shúil mangaigh, is dóigh go raibh sruth pislíní leis nó d'athraigh sé. Is gearr go mbeidh carr againne chomh maith leis na bastardaí."

Mheas muid gurbh fhearr an t-airgead a roinnt eadrainn agus é a scaipeadh inár gcuid pócaí – ní bheadh sé chomh feiceálach ar an mbealach sin. B'fhacthas dom ina dhiaidh sin gur chuir sé pucháin ar phócaí mo threabhsair nuair a shuigh mé isteach sa leoraí. Leathchéad punt i chaon phóca ag brú a dtoirte in aghaidh mo cheathrúna. Tharraing mé mo gheansaí bán olna síos os a gcionn ach ghiortaigh sé aníos aríst chomh luath is a scaoil mé leis. Chuir mé lámh i mo phóca nó gur fháisc mé leathchéad amháin i mo ghlaic ach ní raibh oiread fairsinge sa gcábán agus a cheadódh dom an dara láimh a chur sa bpóca eile. Bhí póca ar léine Éamoinn, b'in é an áit a raibh na sé phunt fhichead breise i bhfolach. Níor bhreathnaigh Éamonn imní ar bith a bheith air. Gan mairg ar bith air ag comhrá le tiománaí an leoraí a bhí tar éis tuairisc a thabhairt dó ar charr dara láimhe sa gClochán. Tar éis am dinnéir Dé Sathairn a thug sé marcaíocht siar dúinn.

Bhí pian i mo bholg le faitíos nach mbeadh ár ndóthain airgid againn tar éis go raibh Éamonn ag rá go bhfaigheadh muid ar dhá chéad punt í. Dhá chéad agus fiche a sé a bhí againn. É comhairthe seacht n-uaire an oíche roimh ré. Leathchéad páipéar puint i chuile rolla agus píosa sreangáin casta timpeall orthu. B'éigean dúinn chuile phunt a scrúdú mar go raibh lanna na mbradán greamaithe de chuid acu. Mhol fear an leoraí an carr go haer. Leaid a tháinig abhaile as Sasana a cheannaigh i mBaile Átha Cliath í ach bhí sé ag dul ar ais go Sasana aríst. D'imigh an chaint uainn nuair a chonaic muid í, carr mór millteach a raibh dath gorm uirthi agus loinnir inti. Ford Zephyr scríofa ar a taobh le litreacha airgid. Sciatháin ag fás chun deiridh aisti le teann neart áirgiúlachta. Leaid óigeanta a raibh locaí fada dubha air a bhí á díol.

"*Ticking like a watch, lads,*" a dúirt sé, ag suí isteach inti agus á casadh air. Ar éigean a bhí an t-inneall le cloisteáil ag crónán.

"*How much?*" a deir Éamonn.

"*I'm asking two hundred pounds.*"

Shín mise dhá leathchéad chuige agus Éamonn an dá leathchéad eile. Ba bheag nár thit an t-anam as leis an ngeit a baineadh as. Bhí Éamonn suite isteach inti agus é ag cur an tsuíocháin in oiriúint d'fhad a choise.

"*Jays, hold on lads, I'll have to count this.*"

Bhí sé ag fliuchadh phont a ordóige ina bhéal chuile ré solais nó go raibh an dá chéad páipéar puint curtha i ndiaidh a chéile aige. Leath aoibh gháireach trasna a éadain. Ach níor shásaigh sin é nó gur thosaigh sé ag comhaireamh in athuair. Scór punt a chomhair sé agus chuir sé isteach i mo ghlaic den bhuíochas é.

"*Luck money, lads.*"

Bhí Éamonn á cur troigh ar aghaidh agus troigh ar gcúl de réir mar a bhí sé ag dul i dtaithí ar athrú an ghiair.

"*Jays, lads, ye are too young to be driving.*"

"*Éamonn drives lorries and a JCB and everything.*" Bhí mé ag suí isteach lena thaobh ar fhaitíos go n-athródh an fear a intinn.

"*What about insurance?*"

Ní raibh aon am le freagra a chumadh mar go raibh dinglis chun tiomána tar éis an ceann ab fhearr a fháil ar Éamonn. B'fhacthas dom go raibh sí chomh mór le heitleán. Áit do bheirt eile ar an mbinse mór compóirteach a bhí mar shuíochán tosaigh inti. Isteach go baile an Chlocháin a thug muid a haghaidh nó gur chuir muid luach deich bpunt de pheitreal inti. Cheannaigh muid scór feaigs mar bhéiléiste dúinn féin agus thug muid aghaidh ar shaol na bhfuíoll sa Zephyr. Scaoil mé síos an fhuinneog agus sháigh mé m'uillinn amach fad is thiocfadh sí. Ba bheag liom a raibh ag castáil dúinn ar an mbóthar le go bhféadfainn mo lámh a chrochadh orthu. Feaig crochta go feiceálach i leathláimh agus an lámh eile feistithe le beannú don slua. B'fhearr liom dá gcoinneodh Éamonn a dhá láimh ar an rotha ach bhí fonn ceiliúrtha airsean freisin. Cén mhaith carr a bheith ag duine mura dtig leat gaisce a dhéanamh aisti? Aisteach gur abhaile a thug muid ár n-aghaidh, dearmad

291

déanta againn ar ala na huaire gur le muid a shaoradh ó ghéibheann an bhaile a bhí an carr ag teastáil uainn. Bhí goimh ag teacht san aer de réir mar a thosaigh muid ag ardú suas sna cnoic ach na huillinneacha sáite amach níos faide againn ag súil go gcasfaí aon ógánach aitheantais orainn. Gan cuimhne againn an raibh aon charr eile sa domhan nó go dtáinig carr an *Lodge* timpeall coirnéil is gur ardaigh sí púir ghainimh den bhóthar sul má stop sí amach os ár gcomhair. Toraic bainte as Gugailí agus as a mháthair a bhí ina suí le taobh Bharrett sa suíochán mór tosaigh. Brúisc oilbhéasa ag déanamh puchóideacha dearga de leicne Bharrett de réir mar a chreid sé a amharc. Bhí an bóthar chomh caol cúng is nach raibh spás ag an dá charr le dhul thar a chéile. Bóthar a bhí deartha do charr an asail is do charr an chapaill is a raibh spotaí crua curtha ina leataobh le go bhféadfaidís sin féin a dhul thar a chéile.

Ba léir ó dhreach Bharrett gurbh é mian a chroí tiomáint díreach trínn. Le croitheadh borb láimhe a thug sé ordú dúinn cúlú as a bhealach go dtí spota fairsing . . . Chas mise ar an toirt sa treo a mbeadh muid ag dul i ndiaidh ár gcúil ach chas mé aríst nuair nár mhothaigh mé aon chor as an each-chumhacht a bhí faoi stiúir Éamoinn. Bhí sé suite sa suíochán chomh daingean le mullard ar chéibh, a lámh crochta agus an treoir a thug Barrett tugtha ar ais chomh borb céanna aige dó. É ag cinneadh ar an bhfear a raibh sé de chleachtadh aige orduithe a thabhairt ordú a ghlacadh ó shramachán de sheanghasúr go háithrid. Sháigh Barrett a cheann amach sa bhfuinneog mar a bheadh sé ag súil go séidfeadh a bhéic muid féin agus an carr den bhóthar.

292

"Fág an focain bealach, is liomsa an bóthar!"

"Is le chuile dhuine an bóthar."

Shílfeá gur sop a bhí curtha ina bhéal agus fathach éicint ag séideadh isteach ann leis an at oilbhéasa a chuir an t-aisfhreagra ina chuid leicne.

"Fág an focain bealach mura bhfuil tú ag iarraidh orm na gardaí a chur in bhur ndiaidh. Goidte atá an carr sin agaibh!"

"Ní hea. Agatsa atá an carr goidte."

Ní raibh a shamhail ach tarbh a mbeadh cleabhar ag tabhairt a dhúshláin. "Fág an focain bealach, tá deifir orainn!"

"Má tá anois cúlaigh siar is lig suas tharat muid."

"An bhfuil tú ag ceapadh go bhfuil mise dul ag glacadh ordú uaitse, a phiodarláin? Fág mo focain bealach!"

B'in é an uair ar chas Éamonn as an t-inneall. Chas sé suas gloine na fuinneoige agus rinne mise aithris air.

"Sín chugam feaig as sin," ar seisean, chomh síochánta le duine a bhí ag brath goradh den ghrian a thabhairt dó féin. Las muid dhá feaig go neamhdheifreach, fios againn nach mba paidreacha a bhí ag cur coranna i liopaí Bharrett ná Eileen agus iad ag ceartú dá chéile sul má réab Barrett amach as an gcarr. Bhrúigh Éamonn cnaipe an ghlais agus rinne mise aithris air sul má shroich Barrett muid. Cúr ag carnadh i gcorr a bhéil agus oibriú á chur ag búireach chomh tréan is nach raibh le cloisteáil ach stropa fada eascainí. Méaracha a chuid lámh ina gcrúcaí mar a bheadh sé ag smaoineamh a theacht faoin gcarr agus í a iompú isteach sa díog as a bhealach, ach dhá mhéid spreactha dá raibh fuath a chuid feirge a chothú ní raibh de rath a cheirde aige ach dorna a bhualadh ar dhíon an chairr agus cúlú ar ais go dtí spota fairsing. Tharraing Eileen péire spéacláirí dubha a bhí i bhfastó ina cuid gruaige anuas os cionn a dhá súil go friochanta.

"Cén fáth nach dtugann tú an bóthar don chimleachán sin?"

"Is mé a bheadh deas air dá mbeadh déanamh dá fhuireasa agam. Ach níl faoi láthair."

"Nuair is crua don chailleach caithfidh sí rith," a deir Éamonn nuair ab éigean do Bharrett a dhul i ndiaidh a chúil.

Bhí a fhios agam go raibh barr nuachta éicint thar an ngnáth ag fanacht liom chomh luath is a tháinig mé isteach an doras tar éis na scoile. Mo chuid deirfiúracha romham i mbéal an dorais chomh sceitimíneach is dá mba é an *sweep* a bhí buaite agam.

"Litir as Sasana!" a bhéic siad, chaon duine acu ag iarraidh a bheith ag baint barr na nuachta dá chéile. Mhothaigh mé gríos dearg na náire ag briseadh amach trí mo bhaithis. Bhí pota mór fataí idir a dhá láimh ag mo mháthair agus í á chrochadh os cionn na tine. Mise ag breathnú fúm agus tharam ag tóraíocht na litreach nuair a tharraing sí aníos as a brollach í.

"Cé uaidh an litir seo?"

"Níl a fhios agam, a Mhama."

"Tá a fhios agat cé a bheadh ag scríobh chugat, ar ndóigh."

Ba mhó den mhagadh ná den mhailís a bhí ina glór agus í ag nathaíocht liom. Mo lámh sínte amach go tnúthánach agam ach í do mo choinneáil amach uaithi le leathláimh agus mo litir ar foluain go hard sa leathláimh eile.

"*Love from Sue!*"

"*Love from Sue!*"

Thosaigh siad ag déanamh poirt de agus iad ag princeam i mo thimpeall. Íosa Críost, bhí mo litir léite acu.

"Cé a d'oscail mo litir?" Bhí mé ag fuarchaoineachán le teann oibriú.

"*Love from Sue!*"

"*Love from Sue!*"

"Anois, anois, anois, nuair is mó an greann sea is cóir ligean dhe," a dúirt mo mháthair ag bacadh na gcailíní.

"Cén fáth gur oscail tú mo litir?" a scread mé á sciobadh as a láimh.

"Óra, muise, tú fhéin is do litir, nach í an phréith í, ach oiread le litir ar bith."

"Níl aon chead ag aon duine mo litir a oscailt!"

"Lig de do chuid bollaireachta anois. Nach gcaithfinn í a oscailt, litir a tháinig as Sasana is gan a fhios againn céard a bheadh inti?"

"*Love from Sue!*"

"*Love from Sue!*"

Bhí mé sách spréachta lena gcuid fiacla a bhogadh murach gur cailíní a bhí iontu. Amach an doras a thiomáin an taghd mé, mo mháthair ag fógairt orm a theacht ar ais ach mé imithe sna feiriglinnte mar a bheadh giorria tar éis éirí as a leaba dhearg. Níor chónaigh mé go dtáinig mé chomh fada le scailp bhrocach an tsionnaigh. Isteach liom ar mo chromada idir dhá mhoghlaeir a raibh leac mhór mhillteach mar dhíon nádúrtha os a gcionn. Thóg mé an litir as mo phóca chomh cúramach is dá mba ghloine thanaí chriostail a bhí sa bpáipéar.

Dear Josie,

I have good and bad news. The bad news is that we are unable to travel to Ireland for Christmas, and the good news is that Mum is expecting a baby. Imagine, a baby brother or sister at my age! Both Jenny and I are thrilled, but we were really looking forward to Christmas in Ireland, and to feeding the swans at the Lodge with you and Éamonn. Dad says we will definitely visit Ireland some time next year. Jenny and I are very excited about the baby but we miss the Connemara mountains. Bet they are covered in snow for Christmas. Please visit Granda and Grandma as often as you can. Happy Christmas.

Love from Sue. X X X

P.S. Please write soon.

Bhí chuile fhocal de ghlanmheabhair agam sul má d'fhág mé an scailp. Mé chomh cosantach ar mo litir is dá mba é faoistin mo bháis a bheadh thíos i mo phóca. Trasna na ngarranta a thug mé m'aghaidh go dtí doras cúil tigh Éamoinn. Bhí a fhios agam nach mbeadh sé sa mbaile ón obair ach bhí a fhios agam freisin cén chloch a raibh an eochair i bhfolach fúithi. Rinne mé cinnte nach mbeadh deis acu ceap magaidh a dhéanamh aríst díom. Trí leathanach a stróic mé agus a chaith mé ar chúl na tine sul má d'éirigh liom an friotal sásúil sin a chur i ndiaidh a chéile. D'inis mé an scéal iomlán in aon abairt fhada amháin chomh luath is a d'fhill Éamonn óna chuid oibre. Dearmad déanta agam go bhféadfadh Réamonn a bheith sínte ar a leaba nó gur chroch Éamonn méir a chuir gobán ionam nó gur chinntigh sé nach raibh sa teach ach an bheirt againn. Níor chuir gach ar aithris mé iontas ar bith air ach é ag níochán ruaim an lae dá dhá láimh agus á dtriomú le ceirt a bhí crochta ar chúl an dorais.

"Tá a fhios agam," ar seisean go ciúin, ag tógáil dhá litir as a phóca is á gcaitheamh os mo chomhair ar an mbord.

"Ó, fuair tusa litir ó Jenny."

"Fuair, ach ní hí is mó atá ag déanamh imní dhom faoi láthair, ach an seanleaid."

"Tá sé ag ól go leor."

"Níl sé ag tógáil ceann ar bith as. Crochann Barrett leis é chuile lá is ní fheicim aon dé aríst air nó go n-iompraíonn sé abhaile é tar éis do na tithe ósta dúnadh."

"Tá dalladh airgid ag Barrett le bheith ag ól."

"Ní bhíonn aithne óil ar bith ar Bharrett ach tá chuile phingin rua caite ag mo Dheaide. *Jays*, murach corrphunt a thógaim as a phóca ní bheadh luach builín agam."

"Ní maith leat aon cheo a rá leis."

"Caithfidh mé labhairt anois leis. Sin litir ó na mná rialta ag fiafraí an mbeidh an *Lodge* ar fáil aríst an samhradh seo chugainn."

"Bíonn Gugailí ag ligean air féin sa scoil gur leo fhéin an áit."

"An focairín, cuirfidh mise amach iadsan i ndiaidh a mullaigh agus cos ní leagfaidh siad taobh istigh den doras ann go deo aríst. "

"B'fhearr dhuit a rá leis na *nuns* go mbeidh an áit ar fáil dhóibh is ní bheidh leithscéal ar bith ansin acu."

"Níl aon am leis an iarann a bhualadh ach nuair atá sé te. Gabh i leith in éineacht liom."

"Cá bhfuil tú ag dul?"

"Síos chuig an *Lodge* nó go spáine mé an litir seo dhóibh."

Ní ag cuimhneamh air a bhí sé ach teannadh leis amach agus isteach sa gcarr. Níor lig mé orlach ar bith leis. Gearróga dubha na Nollag ag toirmeasc aon chaitheamh aimsire chomh duairc is gur mhórnuaíocht a bhí sa turas gan choinne. Thiomáin sé an carr go dtí i bhfoisceacht cúpla slat de dhoras an *Lodge*, é amuigh de léim aisti mar a bheadh sé ag caraíocht leis an athrú intinne. Trí chnag chrua cheanndána ar an doras agus a chuid guaillí ag díriú go fearúil. Ní raibh cuimhne ar bith againn gurb é Barrett a d'fhreagródh an doras.

"Bhuel?" a deir sé.

"Beidh mná rialta ag teacht anseo i dtús na Bealtaine. Fuair muid an litir seo inniu." Rug sé go drochmheasúil ar an litir agus léigh sé go cúramach í sul má shín sé ar ais chuig Éamonn í. Bhí sé ag casadh ar a sháil chun an doras a dhúnadh amach ina gcoinne.

"Cá bhfuil mo Dheaide?"

"San áit a mbíonn sé i gcónaí, ar meisce."

"Ná tabhair go dtí teach an ósta aon lá eile é."

Gáire beag fonóideach a rinne sé. B'in é an uair ar tháinig Eileen agus fuip inti. Í deisithe chomh galánta le banríon.

"Tá an suipéar ar an mbord, Willie. Má tá rud éicint le plé agatsa le Willie, tá oifig thíos sa gcoiléar. Teach príobháideach é seo."

D'fhág sí sa dorchadas an bheirt againn leis an bhformán a bhain sí as an doras amach san éadan orainn.

"Tiocfaidh sibh amach as an teach seo agus fanfaidh sibh amuigh. Agus fan glan ar mo Dheaide." Isteach trí pholl na litreach a chaith Éamonn an t-urchar ba láidre dá chuid cainte ach ba léir ag an tráth sin gur ag caint leis féin a bhí sé.

"Gabh i leith uait," ar seisean ag dul isteach ar ais sa gcarr.

Ba é an chéad bhabhta é ó fuair muid an carr ar iarr mé air déanamh go réidh. Oiread cuthaigh air is go raibh sé á tabhairt timpeall na gcoirnéal ar dhá rotha.

"An focain bastard! Tugann sé síos chuig teach an ósta é agus fágann sé ansin é."

"Tá tú ag tiomáint rósciobtha, a Éamoinn."

Níor dhún a bhéal ach ag feannadh an bealach ar fad go dtí an Caiseal ach ní air a bhí aird agam, ach ag iarraidh ar Dhia muid a thabhairt timpeall an chéad choirnéil eile. Nuair a bhí an fhoighid á roinnt níor dáileadh ar Éamonn ach cuid an bheagáin agus bhí an beagán sin féin ar iarraidh ag an tráth seo. Isteach díreach i dteach an ósta a rop sé.

"Tá sé in am a dhul abhaile, a Dheaide. Tá do dhóthain ólta agat, téanaim ort."

Ní raibh sé á tharraingt leis as láimh láidir ach ionga ná orlach níor ghéill Réamonn dá éileamh. Ba léir nach raibh aon tart air ach ní raibh sé caochta ná baol air.

Bhí sé tar éis méaracha a láimhe a chasadh timpeall ar ráille an chuntair chomh daingean le crúb éin ar ghéag. Bhí geoin an chomhluadair tar éis ciúnú agus chuile shúil ag casadh i dtreo an scliúchais.

Bhí a fhios agam go raibh an strachailt a thug Éamonn i dtreo an dorais dó i bhfad rófhíochmhar.

"Lig dhom mo dheoch a chríochnú."

Bhí binb tar éis a theacht ina ghlór a léirigh go raibh sé i gceist aige a cheart a chosaint as cosa i dtaca.

"Lig dhó a dheoch a chríochnú."

Ó chúl an chuntair a tháinig an chomhairle agus bhí a fhios agam gurbh í comhairle ár leasa í, ach ba í comhairle an mhic dhanartha an t-aon chomhairle a raibh Éamonn ag dul ag géilleadh di.

"Ól í, mar sin, ach níl focain Barrett le bheith ag déanamh amadán dhíot níos mó."

Dá gcoinníodh sé guaim ar a chuid cainte ní tharraingeodh sé aird an chomhluadair uilig orainn ach bhí oiread oibriú ann is nach mba léir dó na súile á gcaochadh ná an scéal ag scaipeadh ó uillinn go huillinn. Cur i gcéill a bhí sa láimh mharbhánta a lig sé ina ghreim mar chomh luath is a scaoil Réamonn a ghreim ar an ráille bhí fogha tugtha ag Éamonn faoi agus é curtha leath bealaigh roimhe i dtreo an dorais aige. Bhí mé chomh luaineach le mada caorach ag aimsiú na hascaille eile nó gur bhrúigh muid amach ar an tsráid é sul má bhí deis aige na sála a chur i dtalamh. Ach nuair a sheas sé inár n-aghaidh ba ghearr le dhul muid.

"An bhfuil sibh ag ceapadh go bhfuil sibh in ann adhastar agus croimeasc a chur ormsa? Níl mé imithe fós, bíodh a fhios agaibh."

"Ní ar mhaithe leat atá Barrett, a Dheaide, gabh i leith uait abhaile."

Shíl mé ar feadh cúpla soicind go raibh sé ar thob tabhairt suas, é ag athrú go meisciúil ó chois go cois mar a bheadh sé ag géilleadh do thairne a bhí ag dul sa mbeo.

"Nach iad na cúpla deoch an t-aon sólás atá fágtha sa saol agam?"

Bhí an taghd agus an troid imithe as a ghlór mar a bheadh

sé ag gabháil a leithscéil sul má shiúil sé ar ais i dtreo faoisimh chois cuntair. Bhí muid inár bpuca, Éamonn fós ag fiuchadh ach gan é ábalta an ceann is fearr a fháil ar an dúshlán.

"Níl Barrett ag dul ag fáil an cheann is fearr ormsa. Beidh litir sa bposta go dtí na mná rialta amárach."

Bhí sé ag baint deataigh as an mbeirt againn ag iarraidh an carr a thosaí nuair a chlis rud éicint inti agus nach dtosódh sí gan sá léi. Mise chun deiridh ag cur mo bhundúin amach ag brú agus an doras oscailte ag Éamonn a chúnamh dom nó go léimeadh sé isteach is go gcuireadh sé sa dara giar í. Fuair muid comhairle in aisce nuair a bhain sí an anáil cúpla geábh dínn. Ar thaobh cnocáin a d'fhágadh muid í as sin amach agus cloch faoin rotha ar fhaitíos na bhfaitíos. Thógainnse an chloch nuair a bhíodh Éamonn suite isteach agus ba ghearr go mbíodh torann againn nuair a scaoileadh muid le fána ina cuaifeach í. Bhíodh tógáil croí ag teastáil ó chaon duine againn. Ní raibh forás ar bith ar Réamonn ach ag imeacht ina mhada beag in éineacht le Barrett. An ghráin a bhí ag Éamonn ar Bharrett ag ithe a chroí go síoraí nó go raibh sé ag dul idir é agus codladh na hoíche. Eileen a bhí ag cur saochan céille ar fad air, gan aithne uirthi nárbh í banríon Shasana í ag tiomáint timpeall i gcarr an *Lodge* ó fuair Barrett an *jeep*. Olc agus briseadh croí á chur ag fuarchaoineachán nuair a d'insíodh sé dom aríst eile gurbh é saothrú an chairr agus an *Lodge* a d'fhág a mháthair faoin bhfód. Ba é séasúr na mbradán a thug faoiseamh do mo chluasa. Bhíodh mo dhá shúil leata ag breathnú síos san abhainn chuile thráthnóna ó thosaigh an chuach ag fógairt

301

samhraidh. An roille bhuí ag baint mealladh asam corruair nuair a bhíodh sí ag luascadh a cuid triopall sa sruth ach chomh luath is a chorraigh an chéad bhradán a dhriobaill, chuir an seanchleachtadh in aithne dom é.

Níor thaobhaigh mé scoil ar bith ar feadh coicíse ach ag cluifeáil fúm is tharam. Bhí os cionn dhá chéad punt i dtaisce sna crúscaí againn agus gan an séasúr ach ina thús. Bosca amháin a bhíodh líonta agam chuile thráthnóna an chéad seachtain, nó gur fhairsingigh siad. Bhíodh dhá bhosca lán go béal roimh an lón agam gan stró ar bith, nuair a stop siad ag rith go tobann. Oiread agus ceann ní raibh le feiceáil ar feadh dhá lá agus Éamonn ag dul le báiní de bharr iad a bheith geallta go rialta aige. Lean muid síos an sruth le contráth ag samhlú go mb'fhéidir gur easpa uisce a bheadh á stopadh sna strapaí ach ní raibh i bhfad le dhul againn nó go raibh fáth ár mbuartha follasach go maith. Ba iad na glórtha a chuir ar an airdeall muid. Chomh ciúin le dhá ghadaí a d'éalaigh muid idir na tomacha aitinn nó go raibh muid ag breathnú amach trí pholl claí orthu.

"An bastard!" ag sciorradh go ciúin dúthrachtach de theanga Éamoinn nuair a chonaic sé geata de *wire net* curtha ó phosta go posta trasna na habhann. *Jeep* nua Bharrett ar an mbruach agus bradáin ag léimneach i leantóir a bhí ina dhiaidh, de réir mar a bhí Barrett agus Eileen á líonadh as eangach a bhí siad tar éis a tharraingt.

"An deargbhastard, níl baint ná páirt aige leis an áit seo."

Bhí an claí caite aige sul má bhí deis agam comhairle a chur air. Níor lig an meatachas dom é a leanacht ach mo chroí i mo bhéal ag breathnú trí pholl an chlaí.

"Is linne an chuid seo den abhainn, níl baint ar bith agaibh don áit seo."

Bhí sé ag strachailt na heangaí as lámha Eileen nuair a rug Barrett i ngreim chúl a chinn air. Rug sé i ngreim tóin bríste leis an dara láimh air agus chuir sé de *phitch* amach i lár linn na mbradán é. Ní raibh an oiread doimhne ann is a bháfadh é ach go raibh sé ag dul faoi uisce chuile bhabhta dá raibh truisle á bhaint as. Á marú féin ag gáire a bhí an bheirt agus Éamonn ag bagairt míle murdair orthu as lár na habhann. Chaith siad an eangach isteach sa leantóir agus bhailigh siad leo go spleodrach sa *jeep*. Bhí oiread de chnap faitís déanta faoi bhun an chlaí agam is nach raibh mé in ann éirí i mo sheasamh nó go dtáinig sé ar bhruach uaidh féin, gan snáth go craiceann air nach raibh ag silt. A dhá shúil chomh fiáin le súile geilt, a dhrad nochtaithe agus contúirt go bpléascfadh na fiacla a chéile leis an díocas a bhí air á bhfáisceadh in aghaidh a chéile. Ar éigean a thug sé aitheantas ar bith do mo chomhluadar. Mé ag iarraidh ar son Dé foighid a chur ann ach é á strachailt féin as mo ghreim, mise ag impí air a dhul abhaile agus éadach a athrú sul má phréachfadh sé. Thuig mé go raibh oiread oilc air is nach raibh sé in ann labhairt. Olc agus fuacht á choinneáil ag síorchrith nó go dtáinig muid chomh fada leis an teach.

"Caithfidh mise a dhul abhaile, a Éamoinn, beidh tóir orm."

Má chuala sé mé níor thug sé aird na ngrást orm ach bualadh fiacla air ag dul isteach an doras. Bhí fonn orm leanacht de agus croí a chur sa tine fad is bheadh sé ag athrú éadaigh ach bhí an ghriosáil a bhí i ndán dom sa mbaile do mo chur ar mhalairt intinne. Éalú liom go ciúin a rinne mé, paidreacha beaga ag bogadh mo bheol i ngan fhios dom. Ag iarraidh ar Dhia agus ar Mhuire foighid a chur ann. Bhí taobh d'intinn Éamoinn feicthe agam a chuir faitíos orm.

"Faigh réidh leis, a Willie."

"Ach tá sé thar cionn ag obair."

"Tá sé contúirteach, d'aithneoinn ar a dhá shúil é."

"Smachtóidh mise é, ná bíodh imní ort."

"Faigh réidh leis, tá mé á rá leat, maidin amárach. Díbir amach as an gcoiléar é."

"Ach níl sé ag obair agam go hoifigiúil, is é an t-athair atá mé a íoc."

"Faigh réidh le chaon duine acu."

"Tá sé tábhachtach Réamonn a choinneáil linn, a Eileen."

Isteach ar chúl óstáin a thiomáin sé nó gur cuireadh na bradáin isteach i seomra fuar. Chas sé an ghlaic airgid ina burla agus bhí sé á shá síos ina phóca tóna agus é ag suí isteach ar ais sa *jeep*.

"Tiocfaidh muid ag ól deoch?"

"Ní thiocfaidh anocht, a Willie, ní thrustfainn an reifíneach sin ar chor ar bith is gan sa mbaile ach Dónall."

"Níl stró air, ar ndóigh, ní páiste é."

"Tiocfaidh muid abhaile anocht. Faigh réidh leis an áibhirseoir sin ar maidin amárach."

Díoltas an t-aon rud amháin a bhí in intinn Éamoinn. I lár an urláir a scaoil sé de a chuid éadaigh, driog ina bhaithis ag rá "díoltas, díoltas, díoltas" de réir mar a bhí brú a chuid fola ag baint léime as cuisle. Gan a fhios aige an glan nó salach a bhí an t-éadach a bhí sé a tharraingt air go deifreach. Dá mbeadh gunna aige ach ní raibh. Píce féir a thug sé leis ina leathláimh, an strainc mhagúil a bhí ar éadan Bharrett tar éis é a chaitheamh amach i lár na habhann ag fadú faoina chuid feirge. Ní bheadh ladhracha an phíce i bhfad ag ligean cuid den spreacadh as a phutóga nuair a thiocfadh sé go luiseag ann. Bhí an oíche dheiridh codlata déanta sa *Lodge* acu dá mba iad a phíceáil amach ó dhuine go duine a chaithfeadh sé a dhéanamh. Chuirfeadh sin deireadh lena gcuid frithmhagaidh.

Bhí oiread solais ag tál as corr na gcuirtíní is a mheabhraigh d'Éamonn go raibh siad istigh. An oíche chomh ciúin is go raibh sé in ann gíoscán a chuid fiacla a chloisteáil. Grúscán beag ag an ngairbhéal de réir mar a theann sé ar bharr a chos i dtreo an dorais. Dhá chnag shibhialta a bhuail sé ag iarraidh dúrúch díoltais a cheilt. Chúlaigh sé siar fad chois a phíce ón doras. Thabharfadh sé seans amháin dó a dhul amach agus fanacht amuigh ach dá dtriáilfeadh sé an lámh láidir aríst thiocfadh ladhracha an phíce báite ann. Ar éigean a choinnigh sé guaim air féin nuair a chuala sé an bolta á bhaint. Sleá solais ag preabadh amach chun na sráide nuair a d'oscail Dónall isteach an doras. Faitíos ag tabhairt dath geal air agus é ag iarraidh é a dhúnadh amach ina aghaidh murach gur éirigh leis an píce a chur idir an ursain agus an doras. Scread sé mar a screadfadh coinín a mbeadh easóg á sháinniú.

"Cá bhfuil do Dheaide?"

"Níl sé anseo, níl anseo ach mé féin."

Dhá anáil, fad is bhí a intinn ag ríomh malairt cúrsa. "Gabh amach as mo focain teach."

Ar ghualainn a rug sé go crua air, á tharraingt i dtreo na sráide, ach ní mba mhac lena athair é Dónall dá mbeadh sé sásta tada a ghéilleadh. Le cic a shíl sé Éamonn a bhaint as greim. Cic a chuir tuilleadh cuthaigh air. Scaoil sé uaidh an píce agus chuir sé na spéacláirí ag feadaíl tríd an aer le dorna. Thug sé amach thar leic an dorais é leis an dara hiarracht agus shíl sé é a threorú i dtreo an gheata le cic sa tóin. Chuir Dónall a chloigeann faoi ar nós tairbh ag iarraidh a bhealach a dhéanamh isteach thairis ach chuir an dara cic faoin tóin i ndiaidh a mhullaigh é agus bhí an doras dúnta agus glas ón taobh istigh air sul má bhí deis aige ionsaí eile a dhéanamh. Thosaigh sé ag gabháil de dhornaí ar an doras ach bhí sé chomh maith dó a bheith ag bualadh a chloiginn faoin mballa. Rith Éamonn go dtí an doras cúil agus ó fhuinneog go fuinneog nó gur chinntigh sé go raibh chuile áit faoi ghlas sul má chuaigh sé ar garda lena phíce. Bhí Dónall fós ag meigeallach caointe ag an doras, ag iarraidh air é a ligean isteach mar go raibh sé fuar.

"Focáil leat abhaile go dtí do Mhamó anois, níl baint ar bith agaibh den áit seo."

I mbéal an dorais ag caoineadh a fuair Barrett agus Eileen é, fios ag chaon duine acu go raibh sé i móréagmais nuair a scairt solas an *jeep* isteach air. Ar éigean a bhí sé in ann tiocair a anbhá a mhíniú ag racht an ghoil.

"Oscail an focain doras!" a scread Barrett agus buile cuthaigh á chur le báiní.

Ba bheag an bheann a bhí ag an doras mór daraí ar a chuid

dornaí. Amach trí fhuinneog bharr an tí a sháigh Éamonn a chloigeann. Gan claochlú ar bith ar an taghd a bhí ag cur borradh faoi. Lán a ghabháil de ghúnaí Eileen a chaitheamh amach tríd an bhfuinneog an chéad rud a rinne sé. "Bailígí libh bhur gcuid as seo mar níl sibh ag teacht isteach ann níos mó."

Chuir sí sian aisti agus sian ní b'airde nuair a chaith sé lán clúdach piliúir de bhoscaí púdair agus buidéil chumhráin anuas faoina cosa.

"Brisfidh mé do focain muineál mura n-osclóidh tú an doras!"

Thar chluasa Éamoinn a bhí an chaint ag dul anois. Saothar air ag caitheamh amach tríd an bhfuinneog – éadach Bharrett, éadach Dhónaill. Chuile mhíle ní dár leag sé lámh air curtha le teannadh amach tríd an bhfuinneog aige. Corr-rud ag déanamh míle píosa agus ag baint sianaíl as Eileen. B'in iad ba mhó a bhí ag cúiteamh a fhonn díoltais leis.

"Stop é, a Willie, stop é ar chaoi éicint!" a scread sí go fiáin.

Ach bhí sé fánach ag Barrett mórán den rath a dhéanamh. Múr eascainí ag dul suas agus múr éadaigh agus bróg ag titim anuas nó go raibh carnán i lár na sráide.

"Bris isteach an doras, a Willie!"

"Tá píce aige, a Dheaide, maróidh sé muid."

Ní raibh a fhios ag Éamonn cé mba leis an mhias mhór chré ná na plátaí ach go raibh sé ag rith as ábhar téagarthach le caitheamh. In aon charnán amháin a chaith sé iad le chuile unsa nirt dá raibh ina cholainn. Bhain an phléasc a rinne siad faoi chosa Eileen scread aisti. Scaip siad ina sceanach ar fud na sráide. Bhain sin siúl astu, an triúr ag cúlú isteach sa *jeep* agus ag teitheadh amach an geata. Liú mór áthais a chuir Éamonn as, an ruaig curtha ar Bharrett dá bhuíochas aige. Scéin i soilse dearga an chairr de réir mar a theith siad i dtreo an Chaisil. Mhothaigh sé an teannas ag trá as a cholainn agus faobhar ocrais ag géarú a ghoile. Leath bradáin a bhí bruite agus fuaraithe aríst a chas leis sa gcisteanach.

"Is é mo chuid féin atá mé a ithe," ar seisean ag aimsiú builín agus im. Chuir sé daba den bhradán ina bhéal fad is bhí sé ag cur an ime ar an arán. As corr a shúl a chonaic sé mála scoile Ghugailí. Níor changail sé aon phlaic eile nó gur sháigh sé síos na leabhra ann is go dtug sé ina sheanrith go dtí barr an staighre é. Thug sé fíorphléisiúr dó ag baint torainn in aghaidh na sráide as.

D'ith sé greim go suaimhneach sásta. Fios aige nach raibh deireadh an aistir sroichte aige cé go raibh sé tar éis an cnoc ab airde dá raibh ina bhealach a dhreapadh. Seilbh faighte ar ais ar a chuid as láimh láidir aige. Fanacht i seilbh d'oíche is de ló ar feadh cúpla lá nó go mbeadh fáil aige glais a athrú ar na doirse. Plean simplí a thug uchtach dó nuair a shín sé siar ar an tolg mór leathair chun scíth a thabhairt dá chnámha faoi réir na comhraice. Brionglóidí taitneamhacha a choinnigh ag rith trína intinn. Éirí Amach na Cásca, bhí a cholainn ag princeam trína chodladh le teann laochrais.

Dhúisigh sé de gheit, milleán aige ar a chuid brionglóidí nuair a mheas sé go raibh cnagadh ar an doras cloiste aige.

"A Éamoinn, an bhfuil tú ansin, a Éamoinn?"

Glór bog meisciúil a athar ag glaoch air as doimhneacht na hoíche.

"A Éamoinn, Éamoinn, a mhaicín, mise atá ann, oscail an doras, maith an buachaill . . ."

Baoite . . .? Ar bharraicíní a chos a dhreap sé go dtí barr an staighre, gan tada le feiceáil amach tríd an ngloine ach dorchadas. Ciúnas dubh dorcha a chuir an ghruaig ina seasamh ar chuing a mhuiníl nó gur labhair a athair aríst.

"A Éamoinn, a mhaicín, oscail an doras do t'athair, ar son Dé."

Ní raibh sé ábalta a shunda a fheiceáil i mbéal an dorais de bharr go raibh an doras liocaithe siar ar an bhfoscadh agus sceacha móra faiseanta á ghardáil as chaon taobh.

"Céard atá uait?"

"A Éamoinn, a mhaicín, an bhfuil tú i do shláinte?"

Ba léir sunda a athar ó chúlaigh sé amach ar an tsráid.

"Cé atá ansin in éineacht leat?"

"Níl duine ná deoraí dár chruthaigh Dia ariamh in éineacht liom. Lig isteach mé, maith an buachaill."

"Níl Barrett ag dul a chodladh istigh sa teach seo go deo aríst agus níl aon mhaith dhuit ag impí orm."

"Níl, níl mé ag impí ort, mise a bhí mícheart. Lig isteach mé, a mhaicín, sin é a bhfuil d'impí agam ort . . . Ar son Dé, a Éamoinn."

Go hairdeallach a ghéill sé, ag sleamhnú na mboltaí móra iarainn siar ar fhad an dorais nó gur oscail sé isteach leithead a shúl . . . bhí cor curtha ina ghéaga taobh thiar dá dhroim sul má thuig sé cén fórsa a chuir an doras isteach ina mhullach. Iad feistithe chomh dubh le dhá dheabhal aníos as ifreann agus iad á láimhseáil go borb brúidiúil in ainm na síochána.

"Ná gortaigh, a gharda, níl ann ach gasúr."

"Tá an t-ádh orainn nach bhfuil aon duine maraithe aige, féach an píce sin."

"Níl aon dochar ann, a gharda, ná gortaigh é."

Dá mba é Barrett a bheadh i ngreim ann throidfeadh Éamonn le hingne a chos ach níor fhan brí ná misneach ann nuair a chonaic sé na gardaí. Smaoineamh nár rith trína cheann beag ná mór go bhféadfadh an dlí ladhar ná ladar a chuir isteach i ngraithe a bhain leis féin, mheas sé. Duine acu chaon taobh de agus greim docht daingean acu air, nuair a bhuail Eileen idir an dá shúil le smugairle é. Oilbhéas easóige á coipeadh chun a cuid ingne a bhá ina leiceann murach na gardaí a bheith ar an láthair.

"Isteach i ndiaidh a mhullaigh i dteach na ngealt, a gharda, agus fág istigh é go lobha a chnámha. Íocfaidh sibh as an scrios seo!"

"Fág ag na gardaí anois é, a Eileen," a deir Barrett chomh stuama is dá mba é ambasadóir na síochána é.

"Féach an scrios atá déanta aige! Breathnaigh amuigh mo chuid éadaigh agus iad curtha ó mhaith aige!"

"Amach leat anseo, caithfidh tú a theacht go dtí an bheairic linn."

Chomh scáfar le huainín caorach a shiúil Éamonn amach in éineacht leo. Réamonn ag tuineadh ar son Dé gan é a thabhairt go dtí an bheairic. É thíos ar a dhá ghlúin i lár na sráide ag iarraidh maithiúnais.

"Breathnóidh mise ina dhiaidh agus íocfaidh mé as aon damáiste atá déanta, a gharda."

Ba dheacair leo géilleadh, iad ag breathnú go fiosrach ar Éamonn agus ar a chéile ó nod go nod nó gur thóg duine acu amach cóipleabhar agus peann. Scaibh an duine eile lóchrann an lampa láimhe ar na línte de réir mar a bhí an scríobh ag iompú a ngeal ina dhubh. An cheist a d'fhág siad gan cur níorbh fhiú a dhul á fiafraí. Dhá leathanach a léigh sé ar ais ó fhocal go focal.

"An aontaíonn tú leis an méid sin?"

"Aontaíonn sé, a gharda."

"Air fhéin a chuir mé an cheist, an aontaíonn tú leis an ráiteas?"

"Aontaím, a gharda."

"Sínigh d'ainm ansin ag cur in iúl go n-aontaíonn tú leis."

Léigh sé acht dlí éicint ag cur in iúl gurbh fhéidir duine a chiontú i gcúirt dlí de réir théarmaí an achta, sul má scaoil siad a ngreim air.

"Tabhair abhaile é agus tabhair aire dhó."

"Ná bíodh imní ort, a gharda."

"Má chloisim oiread agus clamhsán amháin eile i do thaobh, beidh tú ar do bhealach go dtí an príosún. An dtuigeann tú é sin?"

"Tuigeann sé, a gharda."

Bhí Réamonn á threorú amach an geata roimhe chomh deifreach is a cheadaigh an dorchadas dá choisíocht. Éamonn ag fanacht nó go dtosódh an díbliú agus an sciolladh, ach níor thosaigh. Boige sa ngreim a bhí ar a ghualainn aige ag tabhairt le tuiscint nach á ghabháil ach á tharrtháil a bhí sé. Maith ná olc níor labhair sé nó go raibh an bolta ar an doras agus an lampa lasta. Ar a dhá ghualainn a rug sé ansin, greim crua daingean mar a bheadh sé ag iarraidh a bheith ag instealladh mhianta a chroí trí bharr a chuid méaracha.

"Mise is cionsiocair, a Éamoinn, mise agus an bás a chuir an leath ab fhearr dhíom faoi thalamh. Rinne mé feall ort, a

311

Éamoinn. Rinne mé feall ort anocht ag rá nach raibh duine ar bith liom agus na gardaí ansin le mo thaobh, ní raibh aon neart agam air."

"Is cuma, a Dheaide."

"Ní cuma, rinne mé feall ar mo mhac féin ach bhí mé i ladhar an chasúir. Níor cheart dhom iad a ligean isteach sa *Lodge* beag ná mór ach bhí oiread gráin agam ar an áit tar éis bhás do mháthar is atá ag an deabhal ar an uisce coisreacain."

"Beidh na mná rialta ag teacht i dtús na míosa. Caithfidh siad a dhul amach as."

"Mná rialta?"

"Tá sé geallta dhóibh ó Nollaig, tá a fhios ag Barrett é. Thug mé fógra dhó ag an am."

Mhothaigh sé méaracha a athar ag strompadh mar a bheadh a chroí tar éis stopadh ar feadh cúpla meandar.

Murach an t-eadra codlata a bhí déanta sa *Lodge* aige, bheadh Éamonn gan codladh ar bith. Ní raibh a intinn ag déanamh aon suaimhneas ach ag léimneach ó eachtra go heachtra. Ní mórán ionú a fuair sé nó gur airigh sé a athair ag éirí. Choinnigh sé istigh a anáil agus cluais air nó go gcloisfeadh sé ag tabhairt na leapan aríst air féin é. D'aithin sé ar an rúpáil a bhí sa gcisteanach go raibh an codladh curtha ar an méir fhada aige. D'imigh an deabhal air má bhí sé ag dul á spágáil go dtí teach an ósta chomh luath seo ar maidin. Chuir sé a intinn ag rásaíocht nuair a d'oscail sé doras an tseomra.

"Éirigh, a Éamoinn, a mhac, tá an tae réidh."

Súdaireacht le marcaíocht, a mheas sé, agus cinneadh ag

tabhairt a dhúshláin. Thabharfadh, fiú dá mba í marcaíocht a aimhleasa í, ba mhó de ghrá Dé é ná é a fhágáil á spágáil le fána faoi shúile lucht biadáin. Ba é an feisteas oibre a bhain caint as.

"Cá bhfuil tú ag dul, a Dheaide?"

"Ag obair, a mhac. Tá sé in am agam tús a chur le mo bhreithiúnas aithrí."

"Is dóigh nach mbeidh aon fháilte romhamsa tar éis na hoíche aréir."

"Gabh i leith uait, tá an-mheas aige ort. Labhróidh mise leis. Míneoidh mé rudaí níos fearr dó. Inniu Dé Sathairn, nach é?"

"Is é."

"Beidh an coiléar dhúinn féin againn mar a bhíodh fadó."

Ní raibh siad astu féin, cé gur lámh a chroitheadh go fáilteach le Réamonn a rinne an tiománaí eile. Ní raibh dé ná deatach ar Bharrett nó go raibh an ceathrú hualach líonta. Dearmad déanta acu go raibh sé ar thaobh an domhain ar chor ar bith nó gur thiomáin sé isteach an *jeep* is gur stop sé díreach os comhair an leoraí. Ar an JCB a rinne sé ar dtús. Gan aon rian dá bheartas le n-aithneachtáil ar a aghaidh nuair a stop Éamonn ag líonadh chun éisteacht lena raibh le rá aige. Drúcht ná báisteach níor dhúirt sé ach an JCB a chasadh as agus an eochair a tharraingt aisti. Rinne sé an cleas céanna leis an leoraí de bhuíochas achainí Réamoinn.

"Focáiligí libh amach den suíomh seo!" an chéad ghuibhe a tháinig as a bhéal. É ina sheasamh ar nós coirnéal airm agus a lámh chlé sínte ina saighead i dtreo an gheata.

"Amach de mo chuid talún, an bheirt agaibh, agus fanaigí amuigh!"

313

"Foighid, a Willie, ní tharlóidh sé aríst."

"Amach as mo focain choiléar. Amachaigí libh i dtigh deabhail!"

"Íocfaidh muid ar ais chuile phingin rua dá bhfuil ag dul dhuit."

"Íocfaidh sibh ar ais sa gcúirt é!"

"Ní ólfaidh mé aon deoir níos mó, a Willie. Tabhair an seans seo dhom ar son Dé."

"Ní ólfaidh, mar ní bheidh a luach agat. Amach, a dúirt mé, nó an gcaithfidh mé fios a chur ar na gardaí?"

Mhothaigh Éamonn a chuid fola ag fiuchadh aríst nuair a chonaic sé a athair ag impí ar a dhá ghlúin.

"Tabhair seans dhom é a íoc ar ais leat, a Willie. Oibreoidh mé seacht lá na seachtaine ach tabhair seans dhom. Ní tharlódh sé murach bás Mheaigí . . ."

"Focáil leat as mo bhealach, a dúirt mé. Tá mise réidh libh."

Ba é cloch nirt Éamoinn guaim a choinneáil air féin. Fonn air cromadh ar spalla agus Barrett a speireadh. D'éirigh leis labhairt stuama go maith ach go raibh creathadh an oilc ina ghlór.

"Is leatsa an áit seo agus tiocfaidh muide amach as ach is linne an *Lodge* agus caithfidh sibhse a dhul amach as."

"Tá cíos trí bliana íoctha agamsa ar an focain *Lodge* sin."

"Trí bliana?" arsa Éamonn agus imní ag cur snaidhme ar a phutóg. D'fhéach sé i dtreo a athar ag lorg fóirithint ach ba léir óna ísle brí go raibh an fhoghail déanta.

"Cé as a gceapann tú a bhfuair sé luach an óil?"

"Ach bhí a pháighe aige. Rinne mise an obair ina ionad."

"An bhfuil tú ag ceapadh go raibh mise ag dul ag íoc páighe fir le gasúr?"

314

"Ach bhí mé ag déanamh obair fir."

"Gabh amach anois is ná bac le bheith ag argóint liomsa."

"Caithfidh tú a dhul amach as an *Lodge*, a Willie. Ní mba liom é le ligean leat. Ba le Meaigí an *Lodge* agus is le hÉamonn anois é."

"Is liomsa é go ceann trí bliana eile agus dúshlán ceachtar agaibh mé a chur amach as áit atá íoctha go cneasta agam."

"Ní raibh a fhios agam céard a bhí mé a dhéanamh de bharr an óil, a Willie."

Chuir sé pian i gcroí Éamoinn go raibh sé de shásamh ag Barrett a bheith ag breathnú ar a athair ag caoineadh.

"Ná bí ag caoineadh, a Dheaide," a deir sé go bog nuair a shuigh siad isteach sa gcarr. "Ná tabhair le rá dhó sin é. Bainfidh mise mo shásamh den fhear sin fós."

Shíl mé nach mbeadh na cúpla fata sloigthe go deo agam i lár an lae Dé Domhnaigh nó go dtiocfainn ag fiosrú a chuid eachtraí le hÉamonn. Méir a bhí sínte i dtreo dhoras an tseomra a chuir sé mar fháilte romham. Bhreathnaigh mé go fiosrach air nuair a chuala mé Réamonn ag éagaoineadh sa seomra mar a bheadh éagmais éicint á chur ag mionrámhaillí.

"An bhfuil sé tinn?" Le mo liopaí a chuir mé an cheist ach thuig sé go maith mé.

Thug sé comhartha dom é a leanacht amach as an teach. Níor labhair sé nó go raibh doras an sciobóil dúnta amach aige. Bhí boladh fíorláidir tar éis mo pholláirí a aimsiú.

"Céard atá tú a dhéanamh, a Éamoinn?"

"*Bomb*."

315

"Hea? *Jesus*, cén sórt *bomb*?"

"*Bomb* le haghaidh an t-uisce a ligean as linn na mbradán. Tá chuile shórt eile bainte amach den bhuíochas ag an mbastard. Ach, *by Jaysus*, ní bheidh na bradáin aige. Níl aon teacht isteach eile againn anois. Thug sé an bóthar inné dhúinn."

Bhí mé i mo ghobadán ag iarraidh an dá thrá a fhreastal. Cipín aige agus é ag scríobadh ábhar bealaithe éicint amach ó bhun na rataí agus á chur síos i gceann de na cannaí stáin a dtagadh milseáin go dtí na siopaí iontu ag an am. B'fhada go bhfuair mé seans ceist a chur air mar nár lig sé focal as mo bhéal ach rilleadh air ag aithris gach ar tharla. Bhí a stádas ag méadú agus ag leathnú le chuile abairt nó go raibh sé chomh calma cumhachtach le fathach os comhair mo dhá shúil.

"Céard é an stuif seo?"

"Geilignít, ach go bhfuil sé leáite. Bhí sé anseo sul má rugadh mé. Ba é mo Dheaide a bhíodh ag pléascadh na gcloch don chomhairle contae an uair sin agus tá an stuif sin anseo faoin rata ariamh ó shin. Tá mé ag ceapadh go bhfuil an mhaith imithe as ach tá mé ag dul á thriáil ar aon chaoi."

"Ach cén chaoi a ndéanfaidh sé *bomb*?"

"Tá na *detonators* agus an *fuse* thuas sa simléar agam á dtriomú."

"Coinneoidh mise greim ar an gcanna dhuit."

"Tá sé an-éasca. Níl ann ach *fuse* a fháisceadh istigh sa *detonator* agus an *detonator* a bhrú síos sa geilignít. Bhí mé ag breathnú orthu á dhéanamh sa gcoiléar."

Agamsa a bhí an canna stáin agus muid ag éalú trí thomacha i dtreo na habhann. Bhí mé ag léimneach thar na tolláin le teann sceitimíní. *Bomb* i mo leathláimh. Mé ag feiceáil an damba mhór chloiche a thóg muintir Bhromley le hallas na ndaoine á shéideadh san aer, maidhm mhór uisce ag dul le fána ansin agus na mílte bradán ag teitheadh as an tanaíochan. Suas i dtreo an droichid a thiocfadh go leor acu. Bhí barra iarainn ar iompar ag Éamonn chun an eangach *wire* a bhí trasna na habhann ag Barrett a chur as a lúdracha. Shiúil muid isteach is amach ar bharr an damba faoi dhó ag iarraidh siúnta feiliúnach a aimsiú. Damba nár spáráladh clocha air. É cheithre troithe ar leithead ina bharr chun go mbeadh iascairí ábalta siúl amach agus a bheith ag iascach faoi chompóirt ar an linn. Staighre cloiche a raibh sruth láidir uisce ag dul go síoraí thairis i lár an damba chun bealach in airde a thabhairt do na bradáin. Ba dheacair áit ní b'áille ná ní b'fheiliúnaí a roghnú. An gairbhéal a thug sruth na habhann anuas den chnoc leis na cianta cairbreacha carnaithe agus cothrom chaon taobh den uisce agus scraith ghlas fásta os a chionn. Ciorcail ag leathnú go seasta ar dhroim mín na linne. Slup láidir ag cothú mórchiorcail a leathnaigh an bealach ar fad ó bhruach go bruach nuair a thugadh bradán fogha tobann faoi chuileog. Bric rua ag éirí aníos glan as an uisce nuair a shantaigh siad féin greim a mbéil. Ba dheacair do shúil a thógáil den linn ach ní air a bhí aird Éamoinn. Go glúine in uisce ar an taobh tanaí den damba a bhí sé agus é ag réabadh ag iarraidh cloch a thabhairt as a lúdracha.

"Ní dhéanfaidh sé aon mhaith mura bpléascfaidh sé istigh faoi," a deir sé.

"Ssshhh, éist!"

Rith an bheirt againn in éineacht. Bhí torann an *jeep* ag

déanamh orainn go tréan. Bhailigh muid linn an t-ábhar pléasctha agus léim muid thar claí go sciobtha. B'fhurasta a dhul i bhfolach sna tomacha ach níorbh fholáir dúinn an cúram a bhí déanta againn mar gur amach os a chomhair go díreach a stop sé. Triúr acu ann.

"Íosfaidh muid an picnic ar dtús," arsa Barrett go caithréimeach. Shílfeá gurbh é Gugailí a rug é féin lena raibh de chúram air. Treabhsar gearr éadrom a bhí greamaithe dá chraiceann air. Eileen agus péire mór spéacláirí gréine á déanamh cosúil le ceann de na réalta scannáin. Ciseán de chuid an *Lodge* ina leathláimh ag Gugailí agus é ag déanamh amach ar an damba. Níor chónaigh siad nó go raibh an triúr ina suí ar chuilt ar bharr an damba. Chaon scairt gháire acu amhail is dá mba iad a bhí tar éis an áilleacht a bhí ina dtimpeall a chruthú.

"Is é an trua nach raibh an *bomb* socraithe."

Bhí a fhios agam nach ina mhagadh a dúirt sé é mar bhí an fiántas a bhí ag lasadh a chuid súl ag cur imní orm. Easpa foighde ag cur coilg air.

"Céard atá tú a dhéanamh?"

Bhí iomarca díocais air le freagra a thabhairt orm. Ní fhéadfainn mo shúile a chreidiúint nuair a sháigh sé mullach an *fuse* síos sa *detonator*. D'fháisc sé ina chéile lena chuid fiacla é agus sháigh sé síos i lár an channa iad. Tháinig allas faitís amach trí mo bhaithis nuair a scaoil sé amach an corna *fuse*.

"*Jesus*, cá bhfuil tú ag dul á chur?"

Bhí a chuid fiacla nochtaithe agus díocas air ag éalú nó go raibh an *jeep* idir é féin agus an damba. Chomh haclaí le giorria a chaith sé an claí agus é ag tabhairt comhartha dom an *bomb* a shíneadh chuige. Screadfainn air murach an áit a raibh muid nuair a bhrúigh sé an *bomb* isteach faoin *jeep*. A dhath mairge ní raibh air ag brú ceann an *fuse* isteach tríd an gclaí.

"Tarraing isteach é."

Ní raibh sé de mhothú ionam. Bhí mo dhá shúil leata ag faire ar Bharrett ar fhaitíos go raibh muid tugtha faoi deara aige.

Bhain an múr aithinneacha a d'éirigh as an *fuse* cnead asam. Mé ag rith ar mo chromada trí na tomacha aitinn nó go raibh mé i bhfolach i mbarr an chnocáin. Cáir gháire a bhí air nuair a luigh sé ar a bholg le mo thaobh.

"*Oh, Jesus*, a Éamoinn, céard atá déanta agat?"

"Á, ní phléascfaidh sé. Tá an mhaith imithe as . . ."

Ní dóigh liom go raibh sé ag súil le pléasc chomh mór mar scread chaon duine againn in ard a gcinn nuair a crochadh an *jeep* go hard san aer agus caitheadh bunoscionn amuigh i lár na habhann í. Bhí sé rite chomh luath is a bhuail sí an t-uisce. Chomh maith is a bhí cos air agus mise sna sála aige mar a bheadh chuile dheabhal in ifreann ag iarraidh breith i ngreim chúl cinn orainn.

"*It's time to go to bed*," a deir Colm Tom Mhóir á shearradh féin go compóirteach ar an tolg. D'fhéach sé go geanúil ar Sue agus ar Jenny a bhí ar chaon taobh dá bhean chéile mar a bheadh dhá aingeal coimhdeachta. Ní hé go raibh meáchan a linbh ag cur máchail cholainne ar bith uirthi ach go raibh oiread urála ag a beirt iníon uirthi is go mbídís ag bogadh an bhraoin faoin tsúil ag Colm.

"*Come on, Madeline. Better get all the sleep you can before this screamer is born.*"

"*Goodnight, Mum.*"

Ní raibh aithne ar an mbeirt nach ar feadh bliana a bhí siad ag imeacht lenar thug siad de phóga di. Níor lig siad Colm den teallach ariamh gan a gcuid póigíní a roinnt leis. Tréith bhog chineálta a chuaigh i bhfeidhm go mór air.

"*Goodnight, Sue.*"

Ag cur láimhe timpeall a mhuiníl a bhí sí nuair a buaileadh an doras. Stop gach caint is gach gluaiseacht ar an toirt. Imní ag bualadh na gcailíní de bharr nach raibh aon chleachtadh acu ar chomhluadar ag an tráth sin d'oíche.

Tháinig an bheirt ina seanrith nuair a d'oscail Colm an doras. Shílfeá gur anuas as an aer a thit muid acu mar a bheidís ag ceapadh gur orthusan amháin a bhí ár dtriall.

"*Josie, Éamonn . . . oh, what a surprise! When did you arrive? Why didn't you tell us you were coming?*

"*Let them come in, girls.*"

Thar a bheith míchompóirteach a mhothaigh mé nuair a chonaic mé Colm ag breathnú go hamhrasach orainn, míchompóirt ar chóir dom a bheith ag dul ina cleachtadh ag an tráth seo mar go mb'fhacthas dom gur orainn a bhí chuile dhuine ag breathnú ó theith muid ón mbaile dhá lá roimhe. Isteach faoin droichead a rith muid nó gur thit an oíche. Istigh faoin droichead a d'fhan mise fad is bhí Éamonn ag fáil an chairr. Ní raibh scéal ar bith ag teacht ar ais aige mar nár fhan sé le haon cheist a chur. D'fholmhaigh muid an dá chrúsca agus thug muid cúl le baile gan oiread agus slán a fhágáil ag ár muintir. Gan a fhios againn go baileach cén treo le dhul ach

320

gur thug muid ár n-aghaidh i dtaobh ar bith a bhfaca muid
Dublin scríofa. Sa gcarr a chodail muid cúpla néal le breacadh
an lae. Lig muid cúpla néal eile tharainn ar an mbád, muid
luite i gcoirnéil éagsúla ar fhaitíos go dtarraingeodh muid aird
ach muid mionnaithe ar fhanacht in amharc a chéile ar fhaitíos
go dtiocfadh ceachtar againn amú le saol na saol.

D'aithin mé ar an ngannchuid cainte a bhí Colm a
dhéanamh nach raibh ár dteacht ag cothú oiread spleodair dó
is a bhí do na cailíní. Chuir Madeline fáilte romhainn. Í mór
millteach mar a bheadh sí an-ghar do pháiste.

"*You go to bed now, Madeline. You're tired.*"

"*I'm fine, darling.*" Ach ghéill sí dó mar sin féin agus thug
an bheirt aghaidh ar an seomra. *Swans* a bhí ag déanamh imní
de Jenny. Mé féin agus Éamonn ag tabhairt súile ar a chéile
nuair a dúirt sí an focal *Lodge*. *Grandma, Granda and the
donkey* ag déanamh imní de Sue. Muide ag iarraidh chuile
imní dár bhain leis an taobh sin den domhan a fhágáil inár
ndiaidh ach é fánach againn. Imní a chuir creathadh faitís orm
nuair nach raibh Colm ag teacht ar ais as an seomra.
Cosúlacht nach raibh aon fháilte romhainn. Cé againn a
mbeadh sé de mhuineál aige a rá nach raibh aon áit eile le dhul
againn. Aiféala do mo bhualadh nach sa mbaile a d'fhan mé.
Cur suas leis an ngriosáil agus leis an íde béil. Nárbh é an cás
céanna é? Bheinn istigh sa bpríosún faoin am seo, a mheas mé.
Ní raibh mé ag cloisteáil leath dá raibh Sue a rá liom ach go
raibh mé ag rá *yes* agus *no*. Níorbh fhiú deich triuf mé nuair
a d'fhill Colm.

"*Don't tell me ye haven't made them a cup of tea?*"

"*Oh sorry, Dad, we had so many questions to ask.*"

321

"Well, I have a few questions to ask as well, while ye make the tea."

Thug muid súil chiontach ar a chéile.

"Cén fáth a bhfuil sibh anseo, a leaids?"

"Ag iarraidh obair atá muid." Éamonn ba thúisce a labhair ach níor fhág mise aige é.

"Dúirt tú go mbeadh obair agat dhúinn nuair a bhí tú sa mbaile."

"Céard atá déanta as bealach agaibh?"

Dhá chiúin ciontach ag fágáil cead cainte ag a chéile.

"An bhfuil a fhios ag bhur muintir go bhfuil sibh anseo?"

"Níl a fhios."

"Caithfidh sibh a dhul abhaile, a leaids. Ní féidir liom sibh a chur ag obair. Tá sibh ró-óg."

Sheas Éamonn suas mar a bheadh sé faoi réir le n-imeacht. "Níl muid ag dul abhaile. Gheobhaidh muid obair in áit éicint."

Bhí mo chroí briste ag seasamh suas in éineacht leis, tar éis chomh maith is a bhí sé saothraithe againn ag iarraidh an áit a fháil amach.

"Caithfidh sé go bhfuil rud mór éicint déanta as bealach agaibh agus sibh a bheith rite i ngan fhios do chuile dhuine."

"Chuir mé *bomb* faoi *jeep* Bharrett!"

"*Bomb?*"

"Seangheilignít a bhí amuigh sa scioból ag mo Dheaide le fada an lá. Shíl mé nach raibh maith ar bith fanta inti ach chroch sí an *jeep* suas san aer."

"Ar gortaíodh aon duine?"

"Níor gortaíodh. Ní raibh duine ar bith istigh inti."

"Bhí sé sách maith ag Barrett. Ghoid siad an *Lodge* agus na bradáin agus chuile rud ó athair Éamoinn."

"Ghoid sé an *Lodge*?"

"Tá siad istigh ann agus ní thiocfaidh siad amach as."

"Agus céard faoi do Dheaide, céard atá sé a rá?"

"Tá sé ar an ól ó cailleadh Mama."

D'aithin mé air go raibh sé ag brath a phort a athrú ach ní raibh sé d'uain aige tada a rá mar go dtáinig an bheirt isteach le cupáin agus le plátaí. Scairt gháire a rinne sé.

"*By God, ye are getting the good china treatment, lads. All I get is an old mug.*"

"*But you're not a visitor, Dad.*"

"*Only joking. Sit down, lads, and have your tea anyway. I'll be back in a minute.*"

"*Well?*"

"*I knew they were running from something, Madeline.*"

"*What?*"

"*Oh, that Barrett, it seems he's treating them badly.*"

"*They look quite frightened, Colm. I think you should help them.*"

"*Is it OK if we let them stay the night?*"

"*Of course, whatever you want to do.*"

"*I'll shift them up to the job in Leeds tomorrow.*"

"*Why don't you let them settle down for a few weeks. You have plenty of work around here for them.*"

"*I know. But we have to think of the girls. It's an important time in their lives. School and homework are more important than boyfriends at the moment. What do you think?*"

"*I just want you to be kind to them.*"
"*I'll look after them, don't worry.*"

"Cá bhfuil do mhac, a Réamoinn?"

"Níl a fhios agam, a gharda."

"Is coir é eolas a choinneáil ón dlí. Cá bhfuil sé?"

"Níl a fhios agam ó Dhia thuas na Glóire."

"Is fearr duit an fhírinne a inseacht dhó, a Réamoinn. Rinne sé iarracht muid a dhúnmharú."

"Níl a fhios agam cá bhfuil sé, a Willie. Ní fhaca mé ó thráthnóna Dé Sathairn é."

"An bhfuil baint aige leis an IRA?"

"IRA? Cén sórt seafóide atá ort, a gharda?"

"Cá bhfuair sé an t-ábhar pléasctha?"

"Níl a fhios agam, ar ndóigh, mura bhfuair sé sa gcoiléar é nuair a bhí bleaisteanna á gcur amach."

"Ní bhfuair sé tada sa gcoiléar. Tá sé sin fiosraithe."

"Inis aríst dhom cá raibh tusa tráthnóna Dé Domhnaigh."

"I mo luí ar an leaba sin, a gharda."

"Cén fáth go raibh tú i do chodladh i lár an lae?"

"Tuirseach den tsaol, a gharda. Bhí mé tar éis gealladh d'Éamonn go n-éireoinn as an ól nuair a thug Willie an bóthar don bheirt againn. Bhí mo chroí chomh briste is gur luigh mé ansin ar an leaba. Níor chuala mé ag teacht ná ag imeacht é. Níor chuala mé tada nó gur chuala mé an phléasc."

"An bhféadfadh carnán mór ábhair phléasctha a bheith sa teach aige i ngan fhios dhuit?"

"Ní fhaca mé tad . . ."

324

Stop sé i lár an fhocail mar a bheadh a theanga tar éis staic a dhéanamh ina bhéal.

"Céard?"

"Tá mé tar éis cuimhneamh ar an ngeilignít a thug tú dhom fadó an lá, a Willie. Tá sé amuigh faoin rata sa scioból ach tá sé leáite."

Bhí sé ar a bhealach amach chomh luath is a smaoinigh sé air. Ba leor boladh na geiligníte lena gcur ar an eolas.

"Bhuel, tugann seo léargas i bhfad níos fearr ar rudaí. Tá sé de dhualgas ort muid a chur ar an eolas chomh luath is a dhéanann do mhac teagmháil leat. An dtuigeann tú é sin?"

"Tuigeann, a gharda."

"Níl tada eile gur féidir a dhéanamh ag an nóiméad seo."

Shuigh Réamonn síos chomh croíbhriste is dá mba ar shochraid a mhic a bhí sé.

"Fanfaidh mise anseo le Réamonn ar feadh tamaill, a gharda."

"Ceart go leor, a Willie. Slán anois."

Níor labhair Barrett aríst nó go raibh na gardaí glanta leo.

"Tá go leor le n-íoc ar ais agat, a Réamoinn."

"Tá, céard?"

"Tá luach *jeep* nua ag dul dhomsa agus tá luach airgid curtha ó mhaith sa *Lodge* aige."

"Níl agamsa ach an dá láimh sin le tada a íoc. Bhí muid ag tosaí á íoc ar ais Dé Sathairn nuair a chuir tú abhaile muid."

"Caithfidh mise luach mo *jeep* a fháil agus caithfidh mé é a fháil anois díreach."

"An rud nach bhfuil agam ní féidir liom é a thabhairt dhuit, a Willie. Íocfaidh mé ar ais de réir a chéile tú má thugann tú obair dhom."

"D'íocfadh an *Lodge* as an iomlán is ní bheadh níos mó faoi. Déarfainn leis na gardaí dearmad a dhéanamh ar chuile rud. An bhfuil sé ina mhargadh?"

"Níl mé ag iarraidh an *Lodge* a dhíol taobh thiar dá dhroim. Is le hÉamonn an *Lodge*."

"Cuimhnigh go maith anois ort fhéin, a Réamoinn. Bhí mise go maith dhuit, bíodh a fhios agat. Ní maith liom thú a thabhairt chun dlí ach caithfidh mise mo chuid airgid a fháil. Bí ag cuimhneamh ar an méid sin ar feadh cúpla lá anois is beidh mise ar ais agat."

Leeds

Iúil 1964

Hello, a Mhama,
Tá mé anseo i Leeds. Tá mé ag obair i bpáirc mhór mhillteach ag bearradh féir agus ag pointeáil cosáin. Thug Colm Tom Mhóir obair dhom. Cúig a chlog ar maidin a d'fhág muid an teach an chéad mhaidin. Tá talamh agus clocha agus chuile rud i Sasana cosúil le hÉirinn . . .

Bhí sé chomh haisteach a bheith ag scríobh abhaile. An peann ag creathadh i mo láimh nuair a smaoinigh mé ar an stiúir oilc a bheadh ar mo Mhama ag léamh na litreach. Chuirfinn punt isteach inti cé nach raibh páighe ar bith saothraithe go fóill agam. Ar éigean a d'aithneodh sí airgead na mbradán thar airgead Shasana. Shíl mé go raibh chuile fhocal réamhullmhaithe i m'intinn nó gur thosaigh mé ag scríobh. Dá laghad torainn dá raibh Éamonn a bhaint as an bpáipéar nuachta bhí sé ag cur isteach orm. É ina luí ar a dhroim ar a leaba bheag shingil ag dul ó leathanach go leathanach go neamhairdiúil. Bhí mé ag brath scríobh sa litir go raibh Éamonn ag obair in éineacht liom agus ag fanacht sa seomra céanna, murach an méid a bhí tar éis tarlú . . . B'fhearr gan ainm Éamoinn a lua.

"A Éamoinn?"

"Hea?"

"Céard eile a déarfá i litir? Ag mo Mhama atá mé ag scríobh."

D'éirigh sé de léim den leaba mar a bheadh sruth aibhléise tar éis priocadh a thabhairt dó.

"Níl tú ag dul ag scríobh abhaile, ní féidir leat."

"Cén fáth?"

"Ar ndóigh, beidh a fhios acu cá bhfuil muid ansin. Is gearr go dtiocfaidh na gardaí ar ár dtóir."

"Is céard a dhéanfas muid?"

"Tada. Tá mo dhóthain den focain baile sin agam."

"Cá bhfuil tú ag dul?"

"Amach in áit éicint as an focain seomra seo. Gabh i leith uait."

"Ach cá dtiocfaidh muid?"

"Pub nó áit éicint sul má imeos mé craiceáilte ag breathnú suas ar an tsíleáil sin."

"*Ah Jays*, caillfidh an tsean*lady* an cloigeann mura scríobhfaidh mé abhaile."

"Ná tabhair do sheoladh ná tada dhóibh, mar sin."

"Hea?"

"Ná habair ach 'tá mé ag obair, tá mé go maith, *bye bye*'."

Chuir sé faoi ndeara dom an litir a stróiceadh agus tosaí as an nua.

Hello, a Mhama,

Tá mé anseo i Sasana. Tá mé ag obair agus tá mé go maith.
Beidh mé ag scríobh aríst. Slán.

Ní raibh aon dul as agam ach a chomhairle a dhéanamh agus ní shásódh tada é ach oiread nó go dtiocfainn amach ina theannta nó go bhfaigheadh muid amach cén blas a bhí ar phionta beorach.

"Bhuel, cén chaoi ar éirigh leat?"

"*No good.* Tá sé á choinneáil d'Éamonn, a deir sé."

"Bain de dá bhuíochas é, a Willie. Ar dhúirt tú leis go raibh tú ag iarraidh luach an *jeep*?"

"Chuir mé brú maith air agus dúirt mé leis go mbeinn ar ais faoi cheann cúpla lá. Tá sé chomh stobarnáilte le múille nuair a thograíonn sé é."

"B'fhéidir gur fearr a dhul dhe go réidh ar dtús, a bheith á mhealladh linn."

"Níl mé ag iarraidh aon obair a thabhairt dhó ar fhaitíos go mbeadh sé in ann a bheith do m'íoc ar ais."

"Coinnigh ar an ól é nó go n-imeoidh an mothú as."

"Sílim é, a Eileen."

"Mura bhfuil sé ag bogadh tada faoi cheann cúpla mí tabharfaidh muid chun dlí é. Is féidir liom a rá nach bhfuil mé in ann codladh. D'fhéadfainn ligean orm go bhfuil *nervous breakdown* faighte agam mar gheall ar an bpléasc. Beidh tusa in ann luach an *jeep* a bhaint de agus cúpla míle eile mar gheall gur chuir sé isteach ar do ghraithe gan *jeep* a bheith agat."

328

"Dúirt mé leis go mbeadh cás cúirte ann mura bhfuil sé sásta socrú linn."

"An *Lodge*, a Willie. Sin é an t-aon socrú amháin a nglacfaidh muid leis. Bain dhe an *Lodge*. Is cuma liom cén chaoi a mbainfidh tú dhe é ach caithfidh muid an *Lodge* a fháil."

Bhíodh trua agam don dream a bhí ag obair sna hoifigí ag Comhairle Baile Leeds. Iad mall nó beagnach mall ag a gcuid oibre chuile mhaidin. Málaí beaga dubha agus páipéar nuachta faoina n-ascaill agus iad ag rith isteach ag an nóiméad deireanach. An scoil a chuir sé i gcuimhne dom agus leithéidí an Bhroic istigh ag fanacht leo. Thugainn buíochas le Dia as an tsaoirse. Bhíodh an córas teasa scrúdaithe agam uair an chloig roimh ré, doirse oscailte, ciseáin bhruscair glanta amach, fuinneoga oscailte sna leithris agus mé faoi réir le dhul ag pointeáil cheapóga na mbláthanna nó aon siobáil eile a bhíodh le déanamh taobh amuigh. *"Good morning, Josie,"* ag chuile dhuine acu de réir mar a bhí siad ag cur aithne orm. Rud ar bith a d'iarr siad orm bhí sé déanta agam – cófra a athrú in oifig nó cúpla scriú a chur i ndoras a raibh leathmhaing air. Bhí tuirsiú mo láimhe d'obair agam agus b'in mar ab fhearr liom é. In aghaidh mo thola a ghlac mé leis an gcúram ach go gcaithfinn comhairle Cholm Tom Mhóir a dhéanamh nuair a thosaigh an fás ag moilliú i dtús an gheimhridh. Ní raibh mé ag aireachtáil dhá nóiméad sa lá. Bhíodh na hurláir ar fad le scuabadh agam nuair a d'imídís tráthnóna, urláir na leithreas agus na bialainne le níochán, soilse le múchadh agus doirse le cur faoi ghlas. Obair do bheirt a bhí ráite ag Colm Tom Mhóir ach ní raibh a dhath mairge orm déileáil leis nuair a dhiúltaigh Éamonn a dhul ag obair taobh istigh.

Bhíodh Éamonn ag cur lán mo thóna d'olc orm corruair, an t-achar a chaith muid ag obair i dteannta a chéile, sínte siar ar bhinse amuigh sa bpáirc agus mise ag iarraidh a bheith ag déanamh obair bheirte. Níor chuir mé chuige ná uaidh ach níor ghéill mé dó ach oiread nuair a bhíodh sé ag tuineadh liom luí siar agus an lá a scaoileadh tharam. Ní raibh lá dár gheal ar an aer nár chuir sé a sheacht míle mallacht siar sa treo a raibh Barrett. Cogadh dearg istigh ina intinn ó mhaidin go tráthnóna ag smaoineamh ar an *Lodge*. Bhí a fhios agam go raibh sé ag dul thar fóir nuair a thagadh sé agus leathdhosaen buidéal beorach aige.

"Luigh siar agus ól ceann acu seo," a deireadh sé ach ní raibh baol orm cé nach raibh de mháistir orainn ach an pháirc a choinneáil pointeáilte.

"Tá an ghráin agam ar an focain obair seo," a deireadh sé nuair nach dtugainn aon aird air. Ach ní raibh sé ag leadaíocht i ngan fhios do Cholm Tom Mhóir. Bheadh sé curtha ar an airdeall agam dá bhfeicfinn ag teacht é ach ní fhaca nó go bhfaca mé ina sheasamh os a chionn é agus Éamonn ag srannadh ar an mbinse.

"Sin é an chéad seans agus an seans deiridh, a Éamoinn," a deir sé.

"Ára, tá an ghráin shaolach agam ar an sórt seo oibre," a deir Éamonn go neamhleithscéalach. "B'fhearr liom ag tiomáint leoraí nó JCB."

D'fhan Colm cúpla meandar ag breathnú idir an dá shúil air sul má chas sé ar a sháil agus d'imigh sé.

"Shílfeá sa foc go bhféadfá mé a dhúiseacht nuair a chonaic tú ag teacht é."

"Ní fhaca mé ag teacht é, a Éamoinn. Bhí sé ina sheasamh os do chionn sul má chonaic mé é."

Bhí sé chomh dearg le splanc agus colg air. Níor dhúirt sé 'sea' ná 'ní hea' ansin ar feadh deich nóiméad nó go dtáinig Colm ar ais aríst.

"Gabh i leith uait, a Éamoinn. Tá tú críochnaithe anseo."

Bhí mé ar thob tosaí ag pléadáil ar a shon ach bhí Colm ag leanacht ar aghaidh go séimh soiléir.

"D'aithin mé ort ón gcéad lá nach raibh aon luí agat leis an gcineál seo oibre. Tá obair faighte agam dhuit in éineacht leis na Cualáin ag tiomáint *digger*."

Shíl mé nach raibh Éamonn ag tabhairt aird ar bith ar a chomhrá. Pian bhoilg orm le faitíos gur múr eascainí a bheadh mar bhuíochas aige air.

"Beidh tú ag tosaí ag a hocht a chlog maidin amárach. Má tá tú ag iarraidh an jab anois is fearr dhuit do chuid balcaisí a bhailiú ag teach an lóistín agus tiomáinfidh mise chomh fada leo thú."

Deabhal focal ná cuid d'fhocal ar feadh leathnóiméad ach Colm ag breathnú ar Éamonn agus Éamonn ag breathnú ar an talamh.

"Fút fhéin atá sé anois, a Éamoinn. Déan do rogha rud ach tá tú críochnaithe anseo."

Níor fhág sé slán ar bith agam ach breith go coilgneach ar a chóta agus bailiú leis.

Níor chuir aon rud oiread ríméid ariamh orm le cóisir na
Nollag, go háithrid nuair nach raibh aon choinne agam leis an
gcuireadh. Foireann na hoifige ar fad scaoilte leo fhéin tar éis
cúpla deoch a chaitheamh siar. M'ainm ag chuile dhuine
amháin acu agus iad ag dul i mbéal a chéile do mo chur in
aithne don Mhéara agus do na Comhairleoirí. Chuir sé iontas
orm go raibh cuid acu in ann scairt gháire a dhéanamh. Imní
an tsaoil mhóir á ndéanamh dúr dorcha san oifig ach a lámh
sínte amach go fáilteach anois acu nuair a bhí an braon crua ag
éirí ina gcírín. Níor fhág mé an t-urlár ó thosaigh an ceol ach
ag croitheadh mo thóna cosúil leis an gcuid eile acu. Mná a bhí
amach sna blianta ag santú mo chuideachta nuair a d'fhág
ganntan fear ina suí síos iad. Bhí mé ag iarraidh fanacht glan
ar cheann acu a bhí á fáisceadh féin go follasach isteach i
m'aghaidh nuair a bhí muid ag damhsa *waltz*, macnas óil á cur
ag marcaíocht uilig orm. "*My name is Paula. You can spend
the night with me if you like . . .*"

D'éalaigh mé uaithi mar go raibh a fhios agam go raibh súile
go leor á gcaochadh i mo thimpeall. Bhí sé ag cinneadh orm
Paula a chur as mo chuimhne nuair a tháinig mé abhaile go dtí
mo sheomra lóistín. Seomra beag bídeach ar athraigh mé
isteach ann nuair a d'imigh Éamonn. Bhí an codladh curtha
amú orm de bharr ragairne na hoíche. Mé ag síneadh agus ag
searradh, ag iontú agus ag casadh sa leaba ach gan néal i
bhfoisceacht go mbeannaí Dia dom. Chuimhnigh mé ar an
mbaile, coinneal mhór na Nollag faoi réir ar bharr an drisiúir,
cuileann dearg crochta ar na pictiúir bheannaithe ag mo
Dheaide. Uaigneas a chuir faoi ndeara dom éirí amach as an
leaba agus tosaí ag scríobh.

Hello, a Mhama,
Tá mé díreach tar éis a theacht abhaile ó chóisir mhór Nollag
anseo. Ag obair in oifig atá mé faoi láthair agus thug siad
cuireadh dhom. Bhí an-oíche againn. Cén chaoi a bhfuil
chuile dhuine sa mbaile? Go maith, tá súil agam. Tá mise go
maith anseo. Tá cúpla punt anseo le rudaí a cheannacht.
Beidh mé ag cuimhneamh oraibh ar feadh na Nollag.

Chuir mé dhá scór punt isteach sa litir. Bhí sé ag briseadh mo chroí a bheith ag scríobh abhaile is gan mé ábalta mo sheoladh a thabhairt dóibh. D'fhliuch mé an clúdach litreach le mo theanga agus mé ag samhlú an ríméid a bheadh ar mo mháthair á hoscailt. Mé ag feiceáil fháinne a pósta ar a méir agus í ag strachailt an chlúdaigh den litir agus an t-anbhá ag bogadh a dhá súil nuair nach mbeadh seoladh aici le scríobh ar ais. Mheall an t-uaigneas na deora ó mo shúile.

Bhí an tocht fós i m'ucht ag tabhairt aghaidhe ar mo chuid oibre le moch maidne, gan fágtha ach seachtain nó go ndúnfadh an oifig le haghaidh shaoire na Nollag. Súile dearga agus cloigne tinne ag cnádadh ar chúl binsí nó go bhfuair siad purgóid láidir caife. Bhí siad i bhfad ní ba theanntásaí ag bualadh bleid orm tar éis na hoíche. Rug Paula orm ag breathnú as corr mo shúl uirthi, a dhath ar éigean de chaochadh súl ar ais ag meabhrú dom nach raibh an phóit tar éis táirim na hoíche a phlúchadh. D'fhan mé as a bealach nó go raibh an oifig ag dúnadh an lá roimh oíche Nollag. Chuile dhuine ag breith barróige ar an duine eile, ag guibhe Nollaig mhaith ar a chéile. Ba bheag bídeach nár cailleadh le náire mé nuair a thosaigh siad ag tabhairt bronntanas dom. Buidéil, boscaí milseán agus cártaí Nollag. D'fháisc Paula mo lámh nuair a thug sí cárta dom.

"*Have a nice Christmas,*" a dúirt sí agus cineál deifre uirthi ag scaoileadh liom mar a bheadh beagán náire uirthi os comhair a comhoibrithe.

Bhí mé i ndáil le bheith ag eitilt le teann ríméid nó go raibh mo bhéilí ite agam i dteach mo lóistín agus gan tada eile le déanamh ach luí ar an leaba. Níor smaoinigh mé go dtí sin go raibh coicís aimsire le meilt agam, gan cara gan comharsa, gan mac an éin bheo a ghiorródh an lá ná an oíche. Smaoinigh mé aríst eile ar an mbaile, mé ag samhlú an phota fataí ar an gcroch os cionn na tine, corrchnap súiche ag titim nuair a d'fhadaítí síos tine mhór chroíúil in ómós na féile. Bhí mé ag cloisteáil chuile fhocal den ghibireacht a bhí ag mo thriúr deirfiúr timpeall an teallaigh. Ba mhinic in árach a chéile muid nuair nach raibh bac ar bith orainn a bheith mór le chéile. Dá mbeadh breith ar m'aiféala anois agam . . .

Ní raibh sé ach leathuair tar éis a sé nuair a dhúisigh mé, uair an chloig de néal curtha ag an uaigneas orm agus an choicís fós chomh dubh dorcha leis an aimsir i m-intinn. D'oscail mé bosca de na milseáin agus chuir mé ceann i mo bhéal ag iarraidh bheith ag diúl sásamh intinne as. Bhain mé cúpla nóiméad as na cártaí Nollag, á n-oscailt ó cheann go ceann. B'fhearr liom lorg láimhe ón mbaile ná ar priondáladh de chártaí ariamh. Bhain cárta Phaula geit asam.

13 Chestnut Drive

I'm all alone for Christmas. Why don't you join me, we could have fun together.

Paula

A leithéid de lámhscríbhinn ghalánta. Bhí mé i mo dhúiseacht anois agus scéin ionam. Mé cinnte gur slabaráil óil a chuir Paula ag fiach orm nó gur chuir an cárta Nollag faoi léigear aríst mé. Thosaigh mo chroí ag bualadh ní ba sciobtha mar a tharlaíodh nuair a bhínn i ndiaidh na mbradán nuair a buaileadh an doras.

"*Yes?*"

"*There's a lady at the door and she wants to talk to you.*"

"*OK, I'll be down in a minute.*"

Oh, Jesus. Cén chaoi a raibh mé ag dul ag déileáil léi seo más isteach ar cuairt agam a bhí sí ag iarraidh a theacht? D'aithin mé ar ghlór an *landlady* nach raibh sí róshásta mná a bheith ag teacht chuig an doras agam. *'I'm not allowed to bring anybody in.'* Bhí mé á chleachtadh i m'intinn ag dul síos an staighre.

"*Oh, Jesus, Sue! What are you doing here?*"

"*I came to invite you to our house for Christmas.*"

"*I'd love to, but what about your Mum and Dad?*"

"*My Mum would love you to stay with us. She's at home minding the baby. Tom Óg. Oh, he's cute. You will love him. Come on! My Dad is waiting outside to chauffeur us.*"

Smaoinigh mé gurbh é an t-aon bhronntanas gnaíúil a thug Santa Claus ariamh dom é agus mé ag dul in airde staighre i mo chuaifeach nó go mbaileoinn mo chuid balcaisí.

Bhí mé sa mbaile ón nóiméad ar shiúil mé isteach an doras tigh Choilm Tom Mhóir. Draíocht na Nollag go follasach sna maisiúcháin a bhí ar fud an tí. Ní chuirfeadh mo mháthair féin fáilte chomh grámhar romham is a chuir Madeline.

"*Colm speaks very highly of you,*" a dúirt sí. Ba chosúil gur thaithnigh mo chomhluadar le Tom Óg freisin a shuigh go socair i mo bhaclainn agus a dhá shúil do mo dhearcadh go fiosrach.

"*He likes you. See, he's smiling,*" a deir Madeline.

"*Why wouldn't he, one Connemara man to another,*" a deir Colm.

Níor chorraigh mórán i ngan fhios dom an oíche sin ná an lá dár gcionn. Eadraí codlata déanta ag Tom Óg i m'ucht. Giodam faoi chuile dhuine ag fáil bronntanas faoi réir agus á leagan faoi chrann na Nollag. Turcaí nach raibh a leithéid feicthe cheana agam leagtha os cionn cláir. An teach ar tí lasadh ag tine mhór ghuail. Chuile dhuine chomh lách síochánta lena chéile. Dá mbeadh bean agus clann go deo agam b'eo é an múnla teaghlaigh a bheadh agam, a smaoinigh mé. Chuile dhuine ag ceiliúradh go sona suairc nó go raibh sé ina ardtráthnóna Oíche Nollag is gur thosaigh scamall beag amháin ag caitheamh a scátha ar fud an tigh. Jenny a bhí tar éis í féin a fheistiú amhail is dá mba chuig bainis a bhí sí ag dul, ag guairdeall timpeall na fuinneoige mar a bheadh sí ag tnúth le duine éicint. D'ardaigh mo chroí runga eile nuair a dúirt Sue gur ag súil le hÉamonn a bhí siad ach thit sé ó runga go runga idir sin agus am suipéir nó go raibh sé briste le trua do Jenny nuair nár tháinig Éamonn ar chor ar bith. Chuile dhuine ag iarraidh an taobh ab fhearr a choinneáil amuigh, ag iarraidh a bheith ag smaoineamh ar scéalta a scaipfeadh an teannas go nádúrtha. Sue ag iarraidh lán a boise den bhriseadh croí a chuimilt de dhroim Jenny anois is aríst. Dúrúch ar chuile dhuine ag iarraidh a bheith ag baint corrfhocal as an bpáiste nach raibh caint ar bith aige ach an chaint tar éis calcadh i mbéal Jenny a mbíodh dalladh geabaireachta aici ó nádúr.

D'fhan Jenny ag tabhairt aire don pháiste tar éis don mháthair a bheith ag tuineadh léi a dhul chuig Aifreann an mheán oíche in éineacht linn. D'ardódh an ceol agus na soilse agus comhar na gcomharsan a croí, a dúirt Madeline, is muid ar ár mbealach abhaile, muid araon ag dúil go dtabharfadh teacht an linbh Íosa toradh a guibhe do Jenny ach d'inis a súile scallta a scéal féin. Theip ar chuile chineál spleodair an t-ualach a bhí i mbéal a cléibh a bhogadh, a póg a roinnt le chuile dhuine a rinne sí agus imeacht a chodladh, gan bacadh lena cuid de na bronntanais a oscailt. Níor scaip an teannas le breacadh Lae Nollag cé gur plúchadh le ceol é. D'fhan Jenny ina codladh agus rinne an chuid eile againn iarracht mhór a bheith gealgháireach. Sue agus a máthair ag réiteach an dinnéir agus Colm ag réiteach an bhoird. Bhí mise ag rá 'guth gúg' le Tom Óg nó gur thit sé ina chodladh i m'ascaill.

"*You two should go for a walk, Sue. Get some fresh air and work up an appetite,*" a dúirt Madeline.

Ba é a raibh uaim é. Thuig mé ar an bpointe go raibh rud éicint le plé le Colm aici.

"*Be back at two o'clock,*" a dúirt sí ag dúnadh an dorais inár ndiaidh. Rug mé féin agus Sue i ngreim láimhe ar a chéile chomh nádúrtha is dá mba é an faisean a bhí againn i gcaitheamh ár saoil é. Ise a stop i lár an chosáin is a thug póg fhada phaiseanta dom chomh luath is a bhí muid ar an gcúlráid. Póg a bhí chomh blasta is go dtiocfainn a chodladh i mo throscadh dá bhféadfainn í a bhlaiseadh aríst is aríst eile ach b'in é a raibh ann.

"*I missed you,*" ráite aici agus muid ag bogadh amach chun bóthair aríst. An phóg tar éis ár gcuid méaracha a fhíochán go crua ina chéile.

"*I feel sorry for poor Jenny.*"

"*I know.*"

"*She's crazy about Éamonn.*"

"*What happened, I wonder?*"

"*Oh, I don't know. Dad says he's wild. They don't approve of Jenny going out with him.*"

"*Why did they invite him then?*"

"*They're trying to be reasonable, allowing her to make up her own mind, I suppose.*"

"*Is that the same reason I was invited?*"

B'fhiú póg eile an cheist sin. "*Noooo . . .*" mór fada ráite aici sul má d'aimsigh ár gcuid liopaí a chéile, gan a fhios agam an raibh duine ar bith eile ar dhroim an domhain ag an bpointe sin ach an cailín beag álainn a raibh barróg agam uirthi. Níor ghluais muid ar aghaidh chomh sciobtha an geábh seo. Greim dhá láimh againn ar a chéile agus muid ag dearcadh isteach i súile a chéile. Ba chuma liom mura mbeadh dinnéar na Nollag faoi réir go dtí lá speirthe na gcat.

"*My Dad adores you.*"

Caint a tháinig liom.

"*He says you're honest and trustworthy.*"

Bhí mé ag éirí ó thalamh le ríméad. Mheas mé gur ar aer a bhí mé ag siúl ó chuala mé na focla sin ag teacht as a béal. Bhí Jenny bréagaithe acu nuair a d'fhill muid. Í ag déanamh a díchill a bheith laethúil. A goile dúnta ag grá nó cheal grá ach í ag piocadh lena béile ar son na cúise. Béile a bhí chomh blasta le haon ghreim dár chuir mé i mo bhéal ariamh. Chroch an scread a chuir Jenny aisti den chathaoir mé chomh tobann is dá mba saighead a bhuailfeadh isteach tríd an bhfuinneog í.

"*It's him!*" a scread sí, ag éirí de léim agus ag réabadh i dtreo an dorais. Bhí an fuilibiliú tar éis scread a bhaint as Tom Óg.

Spitfire beag dearg de charr nach raibh inti ach dhá shuíochán a bhí tar éis stopadh taobh amuigh. Mapa mór catach gruaige a chuir a mhullach amach aisti. Ar éigean a bhí na cosa leagtha ar an talamh aige nuair a bhí dhá láimh Jenny ina thimpeall. Greim chomh docht daingean aici air is go sílfeá nach raibh sí ag dul á ligean uaithi go brách aríst. Sian a chuir sí aisti nuair a chroch sé den talamh í. D'fháisc a dhá láimh mhóra láidre a colainn thanaí isteach ina aghaidh. "*Yipee!*" a liúigh sé mar a dhéanfadh buachaill bó agus é á casadh timpeall tríd an spéir.

Shuigh Colm síos agus thug sé aghaidh ar a bhéile aríst go ciúin nuair a chonaic sé an ghaoth ag ardú a cuid éadaigh suas thar a másaí. Lena thaobh a shuigh Éamonn nuair a tháinig sé tríd an doras go glórach, Jenny greamaithe ina ascaill nó gur shuigh sé síos. Mhothaigh mé cineál teannais ag cur crampaí i mo phutóga nuair a thug mé faoi deara go raibh sé súgach.

"Cén chaoi a bhfuil tú, a Choilm?"

Chuir an bhos a bhuail sé sa dromán air an scian ag feadaíl as a láimh. Bhain Jenny an dochar as le sciotar gáire. Ní raibh a mhístuaim tugtha faoi deara ar chor ar bith ag Éamonn ach rilleadh air ag inseacht a leagan féin de scéal na Nollag.

"A leithéid de focain Nollaig ní raibh ariamh agam. Ar an *tear* chuile oíche le seachtain. *By Jays*, tá na Cualáin in ann piontaí a chaitheamh siar ach, *by Jays*, níor lig mise tada leo ach oiread. *Ah well, fair play to you, Madeline.*"

Pláta mór a raibh maoil air a bhí leagtha os a chomhair aici, á thabhairt ar aon chúrsa linn féin. Níor bhac sé le hoirnéis boird ar bith ag breith lena mhéaracha ar chois turcaí agus lán a bhéil a thabhairt amach ón gcnámh.

"*Sound man* é Seáinín na gCualáin. Á, bhí muid *steam*áilte sa bpub."

"An raibh tú ag an Aifreann?"

D'aithin mé gur go neamh-mhailíseach a bhí an cheist curtha ag Colm cé nár thóg sé a shúile dá phláta.

"Cén tAifreann?"

"Sí an Nollaig í, ar ndóigh."

"Deabhal focain Aifreann ar bith a smaoinigh muide air. Bhí an chraic rómhaith. *Oh Jaysus*, ní fhaca mé go dtí anois thú."

Murach an méid lámh a rug ar an mbord bhí steigears déanta de ghréithe mar gur shíl sé siúl díreach tríd le láimh a chroitheadh liom.

"Cén chaoi a bhfuil tú, a sheanmhéit? Hea? *Still struggling with the weeds . . . Hi . . . hi?*" Bhí mo lámh crochta san aer aige mar a bheadh lámh dornálaí.

"*The best salmon poacher in the west of Ireland . . .* Caithfidh tú dhul ag tiomáint Hymac, *right?*"

"*Right*, a Éamoinn."

"*Fuckin' sure, I'll teach you, mate, right?*"

"*Right*." D'aontaigh mé leis de ghrá an réitigh. Bhí an buidéal fíona i ngreim scloig aige chomh luath is a leag sé súil air, é ag gáire leis féin ag líonadh amach gloine.

"*Anybody for more wine?*"

Chroch chuile dhuine lámh dhiúltach nuair a díríodh béal an bhuidéil orainn.

"*Hi, lads, cheer up, it's Christmas. We're supposed to be merry.*"

D'aontaigh chuile dhuine leis, athrú iomlán tar éis a theacht ar an atmaisféar ó tháinig sé isteach an doras mar a d'osclófaí dhá dhoras ar aghaidh a chéile lá gála. Níor fhág sé sniog sa mbuidéal fíona as sin go ceann uair an chloig.

D'fháisc Réamonn cába a chóta timpeall a mhuiníl ag iarraidh teas a cholainne a cheansú faoina chuid éadaigh. Codladh go meán lae déanta aríst eile aige agus drioganna fuachta ag dul go cnámh ina cholainn chaol chaite. Chroch sé an buidéal os cionn a chloiginn nó gur mhothaigh sé an braon crua ag téamh a phutóige. Fuair sé faoiseamh ar an bpointe, a anáil coinnithe istigh aige ar fhaitíos go n-éalódh tada den bhruth a bhí ag at a chliabhraigh. Ní raibh dúil i dtada le n-ithe aige. Níorbh fhearr dó a bheith mar nach raibh aon ghreim le n-ithe sa teach. Leathbhuilín a raibh caonach liath air caite chuig na madraí ón tráthnóna roimh ré. Bhí sé i gceist aige an luaith a chaitheamh amach chuile lá le seachtain ach bhí chuile lá ag tabhairt a choda féin leis. É ag dul ag fadú tine bog te nuair a chuirfeadh an fuacht bualadh fiacla air, ach é ag imeacht as a cheann nuair a bhíodh cúpla gáilleog phoitín sa ngoile aige. Chuala sé an carr ag stopadh ach bhí sé chomh neamhairdiúil is nár chuimhnigh sé nach soir nó siar thairis a bhí a thriall. Níor thug sé aon suntas mór don doras á oscailt, gan a fhios aige go baileach cá raibh sé.

"Bhuel, a Réamoinn, cén chaoi a bhfuil tú inniu?"

"*Oh, japers*, an tú atá ann, a Willie? Shíl mé go mbeifeá ag obair an t-am seo de lá."

341

"An bhfuil a fhios agat cén lá atá ann?"

"Cén lá?"

"Lá Nollag."

"Hea? Deabhal an féidir gurb é Lá Nollag é. Á, dar Dia, tá an saol ag imeacht i ngan fhios dhom."

"Cén dochar, a Réamoinn."

"Bhearrfainn mé féin, muise, dá mbeadh a fhios agam cén lá a bhí ann."

"Gabh i leith uait in éineacht liomsa."

"*By Jays,* ólfaidh muid deoch, ós í an Nollaig í."

Ní raibh an dara sméideadh ag teastáil uaidh. Bhí sé leis na sála ag Barrett agus fuadar faoi ag suí isteach sa gcarr, ach de bhuíochas a raibh d'ídiú intinne déanta ag an ól air bháigh sé a chosa in urlár an chairr agus d'fháisc sé a dhroim go dúshlánach in aghaidh an tsuíocháin ag iarraidh í a stopadh nuair a chas an carr isteach geata an *Lodge.*

"Hó, hó, tiocfaidh muid don Chaiseal ag ól deoch, a Willie."

"Níl aon áit oscailte, inniu Lá Nollag."

"Gheobhaidh muid deoch in áit éicint, cas amach."

"Gheobhaidh tú dalladh le n-ól istigh anseo anois agus dalladh le n-ithe freisin. Gabh i leith uait isteach in éineacht liom."

"Tá a fhios ag Dia go mb'fhearr liom . . ."

"Gabh isteach, a deirim, is ná bí ag baint chainte asam."

Fuarchroíoch a chuaigh sé thar tairseach cé gur shantaigh sé an teas a d'fháiltigh roimhe. Chuir áirgiúlacht na háite faoi ndeara dó a chaipín a chur ina phóca. Chuimil sé bos rocach den stoithin ghruaige nár réitigh raca le hachar aimsire. Lámh Eileen giortaithe ag bréag-ghalántacht ag fearadh fáilte roimhe.

342

"Tabhair isteach sa seomra folctha ar dtús é, a Willie."

"*Right*. Gabh i leith uait, a Réamoinn."

Gach re ala a rinne a intinn deighilt idir tuiscint is taibhreamh. Culaith ghlan éadaigh leagtha amach faoina choinne.

"Caith dhíot anois isteach go craiceann, a Réamoinn . . ."

Bhí gail an uisce bhruite ag cur ceo ar a shúile nuair a thosaigh an dabhach ag líonadh. Scaoil sé an seaicéad anuas dá ghuaillí gan aon argóint. Faoi gheasa ag an gceo a bhí ag cruinneáil ina thimpeall mar a bhíodh ar bharr an chnoic. An teas a bhí san aer á bhogadh amach in allas. An fonn nochta a chuirfeadh grian mheirbh an tsamhraidh air á chur ag oscailt cnaipí, an t-uisce ní ba theocha ná an t-uisce a bhíodh grianscallta in umar na leice thuas i logán an tsléibhe. Glór Bharrett ag dul thar a chluasa nuair a thosaigh an t-uisce ag bogadh amach a chraicinn.

"Cuirfidh mé do chuid seanéadaigh síos sa mála seo le níochán. An gcloiseann tú mé, a Réamoinn?"

"Cloisim."

"Seo, cuimil an stuif seo isteach i do chuid gruaige."

Bhí cúr air mar a bhíodh thuas faoi bhun an easa. Stríocaí buí bealaithe ag rith tríd amhail geansaí olna a bheadh dá úrú. Ní píosa de bhraillín ná mála plúir a síneadh chuige le é féin a thriomú ach tuáille cadáis a bhí chomh mór is go ndéanfadh sé cuilt dá leaba.

"Sin rásúr nua glan, a Réamoinn. Seo anois, bearr anseo thú fhéin."

Sclogaíl an uisce go ceolmhar ina chluasa de réir mar a d'éalaigh sé amach sna píopaí nó go raibh an dabhach chomh geal leis an eala aríst agus súlach salach a cholainne nite le

fána. Gloine fuisce a síneadh chuige nuair a cuireadh ina shuí
chun boird é. An bhleacht órga ag spléacharnaíl amach tríd an
ngloine ghreanta sul má scaoil sé a leath le fána mar chothú do
líonán na putóige.

"Sin a bhfaighidh tú anois nó go mbeidh do dhinnéar ite
agat." D'fháisc Barrett an claibín ar ais ar an mbuidéal ach
níor leag sé as amharc é. Dhá fhad a láimhe uaidh a leag sé é
mar a bheadh a luach saothair ar taispeáint don té a mbeadh
an bheatha mharthanach tuillte aige. Choisric sé é féin ach
níor chuir sé focal leis an altú roimh bhia mar gur fada uaidh
a tógadh é. Searbhónta a leag acu an béile, gan focal aisti ach í
ag deifriú mar a bheadh faitíos uirthi. Chuir a ghoile fáilte
roimh an gcéad spúnóg anraith. Bia agus beatha a chuaigh
chun tairbhe dá shláinte ar an bpointe, b'fhacthas dó.
Scrúdadh an ocrais ag méadú a dhúile ann ó bhí a bhlas faighte
aige, é chomh hamplach ag sloigeadh an dara spúnóg is dá mba
as buidéal dochtúra a dhoirtfí amach é. Ach bhain sí an
mhaith as an tríú spúnóg. Eiteacha cosanta ag biorú ar fhad a
dhroma de réir mar a bhain sé meabhair as an gcaint.

"Beidh do bhéile le fáil chuile lá anseo agat, a Réamoinn,
nuair a thabharfas tú dhúinn an *Lodge*, nach mbeidh, a Willie?
Ní bheidh gá dhuit a bheith ag déanamh imní faoi thada, beidh
tú i do chónaí i dteach an gheata agus gan de chúram ort ach
an gharraíodóireacht a dhéanamh . . ."

Níor chuala sé níos mó mar gur leor an nod chun rabhall a
bhaint as a intinn. Meaigí á feiceáil dó ag tabhairt allas a
colainne ar son an *Lodge* agus Éamonn . . . Éamonn a raibh sé
ag súil abhaile leis chun go dtiocfaidís isteach in oifig dlíodóra
nó go gcuirfeadh sé an *Lodge* ina ainm.

Bhí an stodam tugtha faoi deara ag Barrett agus é ina shuí ag athlíonadh gloine mhór fuisce le súil is go ngearrfadh sé an blas searbh dá bhéal. An t-aon chuid dá shaol gurbh fhiú anáil a tharraingt mar gheall air agus gan a fhios aige cén áit ar dhroim an domhain a raibh sé ag cangailt a chodach ar an lá beannaithe seo. Uchtach bréige tugtha dó féin aige ag samhlú chuile lá go dtiocfadh sé chuige isteach ina sheanléim agus nach mbeadh san urchóid a dhíbir é ach drochbhrionglóid. B'fhéidir é fillte abhaile ar an ala seo agus gan dé ná deatach roimhe. Dhírigh an smaoineamh na cosa faoi más go corrach féin é.

"Cá bhfuil tú ag dul, a Réamoinn?"

"B'fhéidir go bhfuil Éamonn ag fanacht sa mbaile liom."

"Éamonn?"

"Tiocfaidh sé abhaile faoi Nollaig, cheapfainn."

"Ní leagfaidh Éamonn a chos ar leacracha an bhaile seo go brách aríst. Fág ort do chuid éadaigh."

"Ní hiad mo chuid éadaigh iad. Cá bhfuil mo chuid éadaigh?"

"Anois, anois, anois, a Réamoinn. Déan suaimhneas. Is leatsa an t-éadach sin. Cheannaigh muid dhuit iad."

"Tá mé ag iarraidh mo chuid éadaigh féin."

I lár an bhoird a chaith sé an seaicéad, gan a fhios aige cá raibh sé á chaitheamh ach nach raibh sé ag iarraidh go bhfeicfeadh Éamonn feistithe in éadach Bharrett é. Bhí siad araon ina seasamh anois ag iarraidh a bheith ag cur foighde ann. Eileen ag meabhrú fiacha dó agus Barrett ag iarraidh gloine eile fuisce a choinneáil leis mar a bheadh purgóid á choinneáil le bó.

"Níl mé ag iarraidh tada ach mo chuid féin."

345

Chaith sé de a léine dá mbuíochas agus an bríste. B'in é an uair ar thosaigh Dónall ag caoineadh.

"Tabhair dó a chuid éadaigh, a Dheaide, nó tiocfaidh sé amach ina chraiceann."

"Caith chuige iad, a Willie, is mairg a bheadh ar mhaithe leis."

Chúlaigh an cailín aimsire ar ais go dtí an chisteanach nuair a chonaic sí an feic lomnocht i lár an urláir.

"Seo dhuit do chuid seanéadaigh, más iad is fearr leat," a deir Barrett agus é ag iarraidh guaim a choinneáil ar féin.

Leis fhéin a bhí Réamonn ag miongaireacht chainte fad is bhí sé ag tarraingt air a chuid éadaigh. Mhothaigh sé nimh fhuar na haimsire á aimsiú nuair a thug sé an doras amach air féin, ach mheabhraigh an tsaoirse dó go mba nimheanta fós an aeráid a bhí fágtha ina dhiaidh i dteas an *Lodge* aige.

Bhí Éamonn fós ag sloigeadh na ngrást i meán lae Lá 'le Stiofáin. Mise chomh ciúin le luch bheag ag éalú amach as an seomra ar fhaitíos gur ar mo chrann a thitfeadh sé mí-iompar an lae roimhe a thabhairt chun cuimhne. Thug Madeline cuireadh dom an scuab a chuimilt den urlár agus lámh a thabhairt le chuile shiobáil dá raibh ar bun sa gcisteanach. Chuile dhuine i ndea-ghiúmar cé go raibh dubh na fríde den teannas le mothú san aer nuair a d'éirigh Jenny agus thástáil sí leiceann a hathar agus a máthar le póigín neirbhíseach an duine. Choinnigh siad an taobh ab fhearr amuigh os mo chomhairse agus ruaig leathuair an chloig i mbuil a chéile aon smál dá raibh de bhreithiúnas aithrí ar Lá Nollag. Níor chuala mé aon chaint ariamh ar Scrabble go dtí an lá sin. Mé ag cúlú siar i mo shliogán le teann drogaill roimh scrúdú de chineál ar bith. Iontas curtha agam orm féin nuair a thosaigh mé ag fáil corrfhocal liom. A chúnamh do Cholm a chuaigh mé, na fir in aghaidh na mban. Sáraíocht an deabhail nuair a thosaigh muid ag caitheamh isteach cúpla focal Gaeilge.

"*No, no, Dad, you can't do that.*"

"*It's a good Irish word, nothing wrong with it.*"

Póg an duine a thugaidís dó as ucht a bheith ag cothú an ghrinn. Bhí oiread gleo agus gáire againn is nár chuala ceachtar againn Éamonn nó gur sheas sé leis an taobh againn.

"*What in the name of God is going on here? I thought World War Three had started.*" Ní raibh doicheall ná cúthalacht ag gabháil leis ach é chomh spleodrach le teachta dála in aimsir thoghcháin. "*Good morning, my fair ladies,*" a deir sé, ag umhlú dóibh. Bhí a theanga ar a chomhairle féin aige, é ag pógadh chuile dhuine den triúr ach ag santú beola Jenny ala ní b'fhaide.

"*Let me get you something to eat.*"

"*No, Jenny, you stay there and I'll get it,*" arsa Sue agus an bheirt ag éirí ina seasamh ag an am céanna.

"*Don't quarrel, ladies, it's not the last supper. Come on, let's share the task.*"

Bhí lámh timpeall ar ghualainn chaon duine acu aige agus é á dtreorú i dtreo na cisteanaí. Bhí bealach leis a mheallfadh an bhinb as mada drochmhúinte. A dhá shúil lán le deabhlaíocht neamhurchóideach a bhainfeadh an ghaoth as do chuid seolta nuair is mó a bheadh rún agat ropadh a thabhairt faoi. Ba é Colm an t-aon duine nach raibh casta timpeall a mhéire aige.

Níor chuir sé chuige ná uaidh amhail is dá mba é an Scrabble an comórtas ba thábhachtaí dár thug dúshlán ariamh dó. Bhí sé tugtha faoi deara ag Sue, súil caochta orm aici sul má d'fhógair sí go raibh an bheirt againn ag dul amach ag siúl.

"He would make a nest in your ear," a deirimse léi, ag aithris ar an gcaoi a ndeireadh muid i nGaeilge é.

"Not in Dad's ear," ar sise go maíteach. *"I don't think he's too impressed."*

"Neither am I actually. I was embarrassed yesterday." B'in é ar theastaigh de leithscéal uainn le tosaí ag pógadh a chéile. Sue chomh híogmhar is gur theastaigh uaim an chuid eile de mo shaol a chaitheamh ina comhluadar ag an nóiméad sin.

Muid chomh saor leis na héin ag baint sásaimh as comhluadar a chéile nuair a líon an t-aer le meidhir. Éamonn agus Jenny a tháinig timpeall coirnéil sa *spitfire*. An díon canbháis scaoilte siar agus an ghaoth ag síneadh folt gruaige Jenny mar a bheadh drioball capaill a bheadh sna cosa in airde. Bhí a gcuid lámh in airde agus iad ag gártháil go haerach nuair a bhailigh siad tharainn. Buaic na hóige bainte amach acu ó bhí carr faoina dtóin. Mhothaigh mé beagán éadmhar leis an misneach a bhí ag Éamonn. Bhí a fhios agam nach mba carr nua a bhí inti agus go mb'fhéidir gur ar iasacht a bhí a luach tógtha aige. Ach bhí sé de spunc ann neamhspleáchas a bhaint amach dó féin agus gan a bheith fanta ina chodaí cosúil liomsa.

"Showing off is a false expression of enjoyment," arsa Sue, mar a bheadh sí ag léamh mo chuid smaointe.

Ní raibh an lá caite nó go raibh teannas san aer aríst. Éamonn ina shuí amuigh sa *spitfire* agus é ag baint corrbhúir as an inneall mar a bheadh sé ag cur deifre le Jenny.

"*I'm going to a dance with Éamonn, Dad.*"

"*To a dance in the afternoon?*"

"*He wants to meet his friends first.*"

"*Are we not friends of his?*"

"*Oh Dad, be reasonable. Éamonn is bored. He says it's too quiet here.*"

Staon Colm óna bharúil a thabhairt cé gur bhioraigh sé is gur las a dhá shúil.

"*Can I go now, Dad, please? Please, Dad. Éamonn is waiting for me.*"

"*I won't stop you but I don't approve. You're both too young.*"

"*Oh Dad, I'm not a baby. Can I go now, please?*"

"*It's up to your mother.*"

"*But Mum said to ask you.*"

"*Well, I've given you my answer.*"

"*Ah, Dad, please. I must go.*"

"*I don't approve of you going anywhere with a person who drinks and drives, and that is final.*"

Leath ciúnas ar fud an tí, gan gíog ná míog as éinne nó gur líon Éamonn an t-aer le búir de bhonnán an chairr. Bhain Jenny croitheadh aisti féin go ceanndána.

"*Well, I'm going. I can't keep him waiting any longer,*" a dúirt sí ag siúl go dúshlánach i dtreo an dorais.

Ní olc a tháinig ar Cholm nuair a shiúil sí amach dá bhuíochas ach diomú. Bhí Madeline sa gcisteanach ag triomú a cuid súl go ciúin nuair a shiúil sé isteach is chuir sé a lámh ina timpeall.

Ba í Sue a chuir faoi ndeara dom mo sheoladh a thabhairt do mo mháthair.

"How could you be so cruel?" a deir sí.

"It's a long story, Sue," a deirimse.

"It's a horror story whether it's long or short. She must be worried about you. Write to her immediately."

Ba é seoladh Leeds a thug mé di. Scríobh sí ar ais le hiontú an phoist. Oiread faitís orm ag stracadh chlúdach na litreach is dá mbeadh sí ar thob léimneach amach agus an deabhal a thabhairt le n-ithe dom.

"Míle buíochas le Dia go bhfuil tú slán sábháilte, a mhaicín," an chéad abairt a bhí scríofa aici. Gaisce a bhí sí a dhéanamh asam le muintir an bhaile, má b'fhíor di féin. Baile nár chorraigh mórán i ngan fhios dom ann as sin amach mar go raibh lán dhá leathanach de nuacht ag teacht sa bposta chugam chomh rialta is a bhíodh gealach nua sa spéir.

Níor casadh i mo bhealach Éamonn go ceann cheithre bliana ina dhiaidh sin ach níor fhág sin aineolach mé ar chuile mhórchor dár chuir sé de. Bhíodh a ainm luaite i chuile litir dár sheol Sue chomh fada liom agus é fós ina ábhar comhrá againn chuile uair dá gcastaí le chéile muid. É féin agus Jenny imithe le haer an tsaoil. Níor chuir sé iontas ar bith ar Sue nuair a d'inis Jenny di go raibh sí tar éis cliseadh i scrúdú san ollscoil. Níor chuir sé a leathoiread iontais uirthi nuair a baineadh an carr d'Éamonn de bharr nach raibh sé in ann na gálaí míosúla a choinneáil íoctha. Bhí an bóthar faighte go minic aige de bharr gur crochadh leo amach sna cnoic a dhéanadh sé féin agus Jenny nuair ba chóra dise a bheith ag freastal ar léachtaí agus dósan a bheith ag tiomáint Hymac. Mairg dá laghad ní bhíodh ar Éamonn, é ag fágáil imní an tsaoil le n-iompar ag daoine eile agus é chomh cumasach ag díol íomhá dhearfach is go mbíodh carr eile faoina thóin taobh istigh de sheachtain. Théadh sé chun tíobhais ar feadh míosa nó dhó nuair a bhíodh easpa airgid air, gan a shárú le fáil ag tiomáint Hymac nuair a chuireadh sé a intinn leis. Ba é ráite na gCualán le Colm é.

"Thógfadh sé an cupán den drisiúr léi," a deir Joe, "ach cén mhaith sin? Is beag an mhaith an bhó ó dhoirtfeas sí an bainne."

Níor fhéad mé gan straois gháire a chur orm féin ag léamh lorg láimhe mo mháthar. Bhí na súile ag dúnadh orm ar an mbealach ó mo chuid oibre tar éis a bheith ar an mbóthar ó mhoch maidne. Mé ag tnúthán le néal a ligean tharam nó go bhfaca mé an litir taobh istigh den doras. Gheit mé mar a dhéanfadh páiste a dtairgfí milseán dó. Ar scian ghlan a rug mé ag oscailt na litreach go cúramach amhail is dá mbeadh imní orm go ngortóinn an lámh cheanúil a scríobh í, mé á samhlú chomh maith is dá mbeinn ar an láthair, ag casadh suas bhuacais an lampa agus ag cur dúigh ar an bpáipéar chomh dúthrachtach is dá mba le fuil a croí a scríobh sí chuile fhocal.

Hello, a mhaicín,
Fuair mé na litreacha agus an t-airgead. Go saolaí Dia thú
ins chuile áit dá gcuirfidh tú do chos is do lámh. Tá ár
ndóthain anois againn, a mhac, ó tá an t-earrach íoctha.

351

Cheannaigh mé dhá mhála diuáin agus dhá chéad síolta glana. Níl clóic ar bith orainn, billí íoctha sa siopa is chuile rud. Bí tíobhasach le do chuid airgid is grá mo chroí thú. Céard deir tú le Gugailí Bharrett a leaindeáil abhaile ar saoire agus lady bheag phointeáilte faoina ascaill aige! Is air atá an baile ag caint. Helen a bhí siad a ghlaoch uirthi, powder agus lipstick agus chuile rud uirthi. Anuas as Baile Átha Cliath. Thuas i gcoláiste mór éicint ag traenáil le dhul ina mháistir scoile a bhí sé ach deir daoine gur chlis sé sna scrúduithe. Níl aon nuaíocht eile de bhrabach orm ach go bhfuil muid uilig go maith, buíochas le Dia. Ó, a dheamhais, mo chuimhne agus mo dhearmad, níl a fhios cén réabadh atá thuas i ngarraí ard Tom Mhóir. Teach mór dhá stór atá le déanamh ann más fíor dhóibh é. Deir siad gurb é Colm atá ag cur an airgid anall as Sasana agus gur fir cheirde as an gClochán atá á thógáil. Bhí siad a rá liomsa murar ag séideadh fúm atá siad, go bhfuil ballaí dúbailte le cur faoi. Deabhal a fhios againn ach ag éisteacht leo, mar a deir an ceann eile. Tabhair aire mhaith dhuit féin, ná faigh aon fhuacht is ná bí amuigh deireanach. Deirim deichniúr den phaidrín dhuit chuile oíche. Nár fheice súil an drochdhuine thú, a leanbh.

Le grá mór millteach,
ó Mhama.

Ba é Colm Tom Mhóir a mhol dom mo chuid airgid a chur ag obair nuair a fuair mé an t-ardú céime i 1969. Veain comhlachta faighte agam agus limistéar mór curtha faoi mo chúram aige.

"Ceannaigh teach dhuit fhéin," a deir sé. "Is mó samhaoin atá ann ná ag íoc ar lóistín."

Ní raibh mé ag dul ag cliseadh ar an muinín a bhí curtha aige ionam dá mbeinn amuigh ón ceathair ar maidin nó go mbeadh sé ina mheán oíche. Ba mhinic a bhí sé ina mheán oíche agus mé fós ag tiaráil le billí agus le páipéir. Ocht a chlog tráthnóna Dé Máirt a bhí ann nuair a chonaic mé an carr romham ag binn an tí. Ba é Éamonn an duine deiridh ar dhroim an domhain a gcuimhneoinn air nó gur aithin mé a chúl catach sul má bhí mé i bhfoisceacht go mbeannaí Dia de. Níor aithin mé Jenny ar chor ar bith nó gur oscail sí doras an chairr. Spéacláirí dubha uirthi agus a cuid gruaige ceangailte ina coicín ar a mullach. Bhí téagar agus spreacadh sa láimh a chroith sé liom. Lámh Jenny chomh caol tanaí is go mbeadh faitíos ort í a fháisceadh.

"Níl cuma ná caoi ar an áit seo," a deirimse ag oscailt an dorais dóibh. "Níl troscán ar bith go fóill agam ann ach leaba agus cúpla cathaoir."

"Tá sé ceart, a chomrádaí, chodail muid in áiteacha níos measa."

Thosaigh m'intinn ag rásáil ar an bpointe is a luaigh sé an codladh. Mé ag iarraidh a dhul céim chun cinn orthu agus fáth a gcuairte a thomhas. Shílfeá gurbh é an chaoi a raibh a fhios aige é.

"Ag iarraidh rud éicint a tháinig muid."

"Fad is go bhfuil a fhios agat nach féidir fuil a bhaint as tornapa," a deirimse go gealgháireach.

"Tá mé ag iarraidh ort seasamh liom."

"Seasamh leat?"

"Tá muid ag dul ag pósadh."

Bhí sé follasach go raibh preab bainte asam, gan aon luaidreán tugtha ag Sue dom go raibh siad ag brath an

353

tsnaidhm a cheangal. Phóg mé é, rud nach ndearna mé le haon fhear ó bhínn ag tabhairt póigíní páistiúla do m'athair agus phóg mé Jenny freisin. Póg a d'aibigh as rútaí mo chuid ríméid.

"Ba mhór an onóir dom seasamh leat."

"I wish I could understand all this."

"Sorry, Jenny, he's delighted to be best man."

"Congratulations to both of you. I had no idea that you were thinking of tying the knot."

"We decided it was time for us to put our lives in order. We intend to work like hell for a few years and go back to live in Ireland. Right, Jenny?"

"Oh yes. I would love to live in Ireland."

"We are going to live in the Lodge. I'll bring home a truck and a few track machines and start up my own business. Right, Jenny?"

Bhí mé thar a bheith sásta as a bheith páirteach ina n-aoibhneas nuair a chuir siad lámha timpeall a chéile agus phóg siad a chéile go grámhar.

"Let's go out and celebrate." Treabhsar glan agus léine a tharraingt orm go sciobtha. A leithéid d'ardú meanmna is bhí an scéal gan choinne tar éis a thabhairt dom. *"Have you set a date?"* a deirimse agus mé ag dúnadh cnaipí i mo léine.

"Next Saturday!"

Rinne mé iarracht alltacht a cheilt ach bhí sé fánach agam.

"Next Saturday?"

"We're keeping it simple. Jenny has organised everything with the registry office."

"Oh, I see."

"You're not having second thoughts, are you?"

"No, no, I didn't expect it to be that soon, that's all."

"We decided to go it alone, not to tell anybody until it's all over."

"I see."

"Come on then, let's celebrate," a deir sé.

Ní raibh mé ar mo shuaimhneas ina gcuideachta, mé in umar na haimléise. Díbliú le fáil agam dá sceithfinn an nuacht le Sue agus díbliú ní ba mheasa mura gcuirfinn ar an eolas í. Bhí Jenny chomh paiteanta ag caitheamh siar vodca is a bhí Éamonn ag folmhú piontaí. Iad ag dul beagán thar fóir lena gcuid cúirtéireachta nó gur mheall mé liom abhaile le cúpla *six pack* agus le buidéal vodca iad, gan sa teach ach an leaba a gcodlaínn féin uirthi. Bhí sí chomh súgach is go raibh sé in am í a chur a chodladh in áit éicint. Í féin agus Éamonn greamaithe ina chéile.

"You can sleep in here in my bed, Jenny. Éamonn and I will sleep in the sitting room."

"I'll sleep wherever Jenny sleeps."

"Oh, alright, but the bed is very small."

"We can sleep tight," a deir sé ag baint sian bheag le fáisceadh aisti.

"If the bed is large enough for you and Sue, it should be large enough for us."

Bhí an t-ól istigh agus an chiall amuigh agus bhí sé thar am agamsa a bheith ag gliondáil as an mbealach. Dá mbeadh a fhios agaibh, a dúirt mé liom féin agus mé ag iarraidh a bheith do mo dhéanamh féin compóirteach i gcathaoir. Fuaimeanna nach raibh aon chleachtadh agam orthu ag cur beagán déistine orm. Dá gcloisfeadh Sue an rampúch seo bheadh an bheirt ag dul sa ngearradh díobh. Cé go raibh lámh agus focal eadrainn, ba í póg a chéile an bheadaíocht ba mhilse dá raibh blaiste ag ceachtar againn.

Thit Helen i ngrá le Dónall Bairéad chomh luath is a chonaic sí an *Lodge*. Áilleacht na háite ag cur lagair ina glúine. Lagar a chuir brí agus fuinneamh sa bhfáisceadh a thug sí dó.

"Is agaibh atá an teach is áille dá bhfaca mé riamh," a deir sí agus áirgiúlacht aosta an *Lodge* ag leathnú amharc a súl.

Smaoinigh sé ar feadh ala an chloig nach mba leo an teach, ach ní raibh baol air é a lua léi agus é ar a mhíle dícheall ag iarraidh a dhul i gcion uirthi. Ní ligfeadh an bród dó a rá gurbh é an séacla a bhí ag glanadh an chosáin suas le cois na habhann an t-úinéir. Bhí a athair ag obair ar phlean éicint chun seilbh a fháil ar an áit ar aon nós agus rud ar bith a gcuirfeadh a athair spéis ann ba dheacair é a choinneáil uaidh.

"Tá comhlacht mhór innealtóireachta ag m'athair."

"Bhí mé ag ceapadh agus teach chomh galánta seo a bheith agaibh."

Bhí sí ag cur coranna ina colainn suas ina aghaidh agus a hintinn ag ríomhaireacht cúrsaí graithe nuair a chonaic sí na bradáin ag slapáil sa linn. Ní laethanta a bhí sí ag breathnú chun cinn ach blianta. I gcathair Bhaile Átha Cliath a casadh le chéile iad. Ise i mbun staidéir ar bhainistíocht óstáin agus Dónall ar a dhícheall ag iarraidh duán a chur inti. Ní raibh thairis sin de shuim aici ann ar dtús ach gur áis é chun deireadh seachtaine in aisce a bheith aici san Iarthar. Bhí airgead póca de bhrabach air, rud nach raibh ag formhór na mac léinn eile. Ach ní raibh cuimhne ar bith aici go mbeadh na buntáistí breise seo ag dul mar spré leis. Bhí an gníomh a bhí ag rith trína intinn le mothú go láidir ina chuid peataireachta. Gan í ag ligean d'allúntas leis ach oiread is a mhéadaigh a dhúil inti. Nithe i bhfad ní ba thábhachtaí i seilbh a hintinne. Shamhlaigh sí cuid de na crainnte a bhí ag plúchadh an *Lodge* a thanaíochan amach agus carrchlós a fhorbairt. Scuaine iascairí chomh fada leis an snáth mara ag leanacht a chéile ar thóir an aeir úir agus uisce glan an Iarthair. Fairsinge bradán á gcur i mbarr a gcéille ó dhubh go dubh agus tine mhór oscailte ag déanamh tearmann te teolaí den *Lodge* fad is bheidís ag cur cruite ar a mbolg tar éis an lae. Dónall i bhfeighil na hiascaireachta agus ise i mbun an *Lodge*.

"Tá mé i ngrá leat, a Dhónaill," a deir sí de chogar i bpoll a chluaise.

Sé mhí a bhí caite ag Éamonn le D. Fortune & Co. B'in a dhá oiread ama is a bhí d'fhoighid aige a chaitheamh le haon chomhlacht eile go dtí sin. Ach bhí sé ag éirí bréan den obair, ag tiomáint JCB ó mhaidin go faoithin is ó Luan go Satharn. Comhlacht beag tógála a bhí á íoc go maith is nach raibh ag cur brú dá laghad air ach de réir a láimhe. Suíomh mór millteach nár fhág na Gearmánaigh áras ag gabháil leis in aimsir an chogaidh. *Bulldozer* tar éis é a dhéanamh chomh cothrom le trá ghainimh agus eisean ag cartadh áit na bunsraithe do na tithe nua. Chúig theach a thógaidís san

iarraidh. Iad an-eagraithe i mbun graithe. Barrchostaisí
gearrtha amach ar fad beagnach. Bhíodh chuile chineál oibre
le déanamh leis an JCB. Lán an bhuicéid mhóir de bhrící le cur
in airde ar an scafall nó buicéad moirtéil nó sclátaí de réir mar
a bhí an obair ag dul chun cinn. Ba é Denis Fortune féin an
maor oibre. Fear a raibh ardómós d'Éamonn aige. Bhí
Éamonn ag breathnú amach as a chábán air fad is bhí na fir ag
folmhú amach an JCB. Buicéad aoil ina láimh agus é ag
marcáil na talún san áit a raibh na chéad chúig theach eile le
tógáil. Púir gheal ag imeacht dá lámha nuair a bhuail sé a dhá
bhois faoi chéile ag glanadh an aoil díobh.

Ní ba thúisce a bhí an smaoineamh rite trí cheann Éamoinn
ná bhí a intinn déanta suas aige. Intinn Denis Fortune léite aige
chomh luath is a thosaigh sé ag siúl i dtreo an JCB.

*"You start digging out the foundations in the morning,
Éamonn."*

"I'm leaving Friday, Denis."

Tháinig dath chomh geal leis an aol air. *"You're leaving?"*

"Moving on." Bhí cineál aiféala air go raibh sé ráite aige
gan é a phlé le Jenny ar dtús ach bhí an lasair sa mbarrach
anois.

"Éamonn, please tell me you're kidding!"

"No kidding."

"What's wrong, Éamonn? Are we not treating you right?"

"Nothing's wrong, just going."

*"We need you badly. I can match whatever salary you were
offered."*

*"I just feel like moving on. Look for excitement somewhere.
Sorry for the short notice, Denis."*

Níor lig Éamonn síorachainí Denis ina ghaire as sin go tráthnóna ach a intinn ag cur thar maoil ag tnúth le haer an tsaoil, casadh ná coirnéal níor thug sé faoi deara ar a bhealach abhaile nó gur thosaigh sé ag ríomh a bheartais go mórálach. Ach nuair a thosaigh Jenny ag caoineadh b'éigean dó a chuid fearúlachta a shloigeadh agus tosaí á bréagadh.

"We're too young to be stuck in a backward spot like this. Jenny. Let's enjoy the good life while we're young and free."

"But we're not free, Éamonn. I'm pregnant."

Shíl sé nach gcuirfeadh rud ar bith lagar air ach d'aimsigh lagar drochmhisnigh a phutóga. Maith agus olc ag rásaíocht trína intinn ach ba é an t-olc a fuair an ceann ab fhearr ar na haithinneacha misnigh a bhí sé ag iarraidh a chothú.

"Why didn't you tell me, Jenny?"

"I just found out."

"Oh, Jesus . . . ara, what harm. We're married anyway."

"That's not enough. We need money to rear a child. We can't run away every time you feel like it."

"This is the last move, Jenny."

"No, I'm not going and you're not moving either."

"But . . ."

"No."

Thug sí an leaba uirthi féin go corraithe. Ba bheag néal a chodail ceachtar acu, chaon duine ag ligean orthu go raibh siad ag srannadh ach fios maith acu araon gur codladh gé a bhí ar an duine eile. Bhí sé ina lá sul má chuir Éamonn a lámh go scáfar ina timpeall. Gan é ag iarraidh ráig eile deor a tharraingt air. Chas sí ina threo chomh luath is a theagmhaigh sé léi.

"Let's go to Ireland, Éamonn."

"To Ireland?"

"Yes. That's what you promised me."

"I know, but we are not ready to go yet."

"We'll never be ready to go," a deir sí de ghlór binbeach agus ala an réasúin ag éirí míréasúnach.

"Alright. Let's stay here and work like hell for six months. We'll go to Ireland then and you will give birth to a Connemara man."

"Promise?"

"I promise to work the skin off my hands to make you happy."

Thit sí ina sámh chodlata ina ascaill ach chinn sé dubh agus donn air néal beag ar bith a chur mar bhuadán lena mhíshuaimhneas. D'éalaigh sé amach as a leaba faoi dheireadh chomh faiteach le coileán a cheanglófaí den chéad uair.

D'aithin mé go raibh stuaic éicint ag spochadh le Sue nuair a tháinig mé ar cuairt don deireadh seachtaine. Éirí in airde fúm de bharr go raibh tuairisc na míosa faoi réir agam do Cholm agus dul chun cinn i bhfad ní b'fhearr ná mar a bhí beartaithe déanta agam. Chuir sí fáilte romham le póg mar ba ghnách léi ach mhothaigh mé fuaire bheag ina pearsantacht mar a bheadh rud éicint déanta as bealach agam. Ar ndóigh, ní fhéadfainn tada a dhéanamh as bealach, dar le Colm, nuair a bhuail mé isteach ina oifig, gan mórán de ghoití an fhir ghnó air, cé gur bhreathnaigh chuile rud a bheith in ord is in eagar ina oifig. Léigh sé chuile líne dá raibh scríofa agam go cúramach sul má labhair sé.

"Ná maraigh tú féin, maith fear. Tá tú ag obair róchrua."

"Sé mo bhuaic é. Tá mé ag fáil an-sásamh orm fhéin."

"Bhuel, caithfidh tú fáil íoctha dá réir."

"Tá mé thar a bheith sásta mar atá mé."

"Tá sé socraithe agam coimisiún a íoc leat chomh maith le do pháighe as seo amach. Tá sé ar fad pléite le Madeline agam."

"Ach níl mé ag iarraidh tada sa mbreis."

"Ní bhfaighfeá é murach go bhfuil sé ag dul dhuit. Déan dearmad anois air agus bain sásamh as do dheireadh seachtaine. Tá mé cinnte gur mó fonn atá ort a bheith ag caint le Sue ná liomsa."

Dhearg mé rud beag ach ba dheargadh bróid é, go raibh an fear mór seo a raibh cion mo chroí agam air sásta le mo chuid oibre agus le mo chomhluadar.

Sa veain a thiomáin mé féin agus Sue go dtí an bhialann ó tharla nach raibh an aimsir thar mholadh beirte. Bhí fonn ceiliúrtha agus fonn damhsa ormsa don deireadh seachtaine. Ar ais go dtí an bhialann chéanna a thaithíodh muid go rialta a chuaigh muid, an snas agus an ghairmiúlacht a bhí le mothú ón nóiméad a gcuirfeá do chos thar tairseach ag dul i bhfeidhm go mór orm. Bialann a bhí dorcha ó nádúr ag lonradh go rómánsúil nuair a bhíodh na coinnle lasta ar na boird.

"Your Dad was in great form," a deirimse, agus a chomhrá fós ag dul trí mo cheann nuair a thosaigh mé ag fáisceadh a coise idir mo dhá ghlúin faoin mbord.

"He won't be in good form for long when he hears the news."

"What news?"

"Read that . . . the stupid fool."

Dear Sue,
Greetings to everybody. Please help me, Sue. I'm going
through a very difficult patch. I dare not contact Mum or
Dad so please break the news to them gently. I'm pregnant
and Éamonn and I have decided to move back to Ireland
fairly soon. We married in secret because we knew the
family would not approve. Please help me, Sue, I really miss
you all.

Love from Jenny

"That's great news, Sue."
"What? Are you out of your mind? Mum will go berserk
when I tell her and Dad will break every bone in that tramp's
body."
"But they're a married couple and they want to move to
Ireland."
"You don't believe that nonsense."
"But she is, I was best man at their wedding."
Ba mhór an mhaith go dtáinig an freastalaí chomh fada linn
ag an nóiméad sin mar sílim go screadfadh sí.
"Are you ready to order?"
"Eh, give us another few moments, please."
"What do you mean you were best man at their wedding."
"Sue, forgive me. They landed at my house of a Tuesday or
Wednesday and asked me to witness their marriage on the
Saturday. They were married in a registry office. They asked
me to keep it secret and I did."
Shábháil an freastalaí aríst mé, mo mhéir crochta agam ó bhí
sí ag dul tharainn.

362

"*Steak and chips, medium-rare, please.*"

"*And the lady?*"

"*The same, please.*"

Shín sí ar ais an biachlár gan é a oscailt. Níor oscail ceachtar againn ár mbéal ar feadh achair. Í ag fiuchadh trasna uaim, mé ag iarraidh smaoineamh ar abairt fheiliúnach chun tús a chur le comhrá in athuair.

"*Are you mad at me?*"

"*You should have told me.*"

"*I gave them my word of honour.*"

"*Honour? They don't know the meaning of the word. How am I going to break the news to Mum?*"

Ní raibh sí ach ag ídiú a cuid cantail orm ach ba léir nach ndéanfadh sí aon suaimhneas nó go mbeadh an t-ualach curtha aníos dá croí aici. Thuig muid féin a chéile ag tabhairt aghaidh abhaile go brónach.

D'oscail Colm an doras sul má tháinig muid chomh fada leis, mar a bheadh sé ag faire orainn tríd an bhfuinneog, gan gaol ar bith aige leis an gColm meidhreach a raibh mé ag caint leis cúpla uair an chloig roimhe sin.

"*Bad news,*" a deir sé go cráite. Scéin in dhá shúil Mhadeline agus a leathlámh ar a leiceann aici. Bhí teileagram sa láimh eile. Ar éigean a bhí sí in ann labhairt.

"*It's a telegram from your mother. There has been a fatal accident.*"

Dá mhéid dár smaoinigh Éamonn ar an tsáinn ina raibh sé fhéin agus Jenny, sea ba mhó a bhí díocas air ag oibriú an JCB. Bhí uair an chloig oibre déanta aige sul má tháinig Denis Fortune ar an suíomh maidin Dé Sathairn.

"Are you staying with us, Éamonn?"

"Well, actually I have decided to move back to Ireland in about six months time and if it suits you I can stay on until then."

"That's great news."

"And I'd like to do some overtime, if that is OK."

"You can work all hours of the day if you wish. The sooner you dig those foundations for me the better."

Bhí súil Éamoinn chomh géar le súil seabhaic ag faire ar an mbuicéad ag dul tríd an trinse. Trinse nach raibh deacair le cartadh, brící ina bpíosaí beaga de bharr na mbuamaí a phléasc as a chéile in áiteacha iad. Corrstorrán de bhalla a d'fhan ina chéile ag baint deataigh as buicéad an JCB. Ba í an cháil a bhí air go raibh sé in ann íochtar trinse a choinneáil chomh cothrom is nach raibh le déanamh ach an choincréit a dhoirteadh síos inti. Bhí oiread taithí aige is nár ghá dó smaoineamh beag ná mór air. Thiar timpeall an *Lodge* a bhí a intinn. Pictiúr a bhí dearfach, go soiléir i súile a intinne. É féin, Jenny agus an páiste ag baint taitnimh as glór na n-ealaí taobh amuigh den fhuinneog. Bhain sé fuaim as an mbuicéad in éadan píosa mór de bhalla a tháinig trasna sa trinse. Barrett a bhí tar éis a dhul trína intinn. Tuilleadh díocais oibre a chuir sé air. Fiacla an bhuicéid ag baint spallaí den daba coincréite a bhí ag tabhairt a dhúshláin. Dá mbeadh oiread saothraithe aige is go bhféadfadh sé gach a raibh faighte ar iasacht ag a athair a íoc ar ais.

"Seo dhuit anois, a focair," a rá, "agus bí amuigh as an *Lodge* go beo." Chuile phingin a shábháil, b'in é a raibh de leigheas air. Ní bheadh aon chaitheamh go fánach i dteach an ósta ann mura mbeadh fliuchadh a mbéil ar éigean don deireadh seachtaine. Bhí oiread struis ar an JCB is go raibh an t-inneall ag sianaíl. Ba thúisce a bhrisfeadh sé an buicéad ná a bhainfeadh sé aon chor as an meall coincréite a bhí i lár an trinse roimhe. Thosaigh sé á scríobadh aríst le fiacail an bhuicéid. Corrdhaba ag éirí ach é ag cinneadh air aon éadan ceart a chur air. Bhí an daba coincréite ag cur cantail air. Ní raibh dul as ach leathnú amach chaon taobh de, rud a d'fhágfadh míshlacht ar an trinse. Ba leor sé orlaí, dá n-éireodh leis é a scríobadh dá mhullach. Chuir sé strainc air féin mar chúnamh don JCB. *Ooops* . . . d'éirigh screamhóg mhór chomh tobann is gur baineadh crochadh as sa suíochán. Preab choitianta go maith i gcomórtas leis an bpreab a bhain gach a raibh nochtaithe as a shúile. Bosca mór práis a raibh brící tógtha ina thimpeall. Glaoch ar Denis an chéad rud a dhéanfadh sé go hiondúil ach dúirt rud éicint leis gur freagra ar a ghuibhe a bhí nochtaithe dó. Thug sé súil ina thimpeall go fiosrach. Duine ná deoraí ní raibh ag cur suime ina chuid oibre ach chuile dhuine ar a stártha i mbun a gcúraimí féin.

Ghéill na brící éasca go maith. Cúpla croitheadh ealaíonta den bhuicéad agus bhí an bosca i measc slám brící istigh ann. Níor smaoinigh sé an dara huair air ach tiomáint siar go dtí an áit a raibh a charr. Beartas nár cuireadh aon suim ann mar go mbíodh bosca uirlisí i gcúl an chairr aige. Bhuail sé cúpla buille de chasúr trom ar an mbuicéad mar a bheadh sé ag fáisceadh na bpionnaí miotail. Duine ná deoraí níor thug aon suntas dó.

Níor mhór dó uilig an spreacadh a bhí ann ag sleamhnú an mheall mhór práis amach as an mbuicéad agus síos de phlap i mbúit an chairr. Dhún sé an búit lena leathláimh chomh tobann le trap ag baint ar luch bheag. A dhath níor lig sé air féin ach an JCB a thiomáint ar ais agus tosaí ag tochailt in athuair. Ar éigean ba léir dó a raibh sé a dhéanamh lena raibh a intinn a chruthú de phictiúir. B'fhéidir nach raibh tada istigh ann, go raibh sé folmhaithe amach agus an t-úinéir rite ar foscadh nuair a thosaigh an bhuamáil. Bhí dinglis fiosrachta á chur le buile agus é ag iarraidh ar Dhia an uain a bhrostú i dtreo am lóin.

"*I have to go to the shop, lads,*" a d'fhógair sé as doras an chairr agus é ag fágáil dusta ina dhiaidh ar fhaitíos go mbeadh aon duine ag cur teachtaireachta leis. Níor thóg sé i bhfad air iargúltacht an tsléibhe a bhaint amach agus a dhul in éadan an bhosca leis an gcasúr mór agus le ceann de na geanntracha iarainn a bhíodh aige ag athrú an bhuicéid. Ionga ná orlach ní raibh an doras láidir práis ag ligean leis nó go ndearna sé mionnús den ghlas le láimh láidir. Stop a chroí fad is bhí sé á oscailt. Litreacha a chas ar dtús leis agus meall mór airgid curtha os cionn a chéile go pointeáilte ar a gcúla. Chúig mhíle punt a bhí sa gcéad chorna a thóg sé. Ní raibh sé d'fhoighid aige an chuid eile a chomhaireamh, é imithe as a chiall le ríméad.

"*We're going home, Jenny!*" a scread sé i mbarr a chinn agus é ag tiomáint i dtreo an tí le luas lasrach.

Go brách ná go deo ní dhéanfaidh mé dearmad ar an athrú a tháinig ar éadan Éamoinn. Ní chreidfinn go bhféadfadh fear ar bith ar dhroim an domhain a bheith chomh sceitimíneach ag filleadh ar a bhean chéile. Gan súil ar bith againn leis go tráthnóna, de réir mar a bhí Jenny ag caint, nuair a tháinig an carr ag an doras mar a thiocfadh siota ghaoth Mhárta. Bhí sé chomh maith dó bualadh faoin mballa leis an toraic a baineadh as nuair a chonaic sé cuma an bháis ar an triúr againn. Lámh chineálta timpeall ar ghualainn Jenny ag Sue. Níor fhan deoir ina ghrua ag breathnú orainn.

"Céard atá tarlaithe?"

"Do Dheaide, a Éamoinn."

Ba ar mo chrann a thit sé an scéal cráite a bhriseadh dó agus ba dhona uaim nuair a tháinig an crú ar an tairne.

"Céard atá tarlaithe dhó?"

"Marbh. Tháinig teileagram ó mo mháthair tráthnóna aréir."

"Marbh? Carr a bhuail é nó rud éicint?"

"Titim sa tine."

"Mo Dheaide."

Bhí oiread de bhriseadh croí le sonrú ina ghlór is gur mheas mé go raibh a shaol ar fad brúite isteach sa dá fhocal sin. Shiúil sé isteach sa seomra agus amach aríst beagnach ar an toirt agus cúpla léine agus culaith éadaigh ar a bhacán aige.

"We're going home, Jenny. Gather all you can. We're not coming back," a dúirt sé sul má d'fháisc sé a dhá dhrad ina chéile go dúshlánach.

B'fhurasta caint a choinneáil leis an gceathrar againn ag tiomáint anoir trasna na hÉireann tar éis drochoíche ar an bhfarraige. Éamonn ag tiomáint chomh mífhoighdeach is gur fhógair mé air déanamh go réidh nuair a bhí contúirt ann gur ar an saol eile a chríochnódh an ceathrar againn. Dath an bháis ar Jenny lena thaobh de bharr chomh hídithe is a bhí sí tar éis thinneas na farraige, í ag tóraíocht sócúil dá ceann idir an suíochán is an fhuinneog ach chuile chroitheadh dá ndéanfadh an carr ag tabhairt díbliú di. Bhí piliúr déanta de m'ascaill ag Sue sa suíochán cúil agus í ag tabhairt néil léi de bhuíochas an méid luasctha a bhí tiomáint Éamoinn a bhaint asainn.

"Tiománfaidh mise píosa más maith leat, a Éamoinn."

Le croitheadh dá cheann a dhiúltaigh sé do mo thairiscint, gan oiread is súil a thógáil den bhóthar ach é ag diandearcadh roimhe siar. Thosaigh na bóithre ag cúngú agus an dromchla ag éirí an-mhíchothrom de réir mar a theann muid leis an mbaile. Níor lag Éamonn tada sa siúl tar éis go raibh mé ag impí air nach raibh aon chall deifre dó. Mheas mé nach raibh baol ar bith go dtiocfaidís chun cinn le socruithe na sochraide nó go bhfillfeadh seisean abhaile, ach bhí dul amú orm.

Ba é Barrett a bhí ag léamh an cheachta nuair a tháinig muid isteach sa séipéal, a ghlór mór ag líonadh na bhfraitheacha nó gur thosaigh sé ag stutaireacht nuair a shiúil Éamonn aníos an séipéal agus an triúr againn inár streoillín lena shála.

Níor chónaigh sé go deo nó go ndeachaigh sé chomh fada leis an suíochán ba ghaire don altóir ar thaobh na mban. Seans gur ar thaobh na bhfear a d'fhanfadh sé murach Eileen a bheith ina suí chomh sollúnta brónach is dá mba í an bhaintreach í.

Dónall lena taobh agus leadóg de leabhar urnaí aige. Níor fhan aird ag aon duine ar bhriathar Dé ach cogarnaíl na nuachta le mothú san aer. D'éirigh an sean-Chanónach ina sheasamh agus eachmairt chantail air, mar a bheadh sé ar thob muid a ordú amach as an séipéal. D'athraigh sé a intinn agus shuigh sé síos aríst. D'éirigh muid nuair a thosaigh Barrett ar an alleluia. Súile Éamoinn á leanacht nuair a d'umhlaigh sé go fadálach os comhair na naomhshacraiminte. Níor bheag sin gan a leathghlúin a fheacadh go hurlár agus lámh a leagan go muirneach ar an gcónra. Rug mé greim uillinne ar Éamonn nuair a mhothaigh mé spadhar á bhualadh. Rug Jenny ar a láimh eile, ise freisin scanraithe go raibh sé ag dul ag áitiú Bharrett.

Bhí an Canónach ag cailleadh na meabhrach, ag cur leathanach anonn is anall ag iarraidh soiscéal ceart a aimsiú. Soiscéal nach raibh bun ná barr le fáil air mar go raibh sé ag cinneadh air a shúil a choinneáil ar an leabhar. Ach ní raibh aon mhaolú ar a theanga nuair a thosaigh sé ar an tseanmóir, gan ceilt ar bith aige ar na sáiteáin a bhí ag baint allais as an bpobal. Seanmóir gan taise gan trócaire. Bhí a mhéir sínte go trodach i dtreo an phobail aige agus fearg le sonrú ina ghlór. "Lá é seo atá roimh chuile dhuine agaibh, a phobail – Lá an Bhreithiúnais. Céard a bheas le rá agaibhse le Dia nuair a thiocfas sibh os a chomhair? Níor thug mé aon aird ar do chuid aitheanta, a Dhia. D'ól mé chuile phingin dá raibh agam, an ea? Lig mé faillí i mo chlann, ab ea? Nó lig mé faillí i m'athair murach na comharsana maithe a bhí aige ar an mbaile seo. Is é inniu lá an bhreithiúnais ag Réamonn Seoige. An lá nach bhfuil aon dul as aige ach a rá le Dia na Glóire nár

369

thaobhaigh sé an séipéal le blianta, go ndearna sé faillí sna sacraimintí."

Mhothaigh mé Éamonn ag creathadh de réir mar a bhí na sáiteáin ag dul go dtí an beo. *"Fuckin' bollocks!"* a scread sé ag réabadh amach as an suíochán.

Bhí an Canónach mallchosach ag casadh sa treo a dtáinig an diamhasla as, chomh mall is go raibh ráille an tsuíocháin caite de léim ag Éamonn agus é ag brú chónra a athar síos an séipéal roimhe. Níor lean muid ar an bpointe é ach, nuair nár ghéill sé do na horduithe a bhí an Canónach a thabhairt dó, mheas mé go raibh sé de dhualgas orm agus lean an bheirt deirfiúr mé. Rinne an t-adhlacóir a bhí ag ligean pheiríocha an Aifrinn thairis thíos ag an doras iarracht é a stopadh nuair a chuala sé an rírá ach d'fhág sé an bealach nuair a chonaic sé an fiántas a bhí i súile Éamoinn. Bhí an dúshlán chomh neamhghnách is go raibh an pobal greamaithe do na suíocháin, faitíos roimh eascaine an tsagairt ag cur a bhformhóir ar foscadh ar a chéile, nuair a lean an Canónach an dúshlán síos tríd an séipéal agus amach ar an tsráid. É ag cosaint a cheannais chinn le láimh a bhí láidir tráth. Lámh nár ghéill Éamonn di nuair a dhírigh sé ina threo ar nós bairille gunna í.

"Tabhair isteach an corp sin sa séipéal."

"Gabh isteach tusa anois nó sé do chorp féin a bheas le tabhairt isteach, ag tabhairt focain maslaí do m'athair!"

B'éigean don triúr againn breith air nuair a chroch sé a dhorna chun criogaide a thabhairt don Chanónach.

Bhí an dream nach raibh ach ar leathghlúin ar an urlár ag éalú amach doras an tséipéil go fiosrach agus ag doirteadh i leataobh go scafánta. Thug Éamonn leathshúil i dtreo an adhlacóra ag tathant air doras an *hearse* a oscailt, ach nuair ba léir nach raibh aon chor as thug sé comhartha dom an corp a bhrú i dtreo na reilige a chúnamh dó. Níorbh iad na rothaí beaga a bhí ar charráiste an tséipéil ab fheiliúnaí ar dhromchla garbh an bhóthair, ach chuir muid timpeall dá mbuíochas iad nó go dtáinig muid chomh fada le ceann bhóthar na reilige. Bhí scaifte maith ag teacht ina mbogshodar ag an tráth sin ach iad ag fanacht glan orainn mar a bheadh leisce orthu a ladar a chur i ngraithí gan iarraidh nó go bhfaca siad ag tógáil na cónra den charráiste agus á hiompar idir ár dhá láimh suas bóithrín garbh na reilige muid. Tháinig ceathrar i gcabhair orainn, á iompar ar ghuaillí arda nó gur leagadh ar bhruach na huaighe é. B'fhurasta é a iompar, gan fágtha ag an saol ann ach an dá eite agus gan an méid sin féin fágtha ag an tine ann. Níor mhian le hÉamonn é a chur san uaigh gan slán a fhágáil aige. An fiántas sin a d'fhágfadh ag bordáil le gealtachas é ag cur scéine ina dhá shúil nuair a thosaigh sé ag baint na scriúnna a raibh mullach croise de mhaisiúchán orthu. Ní fhéadfainn seasamh ansin ag breathnú cé nár aontaigh mé leis. Ba léir gur bhain an gníomh geit as an gcuid ba mhisniúla den tsochraid mar gur theannadar siar coiscéim. Beart ciallmhar mar ba léir nuair a d'ardaigh sé an clár den chónra. Thug an scread chráite a chuir Éamonn as faoiseamh dom, faoiseamh beag bídeach ón uafás a chuir an corp orm, gan aithne súl ná béil fágtha ag an tine air. Gan ann ach mar a bheadh cnap feola loiscthe go cnámh. Dá laghad dá raibh i mo phutóga, chinn orm é choinneáil istigh nuair a bhuail an boladh bréan sna polláirí mé.

Go ciúin ómósach a tháinig na fir i gcabhair orainn mar a bheadh mianach daoine nach raibh urlabhraíocht ar bith acu.

Bhí Éamonn imithe as a chrann cumhachta nuair a thóg siad clár na cónra as a lámha is d'fháisc siad ar ais go daingean é. Ní dhearna aon duine iarracht foighid a chur ann nuair a cuireadh corp Réamoinn i bhfochair chorp Mheaigí agus clúdaíodh isteach an uaigh nó gur cuireadh an cúpla i bhfolach faoi scraith ghlas na reilige. Níor dhún a bhéal ach ag olagón mar a bheadh páiste nach mbeadh a mháthair ag tabhairt aon chluais dó. Corrscread ghártha a chuir pian i gcroí an tslua mar a bheadh dealg ghoilliúnach ag priocadh lena chuimhne. Sruthán síoraí deor ag silt síos leis nuair a thosaigh na fir ag glanadh na dóibe dá gcuid sluaiste agus an slua ag cásamh a bhrise leis ó dhuine go duine. Líon aer úr na reilige le teannas go tobann nuair a d'oscail bearna sa slua agus shiúil Barrett agus beirt ghardaí go borb bagrach ina threo. Chuile dhuine ina dtost ag tuar go réabfadh sé ach bhí an t-amharc deiridh a fuair sé ar a athair tar éis seachmall a chur ar a intinn. Shín sé amach a dhá láimh gan argóint agus ghluais sé leis ina dteannta nuair a fáisceadh cuingir an dlí ar a dhá rosta. Bhí deich gcoiscéim siúlta acu sul má gheit Jenny as a hanbhá agus lean sí iad de spadhar. Í ag ceistiú na ngardaí go habartha agus go glórach.

Amach go dtí fíormhullach an tsléibhe a shiúil mé féin agus Sue, an mhaith bainte as an sólás a bhí timpeall orainn ag eachtraí na maidne. Muintir Tom Mhóir agus mo mhuintir féin tar éis chuile chomaoin a chur orainn ach go raibh féith an aoibhnis calcaithe ag an dobrón agus creathnaithe ag na ráflaí a bhí siad a aithris i gcogar dúinn. Bhí mé do mo bheophianadh nó go labhróinn le Sue aisti féin mar gur mheas mé gur mheata an mhaise dom gan leanacht d'Éamonn d'fhonn mo thacaíocht a chur in iúl.

"*Keep your nose out of it,*" a deir Sue, nuair a d'éirigh liom í a thabhairt amach ag siúl de leithscéal. Greim chrua láimhe aici orm do mo threorú in aghaidh an chnoic.

Ní raibh tarraingt ár n-anála i gceachtar againn nuair a shuigh muid sa bhfraochán mullaigh agus saothar orainn, gan aithne ar an tráthnóna ar shéid gaoth fheannta thar mhullach an tsléibhe ariamh, gan ceo gan scamall ag folach áilleacht an ghleanna. Fad ár n-amhairc d'áilleacht ag síneadh ón gCaoláire Rua go dtí gaineamh geal Bhaile Chonghaile. Na Sceirdí mar a bheadh starróga fiacla ag gardáil Iorras Aithneach. Trí Oileán Árann ar snámh i mbéal Loch Lurgan agus Ailltreacha an Mhothair chomh ríoga le pálás Dé amach uaim ó dheas. Radharc a chuirfeadh aoibhneas ar an gcroí ba dhuairce, nó gur ghiorraigh m'amharc agus gur thosaigh mo shúile ag dul ó chrois go crois sa reilig thíos fúinn. Stad siad ag uaigh úrchlúdaithe Réamoinn. Bhuail creathadh mé ag smaoineamh ar uafás a bháis is ar a laghad só is a fuair sé féin agus Meaigí ar chuideachta a chéile.

"*I think we should get married.*"

Ba í an abairt dheiridh í a raibh cuimhne agam léi.

Bhreathnaigh mé uirthi go bhfeicfinn an ag magadh a bhí sí ach bhí sí ag breathnú chomh staidéarach is dá mba 'tráthnóna breá' a bhí ráite aici.

"*Get married?*"

"*Yes. Move over here and raise our children in this paradise.*"

"Don't be fooled by one glorious evening. This place can be cruel."

"Does that mean you don't want to marry me?"

"No, no, I'd love to marry you, Sue, but eh . . . well . . ."

"Well, what?"

"I'd be afraid that you might be expecting a more lavish lifestyle than I can offer."

"No. What we have we'll share. What we don't have won't worry us. I want both of us to settle down, lengthen the days instead of rushing through them. Life is too short and too precious to be galloping along without a chance to enjoy it."

D'fháisc mé isteach liom í, agus d'fháisc muid a chéile chomh crua is nár fhan aon chaint againn ar feadh nóiméad an chloig. Muid ag malartú measa agus tuisceana agus ómóis dá chéile.

"Dad has signed over the home place to me on condition that I care for his father and mother. The new house is our wedding present."

"Your Dad knows about this?"

"Yes. I told them both I was going to marry you."

"But we never discussed it."

"I knew from the moment I first held your hand that the two of us were going to be partners for life."

Ní bhfuair muid seans séala a chur le póg ar an gcuid sin den chaint mar go bhfaca muid chugainn isteach carr na ngardaí agus carr dearg Éamoinn ag teacht ina dhiaidh, gan iontu ach méid míoltóige ag taisteal go mear ar an mbóthar a bhreathnaigh cosúil le rópa caol casta síos uainn.

Thug muid ár n-aghaidh ar ais go sciobtha. Bhí an dul le

fána chomh dainséarach céanna don aineolaí. Chuile choiscéim le roghnú go cúramach ar mhaithe le rúitíní agus cnámha. B'éigean dúinn a theacht leis an ngreim láimhe nó go dtáinig muid chomh fada leis an talamh cuir. Chaon duine againn ag déanamh iontais nuair a chas carr na ngardaí isteach geata an *Lodge* agus a dhá oiread iontais orainn nuair a chas carr Éamoinn isteach. Bhí carr mór eile ag teacht ina ndiaidh agus é féin tar éis casadh isteach.

Gníomh sóláis a bhí ann d'Éamonn nuair a chroch na gardaí leo as an reilig é. An greim docht daingean a bhí acu air ina láimhseáil mhín mhuirnéiseach le hais na stoirme dóláis a bhí ag dul trína intinn. Éadan dubh dóite a athar chomh géar le gráinne gainimh faoi shúile a intinne. An phian ag fáil ní ba ghéire chuile uair dár theagmhaigh an gráinne lena choinsias.

É ag iarraidh cuimhneamh ar bhreithiúnas aithrí a thabharfadh faoiseamh dó ach gan aon cheirín cruthaithe ag an intinn dhaonna a bhí in acmhainn an spól cráite a mhaolú ina choinsias. Díreach chun cinn a bhí an garda a raibh sé ceangailte de sa suíochán cúil ag breathnú. Ba é an sáirsint a bhí ag tiomáint an chairr, a éadan ataithe ina bhrúisc dhrochmhúinte agus gan focal as. Thug sé súil cham sa scáthán ar an gcarr dearg a bhí Jenny a thiomáint ina dhiaidh. Tuilleadh trioblóide, ar fhaitíos nach raibh a dhóthain aige is gan an tsliseoigín ghobach a bheith ag ríomh a cuid cearta dó.

Bhí scéin i súile Bharrett ag tiomáint a chairr féin cúpla céad slat taobh thiar dhóibh. É ag dul ó mheabhair air go bhféadfadh scéala a bheith gaibhte chomh fada le hÉamonn.

Iomarca faid ar theanga dhuine éicint tar éis a raibh d'fhurú air ag iarraidh deifir a chur leis an tsochraid agus an corp a chaitheamh i bpoll as an mbealach. Bhain a dhá láimh creathadh as an rotha stiúrtha nuair a mheabhraigh brúcht teannais láthair na tragóide. Déistean air ag smaoineamh ar éagaoin chráite Réamoinn nuair a chreimigh a mhuince gruaige isteach go dúid ina bhladhm lasrach. É ag únfairt faoina chos nuair a cheansaigh sé sa ghríosach é nó gur mhothaigh sé an mothú ag séalú as. Ach ba é a chionsiocair féin é, a scread leithscéal barbartha as doimhin a intinne, ag iarraidh socrú dleathach a chur ó rath. Ag sáraíocht gur as máchail óil a shínigh sé cáipéisí an *Lodge*. É ar thob coipeadh ó smacht nuair a d'fhuaraíodh an t-ól air. Theilg Barrett a rún ar ais go dtí doimhin a intinne san áit nár léir d'aon neach beo é. Fanacht ciúin staidéarach a mheabhraigh sé dó féin. Cuimhneamh faoi dhó ar chuile fhocal sul má scaoilfeadh sé amach as a bhéal iad. Bhí an lá sách cinniúnach gan an reifíneach óg seo a bheith tagtha ar an láthair, é chomh neamhfhreagrach is go raibh sé i gcruth rud ar bith a dhéanamh nuair a bhuailfeadh an daol é. Fanacht chomh maorga mánla is dá mba leis an gCanónach a bheadh sé ag caint, a mheabhraigh sé aríst eile dó féin.

Isteach díreach sa gcillín a bhí in aghaidh bhalla na beairice a chuir siad é, gan gíog ná míog as ach oiread is dá mba síos san uaigh a bhí siad á chur. Ach bhí ceistiú ag Jenny orthu.

"*Why is he being detained?*"

"*You should go home now, young lady. This is none of your business.*"

"*I have a right to know why my husband is being detained.*"

"*Your husband? You're only a schoolgirl.*"

"*I'm an adult and I know my rights.*"

"*He's detained for questioning.*"

Tháinig Barrett isteach an doras gan mórdheifir ar bith, má b'fhíor dó féin.

"*I demand that a solicitor be present when my husband is being questioned.*"

Bhain an focal *solicitor* stangadh astu, an sáirsint ag tabhairt sracfhéachaint i dtreo Bharrett a raibh drioganna míshuaimhnis á chur ag bogadh ó chois go cois.

"*It's more talking some sense into him than questioning,*" arsa an sáirsint ag iarraidh a bheith ag baint an dochair as an scéal.

"*I want to be present when my husband is being interviewed.*"

"*He's going to stay in that cell for a few hours first to allow him to cool off.*"

"*Why can't you talk to him now?*"

"*Now, young lady, your wild husband planted a bomb under this gentleman's jeep a few years ago. That's a serious crime and I must go through the file and refresh my memory.*"

Bhí a fhios aige gur bhain an méid sin preab aisti.

"*I suggest you go home and relax until later on this evening when I'll have decided on a line of inquiry. You cannot sit here, I have work to do.*"

"*I will sit in my car and I demand to be called when you talk to my husband.*"

"Níl mé ag iarraidh dlí ná dlíodóirí a tharraingt isteach sa gcás más féidir, a sháirsint," arsa Barrett chomh luath is a d'imigh Jenny. "Níl mé ag iarraidh ach cead a bheith agam maireachtáil go síochánta. Tá a fhios agat fhéin é sin, a sháirsint."

"Ní féidir liom a dhéanamh ach an chúis a léamh dhó agus cás a thabhairt ina aghaidh."

"Dá mbeadh sé sásta imeacht agus fanacht imithe, bheinn sásta dearmad a dhéanamh ar an bpléasc a chuir sé faoin *jeep* agus ar chuile rud. B'fhearr liom é a shocrú go síochánta, a sháirsint."

"Caithfidh mise an dlí a chur i bhfeidhm de réir na gcúiseanna atá curtha agatsa ina leith. Ach má theastaíonn uaitse teacht ar shocrú leis, tá an ceart sin agat."

"An mbeifeá sásta an tairiscint a dhéanamh ar mo shon, a sháirsint? Éistfidh siad leatsa."

"Bhuel, míneoidh mé an cás dhóibh ach caithfidh tú féin a bheith i láthair."

"Ní miste liom. Leag ort má cheapann tú go n-oibreoidh sé sin, a sháirsint."

"Tabharfaidh muid cúpla uair an chloig do chaon duine acu anois le suaimhniú," a deir an sáirsint. "Bí ar ais anseo ag a ceathair, tá mo bhéile le n-ithe agamsa."

Trasna an bhóthair ón mbeairic a bhí Jenny ina suí sa gcarr, gan an mhíoltóg féin ag corraí i ngan fhios di nó ba chinniúint uirthi é. Tart a chuir faoi ndeara di tosaí ag smaoineamh ar chupán tae. Cupán tae agus ceapaire san óstán a thógfadh a spiorad in athuair, ach throid sí an dúil. Ní bheadh sé le rá acu go raibh sí ar iarraidh nuair a ghlaoigh siad uirthi. Bhí amhras uirthi go raibh séitéireacht de chineál éicint á beartú, nuair a fágadh Barrett istigh is ruaigeadh ise amach. Fios aici ón mbealach nimhneach a dtarraingíodh Éamonn ainm Bharrett trína chuid fiacla go raibh an ghráin shaolach aige air. Phreab sí nuair a d'oscail doras na beairice, Barrett ag siúl go réchúiseach i dtreo an óstáin agus an sáirsint de réir a choise an treo eile. Scaoil sí anuas fuinneog an chairr ag iarraidh faoisimh ón gcodladh a bhí ag éileamh a chion féin. Theastaigh uaithi a dhul chuig an leithreas. Bheadh an dá éan ar aon mharú amháin, a smaoinigh sí ag dul i dtreo an óstáin chun imeachtaí Bharrett a iniúchadh ag an am céanna. Pláta mór ceapairí a bhí amach ar a aghaidh agus é ag baint súmóige as pionta nuair a d'éalaigh sí isteach sa leithreas. Má d'éalaigh, b'fhacthas di go raibh súile á faire as cúl a chinn.

Chuir boladh na beatha faobhar ocrais uirthi ach ba ar ais go dtí an carr a thug sí a haghaidh as gráin ar an gcomhluadar. Deich nóiméad a ghéill sí, nuair a thosaigh na súile ag dúnadh dá buíochas. Codladh míshuaimhneach mar ab iondúil léi. Na barraí iarainn, ab fhacthas di, idir í féin agus Éamonn á cur san ísle brí nuair a dhúisigh an sáirsint í. Gan a fhios aici beirthe ná beo cá raibh sí nuair a labhair sé.

"I want to have a word with you."

"Where is Éamonn?"

"Where we left him. I want to discuss things with you first."

Bhí sé marbhánta sna cosa ag siúl isteach roimpi. Barrett istigh rompu, chomh lách is gur chroith sé lámh léi. Bhain an sáirsint de a chaipín agus leag sé lena thaobh ar an mbinse é.

"Now, Mrs Joyce, your husband has a wild streak. He terrorised Mr Barrett's family causing them thousands of

pounds' worth of damage. Mr Barrett is not a vindictive man, but if this goes through the courts he will pursue it vigorously until he is compensated for your husband's wrongdoing. However, if your husband agreed to sign an undertaking never to interfere with the Barrett family again we could all shake hands and walk out that door as friends."

"That's fair enough. All we want is to live in peace," ar sise, tar éis staidéar a dhéanamh ar gach a raibh ráite.

Bhí an sáirsint faoi réir le stropa fada crua argóna a chloisteáil, rud a d'fhág míshocair é nuair a chríochnaigh sí taobh leis an dá abairt.

"I'll go fetch him then and you can talk sense into him," a deir sé, ag éirí agus ag breith den phionna ar eochair an chillín.

Níor labhair Barrett ar chor ar bith. Bhí cuisle mhór láidir ag síneadh agus ag searradh ina gheolbhach ramhar dearg. Mhothaigh Jenny a dhá shúil á tolladh ó mhullach a cinn go dtí bun a cos, súile fuara gan taise gan trócaire a chuir critheagla uirthi nuair a fágadh ina n-aonar iad. É chomh mór, chomh cumhachtach is gur mhothaigh sí drochmheanmna ag truailliú an aeir ina thimpeall. Ní fhéadfadh sí an teannas a sheasamh ní b'fhaide murach gur bhrúigh an sáirsint Éamonn isteach sa seomra roimhe, gan í in ann smacht a chur ar a cuid mianta nó gur phóg sí abhus is thall é is gur chuir sí cogar paiseanta ina chluais.

"It's time to settle this feud, Éamonn. I want a peaceful life."

D'fhág an sáirsint ina chéile iad fad is mheas sé é a bheith ag dul chun tairbhe dá aidhm.

"Mholfainn dhuit éisteacht le do bhean chéile, a Éamoinn. Tá muid sásta seans a thabhairt anois dhuit ach seo é an seans deiridh."

Dhírigh Éamonn a chuid guaillí go fearúil mar a bheadh sé á chiontú san éagóir. Bhrúigh sé Jenny fad a láimhe amach uaidh mar a bheadh sé á cur ar chóir shábháilte. Bhreathnaigh sé go teann ó dhuine go duine orthu sul má labhair sé.

"Tá mé sásta an damáiste a rinne mé a íoc, a sháirsint. *Jenny, will you get my lunch bag from the boot of the car? I want to pay Barrett for his jeep.*"

Ba chomhartha ceiste a bhí sa mbreathnú dochreidte a thug sí ar Éamonn sul má bhac an sáirsint an bealach le bois a láimhe.

"*I have explained to your wife that Mr Barrett is willing to forget the price of his jeep if you . . .*"

"*No!*" Phreab Éamonn coiscéim chun cinn nuair a bhéic sé.

"*I want to pay for it, and I want to pay back any money that my father borrowed.*"

"*Your father owes me nothing,*" arsa Barrett ag casadh a chinn i leataobh.

"*I want to pay back any rent that you have advanced him for the Lodge because Jenny and I are moving in there tonight.*"

Dá bpléascfadh plump thoirní istigh sa seomra ní bhainfeadh sé oiread de gheit as Barrett.

"*The Lodge is mine,*" a deir sé go gruamánta ag cur pléata ina liopa.

Bhain Éamonn croitheadh fíochmhar as an gcuingir lámh.

"Is liomsa an focain *Lodge* sin!"

"Éamonn." Bhí a fhios aici go raibh a chuid fola ag fiuchadh aríst.

"*He will never get that Lodge while there's breath in my body. Get the money, Jenny, get the money.*"

Bhí a ghlór ag ardú go fiáin, a shúile chomh géar le scian

ghréasaí ag breathnú ar Bharrett. Rith sí go deifreach gan a fhios aici an raibh pingin ar bith ann ach fios aici go gcaithfí géilleadh dó nuair a bhuailfeadh an táirim seo é. An t-anam tite aisti nuair a chonaic sí na cornaí airgid, a croí ag preabadh nó go mbeadh a fhios aici cá bhfuair sé é. Ach fios aici nárbh é an t-am feiliúnach é lena leithéid de cheist a chur.

"Tá an *Lodge* sin ceannaithe agus íoctha le t'athair agamsa."

"Tabharfaidh mise ar ais anois dhuit chuile phunt a thug tú dó nó gur chuir tú den tsaol leis an ól é. Cé méid? Cén cíos atá le n-íoc ar ais agam leat?"

"Is liomsa an *Lodge* anois!"

"Ní leat an focain *Lodge* agus ní chodlóidh tú aon oíche eile istigh ann."

Bhí a dhá dhorn dúnta ag Éamonn agus é ag baint gíoscáin as an gcuingir a bhí air le teann oilc. Faitíos a bhí ar an sáirsint go bhfáiscfeadh sé timpeall ar mhuineál Bharrett iad agus go gcinnfeadh air é a bhaint as greim.

"Anois, anois, foighid nóiméad amháin," ar seisean, ag dul eatarthu. "Cé aige a bhfuil teideal dleathach ar an *Lodge?*"

Ba é an t-aistear ab fhaide dár airigh an sáirsint riamh é, Éamonn chun deiridh agus an carr ag caitheamh cnocán i dtreo an *Lodge*, Jenny ag coinneáil coic leis sa gcarr dearg. Gan focal ar bith á labhairt ach anáil Éamoinn ina raspa ag teacht trína pholláirí mar a bheadh tarbh drochmhúinte.

De bhuíochas an teannais a thug de sciotán chomh fada leis an *Lodge* iad thosaigh croí Jenny ag ardú nuair a chonaic sí na healaí cruinnithe ar bhruach na locha mar a bheidís ag cur fáilte roimpi. Fáilte nach raibh i bhfad ag éirí searbh nuair a d'oscail Eileen an doras. Dath dearg ar a cuid ingne mar a bheidís géaraithe aici chun slad a dhéanamh ar an té a bhí ag iarraidh í a ruaigeadh as a nead, gan í ag ligean focail as béal aon duine eile ach ruibh uirthi ag sciolladh agus ag maslú de bhuíochas an tsáirsint agus a fir chéile.

"I gcead dhuit, a sháirsint, seo é mo theachsa agus tá cead cainte agamsa istigh i mo theach féin agus níl sramachán suarach a shíl muid a mharú ag dul ag siúl orainn."

Bhí Barrett ag oscailt clúdach fada litreach agus ag síneadh cáipéisí chuig Eileen mar a bheadh sé ag glanadh a lámh d'aon mhí-iompar.

"Shínigh t'athair an áit seo dhúinne. Tá sé scríofa ansin os do chomhair amach, ó lámha dlíodóra."

Sracfhéachaint a thug Éamonn ar na cáipéisí, an chuingir lámh á stopadh as iad a strachailt as a chéile nuair a spréach sé aríst eile. "Mheall sibh uaidh é nuair a bhí sé ar meisce!"

"Thug muid aire dhó nuair a d'fhág tusa ansin é. É féin a rinne an margadh. Tá an áit seo sínithe amach ó dhlíodóir dhúinne ar son aire a thabhairt go dtí deireadh a shaoil dhó."

"Agus rinne sibh cinnte nár mhair sé i bhfad."

"*Éamonn, Éamonn, please.*"

Níor thuig Jenny an Ghaeilge ach thuig sí an bhrí a bhí leis an gcaint. Ba léir ón gcáipéis a bhí leagtha amach ar a haghaidh go raibh an cath caillte agus buaite.

"*Forget it, Éamonn, it's not the end of the world.*"

Rinne sí sciath chosanta di féin idir Éamonn agus Eileen. Lig sí a meáchan in aghaidh a bhrollaigh agus í ag cur achainí ina chluais.

"Let's go back to England, Éamonn. Let's get away from this place. Please, Éamonn, please."

Bhí sé ag stánadh uirthi mar a bheadh sé ag iarraidh a dhéanamh amach cé í féin.

"I don't like this place anymore. Éamonn, will you come back to England with me where we can live in peace?"

D'aontaigh sé le nod dá cheann. Nod brúite briste a mhaolaigh an díocas troda nó gur fhulaing sé a cheann go lag fann ar a gualainn.

"Can you please remove his handcuffs, sergeant?"

Bhreathnaigh an sáirsint ó dhuine go duine ar na Barretts agus ó tharla nach raibh aon mhórlocht acu air rinne sé mar a d'iarr sí. Chas sí timpeall ar an urlár é amhail duine a mbeadh mearbhall air.

D'aithin mé ar na bearnaí a bhí i gcomhrá Tom Mhóir go raibh amhras níos mó aige ar imeachtaí Bharrett ná mar a bhí sé sásta a rá go hoscailte, nuair a d'inis muid dhó go raibh Éamonn agus na gardaí tar éis casadh isteach chuig an *Lodge*. Bhí sé ag croitheadh a chinn go spadhartha le chuile fhocal.

"Choinnigh siad an chos aige, go ndéana Dia grásta air, nó gur mheall siad uaidh dá mhíle buíochas é."

"Ná hoscail do bhéal, a deirim, ní bhaineann siad dhúinn," a dúirt Peige ag cur fainice air.

"Níl muid ach ag caint eadrainn féin, ar ndóigh, ach ní chuirfinnse thar Bharrett sin é, nó sé a chaith i mullach a chinn sa tine é ag iarraidh giorrú leis."

"Ó, a Dheaidín," a dúirt Peige, á coisreacan féin agus ag

384

bagairt ar Tom lena méir, "faoin talamh chuile rud anois. Ní hiad sin na ribíní réidh má fhaigheann siad lorg do bhéil amach."

Ní chuirfeadh Tom Mór fiacail ann murach an fhainic a bhí curtha ag a bhean air. Ní raibh sé ag dul ag géilleadh don fhainic sin féin murach Sue a theacht de sciotán as an gcúlchisteanach san áit a raibh sí ag réiteach purgóid eile tae láidir.

"*They're here,*" ar sise ag oscailt isteach an dorais agus aoibh fháilteach ag leathnú ar a haghaidh.

Chuir iompar Éamoinn faitíos orm, mar a bheadh duine ag iarraidh a bheith ag dúiseacht as tromchodladh. Tom Mór agus a bhean ag iarraidh a bheith ag cásamh a thrioblóide leis ach é ar phláinéad eile má b'fhíor don dearcadh a bhí ina shúile.

"*We came to say goodbye.*"

"*Goodbye? You cannot be serious, Jenny. Where are you going?*" arsa Sue ag cur láimhe ina timpeall.

"*Back to England.*"

"*Right now? What happened?*"

"*Don't ask, we have to go back.*"

Ba dheacair súil thirim a choinneáil ag breathnú ar scaradh na gcarad, Tom Mór agus a bhean ag iarraidh orthu ar son Dé suaimhneas na hoíche a dhéanamh ina gcuideachta.

"Mharaigh siad é." Mar a bheadh sé ag caint leis féin a labhair Éamonn aríst is aríst eile mar a bheadh páiste a bheadh tar éis cúpla focal nua a thabhairt leis. Thosaigh na laethanta móra ar fad a bhí caite againn i mbuil a chéile á bhfoilsiú féin i mo cheann nuair a rug mé barróg air chun slán a fhágáil aige.

"Tabhair aire do Jenny, a Éamoinn. Tá sí níos tábhachtaí dhuit ná duine ar bith eile sa domhan."

385

"Mharaigh siad é," a fuair mé mar fhreagra.

Bhí Jenny i ngreim uillinne anois ann ag tuineadh leis a dhul amach roimpi.

"No, no, Jenny. I must say goodbye to where I was born . . . and to where he died."

Shiúil mé féin agus Sue ó chois go cois ina dteannta chomh fada leis an teach. Jenny ag iarraidh a bheith á bhréagadh ar a míle dícheall ach gan a glór ag fáil mórán airde. Bhain an boladh an anáil dínn chomh luath is a d'oscail muid isteach an doras. Boladh dóite a chuid feola ón áit ar loisceadh ar an teallach é, an boladh uafásach céanna a thug aghaidh mo ghoile aníos nuair a d'oscail Éamonn clár na cónra. Threoraigh Sue Jenny chun na sráide agus lámh ar a béal aici. Má fuair Éamonn an boladh níor chuir sé a dhath mairge air. Síos díreach go dtí áit na tine a shiúil sé. Chomh dáiríre ag caint is dá mbeadh a athair cois na tine ag éisteacht leis.

"Mharaigh siad thú. Chlis mé ort, a Dheaide. Lig mé dhóibh thú a chéasadh. Mise. Mise is cionsiocair leis. Ba liomsa thú a chosaint ar na bastardaí."

Bhí a bhois leagtha i lár luaith an teallaigh aige mar a bheadh sé ag peataireacht le colainn spíonta a athar i lár teallaigh a bhí fuaraithe agus a d'fhanfadh fuar go brách aríst. A ghlór ag ardú agus ag cruachan chun teannais le chuile abairt. Gealtachas ag cur scéine ina shúile mar a bheadh sé ag dearcadh le huafás ar chorp a athar loiscthe sa ngríosach.

"Codlóidh na bastardaí go sámh anocht. Ach dá mbeinnse anseo ní mharóidís thú agus ní chodlóidh siad anocht go mbainfidh mise mo shásamh dhíobh."

Rug mé air ag iarraidh foighid a chur ann ach b'fhánach é

mo chuid spreactha i gcomórtas leis an gcuthach mínádúrtha a mhothaigh mé ina ghéaga. Marú duine air mura bhfágfadh muid a bhealach. Ba í Jenny ab fhaide a d'fhan i bhfastó ann, í crochta as mar a bheadh píosa den bhraighdeán briste crochta as tarbh buile. Réab sé uainn i dtreo an *Lodge*, gan ann ach an dá mheandar nó gur shloig dorchadas tús oíche é. Rabharta mionnaí móra ag tabhairt léargais ar a thriall mar a bheadh an t-olc á fháisceadh amach as. Chinn orainn foighid a chur i Jenny. Deireadh an tsaoil á shamhlú di mura mbeadh sí i bhfochair a grá ghil agus í ag rith go scéiniúil faoi dhéin an chairr. I bhfolach ab fhearr liomsa a dhul, poll nó prochóg éicint a aimsiú a thabharfadh fothain don bheirt againn ón tsíon aimléise. Mheas mé gurbh é an meon ceannann céanna a bhí ag Sue nuair a d'fháisc sí í féin isteach i m'ascaill go himníoch ach ba thibhe fuil ná uisce mar gur scread sí go truamhéalach nuair a chuaigh Jenny síos tharainn de sciotán sa gcarr. Lean muid di go drogallach, soilse dearga an chairr ag tuar contúirte agus muid ag brostú i dtreo an chlampair a bhí ag baint macalla as na cnoic.

Torann gloine ag briseadh ina smidiríní a thug an chéad fhaoiseamh d'Éamonn agus screadach na mBarretts nuair a thosaigh an múr cloch ag leagan pictiúr den bhalla ina dtimpeall. Leachta cloch reatha a bhí mar mhaisiúchán ar an ngairdín mar armlón aige agus díocas air ag tógáil mairc ar na fuinneoga. Faoiseamh millteach ag tabhairt fuarú dá chroí nuair a chloisfeadh sé an ghloine ag déanamh smidiríní ar an urlár. An ghaoth ag sucadh na gcuirtíní isteach is amach trí fhuinneoga briste mar a bheadh bratacha ag ceiliúradh a ghnímh ghaisce. De chladach na locha a thosaigh sé ag caitheamh leis na fuinneoga uachtair. Sianaíl faitís Eileen á neartú chun léigir nó gur thosaigh na clocha ag baint torann bodhar as ballaí.

Lena dhá láimh a rug sé ar chloch mhór mhillteach, é ag sianaíl le hoilbhéas á hardú os cionn a chloiginn nó gur theilg sé le teannadh isteach trí charr an *Lodge* í.

"Mharaigh sibh é!" a scread sé, amhail is dá mba é Barrett a bhí donaithe sa suíochán tosaigh aige.

"Mharaigh sibh é, a bhastardaí!   Mharaigh sibh mo Dheaide! Mharaigh sibh é!"

Stad sé go tobann nuair a chonaic sé soilse cairr ag déanamh air, an lóchrann ag baint an tsolais as a shúile nuair a shíl sé cromadh ar chúpla cloch a chuirfeadh an ruaig ar a namhaid.

"Éamonn, Éamonn," a chaoin Jenny, á teilgean féin go himpíoch ina threo ach bhrúigh sé as a bhealach í amhail namhaid a bheadh ar thob é a ghabháil. Isteach sa gcarr a léim sé, ag baint búire as an inneall nuair a d'fhág na rothaí stríocaí i ngairbhéal na sráide agus é ag teitheadh go fiáin i dtreo an gheata.

Rugadh daoine bodhar agus balbh a rinne níos mó iarracht ar labhairt ná mar a rinne Jenny an chuid eile den bhliain. An deoir dheiridh a bhíodh ina ceann caointe go laethúil aici de réir mar a bhí an naíonán ag beochan ina broinn.

Choinnigh mo chuid oibre píosa ó bhaile mé formhór an ama ach bhí athrú mór le tabhairt faoi deara nuair a thugainn cuairt ghearr ghairid ar Sue chuile dheireadh seachtaine. Imeacht as mo bhealach a dhéanadh Jenny, Madeline ag iarraidh a bheith ag cumadh corrleithscéil i dtaobh tinnis chinn agus slaghdáin agus fios maith agam ó Sue go mbíodh an líon tí ina chíor thuathail nuair nár leor a gcuid trua le sólás a thabhairt do Jenny. Amach as a bhéal níor labhair Colm ar Éamonn go dtí an lá ar saolaíodh an leanbh. D'aithin mé air go raibh a intinn i bhfad ó bhaile chomh luath is a rinne sé neamhshuim den tuairisc oibre a bhí faoi réir agam dó.

"An bhfuil tréas ar bith agat ar an reifíneach bradach sin?" a deir sé agus gan é in ann breathnú díreach orm.

"Cén reifíneach?" a deirimse, ag iarraidh a bheith ag cur na gcaorach thar an abhainn.

"Éamonn a' tSeoige?"

"Ní fhaca mé dé ná deatach air ó aimsir na sochraide," a deirimse go bréagach nuair a mheas mé nár fheil an fhírinne.

"Fanfaidh sé glan ormsa go brách aríst," a deir sé, agus nimh aduain ina ghlór.

D'fhan mé i mo thost mar nach raibh a fhios agam céard ab fhearr dom a rá nó gur labhair seisean in athuair.

"Bhí buachaill beag ag Jenny aréir," a deir sé.

Ní raibh a fhios agam an comhghairdeas nó comhbhrón ab fhearr dom a rá, ach ní raibh mé ábalta tada a rá nuair a chonaic mé na deora ag rith anuas ar a leicne.

"Shaothraigh sí é, an créatúirín, chuaigh sí go doras an bháis," a deir sé agus a ghlór ag briseadh.

D'fhan mé i mo thost agus tocht ag at i mbéal mo chléibh le teann trua dóibh araon.

Ghlan sé na deora lena bhois agus a éadan ag cruachan.

"Dá mbeadh greim agamsa aréir air bheadh cnámha leonta aige," a deir sé, ag crapadh páipéir ina chéile agus ag éirí ina sheasamh.

Bhí a fhios agam gur mar dhlúthchara a bhí sé ag roinnt a ábhair dhóláis liom nuair a bhreathnaigh sé idir an dá shúil orm ag rá: "Ní mórán d'fhear é ag fágáil an chailín bhig sin ag fulaingt agus é fhéin ag imeacht le haer an tsaoil."

Tháinig sé go dtí barr mo ghoib a rá leis nach le haer an tsaoil ach le fána an tsaoil a bhí Éamonn ag imeacht an tráth deiridh ar leag mé súil air. Sé mhí tar éis bhás a athar agus an chorraíl a bhain leis an ócáid ag dealú go dtí cúl m'intinne. Bhíodh cleachtadh maith agam ar chuid den dream a ólann luach na dídine a fheiceáil sínte ar bhinsí páirce le moch maidne. Mála plaisteach a mbíodh a gcuid den tsaol sáite síos go liopastach ann agus buidéal folamh ar an talamh lena dtaobh. Bhí siad ag dul ó mheabhair orm ó tharla obair a bheith chomh fairsing agus díocas a bheith orm féin ag tabhairt aghaidhe ar na seachtóidí. Ba é mo bhuachadh bailiú liom ag a cúig ar maidin nuair a bhíodh aistear fada le déanamh agam ag comhordú na dtograí éagsúla a bhíodh ar conradh ag Colm. D'ardaíodh mo chroí agus mé ag siúl páirce lena chinntiú go raibh na fir oibre ag comhlíonadh a gcuid dualgas. An craiceann agus a luach agam, a mheas mé, ag sloigeadh aer úr agus ag déanamh mo ghnó ag an am céanna.

Bhíodh an taobh míthaithneamhach den obair le déanamh corruair freisin nuair a bhíodh corrdhuine ar nós cuma liom, is bhíodh orm oscailt súl a thabhairt dóibh i dtaobh a raibh uaim, nó an bóthar a thabhairt orthu féin.

Ba é Éamonn a' tSeoige an duine deiridh de dhaoine an tsaoil a raibh súil agam leis nuair a casadh i mo bhealach é ag a seacht a chlog ar maidin istigh i Finsbury Park.

Bhí dhá uair an chloig taistil déanta agam agus colg orm nuair a chonaic mé cnaipe scaoilte faoi bhun ceann de na tomacha.

Mo sheacht míle mallacht ort murar gann a chuaigh áit ort, a dúirt mé i m'intinn féin, ag tabhairt súile go míchéadfach ar an strúiméad a bhí ina chodladh ar cheann de na binsí. D'imigh an anáil uaim . . . Éamonn a' tSeoige, gan níochán, gan bhearradh ag sloigeadh na ngrást ar an mbinse, gan de dhifríocht idir é féin agus na driongáin dhrabhlásacha a dtugadh muid na *winos* orthu ach go raibh mála taistil caite go siléigeach lena thaobh. I ndiaidh mo chúil a chuaigh mé go hairdeallach, an taobh meata díom ag iarraidh éalú ar fhaitíos go n-osclódh sé leathshúil is go ngreamódh sé díom mar a ghreamódh bairneach de leic. Níor shuaimhnigh mo chroí nó go raibh uair an chloig tiomána déanta agam ach mé chomh suaite le duine a mbeadh taibhse feicthe aige.

Níor oscail mé mo bhéal le Sue i dtaobh na heachtra ach ní fhéadfainn é a chur as mo cheann nuair a dúirt sí liom go gcaithfinn a bheith i láthair ag an mbaisteadh.

Bhí glór Jenny chomh lag le glór an linbh nuair a chuir sí cogar i mo chluas ag iarraidh orm a bheith mar athair baiste ag an bpáiste. Le fáisceadh dá láimh a d'fhreagair mé í, gan aon fhonn cainte ormsa ach oiread le haon duine eile den teaghlach a bhí ag fáil faoi réir do cheiliúradh na sacraiminte, chomh dólásach le dream a mbeadh an bás tar éis lagar spioraid a chur orthu. Ní raibh mórán suáilcis de bhrabach ar an seansagart a bhí ag fanacht go mífhoighdeach linn. Doicheall agus deifir air ag déanamh fáinne dínn thart timpeall umar an bhaiste. Jenny i lár báire agus a páiste ina baclainn aici, mise agus Sue mar charas Críost ar chaon taobh di agus Madeline ag guairdeall timpeall i ndiaidh Tom Óg a bhí tar éis neamhshuim a dhéanamh den ócáid.

As féin a sheas Colm, cuma air go raibh a intinn i bhfad ó bhaile nó gur fhiafraigh an sagart go gearblach cén t-ainm a bhí á bhaisteadh ar an bpáiste.

"Éamonn," a deir Jenny go soiléir cróga ag baint stangtha ar fad asainn.

Thapaigh Colm a dheis chun seársa a thabhairt i ndiaidh Tom Óg, ag breith air agus á chrochadh leis amach as an séipéal amhail is dá mba le hómós don ócáid a bhí sé ag iompú a dhroma.

Ar thóir an chairr a chuaigh Éamonn a' tSeoige nuair a thug bean an lóistín bóthar amach dó ag a dó a chlog ar maidin. Ar dhrochphionta a chuir sé milleán nuair a chaith sé aníos taoisc ar bhrat an urláir.

"*Out,*" a deir sí, "*and stay out,*" agus strainc éisealach ar a héadan.

"*I'll pay for the damage,*" a deir sé go hóltach ag cur láimhe ina phóca ach d'aithin sé ar an méir a shín sí i dtreo dhoras na sráide go raibh a fhios aici gur pócaí folmha a bhí sé a thóraíocht.

Ghéill sé umhal go maith dá treoir nuair a leag sí a mhála taobh amuigh den doras, gan mórán mairge air nuair a bholtáil sí an doras ina dhiaidh. Ar ais go dtí teach an óil a bhí a thriall nuair a smaoinigh sé go raibh an bóthar amach faighte as sin chomh maith aige. B'in an uair ar smaoinigh sé ar an gcarr – d'fhéadfadh sé an oíche a scaoileadh thairis sa gcarr dá mbeadh a fhios aige cá raibh sí. Carr nach raibh ag déanamh aon imní de ó rug an t-ól air.

Ba chuimhneach leis a haghaidh a thabhairt ar Londain tar éis a theacht trasna na farraige ar an mbád. An bhróg a bheith thíos go clár aige nuair a bhreac an t-ár a bhí fágtha ina dhiaidh aige i ndorchadas a choinsiasa. Taobh amuigh de theach ósta éicint a bhí sí fágtha aige, ach níor bheag a dhonacht nuair a bhí a intinn ina tranglam chomh mór is nach raibh sé ábalta rudaí a tharla an mhaidin sin a thabhairt chun cruinnis, gan trácht ar rud a tharla leathbhliain roimhe sin.

Thug sé faoi deara na corrdhuine a bhí ar na sráideanna in antráth na hoíche ag breathnú go hamhrasach air féin is ar a mhála.

Ar chúlráid Finsbury Park a thug sé a aghaidh nuair a mhothaigh sé cruóg leithris á sheadú . . .

B'fhada gur bhain sé aon mheabhair as a thimpeallacht nuair a dhúisigh sé i meán an lae. A chnámha strompaithe nuair a shíl sé díriú suas ar an mbinse. Deoch ag teastáil go práinneach chun brí a chur in athuair san ól a bhí tar éis géarú ina phutóga. Deoch a phlúchfadh an fhírinne lom a bhí ag soiléiriú go déistineach in amharc a dhá shúil. Gan cara gan coimirce fanta ina ghaobhar tar éis a raibh de líochán acu air. Cóisir acu á shlíocadh agus iad ag tafann leis na sála aige amhail gadhair a bheadh faoi adhall nó go raibh boladh an airgid imithe de. Thosaigh léargas léanmhar á chiapadh. Rinne sé iarracht a intinn a dhúnadh ar an doineann a bhí sí a chaitheamh ina bhéal ach ba bhrúcht ní ba ghoilliúnaí a foilsíodh dá choinsias. Fís d'éadan dólásach Jenny á chrá chomh mór is gur éirigh sé ina sheasamh as spadhar. É ar thóir duine éicint a n-ídeodh sé a chuid oilc air ach gan duine ar bith sa saol ba mhó a raibh gráin aige air ná é féin ag an nóiméad sin.

Fuair Helen toradh ar a guibhe an lá ar phós sí Dónall Bairéad i dtús shamhradh a seachtó trí. A muintir agus a dlúthchairde den tuairim go raibh saochan céille uirthi ag fágáil Bhaile Átha Cliath agus ag socrú síos i bhfiántas an iarthair. Cuid acu ag fiafraí dá chéile go discréideach an raibh sé sábháilte dul chomh fada ó bhaile go dtí áit a bhí chomh hiargúlta. Níor chuidigh gairfean na maidne lena n-imní. Stolladh láidir gaoithe aniar aduaidh ag ruaigeadh scamall liathbhán trasna na spéire amhail is dá mbeadh chuile dheabhal in ifreann ag uallfairt ina dhiaidh. Cuid de sheansliocht na cathrach a bhí suite ina gcuid bealaí ag strompadh le teann faitís nuair a thosaigh an scuaine carranna ag sníomh a mbealaigh in aghaidh na n-ard. Séideadh na mbonnán ag baint macalla taibhsiúil as na cnoic. Cuma an duine uasail ar Bharrett amuigh chun tosaigh agus é ag tiomáint charr an *Lodge* a raibh mórchuid airgid caite chun í a chur in oiriúint d'ardnós Eileen. Eileen chomh péacach le maighdean lena thaobh agus an lánúin nuaphósta ina gcuid suntais sa suíochán cúil. Alltacht níos mó ná iontas a bhí ar na strainséirí nuair a tháinig siad chomh fada leis an *Lodge*. Cúlghaoth agus aghaidh gréine ag déanamh tearmann glórmhar de na gairdíní. Gan puth as aer i bhfoscadh na gcrann. Bhí sceitimíní áthais ag cur Helen ag siúl ar an aer. Í luaineach ag dul ó dhuine go duine ag cur fáilte chroíúil rompu go dtí a baile nua. '*Splendid*' agus '*exotic*' na focla ba choitianta a bhí sí a chloisteáil agus an ghrian ag tabhairt toraidh ar a cuid paidreacha lena solas geal gléigeal.

Amuigh faoin spéir in áirgiúlacht na ngairdíní a bhí sé i gceist aici an réamhcheiliúradh a dhéanamh dá mbeadh an aimsir in araíocht agus bhí sí ag éirí ó thalamh nuair a chonaic sí go raibh Dia ina fhábhar. Bhí cailíní freastail chomh luaineach le fáinleoga ag dáileadh amach an fhíona, iad feistithe go néata le sciortaí dubha agus le seáilíní bána fillte timpeall a mbrollaigh. Bhí beirt cheoltóirí suite faoi bhun crainn, veidhlín ag duine acu agus cláirseach ag an duine eile, ag soláthar ceoil a bhí chomh nádúrtha le ceol na n-éan. Lean na healaí a chéile isteach den loch nó gur chruinnigh siad ina mbuilcín le ciumhais na talún, fad bainte go grástúil as a gcuid muineál mar a bheidís ag cur fáilte ríoga roimh an gceiliúradh. Ní raibh aithne ar Bharrett nárbh é a mhór-ríogacht féin a bhí sé a cheiliúradh. É teann téagartha i bhfeisteas na bainise, cuma an duine uasail air ag sleamhnú ó ghrúpa go grúpa nó gur chuir sé ar a suaimhneas iad le bladar fáilteach. Choinnigh Eileen an chos aige, í ag cur coranna ina cabhail le bréaguaisleacht. Miotóga síoda uirthi ag muirniú bhosa na gcuairteoirí go humhal ómósach, ach a dhá súil chomh géar le meanaí ag stiúradh agus ag gríosadh na gcailíní freastail. De réir mar a bhí súmóga fíona ag dul le fána bhí an coimhthíos ag scaipeadh nó go raibh an t-aer lán le meidhir agus an comhluadar ar fad in aithne a chéile go glórach. Clog na n-aingeal féin ní dhéanfadh ceol chomh binn i gcluasa Helen nuair a threoraigh duine de na searbhóntaí an chóisir isteach trí dhoirse an *Lodge* le cloigín práis. D'fháisc sí bos a fir chéile go corraitheach ag tréaslú uaisleacht a mhuintire leis. Bhí sé chomh maith di a bheith ag muirniú lámh deilbhe mar go raibh Dónall chomh tostach támáilte le duine a raibh an ócáid tar éis an mothú a bhaint as. Aríst is aríst eile a b'éigean do ghiolla an chloigín a mheabhrú don chóisir go raibh sé in am suí chun boird ach clog an teampaill mhóir ní dhíreodh a n-aird ar a ngraithe nó go mbeadh lán a súl bainte as ailtireacht áirgiúil an *Lodge* acu. B'éigean do Helen strachailt chineálta a thabhairt do láimh Dhónaill chun é a threorú go dtí an bord uachtair, nuair a sheas a raibh i láthair is thosaigh siad ag bualadh bos in ómós na lánúine nuaphósta. Bhí Barrett ag uallfairt go caithréimeach de bhuíochas na ngreamanna a bhí Eileen a bhaint as go discréideach. D'athraigh a dreach le teann oilc nuair a d'imigh sé dá buíochas nó gur sheas sé idir an cúpla nuaphósta. Lag an bualadh bos in ómós dá threoir, chuile dhuine ag súil gur altú roimh bhia a bhí ar bharr a ghoib, ach breith ina bharróg ar Helen a rinne sé agus í a phógadh go súgach sul má thosaigh sé ag cur fáilte roimpi i gcaint a bhí róleathan le theacht glan trína bheola. Dá dtiocfadh sé le cúpla abairt bheadh a chuid is a bhuíochas aige ach ba léir go raibh an fíon tar éis éirí ina cheann agus é ag brúchtaíl amach stropa focal nach raibh ag déanamh mórán céille. Bhí Helen faoi gheasa chomh mór ag seachmall an tsonais is go raibh a chuid cainte ag dul thar a cluasa, a cuid samhlaíochta ag tnúthán le sonas fada saolta i measc na n-uasal nó gur mhothaigh sí crúb mhór Bharrett ag slíocadh a cuid másaí agus a chuid méaracha ag smúrach ar fhad a ceathrún. Bhain an preab a baineadh aisti racht gháire as a raibh i láthair. Gháir Helen ina dteannta ag iarraidh an dochar a bhaint as an scéal. Shuigh sí síos go gealgháireach chun í féin a chur ar chóir shábhála ach bhí a fhios aici istigh ina croí ag an nóiméad sin go mba chladhaire é Barrett a chuirfeadh a shúil thar a chuid.

Isteach i gcábán leoraí a chuaigh Éamonn a' tSeoige ar thóir foscaidh nuair a d'oscail an spéir i dtús oíche. Bhí an mothú ag imeacht as a chosa de bharr a bheith ag guairdeall ó shuíomh go suíomh i gcaitheamh an lae. Droim láimhe faighte aige ó na saoistí nár shantaigh an anachain a mheas siad a bheith fanta tar éis an drabhláis. Chuir sé a sheacht míle mallacht faoina anáil ar chuile mhac máthar acu.

Éalú isteach thar chábán an fhir faire a rinne sé, rud nach raibh deacair, cé nach raibh sa gcábán ach bosca adhmaid a bhí ag tabhairt dídine dó agus tine lasta i mbairille amach ar a aghaidh a bhí ag coinneáil a chuid spreangaidí gan préachadh.

Isteach ar thaobh na doininne de a d'éalaigh Éamonn, bladhm dhearg na tine ag cur cathú air, ach fios aige nach raibh de rogha aige ach codladh san éadach a bhí bog báite isteach go dtí a chraiceann, nó na póilíní Gallda a tharraingt air féin.

Bhí creathadh fuachta ag cur bualadh fiacla air, ach é buíoch nach raibh aon bhraon anuas ina mhullach. B'fhada go dtáinig aon néal air. Gaoth agus báisteach ag baint formáin as an gcábán mar a bheadh an tsíon ar a mine géire ag iarraidh é a aimsiú. Rith fuíoll a shaoil trína intinn dá bhuíochas, é ar a mhíle dícheall ag iarraidh a bheith ag cur an bháin ar an dubh sul má thit sé ina chodladh.

"*Get to fuck out of my truck!*" a chuala sé mar urnaí maidne nuair a dúisíodh go neamhthrócaireach as a chodladh é. Bodach fir nach raibh unsa as sé chlocha déag a bhí tar éis breith ar chába a sheaicéid agus é a bhrú i leataobh idir chorp, chleite agus sciathán.

"Get out of here, you bleedin' boozer!" a deir an bodach de ghlór gorálach agus é ag suí isteach i suíochán an tiománaí.

Idir a chodladh agus a dhúiseacht a bhí Éamonn ag tóraíocht laiste an dorais nuair a chuir inneall an leoraí an chéad ghnús as.

"Give me a lift wherever you're going, please." Bhí creathadh i nglór Éamoinn ag impí ar an tiománaí gan é a chaitheamh amach sa mbáisteach.

"No . . . I'm only going out the country for a load of gravel."

"Anywhere'll do but turn on the heat, I'm numb with the cold."

"Bloody hell, what a waster!"

B'in é fad is gearr na cainte nó go raibh siad cúpla míle ó bhaile is gur thosaigh an t-aer ag téamh sa gcábán. Dhírigh Éamonn suas beagán agus thug aghaidh a dhá bhois ar an spota as a raibh an t-aer te ag séideadh. Thug sé faoi deara an tiománaí ag croitheadh a chinn go dochreidte as corr a shúl ach d'fhanadar araon ina dtost nó gur stop an leoraí i leataobh an bhóthair.

"This is where we part company," a deir an tiománaí gan breathnú díreach i dtreo Éamoinn.

"Any chance of a job?" arsa Éamonn, agus gan é ach ag iarraidh am a mheilt sul má dhíbreofaí as an gcompóirt é.

"No."

"I'm a good driver."

398

"What do you drive?"

"Trucks, excavators, anything."

Níor dhúirt sé sea ná ní hea ar feadh ala an chloig ach ag ríomhaireacht gach a raibh ráite. Mhothaigh Éamonn dóchas ag neartú a spioraid nuair a chas an tiománaí ina threo nó gur bhain sé lán a shúl as.

"No," arsa an tiománaí go mall. *"No, it's not a job you want but the price of a drink."*

"I'm finished with drink," arsa Éamonn chomh dáiríre is a cheadaigh a dhreach dó. *"Give me a job, please, and I promise you won't be sorry."*

D'fhan an bodach seal eile ina thost. Thiomáin sé ar aghaidh ansin chomh fada le béal geata agus chas sé isteach trí bhóthar a bhí lán le sclaigeanna. Ba ghearr gur oscail éadan chlais ghainimh amach os a gcomhair agus gan d'innealra ag gabháil léi ach leoraí eile agus *loader* a raibh Nelson Sand and Gravel scríofa ar a thaobh.

"Let's see how good you are," arsa an bodach ag síneadh a mhéire i dtreo an *loader*.

Thapaigh Éamonn a dheis. Ag dul de léim amach as an leoraí agus isteach sa *loader* de bhuíochas a thinneas chinn is chnámh. Seantaithí na mblianta á threorú chomh stuama is go raibh an *loader* ag géilleadh go héasca do chuile chor dár bhain sé aisti. Chroch sé pont a ordóige mar chomhartha don bhodach go raibh an leoraí lán agus d'aithin sé ar an aoibh a bhog a éadan agus ón bpont ordóige a thomhas sé ar ais leis go raibh post mar thiománaí saothraithe aige le Nelson Sand and Gravel.

Bhí sé socraithe agam féin agus ag Sue nach maródh ár ndeifir ag pósadh muid. Bhí muid ar aon intinn, fad agus leithead na haimsire a chur idir muid féin agus cuingir nó go mbeadh an nead te teolaí agus ár gcuid pócaí ag cur thar maoil. Ní íocfadh grá as mála mine agus imní orainn gur ag brath ar an *dole* a bheadh muid in iargúltacht na gcnoc. Ba leor mar cheacht an chaoi a raibh Jenny fágtha ar an bhfaraor géar. Ba í Sue a bhí i gceannas an airgid agus ba aici a bhí an graithe ina bhun. Bhí taithí na mblianta aici ag riaradh na hoifige do Cholm agus fios aici dá réir cén taisce ab fhearr a thiocfadh chun tairbhe dár dtiachóg. Domhnach ná dálach ní raibh ceachtar againn a ligean tharainn ach ag síorshaothrú faoi chomhair lá na coise tinne. Bhí graithe conraitheoireachta Choilm leathnaithe chomh mór ag an tráth seo is nach raibh sé in araíocht agam filleadh ach tráthnóna amháin sa tseachtain chun an pháighe a bhailiú do na fir oibre. Bhí mé ag gabháil fhoinn ar an mbealach abhaile i lár an lae Déardaoin. An-dul chun cinn le tuairisciú do Cholm agam agus mé ag dúil leis an oíche a chaitheamh i gcomhluadar mo ghrá ghil sul má thabharfainn m'aghaidh chun bóthair aríst le moch na maidne dár gcionn. As taisce an tseanchleachtaidh a bhí an t-amhrán ag teacht mar go raibh m'intinn ag cur thar maoil leis an ngliondar a bheadh orm nuair a chuirfeadh Sue a cuid lámh go grámhar i mo thimpeall agus phógfadh muid na beola dá chéile ar an uaigneas sul má thabharfadh muid ár n-aghaidh ar theach na bpictiúr. D'aithnínn ar Cholm go mbíodh a dhá shúil ag dul amach thar a cheann le teann ríméid nuair a d'fheiceadh sé an bheirt againn i ngreim láimhe ina chéile. Bhí a chuid bealaí tuigthe go maith agam. Fear airdeallach agus ábalta dá réir, cé nach gceapfadh duine é le breathnú air. Fear a choinnigh súil agus srian ar dhaoine ar feadh achar aimsire sul má thrust sé iad nó a mhalairt. Bhí a theastas saothraithe go maith ag duine sul má thug Colm cead a chinn dó. Bhíodh drogall orm ag tuairisciú na géarchéime dó nuair a bhínn curtha sna miotail ag fochonraitheoirí corruair. Ach ba deanuacht dó an fhírinne lom agus ba mhinic leis seift shimplí go maith a bheith aige le mé a thabhairt as sáinn. Bhí a shliocht orm, ba ghearr go raibh mé féin chomh fadbhreathnaitheach leis-sean agus an ghaoth athraithe as seolta mo chuid leathbhádóirí agam sul má thosaíodh na siotaí do mo ruaigeadh isteach ar an tanaíochan . . .

"Hó, hó, cén scéal agat tar éis na seachtaine?" a chuirfeadh sé mar fháilte i gcónaí romham chomh luath is a chuirfinn mo mhullach isteach san oifig. Ní raibh sé i láthair le fáilte a chur romham an geábh seo ná Madeline ach oiread, agus bhí a fhios agam chomh luath is a chonaic mé Éamonn Beag agus Tom Óg ag rampúch ar fud na hoifige nach raibh Colm i ngar do láthair. Jenny a bhí romham agus í chomh cráite le Máthair na Seacht nDólás de réir mar a bhí sí ag tiaráil le páighe na bhfear.

"*Where is everybody?*" a chuir mé de bhail ó Dhia uirthi agus mo chroí ina staic le drogall roimh an drochscéal.

"*Bad news,*" a deir sí ag éirí is ag cur siliúir sa mbeirt pháiste. "*Stop running, you two. Play with your toys, please.*"

B'fhada liom go raibh mé ag fáil freagra ar mo cheist. "*What's wrong?*"

"*Grandad in Ireland, he had a stroke. Mum and Dad have gone over there.*"

"*Oh, my God, is he bad?*"

401

"*He's partly paralysed, they rang today. He needs full-time care.*"

"*Oh, no, that bad?*"

"*Sue says she'll do it. I couldn't bear to go to Ireland. She has gone out to buy a few things, I think she's leaving immediately.*"

Ar éigean a chuala mé deireadh na habairte, cuimhní cinn ag mealladh a glóir chun fáin nó m'intinnse tar éis tosaí ag ríomh m'anó féin. Sue ag dealú léi go hÉirinn, buille a mheas mé a bheith chomh marfach leis an mbás.

Ní mórán de dhualgais an chreidimh a bhí Éamonn a' tSeoige a chleachtadh ach níor stop sin é gan buíochas a ghlacadh le Dia as ucht fostóirí den chéad scoth a chasadh ina bhealach. Deoch mheisciúil ní dheachaigh thar a bhéal ón lá ar chuir Reg Nelson oiread muiníne ann is gur chuir sé ag tiomáint é. Bhí a bhuíochas sin ag Éamonn air agus bheadh go dtí an lá a gcaithfí na trí sluaiste os a chionn. Ba mhinic ráite ag Reg agus ag a bhean, Meg, gur orthu féin a bhí caipín an tsonais an lá ar fhostaíodar é. Gan iad ach ag tosaí amach sa saol agus an bheirt acu chomh dall lena chéile nuair nach dtosaíodh an seanleoraí a bhí acu ar maidin. B'in í an bhua a bhí ag Éamonn, ní amháin go raibh sé ina thogha tiománaí ach rí na méaracán ní bheadh chomh meabhrach leis ag déileáil leis an taobh meicniúil den ghnó. Bhíodh cluas air chomh géar le cluais na heasóige ag éisteacht le hinneall ag crónán agus an cársán ba lú dá dtagadh d'athrú air tugtha faoi deara aige. B'in í a cheird chuile Shatharn. Port feadaíola crochta suas aige ag a hocht a chlog ar maidin agus é ag cur bealaidh agus ola ar chuile pháirt den innealra a bheadh in úsáid an tseachtain dár gcionn. Bhí chúig leoraí ar bóthar ag Nelson Sand and Gravel ag an tráth seo. Chuile cheann acu ceannaithe nua glan as an bpíosa agus iad chomh lonrach ag breathnú leis an lá ar ceannaíodh iad de bharr na haire a bhí Éamonn a thabhairt dóibh. Bhíodh sé ina mheán lae chuile Shatharn sul má thagadh Reg le láimh chúnta a thabhairt dó. É chomh sioncaithe ag teacht is dá mba mí príosúin a bheadh curtha thairis aige. An port céanna ar bharr a ghoib i gcónaí aige.

"*Coo, blimey, Éamonn, Saturday morning is the worst day of the week. Blasted office work, I hate it. Come on, Éamonn, lunch is ready.*"

Bhainidís dhá uair an chloig amach timpeall an bhoird, iad chomh hoscailte faoina ngraithe is go raibh cion an tsaoil ag Éamonn orthu. Gan aithne orthu nárbh é Éamonn an saineolaí, an bealach a dtéidís i gcomhairle leis faoi chuile rud.

Bhí stéibh d'amhrán crochta suas ag Éamonn agus é á chasadh chomh hard is a bhí ina cheann nuair a chonaic sé Reg ag déanamh air an Satharn seo. Bhí sé díreach tar éis urlár mór iarainn an leoraí a chur in airde leis an *tipper*, agus é ar a bhealach chun blocán mór adhmaid a fháil chun í chur ar chóir shábháilte sul má thosódh sé ag obair istigh fúithi, nuair a ghlaoigh Reg.

"*Éamonn, come in for a bite to eat.*"

"*Hold on a minute, Reg, until I place a baulk of timber under the tipper.*"

"*Leave it until after, Éamonn, we want to talk some serious business with you.*"

D'aithin sé ar thuin Reg nárbh é an gnáthphort a bhí sé a sheinnt. Bhí sé seasta fad a chuid cainte uaidh agus é ag tuineadh le hÉamonn brostú i dtreo an tí. Leag Éamonn uaidh an blocán agus thosaigh sé ag siúl ina threo ach níor fhan Reg lena chuideachta ach coinneáil air ag siúl i dtreo an tí amhail is dá mbeadh an gnáthfhonn cainte maolaithe air.

Níorbh amhlaidh dá bhean chéile. "*Good morning, Éamonn,*" ráite chomh laethúil aici le haon Satharn eile.

Bhí an oiread guairdill ar Reg le cearc a mbeadh ubh le breith aici, é suite chun boird agus éirithe ina sheasamh aríst. "*We may as well discuss our plans before we eat, Meg.*"

"*Sit down, Reg, we can eat and talk at the same time.*" Lena láimh a thug sí cuireadh chun suite d'Éamonn. "*We have a slight crisis with the company, Éamonn.*"

"*Oh?*" Ní raibh a fhios aige céard eile ab fhearr a rá, bhí a chroí thíos ina bhróga le drogall roimh an gcéad abairt eile.

"*Reg feels we should continue on as we are but I feel the time is right to expand and change course.*"

Rinne Reg casacht bheag neirbhíseach.

"*I don't wish to borrow more than we can afford, dear, that's all.*"

"*But it's important to have a long term strategy, otherwise we'll be wiped out within five years. Our little sandpit will be exhausted in a few years' time. I think we should sell the company lock, stock and barrel and start a road-haulage company instead. Start off with a refrigerated truck and a big forty-footer. What do you think, Éamonn?*"

"*It's a gamble, but it's your company.*"

"*Oh, but we want you to be a partner in the new company.*

"*Me?*"

"*Of course, your input is vital.*"

Thosaigh intinn Éamonn ag rásáil ar an toirt. Arbh é seo lá an áidh, an lá a chuirfeadh athrú iomlán ar a shaol?

"*I have researched this project and my projections tell me that it's going to be a growth area.*"

"*I'm willing to take the chance.*"

Bhí sé ráite ag Éamonn agus gan rún aige a dhul siar ar a fhocal sul má thug sé seans dá intinn éirí diúltach. D'athraigh meon Reg ar an bpointe, é bíogtha ag an bhfiontar ó tháinig Éamonn ar bord. Meg ag tabhairt cuntais ar na himpleachtaí a bhain le comhlacht nua a thosaí de réir mar a bhíodar ag ithe. Bhí go leor dá cuid cainte ag dul thar chluasa Éamoinn, a intinn ag ruatharach dá bhuíochas, ach chuala sé a dhóthain chun macnas oibre a chur air. Bhí gearradh faoi féin agus faoi Reg ag dul ar ais i mbun oibre.

"*What's wrong with this lady?*" a dúirt Reg nuair a tháinig sé chomh fada leis an leoraí.

"*I want to weld that crack in the steel floor but it needs hammering out with the sledge from underneath first.*"

"*OK, leave the sledge work to me, you fetch the welding gear.*"

Bhí sé ag cinneadh ar Éamonn a intinn a choinneáil ar a ghnó. An carnán airgid a fuair sé go bog is a scaoil sé le fána níos boige chomh géar le dealg feothanáin ag priocadh a intinne. Priocadh nach raibh ag tabhairt aon suaimhneas dó. Osna ghoilliúnach bainte as nuair a lig sé dá intinn smaoineamh ar an *Lodge* agus ar Jenny. Smaointe a bhí toirmiscthe ar a intinn aige. Líon a chroí le cion ar Jenny, ach gheit chun náire tar éis smaoineamh ar an bpáiste a bhí sí a iompar. Seans nach labhródh sí leis anois tar éis an tónáiste a bhí tugtha dá saol aige . . . Scríobh chuici is a rá léi go raibh sé fós i ngrá léi? Ní ligfeadh an náire dó nó go mbeadh tarraingt a láimhe aríst aige agus an graithe nua ar a chosa. Bhí an *welder* faoi réir ina láimh aige.

"*Another few wallops in the centre, Reg, that's it, again, there is still a bit of a dent there.*"

Tharraing sé an ghloine dhorcha anuas os cionn a dhá shúil nuair a thosaigh lasracha gorma an *welder* ag cneasú an loit.

D'imigh urlár an leoraí óna chosa chomh sciobtha is gur scread sé. Prapa an *tipper* a bhí tar éis cliseadh chomh tobann is gur thit an bosca, a bhí na tonnaí meáchain, anuas de phléasc ar an gcabhail. D'éist sé ar feadh cúpla meandar, a chroí ina bhéal ar fhaitíos go gcloisfeadh sé Reg ag screadach.

"*Are you OK, Reg?*" a scread sé ag rith timpeall an leoraí. Ní bhfuair sé freagra ar bith mar go raibh cabhail an leoraí tar éis corp Reg a ghearradh ina dhá leath.

In Éirinn a shocraigh mé féin agus Sue pósadh i bhfómhar na bliana seachtó a ceathair. Abhaile in aon iomadh amháin a chuaigh mé ar feadh deireadh seachtaine nó gur dhúirt mé léi nach raibh mé ag fáil sásaimh ná séan ar mo shaol gan a cuideachta. Bhí dáta socraithe againn sul má bhí an deireadh seachtaine caite.

Sian áthais a lig Madeline nuair a d'fhreagair sí an fón, sian a thug Colm ag sodar ina treo.

"Aireoidh mé uaim thú," a deir sé. "Ach cuireann sé ríméad ar mo chroí go bhfuil sibh ag socrú síos."

Bhí fuadar fúm ag comhaireamh na seachtainí nó gur thosaigh sé ag tarraingt leis an am, fíbín orm ag iarraidh bailchríoch a chur ar an obair a bhí faoi mo chúram.

Ní raibh deoir i bhfad ón tsúil an tráthnóna deireanach.

Níor aithin mé go raibh clóic ar bith ar Jenny nó gur shiúil Colm amach. Í chomh gealgháireach ag eagrú socruithe na bainise le hachar aimsire roimhe sin is gur scanraigh mé nuair a phléasc sí amach ag caoineadh.

"I can't face it . . . Sue will have to get another bridesmaid."
Bhí a faoistin chomh goilliúnach di is go raibh sí ag dul tríom.

"It's OK, Jenny, I understand. Don't cry, please."

"I don't want to spoil your day but returning to Ireland would be too upsetting."

"It's alright, Sue will understand."

D'éirigh sí ina seasamh agus phóg sí mé. *"I wish you both every happiness,"* ar sise de chogar i mo chluais.

Sé mhí a chaith Meg san ísle brí. Uaireanta fada an chloig go mín marbh ina suí ag binse na hoifige. Corp Reg á fheiceáil di chomh follasach leis an lá ar maraíodh é. Bhí sí leáite ar scáth a raibh fanta di. Gan é de bhrí ná de ghustal inti greim ar fónamh a réiteach di féin. Ghlanadh a hintinn corruair mar a bheadh sí tar éis dúiseacht as tromchodladh. Alltacht a thagadh uirthi nuair a d'fheiceadh sí an cual oibre a raibh sí ag ligean lámh mharbh ann.

Bhuaileadh fíbín ansin í ag aimsiú an pháipéarachais agus ag dul tríothu ina cuaifeach nó go dtosaíodh a hintinn ag guairdeall in athuair is go dtosaíodh fuil dhearg a fir chéile ag briseadh a croí. Bhí a hintinn i bhfad ó bhaile i néal a cuid samhlaíochta nuair a stop an leoraí taobh amuigh den oifig is tháinig Éamonn amach aisti go haclaí. Fuinneamh ann ag teacht faoin doras a chuir faoi ndeara di biorú suas go sciobtha agus ligean uirthi féin go raibh sí ina seanrith.

"*How are you, Éamonn?*" a deir sí chomh nádúrtha is a d'fhéad sí.

"*Rushing as usual,*" a deir sé ag oscailt scipéad an airgid go deifreach.

Gheit sí chomh tobann is gur chuala sé an mhionéagaoin a rinne sí.

"*The wages, Meg, are they ready?*" a deir sé agus é ag fiosrú an ama ar éadan a uaireadóra.

"*Jesus, Éamonn, sorry. I forgot all about them!*"

"*It's OK, Meg, the lads will understand. Write out the four cheques, the same amount as last week and you can give them a double pay slip next week.*"

"*It's not OK, Éamonn, we cannot go on like this. You're carrying this company at the moment and I'm in no fit state to help you.*

"*Don't worry, Meg, it takes time to recover.*"

"*Time won't heal my wounds. I hate trucks and I hate this depot, every time I look out that window is a reminder . . .*"

"*You're not the only one, Meg, it's the guilt that keeps me going. I should have put the safety block on the chassis before coming in for lunch that day.*"

"*Don't blame yourself, Éamonn, Reg took chances.*"

"*I know, employing a drunk was a huge risk. Sell this company, Meg, depot and all. If you still want to start a transport company as the three of us agreed before the accident, well, I'm one hundred per cent behind you."*

Níl nuacht dá mhéid nach dtéann i léig tar éis naoi lá ach na naoi lá féin níor mhair an cur i gcéill a bhí ag cur cuma na n-uasal ar na Barretts le linn na bainise. Gan aithne ar Bharrett ná ar Eileen nárbh í an fhuil ríoga a bhí ag borradh na galamaisíochta ina gcuid cuisleacha. Canúint ar Eileen agus í ag cur coranna inti féin go leitheadach nuair a théidís don Chaiseal ag ól deoch san óstán i dteannta a chéile.

Ach ní raibh Helen i bhfad ceangailte díobh nó go dtug sí faoi deara a ndúchas ag briseadh amach tríothu. Ba leor na cúpla deoch chun an sciath chosanta a chur de leataobh agus nádúr na mínáire a dhéanamh follasach. Thabharfadh dall gan súil faoi deara nár thrust siad a chéile. Bleid buailte ag Barrett ar chuile chailín óg dá gcastaí ina bhealach san ósta agus Eileen ag cur siliúir súl in aon cheann nach ndiúltódh dá chuid crúbála. Ba mhinic teannas le mothú san aer nuair a stopaidís ag caint le chéile. Teannas a bhídís ag iarraidh a cheilt uirthi i dtús ama. Gáire gangaideach ina mhasc ar a n-éadan agus fios maith aicise go raibh siad tar éis a bheith ag ithe a chéile, ach ba ghearr gur thug an náire a seal is nach raibh leisce ar bith orthu tosaí ag feannadh a chéile os a comhair. B'fhearr léi beo i dtalamh ná bheith ina gcomhluadar nuair a thosaídís ag sciolladh ar a chéile. Chuile rud dá dhonacht caite i mbéal a chéile go míchaothúil agus go poiblí acu. Daoine ag dealú as an mbealach nuair a d'fheicidís an t-ól ag breith orthu. Fios maith acu go raibh an náire ag dul amach de réir mar a bhí an t-ól ag dul isteach. Ba ghearr go mbíodh an-drogall ar Helen roimh an deireadh seachtaine, í ar a dícheall ag cumadh leithscéalta d'fhonn fanacht sa mbaile. Cead ag Dónall a bheith ag éisteacht lena gcuid gaotaireachta má d'fheil dó. Faoiseamh a bhí sa gciúnas a d'fhágadar ina ndiaidh agus Helen ar a compóirt ag iarraidh a bheith ag cur cos faoi ghnó na turasóireachta.

Bhí a ceann lán le smaointí fiúntacha agus faobhar uirthi á mbreacadh síos ar pháipéar de réir mar a bhíodh scolb ag teacht orthu ina hintinn. 'Coinnigh simplí é' a bhíodh mar mhana aici. Acmhainní nádúrtha an *Lodge* a fhorbairt, idir iascaireacht agus fhoghlaeireacht, agus an *Lodge* féin a bheith ina thearmann te teolaí ag an gcineál fámaire a mbeadh dalladh airgid de bhrabach air. An pictiúr ag soiléiriú ina hintinn nó go raibh sí ag samhlú Gearmáinise agus Fraincise agus Ollainnise ag ramhrú an aeir le haoibhneas ina timpeall.

Idir dhá chomhairle a bhí Éamonn nuair a chuir Meg a cuid pleananna in iúl dó.

"*You won't like my plans and I don't blame you,*" ar sise leis go leithscéalach.

"*Let's hear them first,*" a deir sé.

"*I'm moving to Bristol.*"

"*Bristol?*"

"*Sorry, Éamonn, that's where I was born. My family are still there and my dad has bought a twenty-acre site for a very reasonable sum.*"

D'fháisc sé a chuid liopaí ar a chéile go míshásta. "*It's your* call but as a partner in this company, I would expect to be consulted in advance."

"If you're willing to stay aboard, Éamonn, I promise to consult with you on all future company matters. If you wish to dissolve the company at this stage I completely understand. The start-up period for the new company could be fairly bleak but we've landed a one year contract from 'Seafood Marinates', transporting fresh fish from the fishing ports to their processing plant in Swansea. I have quotations for one tractor-unit, one refrigerator-unit, one flat-bottom and a forklift. What do you think?"

"What make of tractor unit?"

"The choice is yours, Éamonn, all the quotations are in that file."

Bhí a fhios aige go raibh tráth na cinniúna tagtha, gan é d'fhoighid ariamh aige staidéar ceart a dhéanamh ar a bheartas.

"Let's give it a go," ar seisean ag croitheadh láimhe léi agus ag tógáil an chomhaid sa láimh eile.

Go drogallach a thug mé m'aghaidh abhaile seachtain roimh lá mo phósta. Madeline tar éis deoir a bhaint ón tsúil agam nuair a d'fháisc sí isteach go muirneach lena hucht mé.

"Thanks for everything."

Ní raibh sí ábalta níos mó a chur i ndiaidh a chéile mar gur phlúch an múisiam a cuid cainte. Ní raibh dé ar bith ar Jenny. I mo dhiaidh a chroith Colm lámh.

"Feicfidh muid faoi cheann seachtaine sibh," a deir sé go

411

spéiriúil, ach d'aithin mé ar a éadan nach amhlaidh a bhí. Chaoin mé mo dhóthain ar an mbealach go dtí Holyhead. Uaigneas céadfach orm i ndiaidh Shasana tar éis a raibh de sciolladh cloiste ar a himpireacht ariamh agam. Bheinn buíoch go maith de mo mhargadh murach an caighdeán saoil a bhí mé a fhágáil i mo dhiaidh. Ba ghearr go mbainfí as mo chleachtadh mé nuair a stopfadh an pháighe seachtaine, gan mórán maitheasa sa gcarr breá galánta a bheith faoi mo thóin mura mbeadh muid in acmhainn í a choinneáil ar an mbóthar. Gannchuid á samhlú dom agus gan an staid chloíte ina raibh m'intinn ag cuidiú tada le dubh na físe. Ní raibh de shólás agam ach an teach nár lig Colm dom a dhíol.

"Ná díol," a deir sé, "ligfidh mise an teach sin is beidh sé ag tabhairt páighe seachtaine isteach i gcónaí dhaoibh." Ba mhaith ann é dá dtiocfadh an crú ar an tairne is an bheirt againn ag iarraidh breith a bheith againn ar ár n-aiféala.

Níor ardaigh mo chroí nó gur rug Sue greim orm. Greim docht, daingean grámhar. *"I love you,"* ráite go díograiseach arís agus aríst eile os comhair mo mhuintire aici. Beagáinín beag cúthalachta ag cur loinnir dhearg i mo ghnúis nuair nach scaoilfeadh sí a barróg fiú amháin nuair a bhí mo mháthair is mo chuid deirfiúracha ag dul i mbéal a chéile ag cur fáilte romham. Ní raibh mé uair an chloig sa mbaile nuair a bhí athrú iomlán intinne orm. Nádúr na háite is na ndaoine ag cur gliondair chroí orm. Gan náire ná cás orainn i ngreim lámh ina chéile ag dul ó theach go teach ar fud an bhaile ag tabhairt cuireadh chun bainise dóibh.

Goirm agus cairdeas i chuile theach romhainn, fáilte a bhí ag teacht amach díreach óna gcroí. Gan gair againn a dhul amach an doras as aon teach nó go mbeadh mug tae agus stiallóg cháca rísíní ite againn. Bhí muid inár bpéatar sul má bhí an teach deireanach siúlta againn. Chuile theach ach an *Lodge*, an cuireadh cosáin féin níor thug muid do na Barretts. Bhí an chloch sa mhuinchille do shean-Bharrett, agus bheadh an dá lá is mhairfeadh sé. Bhí muid idir dhá chomhairle i dtaobh cuireadh a thabhairt do Dhónall is dá bhean nuaphósta nó gur meabhraíodh dúinn nach mórán comaoine a chuireadar féin ar mhuintir an bhaile nuair a bhí bainis de bhrabach orthu.

"Mura raibh muid sách maith an uair sin acu," a dúirt mo mháthair, "níl muid sách maith anois." "Sodar i ndiaidh na n-uasal an sodar is suaraí ar bith," a dúirt sí agus ruibh ina glór.

A leithéid de cheiliúradh ní raibh i gcoirce ná i bhfataí ariamh. Torann á bhaint as urlár adhmaid an tí nua ón nóiméad ar fhill muid abhaile ón séipéal agus cuingir an phósta ag cur cluaisíní croí orainn. Cead ag daoine cruach a chur ar a gcuid plátaí le caoireoil an tsléibhe nach raibh fad méire de gheir ag gabháil léi, pota mór fataí plúracha bruite agus an ghail ag teacht astu i gciumhais na gríosaí. Bradáin ina snáth mara idir the agus fuar.

Cóilín an mhileoidin ag cur geampaí feola ina bhéal idir dhá phort. A chuid ceoil ag cur oiread geasa ar dhaoine is go raibh siad ag éirí óna mbéilí le leisce an ceol a ligean amú. Iad ag glaoch chomh hard is a bhí ina gceann nuair a chríochnódh an damhsa ar aon nóta leis an gceol. Caidhp an chúil aird á gcur le báiní ar fad. Macalla á bhaint as an urlár adhmaid nuair a thosaigh siad ar sheit Chonamara.

413

"*No, no, Colm, I could not master the steps,*" a deir Madeline nuair a thug Colm amach ar an staicín eorna í, ach ba ghearr go raibh sruthán allais léi chomh maith leis an gcuid eile. Leathbhairille pórtair a bhí tapáilte ar bhord na cisteanaí agus muganna móra nach. gcuirfeadh pionta thar maoil á roinnt go fada fairsing. Puinse poitín a bhí na mná a ól agus bhí a shliocht orthu. Ba ghearr go raibh siad bogtha amach chun siamsa.

"*What a wonderful occasion,*" a deir Madeline, agus mé ag damhsa *waltz* ina cuideachta. Ceol an mhileoidin chomh bríomhar is go raibh an bheirt againn ag mothú chomh héadrom le corc.

"*I wish Jenny could be here,*" a deir sí agus meangadh beag gáire ag dúnadh a béil, ach d'inis na súile a bhí sloigthe siar ina ceann go raibh sí á crá le teann imní. Bhí mé curtha ar an eolas go discréideach ag Colm ó thráthnóna an lae roimhe sin.

"Gabh i leith, tá graithe agam dhuit," a deir sé do mo threorú chun sráide le croitheadh dá cheann. Mám eochracha a shín sé chugam agus muid ag siúl i dtreo veain mhór nua glan a bhí tugtha anall aige.

"Is leatsa an veain sin anois," a deir sé ag bualadh bosóige idir dhá shlinneán orm.

"*Ha? Jays*, cén sort seafóide atá ort?"

"Ná déan scéal an ghabhna bhuí anois de. Beidh an veain fuinteach duit, tosaigh suas do ghnó fhéin. Tá an tír seo ag athrú anois, bíodh a fhios agat."

"Á, *Jays*, a Choilm, ní ligfeadh an náire dhom . . ."

"Ná bíodh náire ar bith anois ort. Bhí tusa go maith dhúinne agus ní dhéanfaidh muide aon dearmad air sin."

"Fuair mé íoctha go maith ar mo chuid oibre."

"Is cuma faoi sin anois, ach tá mé ag iarraidh an méid seo a rá leat agus tá súil agam nach gcuirfidh sé aon mhúisiam oraibh."

"Abair leat."

"Bhí sé i gceist agam féin agus ag Madeline fanacht ar feadh cúpla seachtain ag tabhairt aire don tseanbheirt sa gcaoi is go bhféadfadh an bheirt agaibh bailiú libh ar *honeymoon*, ach tá iomarca imní orainn i dtaobh Jenny."

"Sé an trua nach bhfuil sí anseo."

"Á, muise an créatúirín, tá rud ar a haire. Valium atá á coinneáil amach as teach na ngealt faoi láthair. Tá an oiread daoine ag cur láimhe ina mbás féin is go bhfuil faitíos orainn."

D'airigh mé creathadh faitís ag dul tríom. "Ná bíodh imní ar bith oraibh fúinne, a Choilm, beidh muide ceart."

"Dá mbeadh chuile chúpla chomh ceart libhse bheadh an saol i bhfad níos fearr. Ná lig tada ort féin le Sue, níor mhaith linn an lá mór a mhilleadh uirthi."

Ariamh roimhe ní fhaca mé Sue chomh lánsásta is a bhí sí. Cor beirte damhsaithe againn agus an tsráid amach tugtha againn orainn féin ar thóir fionnuartais. Cuid de ghasúir an bhaile ag rith agus ag rásáil timpeall an tí. Thosaigh dhá mhada Tom Mhóir ag pramsáil is ag tafann chomh luath is a chonaic siad Sue.

"Hi, Blackie. Hi Spot. Did you miss your stroll?"

Bhéarfá an leabhar gur ag caint ar ais léi a bhíodar. Miongaireacht bheag tafainn acu agus iad á gcuimilt féin abhus agus thall di.

"Come on, let's take them for a walk."

415

"Jays, I wonder is it alright to leave our own wedding?"
"They won't miss us for ten minutes."

Caithfidh sé gur thuig na madraí an comhrá mar bhain siad as ina dtintreach suas an cosán cloch i dtreo shleasa an tsléibhe. Bhí muid chomh héasca le dhá mheannán ag teacht ina ndiaidh. Sue chomh caithréimeach le duine a bheadh scaoilte as géibheann. Chuir na madraí leis an tsaoirse a mhothaigh muid araon. Iad ag seársáil anonn is anall go deifreach. Iad á gcaitheamh féin ar a mbolg ag súil le treoir nuair a d'fhágadh scata caorach an bealach de sciotán. Bhí Dia féin tar éis slacht a chur ar an aimsir. An cosán chomh tirim le púdar faoinár gcosa agus grian ardtráthnóna ag deifriú ár scáile chun cinn orainn. Chas mé ar mo sháil ar bharr an tsléibhe. Bhí an baile ar fad le feiceáil go sámh sócúlach thíos fúm. Díreach mar a shamhlaigh mé go minic é nuair a luíodh mé ar mo leaba i lár na Breataine. Fad m'amhairc den fharraige mhór le feiceáil i bhfad siar uaim. Líon mo chroí le grá agus bhí a fhios agam ag an nóiméad sin nach bhfágfainn an nádúr seo aríst ar ór ná ar airgead. D'fháisc Sue a barróg orm mar a bheadh sí tar éis m'intinn a léamh, grá ag spléacharnaíl ina dhá súil. Phóg muid a chéile go paiseanta agus go fíochmhar, drogall orm scaradh le blas a béil nuair a thosaigh an dá mhada ag miontafann inár dtimpeall mar a bheidís ár saighdeadh ina chéile.

Uair chuile thrí mhí a thagadh Éamonn agus Meg le chéile go hoifigiúil chun cúrsaí a phlé. Bhí siad ag déanamh thar barr, brí agus fuinneamh le tabhairt faoi deara i nglór Mheg nuair a thugadh sí liostaí de chúraimí na seachtaine dó ar an bhfón.

Bhí triúr tiománaithe eile fostaithe go páirtaimseartha acu cé go raibh siad ag obair go lánaimseartha ó tharla go raibh oiread borrtha faoi obair thógála.

"You should let one of the other drivers do the long haul, Éamonn, you've been doing it for long enough."

"It's no problem, I'm used to it now."

"I know, but you're needed around base as well."

"You're doing a super job there, Meg, you don't need me bossing you around."

Bhí oiread cleachtaidh ag Éamonn a bheith ag dul ó phort go port ag bailiú éisc is go raibh sé in ann a rá go dtí an nóiméad cén fhad a thógfadh an t-aistear. Thosaíodh nádúr a dhúchais ag borradh trína chuisleacha de réir mar a bhíodh sé ag teannadh le caladh. Oiread aithne aige féin is ag na hiascairí ar a chéile is go mb'fhada leis go mbeadh sé ina gcuideachta. Ba mhinic gurbh iad na hiascairí céanna a chastaí leis i Plymouth a chastaí aríst air i nGrimsby, nó chomh fada ó thuaidh le Newcastle.

Iadsan ag leanacht de na scadáin agus eisean ag leanacht díobhsan. An mhuintir as ar fáisceadh é a mheabhraigh siad dó – crua, láidir agus folláin. Gan de dhifríocht eatarthu ar bhealach ar bith ach an teanga a bhí siad a labhairt. Bhíodh drogall air nuair a theannadh na scadáin i bhfad ó thuaidh agus bhíodh a aistear fada dá réir. De shiúl oíche a théadh sé chun bóthair. An caladh a fhágáil ag a hocht a chlog oícheanta geimhridh, tiomáint leis gan stad nó go dtagadh sé chomh fada le bialann bhóthair thart ar a haon déag. Bhí dalladh fairsinge ina thimpeall chun an leoraí a fhágáil ar chóir shábháilte.

"Steak and chips, and a pint of milk, please."

417

Ba ghearr nár ghá dó labhairt ar chor ar bith. Bhí a rogha de ghlanmheabhair ag an lucht freastail i ngach bialann dár thaithigh sé.

"*The usual?*" a sméididís ina threo agus d'fhreagraíodh seisean ar ais iad le nod dá cheann. Ba mhinic leis an nod sin é a thabhairt go ciúin thar scuaine. Nuair a bhíodh a phutóg lán thiomáineadh sé leis aríst go sásta ar feadh cúpla uair an chloig. Bóthar glan amach roimhe an tráth sin d'oíche. Fonn air dúshlán a chuid méanfaí a thabhairt agus tiomáint ar aghaidh go ceann cúrsa murach parúl a bheith curtha ag Meg air.

"*Don't take chances, Éamonn,*" a deireadh sí go himníoch. "*You'll regret it if you lose your licence.*"

Ar an traein a thug sé féin agus Meg aghaidh ar sheó mór an earraigh i Londain. Meidhir ag cur shnua an tsonais ina gnúis de réir mar a bhí sí ag dul tríd an mbróisiúr a bhí siad a scrúdú.

"*It's a new concept in tractor units, Éamonn. It says the cab has independent suspension and automatic central heating when the engine is turned off. That's what you need.*"

"*But look at the price, Meg.*"

"*Never mind the price. You deserve it, Éamonn, and the company can afford it. I think we should keep upgrading and set our sights on the international market.*"

Thaithnigh an smaoineamh leis ach níor chuir sé leis ná níor bhain sé uaidh nó gur shuigh sé isteach sa *tractor unit* ag an taispeántas. Pálás i gcomórtas leis an leoraí a bhí sé a thiomáint. Leaba bhreá chompóirteach inti. Bhí a intinn déanta suas aige chomh luath is a chas sé air an t-inneall. É ag

418

mothú an oiread cumhachta is dá mbeadh arm capall faoi dhiallait aige. Chaoch sé súil shásta ar Mheg.

"It's a deal," a deir sí ar an bpointe.

Bhí sé doiligh aige a chuid sceitimíní a choinneáil faoi smacht nuair a thug sé aghaidh an leoraí nua ar Bhristol. Bhí an ghrian imithe i dtalamh de bharr a raibh de mhoill orthu ag socrú cúrsaí árachais agus eile.

"I'll ride back with you, Éamonn. Keep you company," ráite ag Meg agus í ag dreapadóireacht in airde go dtí an suíochán lena thaobh sa gcábán. Uair an chloig tiomána a bhí déanta acu nuair a tharraing siad isteach ag bialann. D'ordaigh Meg buidéal fíona chun an ócáid a cheiliúradh ach bhí Éamonn mionnaithe gan blaiseadh d'aon deoch mheisciúil. Osna shásta a lig Meg tar éis an chéad shúmóg a bhaint.

"Are you in favour of us spreading our wings, Éamonn?"

Bhreathnaigh sé go grinn uirthi ag iarraidh meabhair cheart a bhaint as a cuid cainte.

"Expanding internationally. Start with a depot in France or Germany, and build it from there?"

"It sounds mighty but we need to tread carefully. Do some research before committing ourselves.

"It's done and it looks promising."

Ní raibh aon mhoill ar an mbéile mar ab iondúil leis. Bhí oiread tóir ar an mbialann is go mbíodh gach rud dá raibh ar an mbiachlár faoi réir le cur ar an bpláta chomh luath is a shiúil tú isteach an doras.

"I know this is the wrong place and time to discuss business," a deir sí nuair a d'imigh an freastalaí. *"But I would like you to study the plans."*

"*I'd love to,*" a deir Éamonn go spleodrach tar éis lán béil a shloigeadh.

"*Hey, take your time and enjoy your meal, Éamonn.*"

Ní ar an mbéile a bhí aird Éamoinn ach é ag sloigeadh a ghreama mar ab iondúil leis agus furú air nó go dtiocfadh sé ar ais taobh thiar den stiúir ar an each nua-aimseartha a bheadh mar bhaile aige ar feadh roinnt blianta. D'ól sé muigín caife d'fhonn an t-am a mheilt fad is bhí Meg ag ithe go mall réidh.

"*You must help me with this wine, Éamonn,*" ar sise nuair a bhí sí go leath sa mbuidéal ach chuir Éamonn an corc ar ais.

"*Take it with you,*" ar seisean, ag éirí agus ag íoc an bhille.

Chuir sí lámh faoina ascaill ag trasnú na sráide agus b'éigean dó lámh a thabhairt di chun dreapadh in airde go dtí an suíochán. Iomarca fíona, a dúirt sé ina intinn féin nuair a chonaic sé ag bobáil chodlata í tar éis leathuaire. Ba ghearr go raibh sí ag srannadh go compóirteach agus eisean ní ba chompóirtí fós ag stiúradh an bhealaigh go ciúin tríd an oíche.

D'aithin sé na comharthaí sóirt nuair a thosaigh sé ag méanfach, an síorimeacht ó mhoch maidne tar éis mórchuid fuinnimh a ídiú agus a cholainn ag éileamh scíthe. Bhí a fhios aige gur leor chúig nóiméad déag agus bhí a fhios aige de bharr an tseanchleachtaidh cén áit le tarraingt i leataobh chun néal a ligean thairis. Éalú isteach sa leaba a rinne sé. Gan de thorann le cloisteáil ach an teas a chas sé air tar éis dó an t-inneall a chasadh as. Baineadh preab as nuair a labhair sí.

"*Are you OK, Éamonn?*"

"*I'm fine but I was nodding off there. I felt it was time to test this bunk.*"

Scanraigh sé go raibh an bhrí mhícheart bainte as a chuid

cainte aici nuair a thosaigh sí ag dreapadh isteach sa leaba lena thaobh.

"It's much cosier with two," a deir sí á fáisceadh féin isteach ina aghaidh.

D'fhan sé ina thost ag súil go dtitfeadh sí ina cnap codlata ar an bpointe, ach mheas sé go mb'fhearr dó a cearta a mheabhrú di nuair a thosaigh sí ag oscailt a léine.

"Meg? You've had a few glasses of wine."

"So what?"

"Well, are you sure about this?"

"I've thought about it long enough," ar sise ag crapadh suas a cuid éadaigh agus ag fáisceadh a colainne go te teolaí isteach ina aghaidh.

Shílfeá gur as na Flaithis a thit Helen agus Sue ag a chéile. Iad araon nuaphósta agus strainséartha don cheantar nuair a casadh le chéile ar bhóthar an phortaigh iad. Dúil ag chaon duine acu san aer úr agus i gcluais a chéile nuair nár thrust siad a n-intinn a nochtadh don chosmhuintir. Ní mórán lá nach siúilidís trí mhíle bealaigh nó go raibh Sue i bhfoisceacht cúpla mí don chéad pháiste.

"Nílim ábalta, a Helen," a dúirt sí sa nGaeilge bhriste a bhí chaon duine acu a chleachtadh ar a ndícheall. Níor choisc sin Helen gan a theacht ar cuairt chuici chuile lá.

Bhí Peige Tom Mhóir ag ríochan le ríméad nuair a bhaist muid Peigín ar an bpáiste. Trua chéadfach a bhí agam do Helen nuair a d'fheicinn ag muirniú an linbh go ceanúil ina gabháil í. Fios agam ó Sue go dtabharfadh sí a dhá súil ar pháiste dá cuid féin a bheith aici, ach go raibh sé curtha in iúl ag dochtúirí do Dhónall nach mbeadh aon sliocht go brách air.

An fuinneamh nár fhéad Helen a chaitheamh ar a leanbh, chaith sí go fonnmhar ar fhorbairt an *Lodge* é. Socrú a bhí inghlactha oibrithe amach agus a séala dleathach curtha ag an dá thaobh air. Cead ag Helen agus ag Dónall an *Lodge* agus na cearta iascaireachta a fhorbairt ar a rogha bealaigh ach go raibh seomra amháin curtha in áirithe do Bharrett agus do Eileen. Le graithe an choiréil agus an innealra a bheadh Barrett agus Eileen ag plé. Ba mhinic gur istigh ar an teallach againne a chuir Helen bailchríoch ar a cuid pleananna. Beannacht na beirte againne an-tábhachtach di sul má bhuailfeadh sí faoin obair go fuinniúil.

Roghnaigh sí na crainnte ba ghá a ghearradh chun solas an lae a ligean trí fhuinneoga an *Lodge*. Oiread is an chraobh níor lig sí amú ach Dónall á ngearradh agus á stóráil mar ábhar tine nó go raibh an stóras adhmaid ina chuid suntais ann féin. Rinne Barrett ceap magaidh di nuair a labhair sí ar ghorlann bheag a fhorbairt cois na habhann ach bhí malairt poirt aige de réir mar a bhí na blianta á gcaitheamh agus flúirse bradán ag filleadh ar an nádúr as ar shíolraigh siad. Deich gcinn de bháid a bhí ar snámh ar chladach na locha. D'fhág sin roghain ag na hiascairí, gach re lá ag cuid acu suas ar bhruach na habhann nó amach timpeall na n-oileán. D'fheistigh sí amach teach an chóiste dóibh lena gcuid deiseanna iascaireachta a chur i dtaisce ann. *Stove* mór dubh maoldearg chuile thráthnóna lena gcuid buataisí agus éadach aimsire a thriomú. Deis ann le mug tae nó caife a dhéanamh de réir mar a d'fheil dóibh. Rinne sí athchóiriú as an nua ar theach an gheata, á chur in oiriúint do theaghlaigh a bhíodh ag lorg ciúnais agus príobháideachais. Dhírigh sí a haird ar mhargadh na Gearmáine. Bhí dalladh airgid de bhrabach orthu ach bhí siad ag iarraidh a luacha dá réir. Níor fhág sise aon chlóic orthu. Cead a gcinn acu an leaba a thabhairt orthu féin nó deoch a ól i gcuideachta a chéile sa mbeár beag príobháideach nuair a bhídís subhach sách. Bhí a shliocht uirthi, tháinig siad ar ais aríst is aríst eile. An-suim acu sa bhforbairt a bhíodh déanta ó bhliain go bliain. Ba ghearr go raibh sí ag cur daoine ó dhoras cheal seomraí. An teach s'againne curtha thar maoil le lucht leaba agus bricfeasta aici. Fios aici go gcaithfí go gnaíúil leo mar gur thuig sí féin agus Sue a chéile. Bhíodh míle fáilte roimh mhuintir an cheantair aici fad is go n-iompróidís iad féin go caothúil nuair a théidís isteach ag ól dí. Gliondar a bhíodh uirthi de bharr an mhéid suime a bhíodh ag na Gearmánaigh i gcultúr na háite, nuair a thugaidís ciúnas iomlán d'amhrán sean-nóis.

Níor bheoigh Barrett nuair a bhíodh braon ólta aige gan tosaí ag grágaíl amhrán míchaothúil nó ag inseacht ceann dá chuid scéalta bréana nó go mbíodh sé ag cur déistine ar an gcomhluadar. Ní bhíodh iompar Eileen tada ní b'fhearr, í ag crochadh a gúna is ag croitheadh a tóna le rithim an cheoil i lár an urláir, gan náire ar bith uirthi ag iarraidh marcach Gearmánach a mhealladh ina diallait nuair a d'éiríodh an t-ól sa gcírín aici.

Ba bheag bídeach nár cailleadh Helen le náire an oíche ar ionsaigh Barrett agus Eileen a chéile os comhair na gcuairteoirí. Alltacht orthu nuair a bhris an mhuc amach i mBarrett is bhuail sé a bhean chéile trasna an bhéil as taghd. Gearmánaigh ag scaipeadh as an mbealach agus scéin iontu nuair a thosaigh an scliúchas. Eileen tar éis Barrett a bhualadh ar ais agus Barrett tar éis an bhróg faoin tóin a thabhairt di.

D'fhógair sí ar Dhónall iad a thabhairt i leataobh agus na liodáin a léamh orthu, ach ba ghearr gur fhill sé go cloíte cráite ag fógairt go raibh siad ag éileamh seomra an duine mar nach raibh siad sásta codladh le chéile ní ba mhó. Bhí an seomra ab fhearr sa teach acu mar a bhí siad ach ní bheadh sí i ndiaidh an dara seomra orthu dá stopfaidís ag áitiú a chéile os comhair na gcuairteoirí. Bhí a fhios aici go raibh a n-iompar ag goilliúint ar Dhónall ach ní osclódh sé a bhéal dá dtarraingeoidís an ribe deiridh as mullach a chéile. B'éigean di féin cruinniú mullaigh a ghlaoch faoi dheireadh. Níor chuir sí fiacail ina cuid cainte:

"Nílim ag cur suas libh níos faide, *either you two behave in front of my guests or you're barred.*"

D'éirigh Eileen ina coileach ar an bpointe. *"How dare you order me around my own house! Bar the bastard who's causing the trouble!"*

Bhíog Barrett mar a bheadh sé ar thob torann a bhaint as an ngiall aici ach staon Helen le huaill é.

"No!" a deir sí de bhéic bhagrach. *"I will not tolerate this any longer."*

"I do my fair share of work around here," a scread Eileen ar ais go fíochmhar.

D'fhéach Helen idir an dá shúil uirthi agus teannas ina hamharc a chloífeadh nathair nimhe.

"You're sacked, Eileen," a dúirt sí go stuama. *"You're both forbidden to mingle with my guests from now on."*

Mhaolaigh siad chun í a aimsiú ach bhac sí le bois a láimhe iad.

"I have invested a lot of money and energy in this business over the last number of years. Either we sell out and I get my share now, or you allow me run the business as I see fit."

Bhí an teannas ag pléascadh an chiúnais, chuile dhuine ag fágáil an chéad spalla ag an duine eile. Ba í Eileen a d'éirigh de spadhar, marú duine sa dearcadh a bhí aici ar Helen.

"You can stick your business up your narrow little arse. No wonder you're frustrated when you can't breed," a dúirt sí trí liopaí a bhí gealta le holc.

Mhothaigh Helen na focla ag dul go beo chomh géar is dá mba sá scine a bhí tar éis a dhul trína cuid easnacha.

"I demand my own bedroom and my own maid, I'm not sleeping with that pig any longer!" a dúirt Eileen agus í ag sianaíl le teann oilbhéasa.

"You don't have to, you dirty slut!" a bhéic Barrett ag breith uirthi agus á crochadh leis idir chorp, chleite agus sciathán nó gur chaith sé taobh amuigh den gheata í.

"Go home to the antichrist of a mother you have. If I ever catch you inside this gate again it's out in a coffin you'll be going."

Aníos chugainne a thug Helen a haghaidh ar thóir faoisimh.

"Tá mo chroí briste acu, a Sue," a dúirt sí agus na frasa deor ag rith léi.

"A Helen, a Helen, ná bí ag caoineadh, níl neart ar bith agatsa air."

"Tá mé náirithe os comhair an phobail acu."

"Tuigeann an pobal go maith nach bhfuil baint ná páirt agatsa leis na rudaí a tharla."

"Faraor má ghreamaigh mé ariamh dóibh. Bhí an aisling ag breathnú rómhaith le bheith fíor."

425

"Haigh, níl an scéal chomh dubh sin, tá graithe iontach agatsa agus ná lig dóibh cur isteach ná amach ort."

Isteach den tsráid a tháinig mé, gan a fhios agam tada i dtaobh an scliúchais nó gur fhógair mé ar an mbeirt ghasúr s'againn féin a bhí ina leathphatairí ag spraoi go callánach ar fud an tí.

"Fanaigí socair nuair atá strainséir istigh nó téifidh mé an tóin agaibh," a dúirt mé leo.

Rug sí go crua i ngreim rosta orm.

"Lig dóibh a bheith ag súgradh," a deir sí ina hachainí chráite. "Dá mbeadh páiste de mo chuid fhéin agamsa . . ."

Phléasc sí amach ag caoineadh sul má bhí an chaint críochnaithe aici. Gan aon fhoighid le cur inti de bhuíochas a raibh de bhréagadh againn uirthi. Níor fhan gíog ag na gasúir ach iad ag dealú isteach i gcúinní ar fhaitíos gurb iad féin ba chionsiocair leis an olagán. Tocht eile a bhuail í gach uair dár shíl sí an chaint a fháil léi.

Go buíoch beannachtach a tharraing mé m'anáil aríst nuair a thoiligh sí siúl i dteannta Sue ar thóir an neartú meanmna atá le fáil in uaigneas bhóthar an tsléibhe.

Taom croí a bhí mar thiocair bháis ag an sean-Chanónach faoi dheireadh thiar thall, aois na Caillí Béarra aige ach é ag tarraingt a chos ina dhiaidh suas in aghaidh chéimeanna na haltóra chuile Dhomhnach nó gur thit sé as a sheasamh.

Sagart meánaosta a tháinig ina áit, gan oiread Gaeilge aige is a choisricfeadh é nuair a thosaíodh sé ag plubaireacht go mallfhoclach chuile Dhomhnach. Duine sé nó seachráin a bhíodh ag feannadh sagairt ag an am ach níor shábháil sin é ón dímheas a chaith cuid den phobal ar an dath a bhí curtha ina chuid gruaige aige, ná ón éirí in airde a mheas siad a bheith faoi nuair a d'imíodh sé ina charr galánta go dtí an amharclann sa mbaile mór.

Ba í Eileen barr nuaíochta an bhaile nuair a dhírigh sí a haird ar an mbeannaíocht. Gan cos curtha taobh istigh de dhoras an tséipéil aici ón am ar tháinig sí féin agus an sean-Chanónach salach ar a chéile. Daoine ag tabhairt uillinneacha dá chéile nuair a d'fheicidís isteach is amach sa sacraistí í roimh Aifreann an Domhnaigh. Uaireanta an chloig caite aici ag iarraidh roic na haoise a chlúdach le maisiúchán. Fios maith ag chuile dhuine gur d'aon uaim amháin a bhí sí ag geáitsíocht d'fhonn cuid suntais a dhéanamh di féin. D'fhanadh sí go dtí an nóiméad deiridh sul má d'umhlaíodh sí go hurramach os comhair na haltóra, í ag moilliú an fheachtha ghlúine go drámatúil sul má shiúileadh sí síos an séipéal.

"Níl a samhail beo ach *fortune-teller* le bhfuil de *lipstick* uirthi," a deir Seáinín an tSiúnéara go magúil thiar i dtóin an tséipéil.

Bhíodh cuid den phobal ag díriú a n-amhairc go déistineach in airde sna fraitheacha, daoine eile a mbíodh an tAifreann curtha ó rath orthu de bharr a mbíodh d'eascainí déanta faoina n-anáil acu sul má thagadh sagart ar bith ar an altóir. Codaí de shagart a bhí chomh lán de féin is nárbh aithnid dó an t-olc thar an maith. Ní bheadh aon ghlacadh i leabhar urnaí le cuid den chaint a bhí i mbéal an phobail nuair a thosaídís ag cóiriú Eileen is an tsagairt. Iad ag tuar aclú leapan dó sul má bheadh an bhliain caite. Daoine eile ag ceapadh nach raibh oiread gusa ann is a ligfeadh i gcathú é. Ba ghearr gur thosaigh daoine ag déanamh neamhshuime di. Gan í ag cur chucu ná uathu cés moite den chéaparáil a bhíodh uirthi i dteach Dé. Ba í Helen an t-aon duine amháin a bhí i ladhar an chasúir aici. Gan leisce ar bith uirthi lón a thairiscint saor in aisce sa *Lodge* don sagart.

Bhíodh ruibh ar Helen nuair a d'fheiceadh sí an bheirt ag suí chun boird i dteannta na lóistéirí. Gan náire ná cás ar Eileen tús áite a éileamh.

"*I'm fit to be tied,*" a deir Helen lá dár shiúil sí isteach ar thóir chluais Sue chun a cuid trioblóidí a chur i bhfaoistin. Chuile dhuine ag rá go mb'aoibhinn Dia di nuair a d'fheicidís chomh gealgháireach is a bhí sí ag déileáil lena cuid custaiméirí sa *Lodge* ach an taobh tuathail feicthe go minic ag Sue nuair a chuireadh sí racht mallachtaí aníos dá croí.

"Gabh i leith uait amach ag siúl is ná bí ag déanamh dochair do do shláinte," a deir Sue léi go cneasta.

"Ach is le teann bioráin atá sí á dhéanamh orm," a deir Helen.

Bhí sé cloiste againn roimhe sin go raibh Dónall chomh mór faoi léigear aici ón lá ar thug Barrett an bóthar amach di is go mb'éigean dó áitiú ar a athair graithe an choiléir a dhíol agus slám airgid a thabhairt di de ghrá an réitigh, ach níor shásaigh sin í gan a bheith ag cothú teannais sa *Lodge* chuile sheans dá bhfuair sí.

"*Ignore her completely,*" arsa Sue. "Scaoil dalladh rópa léi, a Helen, agus cuirfidh sí fhéin súil faoina muineál air."

"*The bitch,*" a dúirt Helen go feargach. "*She's too cute to put her head in a noose.*"

Tráthnóna fliuch sraimlí a bhí ann, an cineál tráthnóna a mbíodh an ghráin ag Éamonn a bheith ag tiomáint. Bhí sé leis an tóin ag leoraí eile ar feadh uair an chloig agus é ag dul rite leis an ghloine tosaigh a choinneáil glanta de bharr a raibh na rothaí a ardú de dhraoib an bhóthair. Murach an meáchan éisc reoite a bhí ar iompar aige, dhéanfadh sé iarracht an leoraí eile a bhailiú amach ach bhí sé fánach aige. Níor leigheas a raibh sé a dhéanamh d'eascainí an scéal. Smaoinigh sé nárbh fhiú tarraingt i leataobh ó tharla go raibh calafort Dover i bhfoisceacht leathuaire eile de. Leathuair a shaothraigh sé de bharr go raibh a amharc ag leathnú agus fonn air scíth a ligean. Ní raibh an long farantóireachta tagtha le céibh go fóill nuair a shroich sé an calafort ach d'ardaigh a chroí nuair nach raibh leoraí ar bith roimhe ag ceann na líne lódála. Bheadh sé ar an gcéad leoraí ar bord agus ar an gcéad leoraí a thiocfadh i dtír i gCalais le moch maidne. D'fhágfadh sin rith glan síos tríd an bhFrainc aige chomh fada le Nantes san áit a raibh a cheann scríbe. Mheabhraigh sin dó gurbh fhearr glaoch ar an oifig féachaint an raibh aon lastas ar ais eagraithe acu dó.

"*Hi there, blue-eyes,*" a deir sé nuair a d'fhreagair Liz, duine de na cailíní a bhí fostaithe san oifig acu, "*is Meg around?*"

"*Oh, Mr Joyce, Meg wants you to return to base immediately.*"

"*Is there something wrong?*"

"*She went to hospital for some tests this morning and she has been kept in overnight.*"

"*What?*"

"*Please come home immediately, Mr Joyce.*"

Bhí tuin na práinne ar a glór. Níor fhan Éamonn le torann

a chos. An guthán a chrochadh suas agus casadh ar a sháil. Aiféala air nár cheistigh sé tuilleadh í ach oiread de gheit bainte as is gur ina dhiaidh ba léir dó a leas. Páipéar deich bpunt a chuir sé isteach i láimh an ghiolla.

"I have to uncouple the refrigerator-unit and rush back to base. Will you please see to it that it's connected to a power supply?"

"Drive around to the storage area, please."

Bhí an páipéar deich bpunt tar éis fuinneamh a chur sa ngiolla agus é ag sodar amach roimhe nó go raibh an lucht éisc curtha ar chóir shábháilte. D'imigh an fonn codlata agus an tuirse mar a scaipfeadh ceo le leoithne gaoithe, bhí a aird ar fad dírithe ar a chuid tiomána anois agus os cionn cheithre uair an chloig de bhóthar fada amach roimhe. Thosaigh a intinn ag ruatharach dá bhuíochas, an mhórimní a bhí air i dtaobh Mheg á bhrostú chun siúil. Ba í Meg croí an chomhlachta. Í meabhrach fadbhreathnaitheach agus deas simplí ag an am céanna. Í tar éis impí go minic air éirí as an tiomáint ó chuaigh an comhlacht san anmhéid. Bainisteoir fostaithe acu chun brainse na Gearmáine a riaradh. Bainisteoir eile sa Ísiltír.

Rinne sé a comhairle ar feadh cúpla mí, pian ina leath deiridh as féin i seomraí óstáin nuair a théadh sé chun na Gearmáine nó chun na hIsiltíre d'fhonn casadh leis na bainisteoirí. Iad chomh díograiseach is gur mheas sé nach raibh ag teastáil de chabhair uathu ach cead a gcinn. Ba leor uair sa mbliain, a mheas sé, mura dtabharfadh a gcuid tuairiscí míosúla le fios go raibh siad ag ligean lámh mharbh ina n-iarracht.

"I just want to be involved in the decision-making, Meg," a

deir sé léi go cineálta. "*Monthly meetings are enough for me. I'll only be a phone call away if you need me to fly to any trouble spot but sitting behind a desk all day is driving me crazy.*"

Cáir gháire a tháinig ar a héadan. "*Do as you wish, Éamonn,*" a deir sí, á shlíocadh go muirneach.

Dhún an smaoineamh a shúile go déistineach ar feadh ala an chloig, buillí uile an tsaoil ag rith trína intinn, a spiorad chomh lagaithe ag an imní is nach raibh sé in ann fuíoll a chéasta a ruaigeadh. D'fháisc sé an rotha stiúrtha chomh crua is dá mba ag fáisceadh díoltais as a phíobán féin a bhí sé. É ag cloisteáil Jenny ag sianaíl ina chluais. Ní raibh sé in ann a rá an cailín nó buachaill beag a bhí sé a shamhlú ina bhaclainn. Rinne sé chuile iarracht a intinn a dhíriú ar a ghnó, ach bhí a intinn ina cíor thuathail. Jenny á chéasadh ar thaobh amháin agus imní i dtaobh Mheg á mhearú ar an taobh eile.

Bhí sé ag dul ó thuiscint air go raibh sé tar éis tiomáint trí mhórchuid bailte gan iad a thabhairt faoi deara nuair a tháinig sé chomh fada leis an ospidéal. An leoraí chomh mór agus chomh místuama is go mb'éigean dó í a thiomáint in airde ar an gcosán lena páirceáil. Níor smaoinigh sé í a chur faoi ghlas ach fuadar faoi ag déanamh ar an doras. Mhoilligh sé ar éigean chun íochtar a bhríste a tharraingt síos os cionn uachtar a chuid bróg sul má thug sé aghaidh isteach.

"Meg . . . Meg Nelson?" a deir sé go faiteach leis an mbanaltra.

"*Are you her husband?*"

"*Yes,*" a deir sé, idir dhá chomhairle ach go raibh sé ní b'fheiliúnaí mar fhreagra ná a dhul ag míniú.

"Thank God you're here, she needs cheering-up at the moment."

D'aithin sé ar a súile go raibh a dóthain caointe aici.

"It's bad news, Éamonn," a deir sí, na deora ag bogadh faoina súile aríst.

"I have cancer."

"My God, Meg."

"Stay with me, Éamonn, please. I'm scared."

Ní dhearna mé iontas ar bith de nuair a d'éirigh le Sue Helen a thabhairt chun suaimhnis de réir a chéile. Bhí an cleas céanna déanta liom féin aici. Seiríní curtha orm i ngan fhios dom féin nuair a shíl mé leathnú amach leis an gcomhlacht tógála a bhí bunaithe agam. Bhí an anáil ag imeacht uaim le teann mórtais as mo chuid pleanála agus gan sea ná ní hea aici, ach ag éisteacht liom nó go raibh gach a raibh de chaint ag cur tochais i m'iogán ídithe agam.

"Tá an saol róghearr le bheith ag cur do dhá láimh timpeall air," a deir sí ar nós cuma liom.

"Nach bhfuil tuirsiú do láimhe agat mar atá tú thart timpeall Chonamara."

"Is tábhachtaí an méid ama a chaitheann tú in éineacht le do chlann ná an méid airgid a shaothrós tú i rith do shaoil."

Bhí a dhá láimh i mo thimpeall ag Sue agus í ag breathnú go ceanúil isteach i mo shúile.

"Sách fada a bhíodh tú imithe uaim ó Luan go Satharn. Ní fiú an saol seo é, níl clóic ar bith orainn." Bhí loinnir bheag ina súile a bhí ag cur macnais orm.

Deich mbliana go dtí an lá a bhí muid pósta nuair a cailleadh Tom Mór. Gan uch, gan ach, gan éagaoin a shéalaigh sé uair an chloig tar éis do Sue é chur ina shuí sa gcathaoir agus a leaba a chóiriú.

"Gabh aníos, a leanbh, tá sleaic éicint air seo," a deir Peige ar an bhfón. Rith Sue ar an bpointe. Gan le dhul aici ach na cúpla céad slat, ach aistear go dtí an chéad saol eile curtha de ag Tom Mór sul má shroich sí a chorp.

"Meas tú an bhfuil sé imithe uilig, a leanbh?" a deir Peige nuair ba léir di nach raibh Sue ag fáil aon chuisle.

"Tá, a Mhamó," a deir Sue go séimh brónach agus í ag dúnadh a chuid súl.

"Ó, a Dheaidín, gan ola gan aithrí," a deir Peige, ag greadadh a cuid bos le chéile.

"Ssssh, ná bíodh imní ort, a Mhamó, tá síocháin déanta le Dia le fada an lá aige."

"Ó, a leainín, níor mhaith liom go n-imeodh sé gan an ola dheireanach a bheith curtha air, ach baol air, an cladhaire, ní bheadh an méid sin féin foighde aige.

Bhí sochraide ghnaíúil air, chinntigh Colm go raibh. Greim, deoch agus blogam leagtha os comhair chuile dhuine den tslua céadfach a tháinig ag cásamh ár mbrise linn.

Chaith muintir an bhaile dhá oíche go maidin ag tórramh Tom Mhóir. Níor fhág an duine deiridh nó gur thosaigh muid ag deisiú le dhul chuig an Aifreann.

"Cé méid a thabharfas mé don sagart?" a d'fhiafraigh Colm díom, sul má d'fhág muid an teach.

"Fág fúmsa é sin," a dúirt mise, "sagart strainséartha a

433

bheas ann mar d'fhógair an codaí eile go mbeadh sé imithe ar chúrsa spioradálta an tseachtain seo."

"Má tá maith ann tá bhur ndóthain déanta agaibhse," a deir sé, agus fios agam go raibh sé chomh réidh dom a bheith ag iarraidh an taoille tuile a chasadh. Bhí téagar maith sa mburla nótaí a bhrúigh sé isteach i láimh an tsagairt.

Níor shásaigh sin é nó gur cheannaigh sé deoch ghnaíúil do na fir a d'oscail agus a dhún an uaigh. Ní raibh tarraingt ár gcos ionainn tar éis filleadh abhaile, muid spíonta amach tar éis an ragairne. Spruschaint ag dul anonn is anall i dtaobh cé a bhí ar an tsochraid is cé nach raibh. Chuile dhuine tar éis titim i mbun a gcos sa gcéad chathaoir a casadh leo. Bhí Colm sínte ar chathaoir bhog agus gan focal as. Páipéar an lae crochta mar chuirtín idir muid féin agus a éadan. Bhí sé ag méirínteacht tríd ar feadh scathaimh nó gur thit néal air is gur thosaigh sé ag srannadh. Ó dhuine go duine a dhún muid na súile mar a bheadh an biorán suain tar éis teagmháil linn. Shílfeá gur in éineacht a dhúisigh muid as ár suan. Chuile dhuine ach Sue a bhí fós ag sloigeadh na ngrást ar an tolg.

"*I'll make a cup of tea,*" a deir Madeline ag éirí.

"*No,*" a dúirt mise, á bacadh. "*You've made enough tea for the past few days. I'll make the tea.*"

Bhí sí ag dul ag argóint liom murach gur ghlaoigh Colm uirthi mar a bheadh sé ag meabhrú scéal éicint sa bpáipéar di. Bhíodar ag cogarnaíl le chéile nó gur dhúisigh Sue de gheit. Gan a fhios aici ó neamh go talamh cá raibh sí, nó go ndearna sí staidéar ar a raibh ina timpeall.

"Ó, a Chríost, nach mé an óinseach ag titim i mo chodladh is a bhfuil le déanamh," a deir sí ag éirí ina seasamh.

Bhí Colm ina sheasamh chomh tobann léi.

"Ná leag lámh ar thada," a deir sé, "breathnóidh mé fhéin agus Madeline i ndiaidh chuile rud go ceann seachtaine."

Ní raibh a fhios againn cén sort gealtachais a bhí á bhualadh nó gur labhair Madeline.

"*It's your anniversary and we want to treat you. Colm spotted a special offer in the paper. Three days' full board in a hotel in Killarney.*"

"*Ah, Jays, no,*" a deirimse, ach níor lig siad focal eile as mo bhéal.

"Ólaigí cupán tae anois agus bailígí libh, tá muide ag íoc as seo."

"*No, no,*" a deir mé féin agus Sue d'aon ghuth, ach rug Colm greim go crua ar chaon duine againn.

"Ar son Dé is ná heitigh muid. Ní íocfadh milliún punt an aire atá tugtha do m'athair is do mo mháthair agaibh le deich mbliana.

Níor chuir muid ina aghaidh ní b'fhaide nuair a thug muid faoi deara meacan an ghoil a rinne cnap den chaint ina phíobán.

Níor chaith muid dínn an imní nó go dtáinig muid chomh fada le hÁth Dara i gCo. Luimnigh.

"Stop agus beidh cupán caife againn," a dúirt Sue, aoibhneas ag lasadh a dhá súil nuair a chonaic sí na tithe ceann tuí a bhí tar éis aghaidh na dturasóirí a tharraingt ar an mbaile. Cúplaí, óga agus aosta, ag fáisceadh a chéile go rómánsúil ar fhad na sráide. Thug mé suntas don iontas a bhí i súile Sue á ndearcadh. Iad á mealladh amach as a sliogán de réir a chéile nó gur mhothaigh mé a lámh ag fáisceadh i mo thimpeall agus a meon ag athrú mar a bheadh sí ag aithris ar na rómánsaithe eile. D'fháisc mé ar ais í nuair a smaoinigh mé gur ar éigean a d'fhág sí uaigneas an tsléibhe le deich mbliana. Í ina príosúnach ag an éalann a d'fhág an stróc ar Tom Mór. Corrgheábh chomh fada le Gaillimh agus síos chomh fada leis an *Lodge* nó go mbeadh píosa comhrá le Helen aici gach oíche Dé Domhnaigh. Í ag coimhlint leis an am i gcónaí ar fhaitíos go ligfeadh sí aon siléig i Tom Mór ná ina cuid páistí.

Níor dhún a béal ó d'fhág muid Áth Dara nó go dtáinig muid chomh fada le Cill Airne. An bheirt againn i ngreim láimhe ina chéile mar a bheadh déagóirí. Bhí drithlíní aoibhnis le mothú ina cuid cainte.

"Tiocfaidh muid don Fhrainc," a dúirt sí. "Sin a dhéanfas muid an samhradh seo chugainn. Coicís ag campáil sa bhFrainc in éineacht leis na gasúir."

Chomh meidhreach le cúpla nuaphósta a chuaigh muid in airde staighre san óstán. 'Oh!' agus 'ah!' againn ag breathnú ar an ngalántacht. Bhí an seomra chomh mór is go gcodlódh leath an bhaile ann.

"Tá muid ar mhí na meala faoi dheireadh," a dúirt Sue, do mo tharraingt i dtreo na bpluideanna nó gur bhain muid ár ndúil as a chéile. In éineacht a sheas muid istigh faoin gcith nó gur nigh muid an tuirse amach as ár gcrioslach.

Ní bheadh oiread geáitsíochta sa scáthán ag déagóir is bhí ag Sue á feistiú féin le dhul ag ithe. Díreach go dtí an seomra bia a bhí ár dtreo nuair a chonaic mé an linn snámha trasna uaim. Níor bheoigh muid gan an áis a iniúchadh, muid chomh meidhreach le dhá ghealbhan ag dul ina threo agus é i gceist againn tomadh maith a thabhairt dúinn féin an lá dár gcionn.

Bhí na daoine dealaithe leo as an linn ag an tráth seo agus an bheirt againn chomh fiosrach le dhá ghasúr ag breathnú ar na háiseanna. Uisce ag glogarnaíl in umar mór.

"Féach, *sauna* anseo," a dúirt mise. Bhí an oiread den mhíádh orm is gur oscail mé doras an *sauna* ó tharla nach raibh aon duine thart. Sháigh Sue a cloigeann isteach tríd an ngail i mo theannta. Baineadh an mothú ar an toirt asainn, gan ceachtar againn ábalta focal a labhairt ach scéin ionainn ag breathnú ar an sagart agus ar Eileen a raibh an ghail ag éirí dá gcraiceann istigh romhainn.

Le mac an éin bheo níor sceith ceachtar againn ár rún. An eachtra tar éis aistíl a chur orainn. Sue, a bhí deabhóideach diaganta ag bagairt nach dtaobhódh sí an séipéal ní ba mhó murach leisce a bheith ag tabhairt drochshampla do na gasúir.

"Bhíodh muid ag athléamh ar an sean-Chanónach," a dúirt mise, "nuair a bhí sé róbhorb ag cur aitheanta Dé i bhfeidhm, ach b'fhéidir gur fearr é ná an cur i gcéill seo."

"Is dóigh nach bhfuil siad ar fad amhlaidh," a dúirt sí mar fhaoiseamh is muid ag tabhairt ár n-aghaidhe ar an séipéal.

Ní ligfeadh ár gcoinsias dúinn comaoineach a ghlacadh ó lámha an reifínigh.

Ní raibh an bhliain caite nó gur chuir Peige Tom Mhóir in iúl go brónach dúinn go raibh an sagart a raibh cion a croí aici air le n-athrú.

"Níl aon mhí nach dtagadh an créatúr ag tabhairt maithiúnais

437

i mo pheacaí dhom ó rug an tseanaois orm," a dúirt sí go croíbhriste. "Ach dúirt sé liom inniu go raibh ordú faighte ón Easpag aige, pé ar bith céard a dhéanfas na daoine dá fhuireasa."

"Imeacht ghé an oileáin air," a deirimse i m'intinn féin.

Dúnadh isteach inti féin a rinne Eileen nuair a d'imigh an sagart. An seanriadaire a tháinig ina áit tar éis siliúir a chur inti amach as an sacraistí. Na roic a bhí ag feochan a héadain dá buíochas ag cur cuma an oilbhéasa ar a dreach. Bhí a teanga chomh géar le lann rásúir leis an té a bheannaíodh í. Ba ghearr a bhí duine ar an mbaile ag labhairt léi, í chomh crua le dos aitinn ag brú a máthar síos is aníos an baile i gcathaoir rothaí. Bhí an mháthair chomh dreoite le seanfhata ach an bhinb fós ag cur claonfhéachaint ina súile. Bhí sé thar am aici dealú léi go dtí an chéad saol eile murach mianach fadsaolach na mBreathnach nach scaoileadh a ngreim den tsaol nó go mbíodh aois chapall na muintire acu.

Sé bliana a chaith muid in aois na hóige, tráth a mbailíodh muid linn i bhfochair Pheigín agus Shaileog nó go gcaitheadh muid coicís ag campáil síos taobh thiar na Fraince chuile shamhradh. Ach bhearr an t-anó ár gcuid sciathán nuair a buaileadh síos Peige Tom Mhóir.

"Á, muise, go dtuga Dia dea-bhreith oraibh," a deireadh sí nuair a théadh muid chomh fada léi tar éis nuacht a naoi chuile oíche. Sue á tionlacan chun na leapan fad is bhínnse ag coigilt na tine. B'fhaisean léi gach a raibh faoi chaolach an tí a chur faoi choimirce na Maighdine Muire le croitheadh den uisce coisreacain, ach thuig muid go raibh sí ag dul san ísle brí os comhair ár súl nuair a fuair muid titithe ina cnap codlata cois an teallaigh cúpla geábh í is gan é de mhothú inti í fhéin a choisreacan sul má d'iompair muid go dtí an leaba í. Bhí sé soiléir dúinn go raibh ár seal ag taisteal i dteannta a chéile mar chlann ag teacht chun críche ar aon nós ó thosaigh Peigín agus Saileog ag dul amach sna déaga. Obair shamhraidh faighte ag chaon duine acu ó Helen sa *Lodge* agus iad splanctha ag iarraidh a dhul chuig corrdhioscó.

"Tiocfaidh mé abhaile ar an bpointe boise," a dúirt Colm Tom Mhóir, mo nuaíocht tar éis an bhrí a bhaint as a ghlór.

"Ní ag cur deifir leat é. Tá sí an-mheabhrach fós ach tá rud éicint ag rá liom go bhfuil sí ar thob éalú léi."

Níor mhair sí ach an dá lá, gan an sagart i bhfad imithe tar éis an ola dheireanach a chur uirthi nuair a chuala muid an carr ag tarraingt suas. Gliondar croí ar Pheigín agus ar Shaileog ag rith amach go gcuirfidís fáilte abhaile roimh Dhaideó is roimh Mhamó. Súil imníoch a thug mé fhéin agus Sue ar a chéile nuair a chonaic muid iad. Colm ag breathnú cromtha tarraingthe mar a bheadh sé ag fulaingt mheáchan na mblianta.

"Madeline," a deirimse á fáisceadh isteach liom agus na pucháin a bhí faoina cuid súl ag tabhairt léargais ar rian na haoise.

"*Where's Jenny?*" a deir Sue ag súdaireacht le tuilleadh spleodair. Bhreathnaigh an bheirt ar a chéile, chaon duine ag fágáil cead cainte ag an duine eile. Ba í Madeline a labhair.

"*Jenny is not well,*" a deir sí, agus í ag slíocadh ghruaig na ngasúr. "*She's getting treatment. She had a nervous breakdown. Depression is ruining her life, the poor soul.*"

Ráig deor a shil Colm nuair a chonaic sé an t-ídiú a bhí

déanta ag deich mbliana is cheithre scór ar cholainn a mháthar. Í chomh pointeáilte le bábóigín i dteas na bpluideanna. Gan cuimhne ar bith aige leis nuair a d'oscail sí a dhá súil mar a bheadh sí tar éis an tsnugaíl chaoineachán a thabhairt faoi deara. Go lag fann a shín sí lámh thanaí chnámhach chuige.

"Ná bí ag caoineachán, a mhaicín, tá ola is aithrí faighte agamsa agus mé sona sásta ag fágáil an tsaoil. Mo sheacht míle beannacht oraibh," a dúirt sí agus aoibh ag leathnú ar a haghaidh. D'éag sí gan cnead gan clochar mar a chreathfadh lasóg ar bhuacais sul má d'imeodh an dé deiridh aisti.

D'fhanadar cuid mhaith de choicís in éineacht linn tar éis na sochraide, iad chomh mór ar a sáimhín só is nach raibh aon deifir ina mbealach orthu murach imní faoi Jenny. Bhí sé follasach go raibh nádúr an bhaile ag glaoch ar ais ar Cholm. Ainm locha is locháin de ghlanmheabhair aige. Bhíodh an dá mhada crochta leis amach go dtí ceann amuigh bhóthar an phortaigh chuile mhaidin aige.

"Á, nach é an saol atá athraithe, bhíodh líne cruacha móna amach go dtí cloigeann an bhóthair sin nuair a bhí mise ag éirí suas. Deabhal a bhfuil fhios ag aon duine ar an mbaile céard é sleán anois!"

Bhí lán mo chroí de thrua agam dó nuair a thug sé a aghaidh suas an cnoc ina rite reaite, dearmad déanta aige ar ala na huaire go raibh na blianta tar éis an tapa a bhaint as a chosa.

"Á m'anam, nach bhfuil mé chomh súpláilte is a bhínn," a dúirt sé, ag ligean a mheáchain anuas ar an gclaí nó go bhfuair sé an dara hanáil.

"Seo é anois an garraí a dtugadh muid 'Barr Thuairisc' air, is ann a bhíodh na seanleaids ag cur tuairisc na mbeithíoch leis an aos óg chuile thráthnóna fadó nuair a bhíodh sé in am bleáin. Drogall orthu a dhul níos faide in aghaidh an chnoic nuair a thosaíodh a gcuid cosa ag cliseadh."

Níor bhuail an táirim cheart é nó go dtáinig Peigín agus Saileog abhaile ó obair sa *Lodge*. Gan aithne nach raibh sé de dhualgas air a chuid cuimhní cinn a fhágáil le huacht ag an mbeirt. Bhí duine acu ar chaon taobh de agus lámh go ceanúil timpeall a gcuid guaillí aige os comhair na fuinneoige.

"Sin é anois 'Garraí Theach na Stileach' – bhíodh poitín á dhéanamh sa ngarraí sin fadó. 'Garraí na Leachtaí' ansin siar uaidh, ach nár fhág Barrett, an bastard, aon leachta ar an mbaile, agus an bhfeiceann sibh an garraí fada sin ar thaobh an chnocáin, sin é anois 'Garraí an Ghrafa' . . ."

Chonaic mé an bheirt ag tabhairt corrshúil imníoch ar an am ach go raibh siad chomh cúirtéiseach is nár mhaith leo é a ghortú nó go dtug Madeline as sáinn iad.

"Can't you see the girls are in a hurry to go out, Colm?" a dúirt sí go réchúiseach.

"But sure I have to tell somebody or nobody'll know," a dúirt an fear bocht go leithscéalach agus é ag scaoileadh cead a gcinn leis an mbeirt ghearrchaile.

Síos go dtí an *Lodge* a thug muid ár n-aghaidh an tráthnóna sin. Mé féin agus Sue ag iarraidh comaoin a chur orthu. Mura raibh fáilte ag Helen romhainn ní mba lá go maidin é. Le taobh na fuinneoige ba ghaire don loch a thug sí bord dúinn, gan fí ná feáin uirthi nó gur cheannaigh sí féin deoch dúinn sul má d'ordaigh muid an béile.

"Diúilicíní agus uaineoil, meascfaidh mé an cladach agus an sliabh le chéile," a deir Colm leis an gcailín freastail.

Bhí sé ag cinneadh air a shúil a thógáil den loch. Cuimse liathán ag éirí aníos glan as an uisce agus corrbhradán ag corraí maidhme ní ba théagartha nuair a thagadh a n-eite droma go barr uisce.

"Á, is fad ar shaol duine a bheith ag breathnú amach ar seo," a deir Colm, ag baint súmóige go sásta as a dheoch.

"Tá sé in am agatsa anois é a thógáil go réidh agus sásamh a bhaint as an saol," a deirimse, ag spochadh as.

"*Yeah*, ba cheart daoibh a dhul amach ar pinsean agus an domhan a thaisteal ó tá an tsláinte agaibh," a deir Sue.

"*That's what I keep telling him,*" arsa Madeline agus gan tuigthe aici ach an focal pinsean. "*I think we should build a house here and retire.*"

"*Easier said than done,*" a deir Colm, ag iarraidh a bheith ag cur an chomhrá de dhroim seoil.

"*But you have to retire sometime,*" arsa Sue.

"*His heart is over here, Sue. It's all I hear every night when we sit down. 'Loch Fhada' and 'Loch an Ghainimh, 'Na Clocha Scoilte' and 'Clochar Mór.' I could rhyme them all off for you. You should retire, Colm darling. You've worked hard enough all your life.*"

Chuir torann na bplátaí stad sa gcomhrá, beirt ag freastal orainn, gan ann ach go mbíodh pláta folamh againn nuair a bhíodh ceann eile leagtha ina áit. Ní mba náireach do Helen an bheatha a cuireadh os ár gcomhair. Gan dubh na fríde fágtha ar aon phláta againn agus muid ag líochán ár gcuid liopaí tar éis chuile chúrsa. Chreid sí gurbh fhiú íoc as cócaire den scoth agus bhí a shliocht uirthi, ní raibh aon duine ag clamhsán fiú má bhí an dinnéar daor dá réir. Sméid mé ar Sue

442

an bille a iarraidh ar dhuine de na cailíní mar go raibh a fhios agam go maith go mbeadh Colm ag iarraidh íoc as dá bhfaigheadh sé an seans. Ghoin a aire é chomh luath is a chonaic sé an cailín ag tabhairt aird ar Sue.

"Hi, tá mise ag íoc as seo," a deir sé, ag tógáil amach glaic chártaí plaisteacha.

"*This is our treat*," a deir Sue, ag déanamh cinnte go raibh sí faoi réir leis an mbille a thógáil ón gcailín nuair a d'fhillfeadh sí.

Ba í Helen féin a tháinig chomh fada linn. "An raibh gach rud ceart go leor?" a d'fhiafraigh sí.

"Thar barr, chomh blasta is a d'ith mé ariamh," a deir Colm, agus é ag síneadh ceann de na cártaí ina treo.

"No, tá mise ag íoc as," a deir Sue ag dul eatarthu.

"*It's on the house, Sue, to thank you for being such a good friend*," a deir sí, ag crochadh a láimhe go sásta agus ag imeacht.

Amach go dtí an beár a d'athraigh muid ar ár sócúl ag ól deoch. Bhí Colm bogtha amach ar fad nuair a bhí cúpla deoch ólta aige. Lámh croite seacht n-uaire aige liom.

"Nach beag an ceapadh a bhí agam lá den tsaol go n-íosfainn agus go n-ólfainn mo dhóthain istigh sa *Lodge*," a deireadh sé. Níorbh fhéidir é a mhealladh abhaile faoi dheireadh, na mílte buíochas ag teacht amach óna chroí agus é i ngreim láimhe i Helen. "Éire, a chlann, Éire, níl aon tír ar an domhan nach bhfuil sí chomh maith léi," a deir sé, chomh bródúil le huachtarán náisiúin.

Ba é Colm a chuir ag sodar i ndiaidh na n-uasal cúpla bliain dár gcionn muid nuair a mhol sé dhúinn árasán a cheannacht sa Spáinn. "An-infheistíocht," a deir sé, "ach ba cheart don bheirt agaibh a dhul amach agus fanacht san áit s'againne ar feadh cúpla seachtain sula ndéanann sibh suas bhur n-intinn."

Seachtain amháin a ghéill Sue tar éis mórchuid tuineadh. Í fós chomh hairdeallach le cearc ghoir i bhfeighil a clainne. Tar éis go raibh Peigín éalaithe léi go Baile Átha Cliath is nach dtagadh Saileog abhaile ach don deireadh seachtaine ó thosaigh sí ag freastal ar an ollscoil.

Bhain áitreabh Choilm an anáil dhínn. Villa cois na trá a raibh chuile áis dá fheabhas de bhrabach air. An giolla a bhí ag breathnú ina dhiaidh ag tairiscint maidí gailf dúinn mar gur léir go raibh mórchuid scaranna ag Colm sa ngalfchúrsa a bhí nuafhorbartha sa chomharsanacht. Níorbh fhéidir foighid a chur ionam nó go mbeadh árasán dár gcuid féin againn agus bhí Sue ag moladh liom nó gur theann sé amach sa tseachtain.

"Níl a fhios agam an iad na cnapáin a thug na *mosquitos* amach trína craiceann a chuir athrú intinne uirthi a Choilm," a deirimse, tar éis filleadh abhaile, "ach dúirt sí go gcaillfí leis an uaigneas í dá mbeadh uirthi cúpla mí a chaitheamh gan tada le déanamh sa Spáinn."

"Tuigim di," a deir sé, "is fiú airgead a infheistiú thall ann ach b'fhearr le mo chroí ag iascach cúpla mangach siar timpeall na Sceirde ná a bhfuil de ghrian sa Domhan Theas."

Dhóbair máthair Eileen a bheith curtha i ngan fhios dúinn. Bheadh, murach go dtáinig Helen aníos ag an teach ag impí ar an mbeirt againn a dhul ar an tsochraid ina teannta.

444

"Cén chaoi a bhféadfadh sí a bheith básaithe i ngan fhios dhúinn, a Helen?" a deirimse. "Bíonn chuile bhás ar Raidió na Gaeltachta agus deabhal lá ar bith nach n-éistim leis an nuaíocht."

"Óra, tá sé ina chineál *secret service* ag Eileen, níor chuir sí ar pháipéar ná ar raidió é. Thiar in ospidéal an Chlocháin atá an tsochraid. Duine de na banaltraí a chuir glaoch ar Dhónall."

"An bhfuil an seanleaid ag dul ann?"

"Óra, níl sé. Tá sé róchraite agus róchantalach lena thabhairt chomh fada sin ó bhaile."

"Tá an ceart agat."

"Tiocfaidh sibh siar in éineacht linne sa gcarr?"

Rinne mé stad beag fad is bhí mé ag caitheamh m'amhairc i dtreo Sue.

"*Please,*" ráite go cráite ag Helen ar fhaitíos go ndiúltódh muid. "*Please,* ná heitigh mé, beidh an oiread teannas thiar ansin is nach mbeidh mé fhéin is Dónall in ann siúl isteach linn fhéin.

"Tiocfaidh muid siar in éineacht libh agus fáilte," a deir Sue, ag cur foignde inti.

"Cúiteoidh mé leat é, sin cinnte, cúiteoidh mé é seo libh," a deir an créatúr i racht a caointe agus í ag dealú uainn go sólásach.

Ba é tráthnóna Aoine an Chéasta na bliana 1999 é. Ní dhéanfaidh mé aon dearmad ar an lá ná ar an mbliain. Ba í an bhliain í ar thréig Saileog an nead is thug sí a haghaidh ar an saol i dteannta Pheigín i mBaile Átha Cliath. Ba í an bhliain í ar sheol Colm plean mór galánta chugam ag iarraidh orm cead pleanála a lorg don teach a raibh sé i gceist aige féin agus ag Madeline deireadh a saoil a scaoileadh tharstu ann.

Ar ndóigh, ba í an bhliain í a raibh ceiliúradh na Mílaoise ag cur seachmaill ar thíortha saibhre an domhain. Chuile rialtas agus chuile stáisiún teilifíse ag iarraidh a bheith ag cur an dlaoi mhullaigh ar na *spectaculars* a bhí á mbeartú d'Oíche Chinn Bhliana. Bhí dalladh ama agam le bheith ag cuimhneamh ar na rudaí seo ar ár mbealach siar go dtí an Clochán, mar ba bheag cainte a bhí á déanamh cés moite de chúpla abairt mhínádúrtha a bhí idir Helen is Sue.

"Téigíse isteach romhainn,"a deir Helen i gcogar agus í ag brú na beirte againn chun cinn. Ní raibh aon chall seasamh i scuaine mar gur bheag le leathscór duine a bhí cruinnithe go ciúin ag faire an mharbháin. Rinne mé iarracht dhá phaidir a rá os cionn an choirp mar ba dhual dúinn, ach chinn sé orm mo chroí a chur leo mar gur éirigh Eileen ina seasamh agus coinneal ina dhá súil chomh luath is a shiúil muid isteach. Ní raibh a fhios agam an ag breathnú tríom nó tharam a bhí sí nuair a chroith mé lámh léi.

"Ní maith liom do thrioblóid, a Eileen, beannacht Dé lena hanam. Fuair sí aois mhór."

Bhí a fhios agam nach raibh sí ag éisteacht beag ná mór liom ach gur fhág sí a bois i mo ghlaic agus í ag cruinneáil nirt nó gur ídigh sí gach a raibh ina ceann ar Dhónall.

"Tá mise ag dul ar ais go dtí an Lodge anocht. Níl mise ag dul ag fanacht asam fhéin, an gcloiseann tú mé, a Dhónaill? Tá mise ag dul ar ais i mo chónaí sa *Lodge*. Ná bac le bheith ag breathnú ar Helen, is mó baint atá agamsa don *Lodge* ná aicise. Is mise do mháthair, bíodh a fhios agat. Níl sibh ag dul do mo choinneáilse amach as mo theach féin, bíodh a fhios agaibh!"

Ag ardú a bhí a glór le chuile fhocal, an chaint bainte de gach a raibh i láthair ó chuir sí an chéad bhéic aisti. Síos sa gcónra a threoraigh mé m'amharc as a bealach. Mhothaigh mé oiread teannais do mo chuibhriú is go mb'fhacthas dom go raibh dath ag athrú ar sheanbhean na mBreathnach sa gcónra. Mé á samhlú ag díriú suas le dhul ag sciolladh a chúnamh dá hiníon. Ba í Sue a tharraing léi i ngreim láimhe mé. Ag sianaíl a bhí Eileen ag an tráth seo, Helen tar éis Dónall a bhrú i dtreo an dorais, amhail is dá mba dealbh é a raibh rothaí faoi. Oiread is focal níor tháinig as a bhéal, ná as béal ceachtar againn ar an mbealach abhaile cés moite de Helen.

"Níl sí ag teacht ar ais sa *Lodge* agus sin sin. Íocfaidh muid duine le haire a thabhairt di, rud ar bith, a Dhónaill, ach níl sí ag teacht ar ais sa *Lodge*." Léi féin a bhí sí ag caint mar go raibh an chosúlacht ar Dhónall gur ar phláinéad éicint eile a bhí a intinn. "Má tá sí sin ag teacht ar ais tá mise ag imeacht, an dtuigeann tú é sin, a Dhónaill?"

Bhí an carr stoptha taobh amuigh de dhoras an *Lodge* agus an teachtaireacht dheiridh tugtha aici do Dhónall sul má d'oscail sí an doras.

"Gabh i leith uaibh isteach le haghaidh cupán caife."

Chuaigh mé féin agus Sue i mbéal a chéile le leithscéalta. Bheadh tine le cur síos, agus siobáil bheag le déanamh. Thuig sí ár gcás. Ghlac sí buíochas linn ag fáisceadh lámh Sue go tnúthánach. Dá mbeadh muid in ann lámh chúnta a thabhairt di ní fhágfadh muid in umar na haimléise í, ach bhí a fhios againn gur ag cur láimhe i mbéal an mhada a bheadh muid. Ní bréaga ar fad a bhí de leithscéalta againn cé nár mhiste liom fíor ná bréag ag an nóiméad sin, ach muid a thabhairt as gábh.

Bhí an oíche titithe go maith agus Sue ag cur an bholta ar dhoras na sráide nuair a chonaic mé ag biorú a dhá chluais í.

"Ó, coisreacan Chríost orainn, tá sé ina chath na bpunann anseo thíos," a deir sí.

B'in é an uair a chuala muid an scliúchas. Glórtha garbha neamhnáireacha ag teacht chugainn go soiléir ar an ngaoth. Eileen ag ionsaí an dorais le stropa eascainí agus sean-Bharrett á ruaigeadh le friotal fíochmhar nach dtiocfadh ach as béal áibhirseora. Thabharfadh an tsian oilbhéasa a lig Eileen ba bodhra as coillte nuair a chuala muid torann an dorais á dhúnadh ina héadan. Í ag gabháil de chiceanna is de mhionnaí móra air nó gur thit déidín aici. Chuala muid ag mionnú do Dhia is don deabhal í nach bhfágfadh sí bonn bán ag Barrett ná ag a shliocht sul má las soilse cairr agus chonaic muid a lóchrann ag treorú Eileen ar bhóthar an díoltais.

Ba ghnás de chuid an cheantair é go n-osclaíodh agus go ndúnadh muintir an bhaile an uaigh, ach mac an pheata níor thairg lámh chúnta d'Eileen. Ba é an t-adhlacóir a d'fhostaigh ceathrar fear chun seanbhean na mBreathnach a chur faoi thalamh. Ba ghnás le daoine freisin seasamh go ciúin agus go sollúnta ar bhruach na huaighe nó go mbeadh an spreab dheiridh ar ais ina háit. Níor chuir sé iontas ar dhuine ar bith, cé gur bhain sé geit astu, nuair a bhailigh Eileen léi chomh luath is a leagadh síos an corp. Ba chuma ann ná as í chomh fada is a bhain le cásamh na trioblóide mar nár bhreathnaigh sí díreach ar aon duine dár chroith a lámh. Ní brón a bhí le

448

feiceáil ina cuid súl ach fonn díoltais nuair a shuigh sí isteach ina carr go taghdach is chart sí gaineamh an bhóthair le teann deifre i dtreo an bhaile mhóir. Bhí gearradh fiacla uirthi ag cur abairtí i ndiaidh a chéile. Abairtí meáite a chruthódh don dlíodóir go raibh éagóir déanta uirthi . . .

D'éist sé go cúramach le chuile fhocal dá raibh ag teacht amach as a béal. Gan gíog as ach á bacadh lena bhois nuair ba mhian leis nótaí a scríobh. D'fháisc sé a chuid liopaí go crua ar a chéile sul má labhair sé go mall staidéarach.

"Well, Mrs Barrett, I don't think you have a leg to stand on. You know I deal with Mr Barrett's affairs and you also know that you have already accepted your share of that estate in a previous settlement."

"That was a marital settlement between me and my ex-husband. This is a separate issue between my son, Dónall Barrett, his wife and me. I'm entitled to a fair share of the Lodge and its estate."

Bhain sé fáisceadh eile as a chuid liopaí agus é ag dul trí chomhad a bhí oscailte amach ar a aghaidh, gan deifir ar bith air nó gur chinntigh sé a ghnó.

"It's all in order, Mrs Barrett. Dónall and Helen are joint owners with a provision that Mr Barrett is cared for in comfort for the rest of his days."

Bhí a fhios ag Eileen go raibh sé in am an mámh deiridh a chaitheamh, mámh a bhí i gceist aici a cheilt nó go mbeadh a droim le balla. *"What about Connie? Has she received her fair share?"*

D'iompaigh sé trí bhileog go ciúin. *"Who is Connie?"* a deir sé, gan a shúile a ardú.

"Connie Barrett, Dónall's half-sister."

"We have no record of a Connie Barrett in our files," a deir sé ag dúnadh an chlúdaigh agus ag leagan an chomhaid i leataobh.

"Well, it seems I have to find her and find another solicitor to fight our case," a deir Eileen go dána, ag éirí agus ag cur fuinnimh ina colainn chaol chaite nuair a shiúil sí amach an doras.

Sínte siar ó chluais go sáil ar an tolg a bhí mé tráthnóna Domhnaigh agus mo chroí i mo bhéal ag breathnú ar spórt an Domhnaigh ar an teilifís. Ba iad Gaillimh a thug an chraobh leo an bhliain roimh ré agus bhí díocas orm ag rá cúpla paidir a chinnteodh turas eile go Páirc an Chrócaigh sul má bheadh an bhliain caite. Ní raibh suim soip ag Sue sa bpeil ach an fón greamaithe dá cluais agus í ag meilt chainte lena máthair. B'in í an cheird chuile thráthnóna Domhnaigh nó go mbeadh chuile scéal dá raibh thall agus abhus spíonta amach acu.

"Bye, bye, Mum," a deir sí agus gan mé ag cur suim ar bith inti nó gur sháigh sí an fón isteach faoi mo phus. "Tá Colm ag iarraidh labhairt leat," a deir sí.

Ní mba fear é a mbíodh aon drogall agam labhairt leis ach bhí mé ag rá liom féin go bhféadfadh sé am ní b'fheiliúnaí a roghnú.

"Cén chaoi a bhfuil tú, a chomrádaí?" a deirimse go bréag-gháireach.

"Togha. Cén chaoi a bhfuil Gaillimh ag déanamh?"

"Níl siad ach réasúnta. *Jays,* cheapfainn go mbuailfear tuíshrathair oraibh i mbliana."

"*Ah, cripes*, ná habair, is mé dul ag rá leat triáil le ticéad a fháil dhom don chluiche ceannais."

"Fan nóiméad, a dheabhail, tá seans ar chúl acu. Buail í, buail í, a scuit!" a bhéic mé. "Á muise, mallacht Dé ar do chois cham!"

Bhí sé ag briseadh a chroí ag gáire fúm.

"Ní choinneoidh mé dhá nóiméad thú, ach theastaigh uaim do chomhairle a iarraidh i dtaobh rud éicint."

"Céard?"

"Tá mé ag brath ar dhíol amach."

"Hea? Díol amach uilig?"

"Ní hea, ní díol amach uilig, ach tá an-tairiscint faighte agam ar an dá chomhlacht. Tá os cionn seacht milliún tairgthe dom. Céard a déarfá?"

"Déarfainn leat do ghlaic a dhúnadh air, a Choilm. Coinneoidh an méid sin dalladh airgid leat, fiú dá mbeifeá á shluaisteáil go dtí deireadh do shaoil."

"Ní dhíolfainn iad ná fad méire dá mbeadh suim ag Tom Óg ann, ach níl. Níl uaidhsean ach saol réidh ag plé le *computers*, agus is fearr é sin fhéin ná an reifíneach eile, Éamonn Óg. Imithe ag aisteoireacht in éineacht le *crowd* aisteach éicint atá sé."

"*By Jays*, dhíolfainnse amach dá mba mé thú, má bhí maith in obair tá do dhóthain déanta agat."

"Dia leat, a chomrádaí, leag ar an teach, mar sin, ní bheidh sé i bhfad go mbeidh muid fhéin agus Jenny ag dul siar ar an nádúr."

"Ar ndóigh, *Jays*, bheinn tosaithe air murach nach bhfuil aon chead pleanála faighte fós againn."

451

"Is céard atá ag cur moille air, meas tú?"

"Tá siad a rá go bhfuil an plean rómhór is róghalánta."

"Mallacht dílis Dé orthu, bhfuil siad ag ceapadh gur i bpúiríní cearc ba cheart dhúinn maireachtáil? Cá raibh na bastardaí nuair a bhí muid ag imeacht ar imirce agus poll i dtóin ár dtreabhsair?"

"Tá an mhoill chéanna ar chuile dhuine."

"Meas tú ar cheart dhom a dhul siar agus labhairt leo? Iad a chroitheadh suas beagán."

"Fan san áit a bhfuil tú go bhfeice muid linn, a Choilm. Tá innealtóir ag obair agam air."

"*Alright*, fágfaidh mé agat é. Ach, *by Jays,* má théim siar, inseoidh mé beagán de stair na hÉireann do na bastardaí sin. Cuireann siad sin anois lán mo thóna d'olc orm!"

Litir amháin as an gcual litreacha a shín fear an phosta chuige a bhí in ainm Dhónaill. Litreacha ón nGearmáin a bhí i bhformhór na litreacha eile. Áirithintí ag teacht isteach go tiubh don bhliain dár gcionn. Dhéileáil Helen le gach litir de réir mar a bhí sí á n-oscailt. Í ag méirínteacht dátaí agus uimhreacha na seomraí isteach sa ríomhaire lena chinntiú nach mbeadh aon dúbláil ar na socruithe. Léigh Dónall a litir féin gan oiread is focal a rá. Chonaic sí alltacht ag leathnú a shúl trí na spéacláirí.

"Céard atá mícheart, a Dhónaill?" a deir sí agus í ag tógáil na litreach as a láimh.

Níor thug sé freagra ar bith ach a aghaidh a chasadh ar mhalairt treo. Mhothaigh sí teannas ag cur snaidhme ar a putóg chomh luath is a thosaigh sí ag léamh.

Doyle & Glynn Solicitors

Dear Sir,
We're acting on behalf of your mother, Mrs Eileen Barrett,
and your sister, Miss Connie Barrett. Our clients have
instructed us to lodge a claim to their fair share of the
property known as the Lodge and to all other assets
including lands and fishing rights. We await your response
by return of post acknowledging the rights of both parties to
their just share and advising us that you are willing to deal
with the matter in due course. Failure to respond to this
letter within ten days will leave us no alternative but to seek
our clients' rights in a court of law.

"Cé hí Connie Barrett?"

Ba léir gur chuir an freagra pian ar Dhónall.

"Deirfiúr . . . ní fhaca mé ach uair amháin ariamh í nuair a
bhí sí ina gasúr. Peata raithní í a bhí ag mo Dheaide le cailín
as an Achréidh."

Bhí fonn ar Helen é a áitiú mar gheall nach raibh sí curtha
ar an eolas ó thús ach bhí a fhios aici go raibh an fál rómhall.
Níor chorraigh sí cos ná lámh ar feadh cuid mhaith de
nóiméad. An litir idir a dhá méir chomh tromchúiseach is dá
mba é barántas a báis a bheadh sínte chuici.

"Caithfidh muid díol amach."

Chuir an stuaim a bhí ina glór iontas uirthi. É ráite chomh
réchúiseach is dá mba asal a bheadh le díol.

"Díol amach?" a deir sé agus scéin ann.

"Ní raibh aon lá suaimhnis anseo ariamh againn agus ní
bheidh go brách. Níl mise ag dul chun cúirte leosan agus fios

453

maith agam go gcuirfidh siad mo cháil ar fud na seacht bparóiste lena gcuid mailíse is lena gcuid bréag. Fógróidh muid le díol ar an margadh idirnáisiúnta é. Ba cheart go mbeadh tóir mhór ag Gearmánaigh ar áit mar seo. Is ceantálaí é Gunther Herman. Tá aithne mhaith aige ar an áit seo le blianta. Ní bheidh sé sin i bhfad á dhíol, feicfidh tú fhéin."

Ba léir gur isteach i bpoll dorcha éicint dá intinn a bhí Dónall ag breathnú. É greamaithe den talamh ag tobainne an bhreithiúnais.

"Croith suas thú féin," a deir Helen ag tabhairt sonc beag dó. "Scríobh litir go dtí an dlíodóir lom láithreach agus abair leis go bhfuil an *Lodge* le díol agus go n-íocfar a sciar leis an mbeirt sin de réir mar atá dlite dóibh. Tá mise ag dul ag fostú luachálaí chun luach a chur ar chuile fhorbairt dá bhfuil déanta againn féin, mar, *by Jesus,* níl duine ar bith ag dul ag baint luach mo chuid allais dhíomsa."

Bhí gangaid ina glór agus fuip inti ag suí síos. Bhí Dónall fós ina staic nó gur chuir sí an dara hagall ina dhiaidh.

"Dúisigh suas, a Dhónaill agus déan do ghraithe. Tá mise ag cur gach ar féidir liom d'áirithintí ar ceal. Bíodh do mhuintir ag ídiú a gcuid oilbhéasa ar dhuine éicint eile ach ní bheidh mise mar óinseach acu níos faide."

Bhí siad tar éis siúl amach go dtí barr an bhóthair agus dhá thrian den bhealach siúlta ar ais acu sul má thug Sue faoi deara gur aici féin a bhí formhór na cainte déanta, gan Helen ag rá ach sea agus ní hea nuair ab éigean di. Bhí a héadan dúr dorcha mar a bheadh a hintinn i bhfad ó bhaile.

"An bhfuil slaghdán ná tada ort, a Helen? Breathnaíonn tú tuirseach."

"Ní slaghdán atá orm ach briseadh croí agus ísle brí, níl ann ach go bhfuil mé in ann a chur faoi ndeara dhom féin na cosa a chrochadh ar éigean."

"Sin strus, a Helen, tá iomarca tarraingthe ar do lámha agat."

"Dá mba é an cineál sin struis é b'fhurasta déileáil leis. Ná téadh an scéal níos faide ná seo, a Sue, ach tá mé ag éirí as graithe an *Lodge*."

"Ag éirí as ar fad?"

"Ní bheidh mé ag coinneáil lóistéirí ar bith an séasúr seo chugainn. Coinneoidh muid an beár agus an bhialann oscailte ar feadh scaithimh eile go bhfeice muid linn."

"Ní tinn atá tú, tá súil agam?"

"Tinn de chuile rud faoi láthair," a deir sí de ghlór cloíte. "Tá deacrachtaí móra againn. Inseoidh mé an scéal uilig aríst dhuit. Tá sé róghoilliúnach faoi láthair," a deir sí ag imeacht ina bealach nó as an mbealach.

Bhí a fhios againn nach raibh aon ghiúmar uirthi le coicís roimhe sin ach ní raibh tuairim ar bith againn go raibh an scéal scaipthe ina thine Bhealtaine nó gur ghlaoigh Colm tráthnóna Dé hAoine. Fear nach raibh aon dúil agam labhairt leis mar nach raibh aon dea-scéala agam dó.

"Tá na bastardaí tar éis cead pleanála a dhiúltú don phlean sin, a Choilm. Dúirt an t-innealtóir nach bhfuil aon mhaith ag sáraíocht orthu ach go mbeidís sásta cead a thabhairt le dhá theach bheaga cosúil leis na tithe atá sa gceantar cheana féin agus gur féidir an dá theach a cheangal le póirse gloine nó rud éicint."

455

"B'fhéidir gurbh é lomchlár ár leasa é."

"Hea?"

"Tá tairiscint déanta ar an *Lodge* agam."

"Ar an *Lodge*? Cén *Lodge*?"

"An *Lodge* atá síos le fána uait. Cheal nach raibh a fhios agat go raibh sé le díol?"

Seans gur imigh m'intinn chomh mór ar seachrán is nár fhreagair mé chor ar bith é.

"An bhfuil tú ansin?"

"Tá, tá . . . *Jays*, tá tú tar éis an chaint a bhaint dhíom. Ní raibh a fhios agam tada ach go bhfuil athrú mór ar rudaí le cúpla seachtain."

"Tá sé fógraithe ar na páipéir anseo. 'Your own Lodge in Heaven' atá tugtha acu air. Tá sé molta go haer acu."

"*Jays*, fan go gcloise Sue é. Tá sí bailithe don Chaiseal ag siopadóireacht."

"Tá milliún go leith tairgthe agam air, thrí mo dhlíodóir. Ní raibh mé ag iarraidh go mbeadh a fhios ag na Barretts cé a bhí á cheannacht. B'fhearr leosan é thabhairt do *foreigners* ná d'fhear na háite."

"Oh, *Jays*, ní osclóidh mise mo bhéal, a Choilm."

"Inis do Sue é ach ná ligigí tada oraibh féin nó go bhfeice muid linn. Dhéanfadh sé maith do mo chroí dá bhféadfainn Barrett lofa sin a chur as seilbh. Bheadh a fhios aige an uair sin go raibh fear Chonamara chomh maith leis tar éis a raibh de ghlaomaireacht aige.

Bhí a fhios againn nach le gráin orainn a d'fhan Helen amach uainn. Athrú iomlán a tháinig uirthi in imeacht achair ghearr. D'éirigh sí as an tsiúlóid i bhfochair Sue ach bhí sé soiléir nach raibh údar ar bith pearsanta leis nuair a théadh muid isteach ag ól deoch ar an deireadh seachtaine. Níor lig muid orainn féin go raibh a fhios againn tada faoin áit a bheith á díol nó gur thogair sí féin é a inseacht. De chogar a chuir sí an scéal i gcluais Sue. Í tite ar a chéile mar a bheadh an misneach caillte aici nuair a dúirt sí go mbeadh a croí briste ag fágáil shaothar a saoil ina diaidh, ach nach raibh aon dul as aici. D'inis sí go raibh milliún go leith tairgthe ar an áit ag dlíodóir as Sasana, ach go raibh an tairiscint ardaithe go dtí milliún agus trí ceathrúna le cúpla lá roimhe sin.

"Tá mé ag dúnadh na bialainne agus ag scaoileadh leis an bhfoireann oibre lom láithreach," a deir sí. "Coinneoidh mé féin agus Dónall an beár ar oscailt mar tá go leor stoic le díol againn sul má thiocfas an t-úinéara nua."

Ní raibh an oíche caite nó gur dheimhnigh Colm gach a raibh ráite aici. Sue a ghlaoigh air lena chur ar an eolas.

"Tá a fhios agam," a deir sé, "comhlacht Gearmánach a d'ardaigh an tairiscint. Ach tá mise tar éis é a ardú go dtí dhá mhilliún inniu. Measann an ceantálaí nach dtiocfaidh sé thairis sin."

"Dhá mhilliún, ó a Mhaighdean, is uafásach an méid é sin."

"Ara, céard é féin ach airgead, ní féidir linn é a thabhairt linn, a Sue. *Hold on*, nóiméad, Sue, tá Mum ag iarraidh labhairt leat."

"*OK, Dad . . . Hello, Mum.*"

"*Sue, can we spend Christmas in Ireland with you?*"

"*Oh, lovely, Mum, we'd be delighted to have you.*"

457

"Thanks, Sue. I know in my heart that Colm would give anything to spend this Christmas in Ireland. He's very excited about the Lodge and everything."

"What about Jenny?"

"She was all for it when I suggested it."

"Great, how's she keeping, Mum?"

"Well, she's stable at the moment. She's taking antidepressants. A break in Connemara would do her all the good in the world."

"Marvellous. Look Mum, don't be rushing back immediately after Christmas, let's celebrate the new millennium together, OK?"

"OK, Sue."

Ní raibh mí na Nollag cheithre huaire fichead d'aois nuair a thosaigh na cártaí poist ag guibhe bheannachtaí na féile ar mhuintir an *Lodge*. Uaigneas a chuir siad ar Helen. Cleachtadh aici a bheith ag tapú na Nollag mar áis mhargaíochta chuile bhliain eile. Cártaí Nollag a raibh pictiúir agus eolas i dtaobh áiseanna an *Lodge* orthu deartha go speisialta agus seolta amach go dtí na céadta clubanna iascaireachta agus go dtí gach duine dár chaith tréimhse sa *Lodge* aici. Go neamhairdiúil a léigh sí na teachtaireachtaí dea-mhéine agus na nótaí molta sul má chaith sí i leataobh go diomúch iad.

Go dúchroíoch a thosaigh Dónall ag cur suas soilse na Nollag is gan an dara lá den mhí caite. Gan mórán suime ina ghnó aige ach leisce béal na ndaoine a tharraingt air féin nuair a thabharfaidís faoi deara easpa ceiliúrtha thar bhlianta eile. Ariamh ina shaol níor mhothaigh sé a chroí chomh trom ó thosaigh Helen ag fáil dodach ina cuid cainte. Fuaire agus fairsinge ag fás eatarthu ón lá ar shín sé litir an dlíodóra chuici. Faraor má rugadh ar chor ar bith mé, a smaoinigh sé go dólásach nuair a baineadh geit as. Helen a bhí ag siúl ina threo agus cáir gháire ar a héadan.

"Tá sé díolta, a Dhónaill," a deir sí go caithréimeach, ag leagan a boise go bog ar a ghualainn.

"Díolta? Cé leis?"

"Níl a fhios agam agus is cuma liom. Comhlacht dlíodóirí éicint atá tar éis é a cheannacht thar ceann fear a bhfuil graithe mór éicint aige. An bhfuil tú sásta?"

"Tá . . . ach céard a dhéanfas muid anois?"

"Teach a cheannacht sa Spáinn agus athrú anonn ann, tá siad le fáil ar luach an-réasúnta."

"Sa Spáinn? Ach ní thiocfaidh mo Dheaide go dtí an Spáinn."

Ba bheag nár leáigh sí é leis an tsúil a thug sí air, a grua ag lasadh chun feirge agus a glór tar éis cruachan nuair a labhair sí go ciúir dearfa.

"Bí cinnte nach dtiocfaidh sé don Spáinn ná in aon áit eile a mbeidh mise!"

Ghoill an ghéire a bhí ina tuin air ach ní raibh dul as aige ach triáil é féin a shaoradh ón dá thine Bhealtaine a raibh a gcuid lasracha fuara á líochán.

"Ach céard a dhéanfas mé leis?"

"Déan do rogha rud. Gheobhaidh sé a sciar den chreach cosúil le chuile dhuine againn. Is féidir leis íoc as féin istigh i *home* éicint."

459

"*Home?* Ach ní raibh mo Dheaide ag iarraidh an áit seo a dhíol beag ná mór."

"Bhuel, ba leis an bheirt bhan a chur faoi ndeara dhúinn é a dhíol. Téadh sé i mullach an deabhail go dtí áit éicint in éineacht leo, ach abair leis nach mbeidh aon bhaint ag ceachtar againn don áit seo ón lá deiridh den bhliain. *Come on, Dónall, face facts.* Is é do Dheaidese é, is leatsa déileáil leis agus níl maith ar bith é a chur ar an méir fhada."

Las a éadan ina spól maoldearg, é ag cnádú i mbruith feirge ag imeacht uaithi, brath air casadh ar ais agus a dhúshlán a thabhairt ach gan aon mhámh fanta ina ghlaic a ghnóthódh cúig dó. Go maolchluasach a d'fhill sé tar éis ceathrú uaire. Cuma air go raibh sé streachlaithe trína chuid fiacla ag sean-Bharrett. Las sé chun feirge in athuair amhail is dá mba ise ba chionsiocair lena ghéibheann.

"Níl sé sásta, a Helen, agus níl mise sásta aon bhrú a chur air. Tabharfaidh mé fhéin aire dhó."

Leag sí uaithi na cártaí Nollag a raibh sí ag méirínteacht tríothu.

"Do chomhairle féin, a Dhónaill," a deir sí go soiléir. "Ach cuimhnigh go gcaithfidh muid ar fad a bheith amuigh as an *Lodge* faoi cheann cheithre seachtainí ar an lá deiridh den bhliain. Sin é an socrú a mhol na dlíodóirí agus ar ghlac muid ar fad leis nuair nach raibh aon dul as ach an áit a dhíol."

"Ach is féidir linn teach a cheannacht sa gceantar agus é a thabhairt linn." Ag éirí chuici go meargánta a bhí sé.

"Is féidir leat do rogha rud a dhéanamh ach ná cuir mise sa gcomhaireamh. Déan do rogha anois idir mise agus t'athair ach ón nóiméad seo amach ná bí ag súil go bhfuil mise ag dul ag réiteach aon ghreim ná tada eile dhaoibh."

460

Chuir sí uirthi a cóta agus d'imigh sí léi ina carr gan inseacht dó cá raibh sí ag dul.

B'in é an chéad uair ina shaol a raibh Dónall milleánach ar bhreithiúnas a mhná céile, ach ní raibh an ceathrú lá caite nó go raibh athrú poirt aige nuair a d'fhág sí sean-Bharrett go hiomlán faoina chúram. Bailiú léi go dtí an baile mór a rinne sí chuile lá gan caint ar ghreim, deoch ná blogam a réiteach agus gan aon chócaire fostaithe ag an *Lodge* mar a bhíodh sul má baineadh as a gcleachtadh iad. Níorbh é Barrett an ribín réidh le bheith ag plé leis ina sheanaois. É crapchosach cantalach in aois a shé bliana déag agus trí scór. Mionús a dhéanamh den phláta faoin urlár a rinne sé chuile bhabhta dár bhlais sé den bhéile a réitíodh Dónall dó. Bhíodh ceart éicint le baint i gcaitheamh an lae de nuair a thugadh sé néal leis cois na tine, ach ní túisce a mhúchtaí na soilse san oíche ná thosaíodh Barrett ag ramsáil go tromchosach ar fud an tí. É ag grúscán agus ag eascaíní agus ag lascadh doirse lena mhaide ag fógairt go raibh sé in am éirí. Ní ligfeadh Helen uirthi féin gur chuala sí ar chor ar bith é. Casadh tuathail sa leaba a dhéanadh sí agus cead ag Dónall a bheith á bhréagadh de réir mar a thogair sé.

"Go mbrise an deabhal do dhá chois," a deir Dónall go cantalach, ag leanacht de ar fhaitíos go mbrisfeadh sé a mhuineál ag dul síos an staighre i gceartlár na hoíche.

"Cá bhfuil an deabhal do do thabhairt?" a deir sé ag breith ar ghualainn air, gan cuimhne ar bith aige leis nuair a thug Barrett a sheansnaidhm de mhaide ar an rosta dó.

Ar éigean Dé a bhí sé in ann an carr a thiomáint an lá dár gcionn nuair a d'ordaigh an dochtúir isteach le haghaidh *x-ray* é ar fhaitíos go raibh aon chnámh briste. Níor fhág sé Gaillimh an tráthnóna sin nó gur aimsigh sé teach banaltrais a bhí sásta aire a thabhairt dá athair. Thóg sé mórchuid peataireachta lena mhealladh agus cos ní chuirfeadh sé thar tairseach murach gur cheap sé gur isteach don bhaile mór ar thóir culaithe nua éadaigh a bhí Dónall á thabhairt. Shuaimhnigh sé nuair a cuireadh air an t-éadach nua agus bhí sé ina dheifir air ag dul isteach doras an tí bhanaltrais nuair a dúirt Dónall leis gur isteach i mbialann a bhíodar ag dul.

"Imigh thusa anois," a deir an bhanaltra a bhí i gceannas nuair a bhí trí mhí lóistín réamhíoctha aige agus Barrett ag placadh dinnéir. "Imigh leat, tá cleachtadh mhaith againne a bheith ag déileáil lena leithéid."

Níor fhág Dónall slán ar bith aige. Chuile rud ní ba mheasa ná a chéile á shamhlú dó nuair a thabharfadh Barrett faoi deara go raibh sé tréigthe. Contúirt go ndéanfadh sé ár leis an maide nuair a shílfidís foighid a chur ann.

Dá dhuibhe dá raibh mórchuid de laethanta a shaoil b'fhacthas do Dhónall nach raibh léasán dóchais ar bith sa spéir dhubh dhorcha a bhí tite anuas ar an talamh. Síon an gheimhridh ag feannadh na gcnoc agus í ag ruaigeadh daoine agus beithíoch ar an bhfoscadh. Gan dé ná deatach sa *Lodge* roimhe ach oiread is dá mba isteach i dtuama a bhí sé ag dul.

Ag réiteach ceapaire dó féin a bhí sé nuair a tháinig Helen ó chuairt gan athrú ar bith ina meon ach oiread le haon tráthnóna nó go dtug sí faoi deara go raibh Barrett in easnamh. Las sí an solas sa mbeár ansin agus d'oscail sí an doras don phobal cé nach raibh de chustaiméirí acu an oíche sin ach ag éisteacht le ciúnas a chéile.

Gliondar croí a chuir sé orm féin agus ar Sue nuair a shiúil Helen isteach againn trí seachtainí roimh an Nollaig agus lán bosca de bhronntanais aici. Dhá bhuidéal *brandy*, dhá bhuidéal fuisce agus dhá bhuidéal fíona.

"Ah!" a deir chaon duine againn ag dul ag diúltú dá mórghnaíúlacht ach níor lig sí focal as ár mbéal.

"Stopaigí," a deir sí. "Bheinn i dteach na ngealt fadó an lá murach sibhse. Tá Barrett curtha isteach i *home* as an mbealach. Thug Dónall leis ar maidin é."

Chonaic muid na deora ag rith anuas léi le barr ríméid go mbeadh saoirse aici faoi dheireadh. Ba bheag eile comhrá a rinne sí, cé gur chaith sí cúpla uair an chloig ag súimínteacht le muga tae cois an teallaigh. Ualach uaignis ag baint na cainte di de réir mar a bhí Sue ag cur síos ar an gceiliúradh Nollag a bheadh againne.

"Ní mhúchfar solas ar bith sa teach seo faoina bheith slán," a deirimse, "ag ceiliúradh dheireadh an chéid agus tús na mílaoise le chéile."

Níor fhág sí slán ar bith againn, tocht ina hucht dár bpógadh go grámhar sul má shiúil sí amach sa dorchadas.

B'fhurasta do Dhónall caint a choinneáil léi as sin go Nollaig, gan tuairisc Bharrett curtha uair amháin féin aici ó d'fhág sé amach an *Lodge*. Ní raibh sí ag fáil aon chaidéis dá ghnó thar chorrfhocal a labhairt leis nuair a leagadh sí chuige a bhéile agus imeacht amach go dtí an beár. B'iondúil go leanadh sé amach í ag iarraidh a bheith ag fadú faoin ngrá a bhí imithe in aimhréidh orthu.

Sa mbeár a bhí an bheirt tráthnóna Oíche Nollag. Éadan Helen ag breathnú ní ba shíochánta de réir mar a bhí na laethanta á gcaitheamh. Gan mac an éin bheo sa mbeár ach an bheirt acu, Dónall ag tóraíocht rud le déanamh agus Helen chomh ciúin le dealbh cois na tine ag léamh leabhair. Mhothaigh Dónall snaidhm ag cuachadh a phutóige nuair a d'oscail an doras isteach. É ag iarraidh ar Dhia is ar Mhuire a chluasa a bhréagnú nuair a chuala sé glór gangaideach Bharrett, agus Connie á thionlacan isteach roimpi. Sheas sí ina bléachán os comhair Helen, mála ina leathláimh agus í ag breathnú chomh ceanndána le cráin mhuice. Trí gheolbhach os cionn a chéile in áit muiníl agus í trom támáilte ar dhá chois nár chaill tada sa téagar.

"Sit down there by the fire, Daddy," a deir sí, agus a dhá súilín bheaga dhubha ar bior in orlaí feola.

D'ísligh Helen an leabhar faoi leibhéal a súl nó gur bhreathnaigh sí go dochreidte ó dhuine go duine orthu.

"I'm Connie, I've come to spend Christmas with my Daddy!"

D'ardaigh Helen an leabhar aríst gan oiread is beannú di.

Ba é Dónall a spréach. *"You had no right bringing my father here and you're not welcome!"* a scread sé, agus é ag taispeáint an dorais di le pont a mhéire.

Grúsacht a rinne sí mar a dhéanfadh mada mór drochmhúinte, í á cocáil féin chun troda amach ar a aghaidh.

464

"*We have as much right to be here as you have. It's my Daddy's house as well as yours and we have every right to spend our last Christmas here,*" a deir sí ag baint di a cóta go bundúnach agus ag suí cois na tine le hais a hathar.

Smaoinigh Helen ar an bpointe boise gur mar bhronntanas Nollag a bhí an bheirt seolta ina bealach ag Eileen. Meangadh beag gáire a chuir sí uirthi féin. Bígí ag ithe a chéile más breá libh ach níl sibh chun máthairín óinseach a dhéanamh díomsa, a thug sí mar shásamh intinne di féin.

Bhí sciúradh na seanchuinneoige tugtha don teach agam féin agus ag Sue. Crann Nollag ina chrann soilse i gcoirnéal an tseomra suite agus carnán bronntanas cóirithe go slachtmhar faoina bhun ag Sue ar fhaitíos go bhfágfaí tada ar an méir fhada. Ní móide go dtiocfainn chomh mór as mo bhealach ar thóir cúpla craobh de chuileann dearg murach go raibh Colm ag teacht, ach bhí a fhios agam go mbeadh nádúr aige leis an gcuileann dearg a thiocfadh as coill an *Lodge* mar a bhíodh ag chuile dhuine sa seansaol. Coicís roimh an Nollaig a chroch mé liom mo mhála tráthnóna Domhnaigh. Chuile choiscéim do mo thabhairt siar go dtí laethanta m'óige. Na seantithe ceann tuí a tháinig isteach i m'intinn agus mé ag siúl isteach trí dhorchadas na coille. Beagán solais ag séalú trí mhullach na gcrann. Cuileann dearg aimsithe agam sa gclochar céanna ar aimsigh mo sheacht sinsear romham é. Bhris mé chuile chraobh go cúramach ar fhaitíos go sceithfidís aon bhlas de na carnáin síl a bhí maoldearg ar a mullach. Níor chuir mé mo shúil thar mo chuid. Naoi nó deich gcinn de chraobhacha sa mála i mo leathláimh agus mo chroí ag cur thar maoil le suáilceas na Nollag nó go dtáinig mé abhaile.

"An bhfuil a fhios agat nach bhfuil siad ag teacht ar chor ar bith tar éis chomh maith is atá siad saothraithe againn. Bhí Mum ar an bhfón," a deir Sue.

"Céard atá mícheart?" a deirimse agus imní do mo bhualadh.

"Tada, ach go gceapann siad go bhfuil an t-aistear ag cur go leor struis ar Jenny, is gur fearr leo fanacht ina teannta. Tá Jenny curtha isteach san ospidéal meabhairghalair arís ar feadh cúpla lá."

"Deabhal neart air," a deirimse, ag iarraidh an bhrí a bhaint as an diomú a bhí uirthi.

"Beidh ár gclann fhéin in éineacht linn, a Sue, agus beidh an-Nollaig againn."

"Is dóigh gur fíor dhuit é," a deir sí ag cur a lámh i mo thimpeall.

Ceapaire a réitigh Helen Lá Nollag. Leabhar ina láimh agus mug tae sa láimh eile. Bhí Barrett á faire ag cangailt ó phlaic go plaic.

"Cá bhfuil an focain dinnéar?" ar seisean go cantalach.

Níor bhreathnaigh sí cam ná díreach air ach a ceapaire agus an muga tae a chrochadh léi go dtí suaimhneas a seomra codlata. Bhí chuile dhuine ag réiteach stiallóige dóibh féin nó go raibh an Nollaig thart. Chuile shúil le Dia ag Dónall go gcrochfadh Connie léi é agus go mbeadh chuile rud ina cheart arís ach bhí sí chomh dúr daingean Oíche Chinn Bhliana is a bhí sí Oíche Nollag. Pota anraith agus cúpla stiallóg de bhuilín a réitigh sí di féin is dá hathair. Níor fhiafraigh sí de Dhónall an raibh béal air ach í ag séideadh faoin spúnóg anraith go pruisleach.

Chas Dónall air an teilifís ag iarraidh fuarú ón léigear a bhí á chriogadh go mall. Éadan na teilifíse lán de dhaoine a bhí lán de spleodar. Dóchas ina gcroí ag fáiltiú roimh an mílaois. Súil an cheamara ag ruatharach ar fud an domhain is gan aghaidh bhrónach le feiceáil in áit ar bith. Níor chuir sé aon chaidéis ar Helen nuair a shiúil sí thairis agus mála pacáilte i leathláimh léi, ach nuair a d'fhill sí ar an seomra agus chroch sí léi an dara mála ghoin a aire é.

"Cá bhfuil tú ag dul?"

"Chomh fada ón áit seo agus is féidir liom."

Gan focal eile a rá shiúil sí amach as a shaol.

"You don't have to apologise to me, Madeline. I'm delighted to stay here for Christmas."

Lom dáiríre a bhí Colm agus d'aithin Madeline na tréithe sin ar a ghlór.

Níor bhréag ná magadh nach raibh a chosa ag rith uaidh le fonn filleadh ar a dhúchas faoi Nollaig ach níor mhiste leis mura bhfeicfeadh sé Éire go brách aríst ach Madeline a bheith sásta.

Chun sonais a bhí an teach ag dul de réir mar a bhí na laethanta á gcaitheamh. Jenny tagtha abhaile agus í chomh luaineach le féileacán a bheadh tar éis suan an dorchadais a chur de. Madeline ag dul in aois na hóige de réir mar a thosaigh Jenny ag dul ag siopadóireacht ina teannta. *E-mail* ag teacht chaon dara lá ó Tom is ó Éamonn Óg a bhí ag caitheamh na Nollag san Astráil lena gcairde.

Ariamh roimhe ní raibh an oiread táirime ar Cholm ag fáil an tí faoi réir. Madeline agus Jenny ag déanamh bróid as nuair a bhailídís leo ag siopadóireacht, agus Colm chomh sásta le rí mar gurbh é turas na croise dó a bheith ag traepseáil i ndiaidh na beirte ó shiopa go siopa.

D'ól Jenny cúpla gloine fíona ina dteannta Oíche Nollag, rud nach ndearna sí lena gcuimhne roimhe sin de bharr an bhaic a bhí an chóir leighis a chur uirthi. Chasadar síos an teilifís nuair a thosaigh an fíon ag baint cainte as Jenny, a cuid cuimhní cinn á tabhairt siar go dtí na laethanta a mbíodh sí féin agus Sue ag tnúthán le Santa Claus.

"*And then you entered our life, Giant!*" a deir sí, ag breith barróige go ceanúil air.

"*I'm glad I did,*" a deir sé agus cáir gháire air nuair a chuala sé ag rá "*Giant*" í. Rug sé féin agus Madeline i ngreim láimhe ar a chéile agus aoibhneas ina gcroí ag éisteacht léi ag cur síos ar chuile eachtra, beag agus mór, dár tharla dóibh mar pháistí nó go dtáinig sí chomh fada leis an turas go hÉirinn agus leis an gcéad uair ar chas sí féin agus Éamonn ar a chéile. Stop sí tar éis ainm Éamoinn a lua, a cuid súl ag bogadh ag breathnú ó dhuine go duine agus an diomú ag cur dreach brónach ar a héadan.

"*I think it's time to open presents,*" a deir Madeline. "*Will you hand them out, Jenny?*"

"*OK, Mum, and thank you both for a very happy Christmas.*" Chuir sí a dhá láimh ina dtimpeall, á bpógadh ó dhuine go duine.

"*Please, Jenny, don't cry. It's Christmas Eve.*"

Bhí sí ina Nollaig chomh sona is a bhí sa teach s'againne ariamh, Peigín agus Saileog chomh croíúil spóirtiúil is go raibh an bheirt againn ag dul in aois na hóige ina gcuideachta. A leithéid de rírá aoibhnis ní raibh i gcoirce ná i bhfataí ariamh nuair a casadh a gcuid cairde leo taobh amuigh den séipéal tar éis Aifreann na Gine. An pobal as éadan ag guibhe Nollaig shona ar a chéile. Thug Peigín agus Saileog cuireadh chuig an teach do leath an pharóiste agus bhí a shliocht orainn. Ní raibh lá i gcaitheamh na Nollag nach raibh aoibhneas ag dul go fraitheacha nuair a thagadh scuaidrín dá gcomhaoisigh ar cuairt. Bhailídís leo chuig an damhsa le chéile is théadh an teach chun suain nó go dtosódh an mada ag tafann is go gcloisfinn an eochair dá casadh agus iad ag filleadh leis an athmhaidin. Ní taobh leo a chloisfinn ag scairtíl gháire agus *beans on toast* á fháil faoi réir sa gcisteanach tar éis an damhsa. Ba iad a chuir croí agus anam sa Nollaig dúinn agus bhí sé ina phógadh dáiríre an lá ar imigh siad.

Seacht n-uaire i gcaitheamh na seachtaine a d'fhiafraigh siad ar chuma linn, mar go raibh sé socraithe acu roimh ré le cairde eile a bheith i mBaile Átha Cliath le dhul ag ceiliúradh teacht na bliana nua ina gcuideachta.

Bhí m'amharc leata ag breathnú ar éadan na teilifíse le súil is go bhfeicfinn aon amharc orthu san ollslua a bhí ar shráideanna Bhaile Átha Cliath. Bhí greim láimhe agam féin agus ag Sue ar a chéile agus muid faoi gheasa ag breathnú ar chéadghrian na mílaoise ag scairteadh ar íochtar an domhain sul má bhí sé ina mheán oíche againn.

Ba é an glaoch gutháin ónár gclann a bhíog go drogallach i dtreo an *Lodge* muid. Cuireann sé criothnú i bhfad mo dhroma fós nuair a chuimhním air.

Chonaic mé an drochbhraon ag at in éadan Dhónaill nuair a sheas Éamonn a' tSeoige go dúshlánach amach ar a aghaidh.

Fuarallas ag briseadh amach tríom mar go raibh a fhios agam gur gearr go mbeadh sé ina phléatáil, gan poll ná prochóg a bhféadfainn éalú isteach ann. Ghiortaigh an craiceann ar chnámh mo dhroma nuair a d'aithin sé mé.

"*Oh, Jaysus*, mo sheanchomrádaí."

Chuir sé an dá ghéag ba láidre dár mhothaigh mé ariamh i mo thimpeall.

"Cén chaoi a bhfuil tú, a chomrádaí? Hea? Bhfuil bradán ar bith ag corraí?" Bhí spléachadh na diabhlaíochta ina dhá shúil . . . "Oh, *Jaysus*, Sue!" Bhí sé rite ina treo chomh luath is a leag sé súil uirthi. Ba bheag liom ar chuir sí d'fháilte roimhe. A héadan stuacach go maith ag breathnú nuair a chroith sí a lámh mar a bheadh an bhail a d'fhág sé ar Jenny ag rith trína hintinn. Neamhaird a rinne sé de na cúpla focal patuar a roinn sí leis, bhí a aird dírithe ar éadan na teilifíse ó thosaigh an comhaireamh. Cúrlaí a chuid gruaige ag titim chomh fada lena shúile gorma, gáireacha de réir mar a thosaigh sé ag comhaireamh a chúnamh dóibh.

"*Six, five, four, three, two, one* . . . *MILL* . . . *ENN* . . . *I* . . . *UM!*"

Bhí a dhá láimh i mo thimpeall aríst agus timpeall Sue. Olc maith léi é bhí Éamonn ag dul ag léiriú an ghrá a bhí aige dúinn.

"Deoch!" a scairt sé go caithréimeach.

Níor fhan sé leis an diúltú a rinne chaon duine againn agus muid ag feistiú le n-imeacht. Stop mé Sue le greim láimhe nuair a thug sé aghaidh ar Dhónall den dara babhta, iad ag dearcadh a chéile ar nós péire tarbh. Glór Dhónaill chomh gártha le plump thoirní nuair a shín sé a mhéir i dtreo dhoras na sráide.

"Gabh amach as an áit seo!"

Rug Éamonn i ngreim brollaigh air le luas lasrach, á tharraingt chuige trasna an chuntair. An fiántas ag déanamh dhá mheall nimhneacha dá shúile.

"Gabh tusa amach as mo focain teachsa agus fan amuigh!" Choinnigh sé fáiscthe anuas ar bhileog an chuntair lena leathlámh é fad is bhí sé ag tarraingt cual páipéar as a phóca leis an láimh eile. "Ba libh an áit seo go dtí dhá nóiméad ó shin ach is liomsa anois é. Is mise an t-úinéara nua. Léigh an focain páipéar sin, a Ghugailí."

Nelson International Transport

Managing Director — Éamonn Joyce

"Cheannaigh mise taobh thiar de bhur ndroim é agus d'íoc mé freisin as, rud nach ndearna sibhse. Gabh amach an focain doras anois, a bhastardaí! Ní mba libh ariamh é ach is liomsa anois dá mbuíochas é."

Bhí sean-Bharrett i gcruth pléasctha leis an gcuthach a bhí air ag teacht trasna an urláir. É ag ceapadh go raibh oiread spreactha fanta ann is a chuirfeadh Éamonn go dtí lár na sráide. Tháinig a dhá shúil amach go dtí barr na mogall nuair a rug Éamonn i ngreim geolbhaigh air.

"Mharaigh tú é, a bhastaird. Mharaigh tú mo Dheaide. Inis an fhírinne, a bhastaird, inis an fhírinne!"

Shíl mé go gcroithfeadh sé an t-anam as Barrett lena raibh de chuthach air, ach bhí an buile cuthaigh céanna ag spréachadh an tseanfhir.

471

"Mharaigh mé é agus maróidh mé thusa freisin!"

Ina bhúir feirge a bhí Barrett tar éis labhairt, gach a raibh fágtha de neart ina chuid géag ag lascadh go fiáin ach Éamonn á cheannsú le leathláimh a bhí chomh téagartha le gabhlóig faoi sheafta cairr. I bhfiántas a bhí glór Éamoinn ag dul agus a chuid súl fós ar mire ina cheann.

"Bhí a fhios agam ó thús gur tú a d'fhadaigh an tine agus a chaith isteach ina lár é. Ní bhíodh aon tine thíos aige nuair a bhíodh sé ar an ól. Bhí a fhios agam gur tú a mharaigh é, a bhastaird. Bhí a fhios agam gur dúnmharfóir thú."

Bhí Barrett ag dul as a chiall ag iarraidh criogbhuille a bhualadh. Stop sé go tobann. Pian ag athrú a dhreacha agus é ag strachailt a chliabhraigh lena dhá láimh. Rith Dónall agus Connie ina threo nuair a lúb na cosa faoi is a thit sé ina charnán ar an urlár.

"Get help, he's dying!"

Ba í Connie a scread ach bhí Éamonn i ngreim chába seaicéid ann agus é á tharraingt i dtreo an dorais.

"Let the bastard die outside in the gutter!" Tharraing sé gan taise gan trócaire tríd an doras é, ag eascainí air nó gur chaith sé chucu i lár na sráide é.

"Faigh bás amuigh ansin sa bhfuacht, a bhastaird, san áit a gcloisfidh an deabhal ag screadach thú." Dhún sé an doras amach orthu agus chuir sé air an bolta.

Bhí greim an fhir bháite agam féin agus Sue ar a chéile, muid greamaithe den talamh leis an bhfaitíos nuair a chas Éamonn inár dtreo arís, an fiántas fós ina shúile.

"Mharaigh siad mo Dheaide . . . agus mharaigh siad mo Mhama . . . agus bhain siad Jenny agus mo pháiste dhíom."

Rug mé barróg air mar nach raibh a fhios agam céard eile ab fhearr a dhéanamh. Bhí sé ag creathadh ó bhaithis go bonn. An taghd ag leá amach as a cholainn agus é ag dul chun ciúnais chomh sciobtha céanna agus a spréach sé. Ní raibh cor as ceachtar againn ach ag éisteacht le Dónall is le Connie ag iarraidh a bheith ag cur sean-Bharrett isteach sa gcarr taobh amuigh den doras, ciúnas mínádúrtha dár dtimpeallú nuair a d'imigh an carr as raon ár gcluas. Theastaigh uaim breathnú sna súile ar Sue sul má thabharfainn cuireadh chuig an teach dó ach ní bhfuair mé d'ionú ó chíréib m'intinne é.

"Gabh i leith uait siar go dtí an teach in éineacht linn, a Éamoinn," a deirimse agus teannas i mo ghlór á bhrostú i dtreo an dorais.

Chuir púir teasa fáilte abhaile romhainn, mise ag beochan na tine aríst agus Éamonn ag baint de a chóta. Ní raibh dúnadh ar bith ar a bhéal nuair a shuigh sé go compóirteach sa seomra suí.

Gan aithne air nárbh é faoistin a bháis a bhí sé a dhéanamh leis an mbeirt againn de réir mar a bhí sé ag tál scéal a shaoil go goilliúnach. Níor lag sé tada sa gcaint nuair a ghlaoigh an fón is a chonaic mé an gliondar a bhí i súile Sue ag labhairt le Peigín is le Saileog a bhí ag glaoch ar fón póca as ceartlár Bhaile Átha Cliath. Bhí na mílte le cloisteáil ag gabháil fhoinn ina dtimpeall nuair a shín sí chugam an fón nó go dtabharfaidís a mbeannacht dom. Chaon duine acu ag screadach in ard a ngutha.

"Bliain nua mhaith dhuit, a Dhaid!"

"Agus dhaoibh féin."

"Ó, tá an áit seo craiceáilte, an bhfaca sibh na *fireworks* ar an teilifís?"

"Tugaigí aire dhaoibh fhéin pé ar bith céard a dhéanfas tada."

"*Alright, Dad*, agus míle buíochas faoi chuile rud, slán!"

Bhí greim láimhe ag Éamonn ar Sue agus na deora leis.

"Lig mé síos Jenny, a Sue . . . ní mhaithfidh mé dhom fhéin go brách é. Bheinn imithe ar ais chuici murach gur maraíodh Reg. Bhí milleán agam orm fhéin mar gheall ar an gcaoi ar maraíodh é. Ní bhfaighinn ó mo chroí é Meg a fhágáil i gcruachás tar éis a raibh curtha de chomaoin acu orm. Bhí sé dona go leor Jenny a bheith fágtha i gcruachás agam is gan Meg a ghortú chomh maith. Céard a tharla do Jenny, a Sue? An bhfuil sí pósta?"

"Níl, bhris a croí an uair sin. Tá sí sa mbaile ariamh ó shin in éineacht le Dad agus le Mum. Tá Éamonn Óg imithe ar saoire go dtí an Astráil le haghaidh na Nollag."

"Éamonn Óg?"

"Sin é an t-ainm a thug sí ar do mhac."

Scaoil sé uaidh lámh Sue nó gur chlúdaigh sé a éadan lena dhá bhois. "Ó, a Mhic Mhuire, a Mhic Mhuire," a chaoin sé go cráite.

B'fhada go bhfuair sé a anáil aríst leis, an caoineadh ag plúchadh na cainte chuile uair dár shíl sé labhairt.

"Bhí sí ag iarraidh socrú síos sa *Lodge*. Is léi an áit anois má tá sí á iarraidh. Agus is léi mise freisin má thógann sí ar ais mé."

"Céard faoi Mheg?"

474

"Tá sí básaithe ó thús na bliana . . . *cancer* . . . bean mhaith a bhí i Meg. Rinne Meg fear saibhir dhíomsa, ach cén mhaith airgead mura bhfuil suaimhneas intinne ag duine? *Oh, Jesus*, ghortaigh mé Jenny go dona, is uirthi a smaoinigh mé nuair a chonaic mé an *Lodge* le díol. Ní raibh aon duine ag dul á bhaint dhíom. Dá dtiocfadh sé chúig mhilliún, d'íocfainn é. Bhí mé ag iarraidh an *Lodge* sin a cheannacht do Jenny."

Bhreathnaigh mé féin agus Sue ar a chéile sul má thug sí léi an fón láimhe go discréideach. Gan focal ar bith eile ag teacht ó Éamonn ach cnead chuile uair dá ngortaíodh a chiontacht é.

Níor labhair Sue go raibh sí ar an gcúlráid.

"*Hello, Mum.*"

"*Oh, hello, Sue.*"

"*Is there something wrong, Mum . . . Mum?*"

"*I'm sorry, Sue, we had a terrible Christmas.*"

"*What? But I talked to you on Christmas Day, you were all in high spirits.*"

"*It's Jenny, she took an overdose on Saint Stephen's Day. We nearly lost her.*"

"*Oh, my God, she tried to take her own life?*"

"*She was rushed to hospital. They allowed us to take her home tonight, but she has to go back in the morning. The doctors think she might try it again.*"

"*Oh, Mum, why didn't you ring me?*"

"*No, Sue, we decided not to spoil your Christmas.*"

"*Can I talk to Jenny, Mum?*"

"*She's not in great talking mood, but we'll try.*"

Shiúil Sue ar ais go dtí an chisteanach. An fón láimhe lena cluais. Bhí Éamonn ag ól tae ach greim dá raibh amach ar a aghaidh ní raibh sé ag cur ar a bhéal. Chomh lag le héinín a bheadh tar éis an scolb a bhriseadh ar an ubh a chuala Sue glór Jenny ina cluais.

"*Happy Millennium, Jenny.*"

"*I'm sorry, Sue, sorry for upsetting everybody.*"

"*There's somebody here who would like to talk to you.*"

Bhí Éamonn tar éis éirí ina sheasamh. É ag creathadh leis an bhfaitíos nár chuir aon duine eile ariamh air. Sue á ghlaoch i dtreo an fón le crúca dá méir.

"Ní labhróidh sí liom," a dúirt sé go faiteach, ag tógáil an fhóin ina lámh.

"*Hello, Jenny . . . Jenny . . . Jenny, it's me . . . Éamonn.*

"*Éamonn?*"

"*I'm sorry, Jenny, I've ruined your life.*"

"*My God, Éamonn, you're alive.*"

"*I've bought the Lodge, it's yours now, Jenny.*

"*Éamonn . . . Éamonn.*"

Bhí muid ábalta a glór a chloisteáil, de bharr go raibh sí ag béiceach isteach sa nguthán.

"*Help me, Éamonn, help me, please!*"

"*I'm on my way, Jenny. Stay where you are. I'll be there as soon as possible.*" Shín sé an fón ar ais chuig Sue agus é ag tarraingt air a chóta go deifreach.

"Cá bhfuil tú ag dul?" arsa Sue go himníoch.

"Go Sasana."

"An tráth seo d'oíche?"

Bhí fiántas á dheifriú i dtreo an dorais. Fiántas a raibh cleachtadh mhaith agam uirthi. Fiántas nach raibh deabhal ná duine ag dul á cheansú nó go mbeadh a mhian bainte amach aige.

"Tá mé ag dul anonn ag iarraidh Jenny," a dúirt sé ag oscailt an dorais. "Tabharfaidh mé abhaile go dtí an *Lodge* liom í." Bhí loinnir aoibhnis ina dhá shúil ag dúnadh an dorais ina dhiaidh.

Úrscéal eile leis an údar céanna

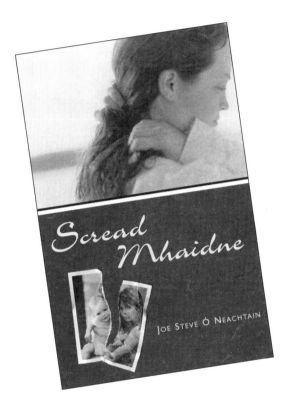

Ba dheacair agam an leabhar seo a fhágáil ar leataobh leis an gcumhacht, an greann agus an daonnacht a bhain leis an scéal. Níor thaitin leabhar ar bith chomh mór liom le píosa fada.

Galway Advertiser